FRIEDRICH
NIETZSCHE

Dados Internacionais de Catalogação na Publicação (CIP)
(Câmara Brasileira do Livro, SP, Brasil)

Janz, Curt Paul
　　Friedrich Nietzsche : uma biografia, volume III :
os anos de esmorecimento, documentos, fontes
e registros / Curt Paul Janz ; tradução de
Markus A. Hediger. – Petrópolis, RJ : Vozes, 2016.

　　Título original : Friedrich Nietzsche :
Biographie : Dia Jahre des Siechtums. Dokumente.
Quellen und Register
Bibliografia

　　1ª reimpressão, 2022.

　　ISBN 978-85-326-5063-4

　　1. Filosofia – História 2. Filósofos –
Biografia 3. Nietzsche, Friedrich Wilhelm,
1844-1900 I. Título.

15-04922　　　　　　　　　　　　　　　　　CDD-190

Índices para catálogo sistemático:
1. Filósofos : Biografia e obra   190

CURT PAUL JANZ

FRIEDRICH NIETZSCHE
―― Uma biografia ――

VOLUME III:
Os anos de esmorecimento, documentos,
fontes e registros

Tradução de Markus A. Hediger

EDITORA VOZES

Petrópolis

© 1979, 1993, Carl Hanser Verlag. München, Wien

Tradução realizada a partir do original alemão intitulado
Friedrich Nietzsche – Biographie (Band III) by Curt Paul Janz

Direitos de publicação em língua portuguesa – Brasil:
2015, Editora Vozes Ltda.
Rua Frei Luís, 100
25689-900 Petrópolis, RJ
www.vozes.com.br
Brasil

Todos os direitos reservados. Nenhuma parte desta obra poderá ser reproduzida ou transmitida por qualquer forma e/ou quaisquer meios (eletrônico ou mecânico, incluindo fotocópia e gravação) ou arquivada em qualquer sistema ou banco de dados sem permissão escrita da editora.

CONSELHO EDITORIAL

Diretor
Gilberto Gonçalves Garcia

Editores
Aline dos Santos Carneiro
Edrian Josué Pasini
Marilac Loraine Oleniki
Welder Lancieri Marchini

Conselheiros
Francisco Morás
Ludovico Garmus
Teobaldo Heidemann
Volney J. Berkenbrock

Secretário executivo
Leonardo A.R.T. dos Santos

Editoração: Fernando Sergio Olivetti da Rocha
Diagramação: Sheilandre Desenv. Gráfico
Capa: Ygor Moretti
Ilustração de capa: pixabay

ISBN 978-85-326-5063-4 (Brasil)
ISBN 5-86150-315-8 (Alemanha)

Este livro foi composto e impresso pela Editora Vozes Ltda.

Sumário

Quarta parte – Os anos de esmorecimento (janeiro de 1889 até a morte, em 25 de agosto de 1900), 7

I – A catástrofe, 9

II – Entre temores e esperanças (janeiro de 1889-maio de 1890), 39

III – Naumburg (13 de maio de 1890-julho de 1897), 90

IV – A aposentadoria de Basileia (1879-1897), 135

V – Weimar (julho de 1897-fim de agosto de 1900), 155

Quinta parte – Documentos (textos e ilustrações) – Registro, 169

I – Documentos, textos, 171

II – Documentos, ilustrações, 271

III – Registro, 277

    1 Friedrich Nietzsche: obras, anotações, palestras, composições, 279

    2 Fontes, 297

    3 Nomes, 327

Adendos à segunda edição, 425

Posfácio, 427

Índice geral dos três volumes, 429

QUARTA PARTE

Os anos de esmorecimento
(janeiro de 1889 até a morte,
em 25 de agosto de 1900)

A CATÁSTROFE

No início de janeiro de 1889, ocorre, dentro de poucos dias, a dissolução espiritual decisiva de Nietzsche. O acontecimento surpreendeu até seus amigos mais próximos. Ninguém havia esperado um colapso tão profundo e tão rápido.

Hipóteses

Foi nessa aparente repentinidade do colapso que a irmã biógrafa Elisabeth Förster-Nietzsche baseou a tese de um "derrame cerebral" ou "paralisia cerebral", que ela defendeu durante décadas contra todos os tipos de ataques e refutações, repetindo-a em numerosas publicações e refinando-a ao longo do tempo. Identificou como causas uma exaustão em consequência de um excesso de trabalho – e do abuso de drogas (cloral). Mas para ambas faltam-nos os sintomas e as provas.

Nietzsche não desmaiou, não sofreu uma perda total de consciência, tampouco perdeu o domínio sobre seus movimentos físicos. Não ocorreram quaisquer sintomas de uma paralisia parcial, comuns em casos de um derrame. Todas as funções neurovegetativas permaneceram intactas.

E certamente é um exagero falar em exaustão causada por um excesso de trabalho ou esforço mental nos últimos três meses em Turim. Mesmo que os escritos produzidos neste último ano alcancem um número sem precedentes, o volume total e o desempenho intelectual não superam – em momento algum – os esforços de outros anos. Os estudos extensos e cansativos das fontes para sua "obra principal" haviam sido encerrados já na primavera de 1888, sua ocupação com estas – também na forma de resumos detalhados – já havia se cristalizado em seus cadernos de anotações; as anotações posteriores não oferecem nada novo ou notável. O "sistema" filosófico de Nietzsche está ordenado, o filósofo já assumiu sua posição, o período desgastante das "descobertas" filosóficas já foi encerrado. Agora, ele mesmo fala da "temporada da ceifa", sente-se "tomado pela atmosfera do outono em todos os aspectos", sua vida filosófica agora é dominada pela tranquilidade. E assim ele trabalha agora com certa calma e sobriedade, que ele chama de "alciônica", evitando qualquer tipo de estresse. Precisa de quatro meses para escrever as 50 páginas do "Caso Wagner". As 100 páginas do "Crepúsculo dos ídolos", uma coleção de pensamentos diversos, por sua vez, são redigidas dentro de poucos dias, pois não teve que desenvolver um pensamento principal com toda a acribia científica. O manuscrito do "Crepúsculo dos ídolos" é enviado para a gráfica apenas um mês após o "Caso Wagner". Ao mesmo tempo, Nietzsche consegue trabalhar no "Anticristo", cujo manuscrito ele completa em 30 de setembro. Ou seja: Podemos falar de um trabalho mais intensivo apenas nos meses de agosto e setembro de 1888.

Em Turim, onde nenhuma influência externa, nenhuma visita o perturba e interrompe, onde, poupado de seus ataques, consegue aproveitar todos os dias, Nietzsche se despede da filosofia, faz um balanço de sua vida e escreve sua autorrepresentação "Ecce homo", que ele encerra no início de novembro, sem finalizá-la. O escrito "Nietzsche contra Wagner", concluído em dezembro, consiste basicamente de extratos de escritos anteriores. O maior trabalho é dedicado às correções e à ocupação com a recepção de seus trabalhos por um público mais amplo, sobretudo de seus escritos após o "Zaratustra".

Seus cadernos de anotações deste último período também não contêm indícios de um esforço filosófico intensificado. Uma tensão maior, que pode ter provocado um desgaste nervoso, resultou do medo de seu futuro pessoal após a publicação de seus ataques contra as grandes potências da "Igreja" (com o "Anticristo") e do "Reich" (com o escrito político "Promemoria"). Mas, por ora, Nietzsche, temeroso, ainda hesita em publicá-los.

E também para a lenda sobre o abuso de drogas faltam os testemunhos justamente para este último período decisivo.

"O velho holandês", por intermédio do qual Nietzsche teria recebido a lendária droga indonésia (haxixe?), sobre a qual ninguém jamais conseguiu encontrar qualquer informação útil (nem mesmo a irmã, que apela a essa substância repetidas vezes), desapareceu há anos (desde o final de 1886) do âmbito de Nietzsche e nunca mais é mencionado. Esta "fonte" estava, portanto, esgotada. E também o "abuso de cloral", citado tantas vezes, já faz parte do passado e sempre foi muito limitado. Nietzsche falou sobre isso numa carta a Resa von Schirnhofer, em 1884, e lhe contou também sobre outras substâncias que ele havia receitado a si mesmo como "Dr. Nietzsche" em Rapallo. No entanto, conseguiu se desintoxicar de todas essas drogas e, há algum tempo, também se abstinha de bebidas alcoólicas mais fortes como vinhos e cachaças. Absteve-se até do café, passando a beber apenas chás e chocolates. Seu contato com nicotina se limitava aos primeiros anos em Basileia na forma de rapé.

O empenho de Elisabeth Förster-Nietzsche visava a uma representação do colapso espiritual de seu irmão não como consequência de um distúrbio latente, talvez até hereditário, de uma "doença mental" funcional (daí também a lenda sobre a morte do pai como consequência de um acidente), e é provável que, neste ponto, ela estava certa. No entanto, cometeu todos os equívocos possíveis em sua escolha dos possíveis danos externos aos órgãos. Talvez ela realmente tenha desconhecido a causa verdadeira, ou não quisesse nem pudesse reconhecê-la em virtude de resistências interiores, e, com o passar do tempo, passou a acreditar em suas próprias teses falsas. E, pelo menos nos primeiros anos, ela estava convencida de que esse dano orgânico pudesse ser curado e que seu irmão pudesse recuperar sua personalidade espiritual em certa medida. A mãe também acreditou durante muito tempo que, por meio de seus cuidados intensos, conseguiria recuperar seu filho com a ajuda de Deus. Com isso, aproximou-se de outra explicação, da tese defendida primeiramente por Julius Kaftan e, depois, por círculos teológico-psicológicos sobre uma perturbação funcional, ou seja, de uma doença mental em decorrência de seu conflito irresolvido com o cristianismo e com sua declaração na "Gaia Ciência": "Deus está morto". Em seu bigotismo arrogante, algumas pessoas, que não têm a mínima noção nem das premissas nem da posição e função de Nietzsche na história da filosofia, chegaram a usar seu destino trágico como exemplo para o "Juízo de Deus".

Quem mais se aproximou da realidade foram, desde sempre, os médicos, contanto que não abandonassem o fundamento de sua ciência e não se aventurassem em análises filosóficas baseadas em hipóteses. O diagnóstico médico se resumia simplesmente a uma *paralysis progressiva*, diagnóstico este que, em 1889, abarcava ainda um campo mais amplo de fenômenos do que hoje. A paralisia progressiva em seu sentido mais restrito, porém, designaria não uma "doença mental", mas um distúrbio orgânico da substância cerebral causada por algum fator externo, que então se manifesta na forma de uma falha parcial de determinadas funções de controle e consciência. A causa desse tipo de doença costuma ser uma infecção luética. Foi justamente a irmã que incitou as pessoas a comprovarem a existência de tal infecção na vida de Nietzsche, pois, em sua ingenuidade, que Nietzsche chamava ironicamente de "virtude de Naumburg", ela o elevara à posição de um "santo" que jamais teria tocado uma mulher. Ela conhecia seus cadernos de anotações, suas defesas repetidas e tentativas de valorização da prostituição. Em vista disso, ela deveria ter demonstrado mais cautela para não incitar a contraprova por meio de sua alegação provocante.

Existem várias possibilidades referentes à ocasião da infecção luética. A primeira – e mais improvável – possibilidade diz respeito à visita de um prostíbulo em Colônia durante o semestre de inverno de 1864/1865, quando estudava em Bonn. No entanto, apenas a imaginação poética de Thomas Mann conseguiu deduzir disso muito mais do que Paul Deussen conseguiu lembrar vagamente mais tarde. Mais sólidas parecem ser as declarações de Nietzsche, feitas, porém, no tempo de sua internação em clínicas psiquiátricas, resultantes, portanto, de uma consciência já obscurecida, que, por isso, devem ser acatadas com todas as ressalvas e segundo as quais ele teria recebido um tratamento específico pelos médicos de Leipzig. Lange-Eichbaum oferece uma comprovação para isso[150]: "A informação mais importante foi fornecida por um famoso médico berlinense que dispunha de numerosas relações pessoais. Ele nos disse que existiam informações autênticas sobre a infecção sifilítica de Nietzsche. Nietzsche contraiu a lues como estudante num prostíbulo de Leipzig. Os médicos de Leipzig o trataram contra a sífilis. Os nomes destes médicos são conhecidos (e também Möbius, que morava em Leipzig, deve ter conhecido estes nomes). Acreditávamos que, após a morte da irmã de Nietzsche, ocorreria alguma publicação por outro partido. Isso não aconteceu". E também depois as "testemunhas" preferiram permanecer no anonimato e transmitir seus conhecimentos apenas oralmente por intermédio de terceiros.

E o que esses testemunhos comprovam? Apenas que o estudante Nietzsche recebeu algum tratamento médico, não, porém, que havia um diagnóstico definitivo. É absolutamente possível que Nietzsche, após voltar de sua visita ao prostíbulo, ficou com medo de *possivelmente* ter se infectado, e procurou um médico no sentido de uma profilaxia. Quando este "tratamento" não deu resultados, Nietzsche procurou outro médico, e quando este também não encontrou nada, Nietzsche se acalmou e desistiu de tomar outras medidas. A declaração prestada por Edgar Salin em 1959[211] segue esta mesma tradição dos relatos. Salin teria sido informado por um intermediário sobre as declarações dos professores A. Gessler e C.A. Bernouilli segundo as quais "um dos dois [...] teria descoberto a fonte da infecção de Nietzsche. Os indícios apontavam para o Totengässlein [o Beco dos Mortos, em Basileia]". Salin data a ocorrência em 1873. Se levarmos em conta a preservação tímida e até medrosa de sua imagem pública, de sua aparência culta e sua dignidade professoral na sociedade de Basileia, parece-nos altamente improvável que ele teria se exposto ao risco que essas "visitas" representavam. Ele poderia ter sido visto!

Mas Nietzsche pode ter feito suas experiências com a prostituição também na Riviera, nas cidades de Gênova e Nice. Suas declarações nos cadernos de anotações não inviabilizam tal possibilidade. Caso a infecção tivesse ocorrido no tempo de

Leipzig, a evolução da doença precisaria ser considerada "atípica" (20 a 22 anos desde a infecção até a manifestação aguda da paralisia); no entanto, isso condiziria também ao decurso posterior da doença, pois os onze anos desde a manifestação da paralisia até a morte, causada por uma pneumonia no meio do verão, também são "atípicos", mas talvez ainda mais típicos para a constituição incrivelmente robusta de Nietzsche, que ele preservou por meio de um estilo de vida quase ascético.

O primeiro médico e psiquiatra a refutar publicamente a tese de Elisabeth Förster-Nietzsche e a atrair a ira irreconciliável desta foi o psiquiatra Paul Julius Möbius (1853-1907), quando publicou sua minuciosa patografia sobre Nietzsche em 1902 (segunda edição em 1904). Para ele, não existe dúvida em relação ao diagnóstico de uma paralisia progressiva decorrente de uma infecção luética. Em seu esforço absolutamente legítimo em termos científicos de oferecer um histórico completo da doença, de retraçar a progressão da doença desde seus indícios iniciais mais fracos até seu inevitável desfecho letal, ele também cede à tentação de recorrer a uma análise da obra de Nietzsche, para a qual, porém, ele não possuía a formação necessária. Infelizmente, seu exemplo foi acatado e dificultou a pesquisa nietzscheana. Sobretudo aqueles que, já ao lerem títulos como "Anticristo" e "Vontade de poder", são tomados pelo pavor, gostam de agarrar-se às últimas palavras de Möbius[168]: "Se encontrarem pérolas, não pensem que o todo seja um colar de pérolas. Sejam desconfiados, pois este homem é um doente mental" e se sentem aliviados e dispensados de qualquer reflexão autônoma e filosófica. Mas o único perito em *ambos* os campos, o psiquiatra *e* filósofo Karl Jaspers, insiste com veemência que o Caso Nietzsche exige uma discussão filosófica[126]: "Em primeiro lugar, aplica-se o princípio abstrato segundo o qual o valor de um produto criativo precisa ser visto e avaliado exclusivamente a partir do teor do produto espiritual: a causalidade, sob cuja influência algo é produzido, nada diz sobre o valor do produto. Um discurso não deve ser avaliado de forma mais positiva ou negativa se soubermos que o orador costuma tomar uma garrafa de vinho para vencer sua timidez. A causalidade internamente ininteligível do evento natural, do qual nós mesmos fazemos parte, nada nos diz sobre a inteligibilidade e sobre o sentido e valor do evento espiritual que nele transcorre. Pode, no máximo, diante da incompreensibilidade num nível completamente diferente – dado que o conhecimento a alcance – tornar compreensível essa ininteligibilidade. Mas esta delimitação abstrata não basta.

Resta apenas, caso uma doença ou qualquer fator biológico exerça alguma influência sobre o processo espiritual, a pergunta se essa influência tem um efeito positivo, destruidor ou dispensável ou se, sob as novas condições, uma possibilidade espiritual adote uma forma peculiar; se este for o caso, é preciso indagar em que vertentes determináveis isso sucede. Estas perguntas não podem ser respondidas por meio de reflexões de natureza *a priori*, mas apenas de forma empírica, sobretudo por meio de observações comparativas de pacientes [...]. Essa contemplação patográfica, porém, representa um perigo para aquele que a aplica. Em vez de vislumbrar a altura pura da criação, ela pode, caso seja aplicada indevidamente, levar ao obscurecimento da grandeza de uma criação e de um ser humano. A referência de uma obra espiritual a uma doença jamais resulta exclusivamente do sentido e do teor de uma obra por meio de um juízo supostamente crítico, que determina indiscriminadamente que isto ou aquilo seja doentio. É desonesto e não científico conferir à sua refutação pessoal a aparência objetiva de um fato psicopatológico destrutivo".

Já foram realizadas muitas tentativas de uma "observação comparativa de pacientes" com métodos científicos, mas também com imaginação poética (p. ex., por Stefan Zweig). Evidentemente, essa comparação só faz sentido se ela tiver como objetos potências espirituais equivalentes, motivo pelo qual muitos recorrem aos destinos de Hölderlin, Van Gogh ou Kleist. Externamente, o paralelo mais evidente consiste na demência, no caso de Kleist no suicídio extático. Mas os casos apresentam fundamentos decisivamente distintos. Nem em Hölderlin nem em Van Gogh encontramos um distúrbio orgânico causado por algum agente externo, como, por exemplo, a lues; portanto, não há também qualquer forma de paralisia. Eles apresentam um distúrbio mental, não orgânico, que se intensifica ao longo de sua vida, e suas obras são produto de uma imaginação artística, não de uma lógica filosófica! Portanto, é metodologicamente ilícito recorrer à sua obra da mesma forma para uma patografia.

A maior proximidade com Hölderlin e Van Gogh se apresenta no "Zaratustra" de Nietzsche, onde ele emprega recursos poéticos, e não surpreende, portanto, que a literatura patográfica costuma usar esta obra como ponto de partida, atacando sobretudo a 4ª parte como "paralítica" (um caso extremo é Max Kesselring[134]). Encontramos o início disso também em Möbius. No entanto, a posição destacada de "Zaratustra IV" pode ser explicada também sem apelo às fases preliminares da paralisia, mas em termos exclusivamente analíticos e biográficos. É grande o perigo de desqualificar como "paralítico" tudo aquilo que deveria ser refutado filosoficamente. Nas palavras de Jaspers[126]: "Para uma acepção filosoficamente relevante de Nietzsche, podemos recorrer a categorias médicas apenas quando estas são incontestáveis: estes diagnósticos não o são, com a única exceção de que a doença mental final foi, quase que certamente, uma paralisia". Apenas "quase que certamente" – não podemos nos esquecer disso! O outro perigo igualmente grande é atribuir à doença – em vista daquilo que sabemos sobre o fim – um papel maior do que lhe cabe na vida.

Primeiros indícios

No entanto, não devemos desistir totalmente disso. É justamente o cauteloso Jaspers que, em relação à obra, pergunta "quais falhas [...] devem ser relacionadas à doença e que tipo de falhas devemos esperar em vista do tipo da doença (neste caso, a pergunta serve para resgatar a pureza da obra, pois abre um caminho para identificar as falhas estranhas a esse ser espiritual das questionabilidades contidas neste movimento espiritual)" e exige, como "condição para uma pesquisa nietzscheana correta", lembrar-se dessas perguntas em aberto como perguntas.

A biografia parece predestinada para fornecer o "conhecimento empírico" exigido por Jaspers; as fontes, porém, são extremamente escassas. No fundo, pouco significa quando Resa von Schirnhofer, Meta von Salis e até mesmo Julius Kaftan testificam que, ainda no verão de 1888, não teriam percebido nenhuma "perturbação" em Nietzsche. Conheceram Nietzsche apenas nos últimos anos, portanto, não tinham como compará-lo com antigamente. E também o contato de Kaftan com Nietzsche em Basileia não pode ser levado em conta em virtude de sua superficialidade.

Algo tinha mudado no ser de Nietzsche, em seu estilo de vida como reação ao mundo desde seu tempo em Basileia e, sobretudo, nos últimos anos? Poucas pessoas são capazes de responder a essa pergunta. Um primeiro candidato seria Overbeck. Seu contato ininterrupto, porém, evita que ele perceba qualquer mudança, assim como os pais não se apercebem do crescimento de seu filho em virtude de seu convívio diário. Ele ficou alarmado apenas no final de dezembro de 1888 pela conduta estranha de seu amigo em relação à questão do editor e pelo anúncio de um manifesto político, ou seja, pelo abandono da filosofia.

Outra testemunha-chave poderia ser Köselitz. Mas ele acompanhou pessoalmente todas as transformações de Nietzsche em tal medida que impossibilitou qualquer crítica distanciada. Não reconheceu nem mesmo a loucura evidente. Ao bilhete de Nietzsche de 4 de janeiro de 1889 com o texto: "Cante-me uma canção nova: o mundo está transfigurado e todos os céus jubilam. O crucificado", Köselitz responde: "Que coisas grandes que transcorrem com o senhor! Seu entusiasmo, sua saúde [...] desperta até o mais doente; o senhor é uma saúde contagiante; a epidemia que o senhor desejou para a saúde, a epidemia de sua saúde já não pode mais ser contida". Devemos manter em mente esse pobre juízo de avaliação também diante das decisões vindouras. É incompreensível como Overbeck pôde se envolver de forma tão intensa com Köselitz.

Já em 1876, principalmente após a publicação de "Humano, demasiado humano", Richard e Cosima Wagner falaram decididamente de uma ruptura na estrutura da personalidade de Nietzsche. No entanto, o conflito é de natureza tão pessoal que dificilmente podemos usar suas declarações como "prova", mesmo que não possam ser descartadas completamente. Wagner era um observador extraordinário do ser humano, mas possuía também uma natureza despótica, que exigia uma submissão absoluta, submissão esta que Nietzsche não podia lhe oferecer – e considerá-lo "doente" exclusivamente em virtude disso certamente não seria lícito.

Malwida von Meysenbug já não tinha contato pessoal com Nietzsche há anos. Conhecia apenas suas cartas e obras, que ela estranhava cada vez mais desde a publicação de "Humano, demasiado humano". O rompimento brutal de Nietzsche com Malwida von Meysenbug revela uma avaliação equivocada da relação humana de Malwida e de sua solidez (como já no ano anterior em relação a Rohde) e um distúrbio geral de seu senso de realidade. O modo de agir de Nietzsche é totalmente inadequado. Aqui podemos dizer: Não é assim que age uma pessoa "normal". O mesmo vale para os casos de Bülow e Fritzsch. Isso, porém, já nos aproxima da irrupção evidente da doença, que ocorreria dentro de poucos meses. Apenas dois velhos amigos percebem já antes a alteração na relação de Nietzsche com seu ambiente: Erwin Rohde em junho de 1886 e Paul Deussen por volta do 1º de setembro de 1887.

À primeira vista, suas impressões parecem contrárias. Rohde percebe "uma atmosfera indescritível de *estranheza*, [...] como se ele viesse de um país em que ninguém mais reside"[187], e Deussen se mostra surpreso diante "das mudanças [...] pelas quais ele passou". "Ele já não possuía mais a postura orgulhosa, o passo elástico, a eloquência fluente de antigamente. Ele se movimentava com dificuldade, inclinado para um lado, e sua fala era lenta e espaçada [...]. Então, ele nos levou para seus lugares preferidos. Lembro-me especialmente de um campo colado em um abismo, no qual corria um riacho vindo das montanhas. 'Aqui', disse ele, 'gosto de ficar deitado e tenho meus melhores pensamentos.' [...] Partimos à tarde, e Nietzsche nos acompanhou até o vilarejo mais próximo, a uma hora de distância. [...] Quando nos despedimos, ele chorou"[73]. Ambos percebem uma mudança fundamental no ser de Nietzsche: Rohde, uma estranheza intransponível; Deussen, um "cuidado exagerado, que antigamente não fizera parte do caráter de Nietzsche e me parecia característico de seu estado atual", o que certamente não indicava uma relação equilibrada com seu ambiente. Algum fator estranho está presente aqui. Este "cuidado exagerado" com Deussen pode ter sido provocado pela presença da "pequena" esposa vivaz e muito mais jovem de Deussen, sobre a qual Nietzsche escreve à mãe em 4 de setembro de 1887[124], descrevendo-a como "um pouco judia" – o que, após as semanas passadas Helen Zimmern, certamente não possuía qualquer significado "pejorativo". À carta a Paul Deussen em 16 de novembro de 1887, Nietzsche acrescenta: "Uma saudação cordial à pequena e corajosa camarada!"

Deussen registra outra diferença profunda em relação ao estilo de vida rígido e organizado de outrora: "Ele me levou para o seu apartamento ou, como ele mesmo disse, para a sua caverna. Tratava-se de uma sala simples numa casa de camponês [...]. A instalação era a mais simples possível. De um lado, reconheci seus livros depois; uma mesa rústica com xícara de café, cascas de ovos, manuscritos, itens de higiene num caos perfeito, que se estendeu até as suas botas e a cama desfeita. Tudo indicava um estilo de vida remisso e um senhor paciente e longânime". Que diferença em relação a Basileia, onde pretendia assumir sua docência na companhia de um servo pessoal e onde era conhecido pela sua aparência elegante! Mas também nesse ponto Nietzsche sofreu outra mudança no ano seguinte, também no sentido de um regresso aos tempos de Basileia, dessa vez, porém, com o sobretom do exaltado e forçado: ele se deleita com "as homenagens que ele presta a si mesmo", como escreve à mãe.

E também sua mania de solidão e isolamento, que ele alimenta constantemente – de forma masoquista, pois nada lhe causa mais sofrimento do que a solidão verdadeira; Nietzsche sofreu terrivelmente com ela, jamais devemos nos esquecer disso – dificilmente pode ser vista como indício de um equilíbrio psicológico. Sim, esse equilíbrio foi perturbado e ameaçado por fatos biográficos, e devemos acrescentar a isso ainda a passionalidade extraordinária de Nietzsche, que não indica necessariamente uma doença paralítica, pois trata-se de uma característica inata ao ser de Nietzsche: um jovem menos passional dificilmente teria sido capaz de compor a sinfonia "Hermenerico". Mas a mudança constatada pelos dois amigos atentos revela uma perturbação de sua relação com o mundo, que não pode ser explicada com sua passionalidade. Mas apenas a psiquiatria poderá determinar se a pesquisa médica possui uma quantia suficiente de material comparativo e o "conhecimento empírico" exigido por Jaspers e sem recurso a interpretações filosóficas duvidosas de sua obra para decidir se essa mudança de comportamento pode ser atribuída *exclusivamente* à paralisia. A obra pode e deve ser criticada com outras categorias. Isso se faz necessário já em vista da unilateralidade de suas premissas.

A esse desequilíbrio geral de sua relação com o mundo no final da década de 1880 juntam-se agora as perturbações agudas de seu senso de realidade e da identidade encerrada em si nos últimos meses anteriores à catástrofe em uma sequência cada vez mais rápida. Não há como exagerar a importância do fato de que, com o "Anticristo", o pensamento filosófico de Nietzsche se encerra definitivamente em

30 de setembro de 1888. Em uma avaliação totalmente equivocada das relações de grandeza e relevância, ele pretende iniciar a partir desta data um novo calendário, mas é apenas para ele que se inicia um tempo "novo", um estado radicalmente alterado de sua consciência. A parte mais importante de sua filosofia, sua crítica epistemológica, está esquecida; não fala mais de crítica moral e cultural; lembra-se apenas vagamente do mundo do "Zaratustra", seu teor lírico volta a transparecer em algumas poesias, mas não menciona nelas nem o "super-homem" nem o "re-torno eterno". Nietzsche acredita ter encerrado seu trabalho filosófico com o gol-pe supostamente fatal contra o cristianismo paulino como platonismo adulterado e poder sacerdotal judaico. Todo o resto, toda a "revalorização de todos os valores" segue necessariamente disso, e a ele resta apenas acompanhar a propagação desse "conhecimento" último. Com ele e com o 30 de setembro de 1888, a filosofia como um todo se consumou! "Tudo está encerrado!", escreve já em 18 de dezembro a Carl Fuchs. E já antes transparece essa separação de sua própria obra, como, por exemplo, em 18 de julho de 1888, onde alega orgulhosamente diante de Carl Fuchs: "Dei aos homens o livro mais profundo que eles possuem, meu Zaratustra" (e ele repete essa mesma declaração também diante de outros). Mas, poucas linhas abaixo, Nietzsche acrescenta: "Desde então, pratico apenas trejeitos para não perder o do-mínio sobre uma tensão e vulnerabilidade insuportáveis". Esse pensamento, de ser o "trejeiteiro do milênio", o acompanhará até a loucura.

De forma mais clara transparece sua alienação de sua última obra, a "Genea-logia da moral", na carta a Meta von Salis de 22 de agosto de 1888: "Quando abri o livro, tive uma primeira surpresa: encontrei um longo prefácio [...] cuja existência eu havia esquecido... Na verdade, lembrava-me apenas do título dos três tratados: o resto, ou seja, o conteúdo, havia sumido da minha memória. Isso se deve a uma atividade espiritual extrema, [...] que havia erguido um muro [...]. Na época, devo ter me encontrado num estado de inspiração ininterrupta, de forma que esse escrito transcorre como a coisa mais natural do mundo [...]. O estilo é veemente e excitante, repleto de *finesses*: e elástico e multicolorido, como jamais escrevi outra prosa". Outro passo decisivo nessa mesma direção se revela quando escreve a Köselitz em 9 de dezembro de 1888: "Há alguns dias venho folheando meus livros, que consigo encarar pela primeira vez na minha vida [...]. Fiz tudo muito bem, mas jamais soube disso... Diabos, que riqueza eles contêm! – No 'Ecce homo', o senhor lerá algo sobre a terceira e quarta 'Consideração extemporânea' que o deixará arrepiado – eu fiquei arrepiado. Ambas falam apenas de mim mesmo, *anticipando* [...]. Nem Wagner nem Schopenhauer são mencionados em termos psicológicos. – Entendi ambos os escri-tos apenas 14 dias atrás". A referência ao "Ecce homo" precisa ser levada muito a sério. Por mais valiosos e reveladores que sejam as informações sobre a biografia e a história das obras contidas neste escrito, a interpretação que Nietzsche oferece aqui de sua própria obra precisa ser analisada com extrema cautela! O Nietzsche que escreve o "Ecce homo" já não é mais o Nietzsche que escreveu uma obra filosófica, os dois se estranham agora; agora, ele "interpreta", chega até a crer que o entende apenas agora. O fato de ele não ser mais o mesmo se revela na assinatura da carta: "Saudações da Fênix". Iniciam-se assim os pseudônimos mistificadores, e em 18 de dezembro assina uma carta a Carl Fuchs com "a Besta". Em seu colapso, esses seres se apoderam completamente dele. Depois da filosofia, Nietzsche perde sua identidade, e apenas duas semanas mais tarde, em 31 de dezembro de 1888 (numa carta a Köselitz), ele já não consegue se lembrar de seu endereço: "suponhamos que seja o Palazzo del Quirinale". Turim, de onde surgiu o jovem reino italiano, e Roma, onde este agora reinava, se confundem diante de sua visão ofuscada. Nietzsche acredita poder traçar o mesmo caminho. Mais tarde, Nietzsche se vê como organizador de um congresso de príncipes europeus, que ele pretende convocar para o dia 8 de janeiro de 1889, em Roma, no centro do "Imperium Romanum". Já escreveu convites para o rei italiano Umberto II, para o secretário papal Mariani e para a "casa de Baden"[197].

O que permanece são, por ora, a poesia e a música. Mas a poesia não consegue resistir por muito tempo, e Nietzsche passa a depender do vínculo com textos antigos, semelhante à fase final de suas composições musicais, quando sua pulsão criativa musical foi recalcada pela filosofia. O filósofo havia subordinado também a poesia às suas intenções, como, por exemplo, as poesias "Idílios de Messina", de 1882, que foram incluídas à "Gaia Ciência" como "Canções do Príncipe Vogelfrei", sobretudo, porém, figurações poéticas fantásticas como elementos figurativos no "Zaratustra", principalmente na parte IV. Agora, porém, que Nietzsche abandonou a região da filosofia, ele extrai partes do dote poético: as três poesias do Zaratustra IV: a Canção da Melancolia, as Filhas do Deserto e a Canção do Velho Feiticeiro (Wagner!), que se transforma em um "Lamento de Ariadne". Aqui, muda não apenas o título e seu cantor, o texto sofre também uma curiosa metamorfose de valores. No Zaratustra IV, Zaratustra ouve o lamento do velho feiticeiro com crescente repulsa, até interrompê-lo bruscamente: "Aqui, porém, Zaratustra não se conteve mais, tomou seu bastão e golpeou o lamentador com toda força. 'Para!' – ele gritou com uma risada feroz. – 'Para, seu ator! Enganador! Mentiroso! Eu bem que te reconheço!'" E agora, no final de 1888, tudo isso passa a ser uma autorrepresentação psicológica profunda!

Nietzsche acrescenta aos três excertos do Zaratustra IV as poesias "Última vontade", "Entre aves rapinas", "O signo do fogo" e "O sol se põe", tudo no "tom de Zaratustra", e as reúne em cópias cuidadosamente elaboradas. A pergunta se "Glória e eternidade" pertence ao manuscrito do "Ecce homo"; e "Da pobreza do mais rico", ao manuscrito de "Nietzsche contra Wagner" é biograficamente irrelevante, pois em termos de estilo e gênero pertencem àquilo que Nietzsche menciona repetidas vezes como "As canções de Zaratustra" e que, desde a primeira edição, é chamado de "Ditirambos de Dioniso" nas obras de Nietzsche. Com essas poesias apaga-se nos últimos dias de dezembro de 1888 também o gênio poético. "Ecce homo", em certa medida também "Nietzsche contra Wagner", o "Promemoria" e esses ditirambos permanecem intimamente entrelaçados como escritos pós-filosóficos de Nietzsche. "Ecce homo" como prosa e os ditirambos como poesia lírica são a tentativa de uma autorrepresentação psicológica e, portanto, se esquivam a uma interpretação filosófica.

Agora, com essas "Canções de Zaratustra", Nietzsche se firma num solo em que uma comparação com Hölderlin parece possível. Mas no momento em que passamos a procurar nesses produtos da imaginação de Nietzsche sintomas de sua paralisia, essa abordagem se torna questionável, pois a natureza do sofrimento de Hölderlin os exclui desde o início. Mantendo em vista essa diferença, as declarações de Nietzsche desde "Ecce homo", desde o início de 1888, permitem sim um questionamento psicológico e psiquiátrico, o que não vale para um juízo sobre a relevância filosófica das obras até o "Anticristo".

Junta-se a tudo isso ainda outro fenômeno preocupante. Inicialmente apenas de vez em quando, no colapso porém totalmente, Nietzsche perde o controle sobre suas reações emocionais. Sobretudo sua excitação por meio da música, que sempre foi muito forte e que, em 1876, o obrigou a se abster da obra de Wagner, sofre alterações evidentes. Não é apenas a mudança de gênero que o atrai (opereta espanhola, nem mais a "Carmen"), mas também a intensidade da experiência e a expressão desinibida da mesma. Em 2 de dezembro de 1888 ele relata a Köselitz: "Acabo de voltar de um grande concerto, que, no fundo, foi a mais forte impressão de um concerto de toda a minha vida; meu rosto produzia caretas o tempo todo para assim superar uma diversão extrema, inclusive 10 minutos da careta de lágrimas [...]. No fundo, foi a lição da opereta transposta para a música [...]. Foram muitas coisas extremamente engenhosas, e procuro em vão por um entusiasmo mais inteligente. Nem um único ingrediente do gosto mediano. – O início, a abertura de Egmont [...], depois, a Marcha Húngara de Schubert, maravilhosamente analisada e instrumentalizada por Liszt [...]. Em seguida algo para a orquestra de cordas: após o quarto compasso, dissolvi-me em lágrimas. Uma inspiração perfeitamente celestial e profunda, de quem? De um músico que morreu em 1870* em Turim, Rossaro – eu juro, música de primeira categoria, bondosa em sua forma e coração, que transformou todo o meu conceito do italiano. Nenhum momento sentimental – já não sei mais o que seriam nomes 'grandes' [...]. O melhor, talvez, permanece desconhecido. – Em seguida: abertura de Shakuntala... Diabos, maldito Goldmark! Não sabia que ele era capaz disso. Essa abertura possui uma estrutura cem vezes melhor do que qualquer coisa de Wagner e é psicologicamente tão cativante, tão refinada que voltei a respirar os ares de Paris. Curioso: falta-lhe tanto a 'ordinariedade' musical que a abertura do Tannhäuser me pareceu uma piada de mal gosto. Instrumentalmente refletido e calculado, pura filigrana –**.

Agora, novamente algo apenas para a orquestra de cordas: 'Canção cipriota', de Vilbac***, novamente uma extrema iguaria da engenhosidade e do efeito sonoro, novamente extraordinário sucesso e *da capo*, apesar de longa. Finalmente, a abertura 'Patrie' de Bizet. Como somos cultos! Ele tinha 35 anos de idade quando escreveu esta obra, esta longa obra muito dramática: quão heroico se torna o pequeno homem!" À careta das lágrimas contrapunha-se outra, externamente oposta, mas muito próxima: Com referência ao "Crepúsculo dos deuses", Nietzsche escreve a Köselitz em 26 de novembro de 1888: "Talvez o senhor encontre em minha 'atualidade' descontraída e maliciosa mais inspiração para a 'opereta' do que em outro lugar [na época, Köselitz tentava compor uma opereta]: faço tantos gracejos tolos comigo mesmo e tenho essas ideias de arlequim particular que, por vezes, fico rindo durante meia hora no meio da rua. Recentemente, tive a ideia de apresentar Malwida numa passagem decisiva do 'Ecce homo' como Kundry que ri... Durante quatro dias não consegui devolver uma expressão de seriedade ao meu rosto. Creio que, neste estado, eu estaria pronto para ser o 'salvador do mundo'".

E também aqui o muro que protege o espírito da queda das alturas já se tornou fraco e transparente.

---

* Equívoco de Nietzsche. Carlo Rossaro, nascido em 20 de setembro de 1827, morreu em Turim em 7 de fevereiro de 1878. Era pianista e compositor de peças agradáveis e prezadas sobretudo em Turim, uma figura de fama regional.

** Karl Goldmark, nascido em 18 de maio de 1830, falecido em 2 de janeiro de 1915. A abertura de Shakuntala, op. 13 de 1865, é seu primeiro sucesso.

*** Alphonse Charles Renaud de Vilback, nascido em 3 de junho de 1829 (Montpellier), falecido em 19 de março de 1884 (Paris). 1844: vencedor do prêmio de Roma (quatro anos de moradia em Roma), mais tarde organista em Paris.

Os últimos dias em Turim

Os dias após o Natal e principalmente após o Ano-Novo eram, desde sempre, um tempo crítico para Nietzsche, durante o qual ele já havia experimentado colapsos com desmaios ou longos ataques de dores de cabeça. Portanto, não surpreende que, nos primeiros dias de janeiro de 1889, ele sofreu *a* crise da qual jamais despertaria.

Os eventos desses dias se apresentam como a transição do dia para a noite. No breve período do crepúsculo, os objetos do mundo se tornam cada vez mais turvos, até serem completamente encobertos pelas visões da imaginação. No início, visões vívidas da imaginação de Nietzsche se sobrepõem a lembranças reais, das quais se destacam partes e imagens distorcidas cada vez mais irreconhecíveis, até que ambas, realidade e visões fantásticas, se apagam num processo que o leva à noite espiritual total.

Temos poucas informações sobre aquilo que aconteceu durante os poucos dias de obscurecimento, sobre como e quão rápido essa transição decorreu: temos, por um lado, os chamados "bilhetes e cartas de loucura", principalmente dos dias entre 3 e 6 de janeiro, e as declarações de seus anfitriões, Davide Fino e família, que estes prestaram ao amigo Overbeck e que este homem sensível confidenciou apenas em parte às suas "Memórias". Overbeck confessou a Carl Albrecht Bernoulli que a cena por ele encontrada era muito mais assustadora do que por ele descrito[50]. No entanto, não precisamos de um conhecimento detalhado sobre os sinais externos e ataques, sob os quais se deu a rápida implosão de um espírito que se opusera à doença até o fim e a combateu ainda durante sua queda. Essas "cartas da loucura" desses três a quatro dias revelam, a despeito do reflexo constrangedor em visões irreais, com uma clareza assustadora o solo real daquilo que comoveu Nietzsche passionalmente até o crepúsculo. Trata-se do destino da Europa, não apenas seu futuro cultural, mas também político, caso viesse a depender da dinastia de Hohenzollern e seus vassalos. Nietzsche lamentava o envolvimento da Itália na Tríplice Aliança de 1882. Isso começa com a afirmação final, ainda completamente lúcida, no prefácio a "Nietzsche contra Wagner", datado no "Natal de 1888": "Talvez, eu teria algo a dizer também aos senhores italianos, que eu amo tanto quanto eu – – Quousque tandem, Crispi – – – Triple alliance: com o 'Reich', um povo inteligente sempre faz apenas uma *mésalliance* – – –". Com a citação de Cícero e a menção do nome, Nietzsche critica acidamente a política fatal do membro da esquerda radical Francesco Crispi (1819-1901), que, desde 1887 (até 1891 e de 1893 a 1896), era ministro-presidente da Itália e adepto dessa Tríplice Aliança, pois acreditava que esta lhe abria o caminho para uma política colonial italiana na África (Abissínia!). Como primeira manifestação da "loucura", segue então a mensagem a Meta von Salis, em 3 de janeiro de

1889: "O mundo está transfigurado, pois Deus está na terra. O senhor não vê como todos os céus jubilam? Acabo de apoderar-me do meu reino, jogo o papa na prisão e mando executar Guilherme, Bismarck e Stoecker", e esse pensamento se mantém até a carta decisiva a Jacob Burckhardt, em 5 de janeiro: "Amanhã vem meu filho Umberto com a adorável Margherita, os quais receberei apenas de mangas curtas"[*]. Não devemos ignorar aqui o pequeno adorno, que, como de passagem, faz referência à queda de Nietzsche pelo sexo feminino, nesse caso, a Rainha Margherita. E repete também na carta a Burckhardt: "Livrei-me de Guilherme, Bismarck e de todos os antissemitas". Nietzsche esboça também cartas ao Imperador Guilherme e Bismarck para enviá-las juntamente com os primeiros exemplares de "Ecce homo", "com o qual se anuncia a proximidade de coisas terríveis". E assina: "O anticristo/ Friedrich Nietzsche/Fromentin".

O que significa essa autoidentificação com Fromentin? Nietzsche conhecia a obra, principalmente o romance autobiográfico "Dominique", de 1863, do pintor e escritor francês Eugène Fromentin (1820-1876); no verão de 1888, o recomendou a Meta von Salis. Essa menção também é de grande importância.

Com o enfraquecimento de suas forças espirituais, Nietzsche perde não só as rédeas da realidade, da sua identidade e dos seus sentimentos, ele perde o controle também sobre os seus segredos mais preciosos. Em seu romance escrito com grande argúcia psicológica, Fromentin descreve sua paixão infeliz por uma mulher casada, que a morte lhe roubou quando ele tinha apenas 24 anos de idade. Nietzsche sofreu uma tragédia semelhante. No seu caso, não foi a morte que o privou de sua amada. Ela se tornou a devota esposa do amigo paterno e ela ainda estava viva, mas – e isso era ainda pior – ela havia professado uma maldição sobre ele. "Quem, além de mim, sabe o que é Ariadne!" lemos ainda em "Ecce homo", após citar a "Canção noturna" do "Zaratustra II", que aqui ele descreve como "o lamento imortal de ser condenado a não amar pelo excesso de luz e poder, pela natureza do sol": "É noite: agora falam mais alto todos os chafarizes. E também a minha alma é um chafariz. É noite: apenas agora despertam todas as canções dos amantes". Nesta noite, sua alma começa a falar em voz alta, e ele revela o segredo de Ariadne: nesses poucos dias do início de janeiro, Nietzsche dedica três manifestos à Sra. Cosima Wagner. Num deles, escreve: "Ariadne, eu te amo". Mas ele revela seu segredo não só a ela, mas também em duas cartas à única pessoa viva que, além dela, ele reconhece e respeita: Jacob Burckhardt. Em 4 de janeiro, Nietzsche lhe escreve: "Agora, o senhor – você – é nosso

---

[*] Citação completa em Schlechta[4] (p. 1.351ss.)

maior mestre: pois eu, juntamente com Ariadne, devo ser apenas a medida áurea de todas as coisas, temos em todas as peças aqueles que se elevam acima de nós – – – Dioniso"; e em 5 de janeiro: "O resto para a Sra. Cosima – – – Ariadne – – – De tempos em tempos fazemos magia – – –". Praticamente na última hora em que ele ainda dispõe de consciência – mesmo que já anuviada – ele chama por ela. No entanto, devemos observar: a citação diz: "[...] o *que* é Ariadne", não "*quem*"! Ariadne não é somente esta única mulher Cosima, é um mundo espiritual inteiro, no mínimo um mundo cultural inteiro, o conteúdo de vida, é um "cânone". Mas na mesma carta a Burckhardt revela-se também a relação conturbada com a "mulher", o "amor [*Minne*] nobre" e o "amor baixo" se contrapõem.

Em novembro, havia acontecido o processo contra um assassino em Paris, com extenso noticiamento pelos jornais. Aparentemente, Nietzsche leu com atenção os relatos encontrados nos jornais franceses disponibilizados pelas suas *trattorias*. Existia um homem chamado Prado (provavelmente um pseudônimo) que vivia com uma garota em Paris. Ele foi preso por causa de um furto, e diante do juiz revelou que, dois anos e meio antes, havia assassinado uma prostituta. Por isso, foi condenado à morte em 14 de novembro. Esta foi a pena por um crime cometido contra uma prostituta. Isso correspondia à repetida reivindicação de Nietzsche pela proteção e valorização da prostituição. Ao mesmo tempo, houve um processo na Argélia. O estudante Henri Chambige era o amante da Mademoiselle Grille, uma inglesa que vivia em Constantina, na Argélia. Em 25 de janeiro de 1888, Chambige assassinara a mulher após uma cena conturbada e chegou a ferir gravemente a si mesmo. Será que Nietzsche reconheceu nisso uma tragédia semelhante à de Don José – Carmen como na ópera? Já no inverno de 1881 e 1882, ele havia anotado em suas observações sobre a "Carmen" de Bizet[71]: "Música verdadeiramente trágica a partir daqui"; e sobre as últimas exclamações de Don José e da Carmen: "tudo muito bom", destacando sobretudo os fortes acentos musicais. Henri Chambige, o Don José "real", foi condenado a sete anos de trabalho forçado em 11 de novembro de 1888. E agora, na loucura, Nietzsche se identifica também com esses dois criminosos: "Não leve o Caso Prado tão a sério. Eu sou Prado, sou também o pai Prado, ouso dizer que sou também Lesseps*. Queria dar aos meus parisienses, que eu amo [Nietzsche jamais esteve em Paris!], um novo conceito – o conceito de um criminoso honrável". Sou também Chambige – outro criminoso honrável". Nietzsche chama isso de a primeira de "duas piadas de mau gosto", por meio das quais

---

* Construtor do Canal de Suez, que se tornou objeto do interesse público – e também de Nietzsche – pela Convenção de Constantinopla de 29 de outubro de 1888.

pretende comunicar a Jacob Burckhardt "o quanto posso ser inofensivo". Permanece a pergunta se essas identificações com o "criminoso honrável" poderiam ser efeitos da leitura de Dostoiévski.

Após a finalização do "Ecce homo", ou seja, a partir dos meados de novembro de 1888, Nietzsche parece se expor a impressões fortes sem qualquer proteção, isso se manifesta já em suas reações descontroladas à música, aos processos contra os dois assassinos e aos eventos em Turim, que também deixaram marcas profundas em suas emoções, de forma que também voltaram a se manifestar na fase de transição das cartas da loucura. Na carta a Burckhardt, encontramos a reação: "Neste outono estive presente duas vezes em meu enterro, primeiro como Conde Robilant (– não, este é o meu filho, visto que eu sou Carlo Alberto)". Em 13 de novembro, Nietzsche havia escrito a Overbeck: "Vivemos nestes dias a triste pompa de um grande funeral, que contou com a participação de toda a Itália: o Conde Robilant, o tipo mais venerado da nobreza piemontesa, filho de sangue do Rei Carlo Alberto, como se sabe aqui. Com ele, a Itália perdeu um filho insubstituível". E em 16 de dezembro, em uma carta a Köselitz: "Acaba de falecer o Príncipe de Carignano: teremos um grande funeral". Essas mensagens revelam uma empatia imediata com a jovem casa real da Itália e Savoia, com a qual ele parece se identificar mais do que com a "casa de Hohenzollern". Nietzsche excluiu de sua condenação geral apenas Frederico III, com cujo destino ele simpatizou e cuja morte em 15 de junho o impressionou. E em Turim ocorreu ainda uma terceira morte: em 18 de outubro falecera o arquiteto Alessandro Antonelli.

Tudo isso se concentra na formulação mais clara, mas também numa fuga e distorção fatal na longa e decisiva carta a Jacob Burckhardt de 5 de janeiro de 1889. Nela se expressam em lindos detalhes a proximidade e o afeto, que Nietzsche nutria pelo destinatário. De forma sensível ele apela ao historiador da cultura e ao companheiro sociável: "Pondere: teremos uma bela conversa, Turim está próximo, não existem obrigações profissionais muito sérias, e conseguiríamos organizar também uma taça de Valtellina" (o vinho tinto preferido de Burckhardt), e: "Mas eu mesmo fui Antonelli. Querido senhor professor, o senhor deveria ver esta construção". A "Mole Antonelliana", de Alessandro Antonelli (14 de julho de 1798 a 18 de outubro de 1888) deveria facilitar a decisão de Burckhardt para uma viagem a Turim, "o símbolo de Turim, a torre sem qualquer sentido, com menos sentido até do que a criação de ferro de Eiffel, mas mais espirituosa", segundo a avaliação de Lucius Burckhardt[66]. "A construção foi iniciada como sinagoga" (1863), mas quando os recursos financeiros se esgotaram, "o município de Turim arcou com as despesas para encerrar sua construção em vista de uma exposição nacional [...]. Então Antonelli assumiu a construção, e a igreja se transformou em torre. No fim, entregou um prédio que apresentava uma altura de 100 metros acima do limite permitido pelo comitente. Desde então, a Mole Antonelliana oferece ao visitante a possibilidade de ver a cidade de cima e, portanto, em toda a sua organização. Esse ponto de vista transmite também uma noção das grandes perspectivas para a paisagem desimpedida que, no passado, se abriam no final das grandes ruas diametrais"*. Foram justamente essas perspectivas e a estrutura retangular da cidade baseada no *castrum* romano que haviam despertado o entusiasmo de Nietzsche por Turim. Isso oferecia uma ponte intelectual para Burckhardt! Nietzsche assina a carta com seu próprio nome, após ter assinado todas as mensagens dos últimos dias com "Anticristo", "o Crucificado" ou "Dioniso"; e também a sua caligrafia apresenta uma imagem mais equilibrada.

Com seus pseudônimos, Nietzsche nos apresenta um último enigma, que permite algumas abordagens biográficas, mas nenhuma solução definitiva. O Dioniso-Zagreu dos mistérios órficos, chamado também de Σωτηρ (Soter = o Salvador), como mais tarde também Jesus, era, como filho de Zeus e da deusa do submundo Perséfone, o símbolo de uma "vida eterna", não num "além", mas aqui, neste mundo. Assim, correspondia ao "sim à vida" de Nietzsche, não no sentido de uma existência eterna pessoal, de uma ressurreição individual. Dioniso foi dilacerado pelos Titãs e dividido em um número infinito de indivíduos, mas ressuscitado por Zeus. A identificação de Nietzsche com esse Dioniso justamente nos dias em que seu interior irrompe tão abertamente poderia expor seu profundo arraigamento na religiosidade grega, cristalizada pela física estoica, que partia do pressuposto de uma matéria primordial divina chamada "logos", presente em todos os fenômenos: o Dioniso dividido.

Como solução mais simples, poderíamos remeter essa identificação dionisíaca também à tragédia de Ariadne, que, talvez, tenha representado o maior peso psicológico para Nietzsche. De forma alguma, porém, podemos simplesmente descartá-la como "loucura". Nietzsche recorreu a Dioniso como símbolo para um fato que dominou sua vida e seu pensamento, símbolo este que nos nega um conhecimento mais aprofundado.

Igualmente enigmática é a identificação de Nietzsche com o "Crucificado". Precisamos nos perguntar se ele estaria se referindo a Jesus – cujo nome ele jamais menciona! – ou se estaria se vendo como um novo Jesus, agora também crucificado.

---

* A torre foi finalizada em 1878, com uma altura de 167 metros, e Burckhardt já deve ter conhecido essa construção.

Talvez lhe tenha servido como inspiração uma carta de Köselitz, de 4 de novembro de 1887, onde este descreve como o "Hino à vida" de Nietzsche impressionara dois italianos: "Eles disseram que imaginaram o Monte do Calvário e suas sete estações da paixão", e Köselitz respondeu: "Este que aqui sobe pela montanha é diferente de Cristo; este não carrega a cruz, mas armas e estrela d'alva".

A explicação teológico-psicológica remete com certo direito ao momento em que ocorre essa identificação, à proximidade dos feriados de Natal e às crises anteriores relacionadas ao cristianismo. Segundo esta, Nietzsche não teria conseguido manter sua postura de "anticristo", subjugando-se ao Crucificado até a perda de sua própria identidade. No entanto, precisamos remeter também a um paralelo no Zaratustra. Ao ser perguntado por que escolhera justamente o fundador de uma religião persa como protagonista de seu poema educacional, Nietzsche tenta nos convencer: Zaratustra instituiu o dualismo entre "o bem e o mal". Caso queiramos superá-lo, precisamos fazê-lo por meio dele. Agora, poderia dizer igualmente: Se agora quisermos superar o cristianismo, precisamos fazê-lo por meio do Crucificado ressuscitado, sobre o qual já disse em "Zaratustra I" ("Da morte livre"): "Morreu cedo demais! Retratar-se-ia da sua doutrina se tivesse vivido até minha idade! Era bastante nobre para se retratar!"

Certamente, essas identificações são visões pertencentes a um âmbito diferente da realidade saudável. No entanto, e a despeito de todos os véus, transparecem as dimensões nas quais o pensamento de Nietzsche se aloja e o peso que sua tarefa, que ele percebia como vocação, representava para ele e à qual ele havia subordinado e até mesmo sacrificado toda a sua existência. Neste sentido, tinha todo o direito de se ver como "portador da cruz".

Poderíamos então ter a impressão de que sua dissolução espiritual, que ocorreu durante esses dias, tivesse se manifestado apenas nesse tipo de visões e nas "cartas da loucura" de teor pacífico, irônico ou até mesmo agressivo. Sua conduta pessoal, porém, marcada por oscilações e emoções irrefreadas, também se desprendeu da realidade. Nietzsche chama seus aposentos de "cabana estudantil", remetendo assim a seu tempo em Bonn. Ele possui um piano que, para o sofrimento de seus anfitriões, ele toca a qualquer hora do dia e da noite. Suas improvisações desinibidas, a liberdade que ele encontra nessa expressão, representam para Nietzsche neste momento um escape de suma importância. Aqui ele expressa ainda numa ação artística o que, pouco tempo depois, se manifestaria em brutais delírios histéricos.

Nas ruas e nas lojas da cidade, ele se apresenta como estranho elegante, o que não representava nada de incomum para os comerciantes de Turim, pois estavam acostumados com visitantes esquisitos. Nietzsche recorre também aqui à sua antiga crença em uma descendência da nobreza polonesa, ele se comporta como "polonês". Assim, consegue mascarar sua origem alemã, que, em virtude de seu conflito interior com o "Reich", a casa de Hohenzollern e Bismarck, ele prefere negar. No entanto, ocorrem incidentes também nas ruas. Em 7 de janeiro (como Overbeck relata a Köselitz em 15 de janeiro)[50] Nietzsche "caiu na rua e foi socorrido, vendo--se agora ameaçado de ser internado num manicômio particular, onde seria entregue à mercê de aventureiros, que, na Itália, se reúnem rapidamente". Elisabeth Förster relata que foi o anfitrião Fino que o resgatou e o levou para casa. E também no dia 8 de janeiro "o caso se transformou em escândalo público, o anfitrião [...] acaba de voltar [...] da delegacia e do consulado alemão – uma hora antes [...] a polícia ainda não sabia de nada" (Overbeck). Erich Podach conta (1930) sobre esse caso, que Overbeck menciona apenas como "escândalo público", infelizmente sem indicar nenhuma fonte e datando-o equivocadamente em 3 de janeiro, como Nietzsche, incapaz de conter suas lágrimas ao ver um cavalo que ele acreditava ser maltratado por seu dono, abraçou o animal. Mesmo que Podach repita aqui apenas uma tradição oral da cidade de Turim, precisamos indagar se realmente houve um abuso gritante do animal ou se Nietzsche, com sua visão ofuscada, projetou tal constatação sobre a realidade. E há outro traço que precisamos levar em consideração: Nietzsche jamais demonstrou qualquer afeto especial por animais, recorre ao "animal" apenas de forma abstrata para apresentá-lo como ser que se refugia na segurança de seus instintos, contrapondo-o ao ser humano abalado pelos preconceitos morais e alienado de seu fundamento natural, chamando-o de "animal imperfeito". Seu único contato direto com animais ocorreu durante seu serviço militar como membro da cavalaria. Encontramos pouquíssimos rastros dessas lembranças, por exemplo, numa carta de 13 de maio de 1887 a Malwida von Meysenbug, quando lhe descreve uma pintura no Palazzo Brignole em Gênova: No olho do poderoso cavalo de guerra representado no quadro encontrava-se todo o orgulho desta família. Ou em 13 de maio de 1888, em uma carta a Von Seydlitz, onde relata a cena embaraçosa em que, no mais profundo inverno, o cocheiro bate suas botas contra o animal para se livrar do gelo. Nessa carta, Nietzsche, citando Diderot, chama isso de *moralité larmoyante*". Recentemente, Anacleto Verrecchia chamou atenção para outra possibilidade[251]: a cena em "Crime e castigo", de Dostoiévski (1ª parte, cap. 5), em que Raskolnikov sonha como camponeses bêbados batem num cavalo até sua morte, e ele, tomado por misericórdia, se joga sobre o animal morto e o beija.

Nietzsche não menciona em lugar algum que leu esta obra de Dostoiévski ou que conhecia essa cena. A possibilidade de vincular o incidente em Turim a essa cena, porém, exigiria um conhecimento da obra por parte de Nietzsche; ou vice-versa: do incidente em Turim poderíamos supor tal conhecimento, o que seria interessante. Mas em virtude da falta de provas e documentos, essa sequência causal é fraca.

A decisão

Em 6 de janeiro de 1889, num domingo, Jacob Burckhardt recebeu a longa carta de Nietzsche. Apesar de não ter acompanhado a trajetória filosófica de Nietzsche desde a publicação de sua "Genealogia", ele preservou seu vínculo de amizade com o antigo colega. Há muito, observava com preocupação o estado de Nietzsche e se mantinha informado sobre ele, mas esta virada súbita, este abalo espiritual o surpreendeu e comoveu. Imediatamente, Burckhardt tomou as providências a seu alcance: levou a carta até Franz Overbeck, o qual ele sabia ser amigo próximo de Nietzsche. Apesar de morarem próximos um do outro – poucas centenas de metros separam a St. Albanvorstadt da Seevogelstrasse –, Burckhardt nunca se vira motivado para fazer esse trajeto. Agora, porém, o espanto causado pela carta o obrigou a transpor essa barreira. Por isso, Overbeck se assustou quando abriu a porta para Jacob Burckhardt.

Quão pouco Overbeck havia compreendido a relação de Nietzsche com Burckhardt se manifesta nas "Lembranças de Friedrich Nietzsche", que Overbeck escreveu em 1902[185]: "O destinatário era quase indiferente, isso era até mais revelador do que a loucura contida na carta. Como Nietzsche pôde se descontrolar tanto justamente diante deste homem!" Aqui, ao lembrar-se do evento que ocorrera doze anos atrás, as imagens se sobrepõem na memória de Overbeck. E quem poderia culpar este homem já idoso marcado e enfraquecido por tantos infortúnios? Ele transfere a visita de Burckhardt da manhã para a tarde e vê o visitante como "indiferente". Essa impressão foi certamente influenciada pela representação de Köselitz (nascida talvez de algum ciúme) do relacionamento entre Burckhardt e Nietzsche em sua carta a Overbeck de 2 de março de 1899: "E quem via Burckhardt e Nietzsche atravessar a praça da catedral e ir para casa (após o seminário de Burckhardt sobre a história da cultura grega, que Nietzsche assistira como ouvinte no verão de 1876), percebia que Burckhardt assumia o papel de *noli me tangere* e que ele teria preferido sair correndo do lado de Nietzsche. As razões para a tensão interna de Burckhardt diante de Nietzsche certamente são múltiplas, mas todas elas fazem sentido. O simples fato de uma pessoa provir do norte da Alemanha incita o alemão do sul à oposição. Creio que Burckhardt se incomodou um pouco com o fato de Nietzsche ter impressionado muitos cidadãos de Basileia. Burckhardt, um homem equipado com imaginação e todos os instintos da grandeza, não podia aceitar que Nietzsche demonstrasse mais garra e argúcia numa área em que Burckhardt também possuía alguma autoridade".

Que distorção violenta do relacionamento nobre e distanciado entre Burckhardt e Nietzsche! E no que diz respeito à tensão supostamente natural entre os alemães do sul e do norte, era o alemão do norte Köselitz que não conseguiu se adaptar às condições encontradas em Basileia, como demonstrou de forma assustadora com seus artigos contra Bagge (cf. vol. 1, p. 598-601). Infelizmente, porém, Overbeck acatou essa imagem em certa medida.

Burckhardt já tinha 71 anos de idade e já experimentara várias perdas de pessoas próximas, tendo que aprender a assumir uma postura calma e comedida. Justamente naquele tempo, ele mesmo se deparou com a morte: "Atualmente, percebo uma diminuição constante das minhas forças [...]. Creio que seja uma deficiência cardíaca, que é uma doença hereditária em nossa família. Meu irmão consegue suportar sua situação, pois se refugia em suas fantasias, onde – aparentemente – não sofre, mas sua redenção é apenas uma questão de tempo, uma questão de tempo próximo [...]. Entrementes, o médico ainda recorre a algum remédio novo, conseguindo assim estender sua vida um pouco. Observo tudo com atenção para criar uma intimidade com meu próprio fim" (em carta a Max Alioth de 19 de fevereiro de 1889; o irmão Gottlieb faleceu em 13 de março de 1889). O historiador procura objetivar também sua vida mais íntima e ganhar alguma distância, sem, porém, tornar-se indiferente por causa disso. Assim, precisava tentar abarcar também o fim trágico de seu colega mais jovem com sua resignação. Tudo que podia fazer era agir num sentido prático, a fim de providenciar ajuda para o infeliz. E a maneira mais lógica de consegui-la era recorrer a Overbeck. É provável que Burckhardt tenha reconhecido a catástrofe e todas as suas consequências de modo mais claro e completo do que Overbeck, que acreditava – e este foi seu segundo equívoco – que seu amigo ainda era capaz de tomar uma decisão e retornar para Basileia por conta própria. Overbeck conhecia as crises anuais de seu amigo após o Natal e o Ano-Novo. Ele – inexperiente como uma criança nestes assuntos (como ele mesmo reconheceria mais tarde) – acreditava que a crise atual era apenas uma repetição daquilo que acometia seu amigo todos os anos. Então, sentou-se à escrivaninha e escreveu uma carta urgente, pedindo que Nietzsche voltasse imediatamente para Basileia. Apenas na manhã da segunda-feira seguinte (7 de janeiro), quando também recebeu uma "carta da loucura" de Nietzsche, Overbeck entendeu o que estava acontecendo. Então, procurou o Prof.-Dr. Ludwig Wille, diretor da "Friedmatt", a clínica psiquiátrica inaugurada em 1886, que, na época, se encontrava fora dos limites da cidade, próxima à fronteira com a Alsácia. Overbeck e Wille eram bons colegas, e Wille conhecia também Nietzsche.

Wille, nascido em 30 de março de 1834 em Kempten, na Baváris, após uma carreira bem-sucedida em outros institutos suíços como Münsterlingen, Rheinau e St. Urban, havia sido chamado para Basileia em 1875 como professor de Psiquiatria (preleção de posse em 5 de novembro de 1875) e diretor do hospital psiquiátrico, o qual ele dirigiu até 1904. Neste período, conseguiu também construir as instalações modernas de "Friedmatt". Morreu em Basileia em 6 de dezembro de 1912[23, 252].

Quando leu as duas cartas de Nietzsche a Burckhardt e Overbeck, Wille reconheceu imediatamente a seriedade do caso e repreendeu a tentativa de Overbeck com a carta como inútil. Pediu que Overbeck trouxesse seu amigo imediatamente de Turim para Basileia antes que este desaparecesse em alguma instituição italiana obscura. Overbeck obedeceu imediatamente, tendo que ignorar duas grandes preocupações: Nem Nietzsche nem o próprio Overbeck possuíam recursos financeiros suficientes. Na época, os salários dos professores eram modestos. Quem arcaria com os custos da viagem? Em segundo lugar, o docente responsável não teve tempo para pedir uma licença oficial para fazer essa viagem, que o obrigaria a faltar alguns dias no meio do semestre. Mesmo assim, partiu na noite de 7 de janeiro para Turim, onde chegou no dia seguinte por volta das 2 da tarde. Além disso, a viagem de 18 horas no meio do inverno num vagão sem aquecimento representou um grande desafio e sacrifício para sua saúde frágil. Mas coisas muito piores o esperavam.

Após vencer algumas dificuldades, conseguiu encontrar Nietzsche nessa cidade estranha. Fino, o anfitrião, estava ausente. Desesperado com a conduta de Nietzsche, partira para procurar ajuda na polícia e no consulado alemão. A família inteira estava desorientada, de forma que Overbeck também não conseguiu encontrar a esposa de imediato. Finalmente, porém, alcançou seu amigo. Numa carta de 15 de janeiro a Köselitz, Overbeck descreve o encontro: "Foi o último momento para retirá-lo sem obstáculos sérios – além de sua própria conduta. Ignoro aqui as circunstâncias comoventes em que encontrei Nietzsche sob os cuidados de seus anfitriões – também típicas da Itália. O terrível momento em que reencontrei Nietzsche me traz de volta ao assunto principal, um momento mais terrível do que tudo que vivi depois. Vejo Nietzsche recolhido num canto do sofá. Estava lendo – como descobri mais tarde, tratava-se da última prova de 'Nietzsche contra Wagner' – de aparência terrivelmente decaída. Quando me vê, ele se lança em minha direção, me abraça violentamente, me reconhece e começa a chorar. Depois, dominado por convulsões, cai no sofá. Eu, totalmente abalado, também não consigo me manter de pé. Será que foi neste momento que o abismo se abriu, à beira do qual ele se encontra, ou melhor, no qual ele se lançou? Esta cena jamais se repetiu. Presente estava toda a Família Fino. Quando Nietzsche se deitou no sofá com gemidos e convulsões, deram-lhe a água de bromo, que se encontrava sobre a mesa. Imediatamente, ele se acalmou, e, rindo, Nietzsche começou a falar da grande recepção planejada para aquela noite. Com isso, ingressou no círculo de delírios da loucura, do qual não conseguiu mais sair até eu o perder de vista, mas sempre ciente de mim e das outras pessoas, mas completamente inconsciente no que dizia respeito a si mesmo. Acontecia que, totalmente descontrolado em altos cânticos e improvisações violentas ao piano, exclamava pensamentos soltos do mundo em que vivia e, em tom abafado, dizia coisas sublimes, maravilhosamente clarividentes e indizivelmente assombrosas sobre si mesmo como sucessor do Deus morto, acompanhando tudo ao piano, interrompido apenas por convulsões e ataques de seu sofrimento indizível. Mas isso acontecia muito raramente, ao todo dominavam declarações da profissão que ele atribui a si mesmo, a do burlão das novas eternidades, e ele, o mestre incomparável da expressão, conseguiu articular o êxtase de sua alegria apenas por meio de expressões das mais triviais ou por meio de danças e saltos bizarros".

Como é que a "água de bromo" foi parar na sala de Nietzsche na casa de Fino? Overbeck guardou o recibo da farmácia Rossetti em Turim[*]. Aparentemente, os remédios (não só as soluções de bromo) haviam sido receitados pelo psiquiatra Dr. Med. Carlo Turina, que fez quatro visitas a Nietzsche[187]. Ou seja, Nietzsche recebeu um tratamento psiquiátrico ambulante já em Turim, providenciado pelo seu anfitrião Davide Fino. Aparentemente, na época as soluções de bromo eram usadas como calmante. Malwida von Meysenbug as aplicou já no inverno de 1876/1877 em Sorrento (como escreve a Olga Monod em 9 de dezembro de 1876)[167].

Foram provavelmente estes remédios receitados pelo médico e que chamaram a atenção do visitante que mais tarde serviram como base para a lenda do abuso crônico e excessivo de cloral e que, supostamente, teria causado o colapso. Mas tudo indica que a crise surgiu já *antes* dos remédios com tamanha intensidade que Fino se viu obrigado a procurar um psiquiatra. "A demência parece ter se manifestado de forma súbita no dia 4 deste mês, como pude constatar a partir das cartas e informações obtidas em Turim", Overbeck escreve a Erwin Rohde em 22 de janeiro.

Agora, Overbeck precisava retirar o paciente o mais rápido possível. Ele reconheceu as dificuldades do transporte e sabia que não conseguiria realizá-lo sem ajuda de um terceiro. Após o primeiro contato de Fino com o consulado alemão,

---

[*] Verrecchia[251] observa que a farmácia Rossetti, na Piazza Carignano, ainda existe.

Overbeck assumiu a comunicação com as autoridades alemãs. No mesmo dia de sua chegada em Basileia, em 11 de janeiro de 1888, ele agradece ao secretário do consulado Jakob Schobloch pela ajuda prometida[188]. A assistência mais urgente era o fornecimento de um acompanhante capacitado. Creio que o consulado tenha providenciado o contato com o jovem alemão Dr. Med. Dent. L. Bettmann, que, apesar de dentista, possuía alguma experiência e um grande talento de cuidar de doentes mentais, pois a forma como ele cumpriu sua missão deve ser considerada brilhante, o que Overbeck confirma em uma carta de 11 de janeiro ao jovem médico. Na noite de 8 de janeiro ("às sete horas da noite", como escreve), Overbeck, hospedado no "Grand-Hotel" em Turim, relata à esposa[188]: "Após algumas dificuldades iniciais, tudo se esclareceu repentinamente de forma curiosa e rápida [...]. Um jovem médico me acompanhará na viagem, e pediu apenas que assumíssemos os custos da viagem". O médico recebeu 200 francos, uma quantia considerável na época*.

Aparentemente, Overbeck e Fino conseguiram anular a notificação da polícia. É possível que a polícia tenha ficado aliviada por não ter que se envolver com um assunto tão delicado. Em todo caso, os três puderam partir no dia seguinte às 14h20min. Overbeck reuniu os itens mais urgentes e confiou todo o resto das posses de Nietzsche aos cuidados da Família Fino.

Os eventos durante as 24 horas e meia da presença de Overbeck em Turim e a longa viagem para Basileia só podem ser relatados pelas duas testemunhas oculares Overbeck e Bettmann. Não existem quaisquer declarações do acompanhante, com exceção de um relatório diagnóstico que talvez possa ser atribuído a ele. Durante muito tempo, a pessoa do Dr. Bettmann tem causado certas dúvidas.

O relato de Overbeck em suas "Memórias" e nas cartas a Köselitz é muito sumário. Carl Albrecht Bernouille, porém, acrescenta[50]. "Na época, Overbeck não relatou a Peter Gast (Heinrich Köselitz) todos os fatos sobre o terrível reencontro em Turim; sua mão se recusou a registrar os últimos detalhes mais bizarros. De vez em quando, aludia a eles no círculo mais íntimo, e certa vez me contou todo o caso numa conversa pessoal. Overbeck teria encontrado uma situação que encarnava de forma terrível a ideia orgíaca da loucura sagrada encontrada na tragédia da Antiguidade. Overbeck não teve que reconstruir o estado de Nietzsche a partir dos documentos escritos durante aqueles dias; teve que testemunhá-lo com seus próprios olhos, como primeiro dos amigos de Nietzsche. Sua amizade altruísta e seu

---

* Recibo no espólio de Overbeck, sob a sigla A 314.

inabalável senso de responsabilidade o equiparam com a resistência necessária para vencer o imediatismo insuportável daquela experiência".

Overbeck revelou alguns detalhes também a Möbius, que o visitou em 10 de abril de 1902. Möbius se lembra[168]: "Em Turim, encontrou um judeu que se ofereceu como enfermeiro especializado em doentes mentais (o que não correspondia à verdade) e que lhe ajudou a executar o empreendimento um tanto audacioso. Nietzsche estava deitado na cama e se recusou a levantar. O judeu lhe contou que haviam sido organizadas grandes recepções e festividades em sua honra, e Nietzsche levantou, vestiu-se e foi até a estação ferroviária. Aqui, quis abraçar todas as pessoas, mas o acompanhante lhe explicou que isso não era uma conduta aceitável para um senhor tão nobre: e Nietzsche se acalmou. Com a ajuda de quantias enormes de calmantes e soníferos, conseguiram controlar o paciente durante toda a viagem, e assim os três homens chegaram em Basileia". Outro visitante de Overbeck, o escritor Eduard Platzhoff-Lejeune, que morava no Cantão de Vaud (Villars S. Ollon), relatou o episódio da seguinte forma ("com algumas distorções", como observa C.A. Bernouilli)*: "Nietzsche totalmente tomado pelo delírio, tocando ao piano com os cotovelos, grita e canta; depois, em completa apatia, reconhece o amigo e desobedece às suas ordens como uma criança [...]. Nietzsche já havia despertado a atenção da polícia de Turim, e apenas um sequestro pôde evitar uma internação à força numa instituição local. Então, ofereceu-se milagrosamente um desconhecido, aparentemente um judeu alemão, para ajudar no transporte. Overbeck [...] aceitou e não teve que se arrepender de sua decisão. Com uma destreza surpreendente, o estranho obteve uma autoridade sobre o paciente, que este havia recusado ao amigo. Nietzsche obedeceu como uma criança, saiu da cama e se vestiu. Uma nova crise transformou o caminho até a ferrovia em uma tortura para Overbeck. Conversando e perseguindo a multidão curiosa, Nietzsche se aproximou das pessoas, que por pouco não impediram a viagem. O trem partiu, enquanto Nietzsche cantava um cântico de pescadores napolitanos (?), que abalou profundamente o amigo nervoso [...]. O acompanhante sugeriu ao paciente: 'O senhor é um príncipe. Na estação de Basileia o senhor será recebido por uma multidão festiva. Ignore-a e passe por ela sem saudá-la e vá diretamente até a carruagem!' Surpreendentemente, o plano foi bem-sucedido"**. Em 10 de janeiro de 1889, por volta das 8 da manhã, Nietzsche e seus dois acompanhantes

---

* Publicado em 6 de julho de 1905 no "Berliner Tagblatt".

** Mais do que uma mera distorção, a informação referente ao "cântico de pescadores napolitanos" é certamente errada. Sabemos diretamente de Overbeck que Nietzsche cantou uma "canção dos gondoleiros venezianos".

chegaram em Basileia. Uma carruagem os esperava (!) e os levou para a "Friedmatt", onde o paciente foi entregue aos cuidados médicos.

Com isso, Nietzsche deixou de existir como ser humano autônomo.

Incertezas

Resta esclarecer ainda a questão da identidade deste estranho acompanhante. Em 1902, quando recebeu a publicação de Möbius, Overbeck anotou ao lado da expressão "judeu"[50]: "Ele era dentista em Turim, no entanto, alegava já ter transportado pacientes mentais, principalmente de Paris. Aqui, o assunto é representado com uma tonalidade completamente estranha a mim. Eu devo ter mencionado em meu relato oral a Möbius que ele me passou a impressão de judeu e aventureiro industrial, mas certamente o fiz apenas de passagem, destacando os serviços prestados pelo 'judeu', cujo nome eu havia esquecido, e que certamente lhe renderam um bom lucro, mas que foram de grande valor para mim. De forma alguma, meu relato continha o tom antissemítico deste relato". E em uma carta pessoal a Möbius de 22 de julho de 1902, escreveu[188]: "Uma pequena queixa contra o uso que o senhor fez do meu relato em abril. No que diz respeito ao meu acompanhante de Turim, o mais importante para mim foi a excelência do serviço que ele me prestou em minha situação de desespero, sua origem judaica não me interessava. A forma, porém, em que este ponto se destaca em sua paráfrase do meu relato lhe confere uma nota antissemítica e me envolve – sem qualquer intenção por sua parte, é claro – em um conflito atual, em relação ao qual nada mais desejo do que me manter afastado dele".

O fato de Overbeck ter esquecido o nome após treze anos pode surpreender, pois em seu espólio se encontra um esboço de uma carta de 11 de janeiro de 1889, onde anotou posteriormente (essa posterioridade se manifesta na diferença entre as tintas usadas) como destinatário "Dr. Bettmann 15 Corso Oporto Turim". Os editores do espólio de Overbeck (Dr. Gabathuler e Prof. E. Staehelin) encontraram a confirmação do endereço desse Dr. Med. Dent. L. Bettmann no livro de endereços de Turim de 1892.

Em 1930, Erich Podach acreditou ter descoberto o nome do acompanhante, mas acabou seguindo um rastro completamente errado[197]. No prontuário de pacientes em Basileia lemos: "P[aciente] chega na instituição acompanhado pelos senhores professores Overbeck e Miescher", Podach deduz disso que Miescher teria sido o acompanhante. Isso não pode corresponder à realidade. A designação "Prof." se aplica sintaticamente aos dois nomes. O dentista de Turim não era "Prof.", e Miescher não é um nome judeu. A Família Miescher provém da região de Berna, na Suíça, ou seja, possui origens camponesas. Caso este Prof. Miescher realmente esteve presente na internação em Basileia, só existem duas possibilidades: ou Overbeck, ainda antes de partir para Turim, ou Wille – sem saber quem o acompanharia em sua viagem – pediu ajuda ao fisiólogo Prof.-Dr. Johann Friedrich Miescher-Rüsch (1844-1895) para a transferência de Nietzsche da estação ferroviária até a "Friedmatt". Esta possibilidade é apoiada pela carruagem que, segundo o relato de Overbeck, os esperava na estação (cf. p. 34). Miescher havia feito sua habilitação em Basileia, em 1871, e era professor ordinário desde 1872, ou seja, conhecia Nietzsche e Overbeck e pertencia à Faculdade de Medicina juntamente com Wille. "Como professor universitário, era dedicado, altruísta, um pouco tímido na interação social em virtude de sua surdez parcial, incansável em suas pesquisas científicas e generoso, um homem de grande cordialidade"[111]. Overbeck e Miescher eram (como comprova sua correspondência) também membros de uma pequena comissão bibliotecária. É possível que tenha existido também uma relação mais pessoal entre esses dois homens.

Podach comete outro equívoco quando, na base de uma cópia, cujo original não conseguiu encontrar, apresenta um laudo médico de internação de um médico de Turim (para a qual não existia qualquer necessidade) com a assinatura de certo "Dr. Baumann". Nunca foi possível identificar um Dr. Baumann que tivesse vivido em Turim em 1888/1889. É provável que o copista tenha substituído as letras "ett" pelas letras "au", transformando assim Bettmann em Baumann. Isso é facilmente explicável se levarmos em consideração a "legibilidade" das assinaturas dos médicos na época e a semelhança entre as letras "a" e "e" da escrita alemã. Na época, era comum acrescentar um traço diagonal sobre o "u", que pode ter sido confundido com o traço horizontal do "tt". Resta ainda a possibilidade de o próprio Bettmann ter mudado seu nome para Baumann, para ocultar sua autoria e conferir um peso maior a seu atestado.

O "laudo" [Documento 13] contém um grande número de informações que este médico só poderia ter obtido das declarações de Overbeck e Fino e de observações contínuas de, no mínimo, algumas horas. No fim, porém, ele observa: "O médico que assina este laudo viu o paciente uma única vez". Tantos conhecimentos e informações não podem ser obtidos por meio de uma simples consulta rotineira – nem mesmo o Dr. Turina demonstrou tanta ousadia após quatro consultas.

Quando este médico escreveu tudo isso? Caso tenha sido o Dr. Bettmann, o que devemos supor, certamente o fez apenas em Basileia, após a longa viagem – para então, para o grande desgosto de Overbeck, acrescentar este "atestado" aos documentos de Nietzsche em Basileia. Esta não foi a única irritação que ele causou a Overbeck. Bettmann se hospedou num dos hotéis mais caros de Basileia, no

"Schweizerhof" ao lado da estação ferroviária, o que desagradou muito ao econômico e responsável Overbeck, que administrava o dinheiro de Nietzsche com o maior cuidado. Por isso, Overbeck se viu obrigado a dispensar imediatamente os "serviços" de Bettmann, por mais que tenha prezado seu desempenho durante a viagem. O *esboço* da carta de 11 de janeiro de 1889 diz (passagens riscadas entre colchetes): "Prezado senhor, hoje cedo recebi a conta do 'Schweizerhof' – aparentemente, interpretei mal um acordo entre nós por ocasião da nossa despedida, supondo [equivocadamente] que o senhor a pagaria. Caso o senhor volte a fazer uma visita a Basileia, creio ser desnecessário o conselho de evitar o Schweizerhof como hospedagem. Acrescento então apenas o pedido de se abster de qualquer envolvimento futuro com o assunto que nos reuniu. O senhor encontraria os caminhos obstruídos. Além do mais, não lhe repassei a pergunta do Sr. Prof. Wille, se o Dr. Bettmann estaria disposto a aceitar um honorário mais modesto. Pois, como o senhor bem sabe, jamais questionei seu honorário, soube apenas que o meu colega jamais havia ouvido falar do senhor até ontem.

Lamento sinceramente, apesar de toda a satisfação que senti diante de sua ajuda – satisfação esta que [nem agora] posso negar –, comunicar-lhe que, com estas declarações, nosso relacionamento se encerra.

Atenciosamente, Prof. Fr. Overbeck"

Infelizmente, este esboço também não afasta as últimas incertezas. Apesar de todas as dificuldades, podemos recriar a sequência mais provável dos acontecimentos a partir do momento da chegada em Basileia: Com a ajuda do Dr. Bettmann, Overbeck levou o paciente até a carruagem enviada pelo Prof. Miescher. Provavelmente por isso Overbeck havia enviado um telegrama ainda de Turim informando a hora de chegada (para a sua esposa, que exercia a função de "central de comunicação"). A carruagem os levou diretamente para a Friedmatt. A transferência do paciente aos cuidados do hospital transcorreu rapidamente e envolveu uma rápida conversa com o Prof. Wille. De lá, Bettmann voltou para a cidade e viu o belo hotel ao lado da estação de trem, escolhendo assim, sem saber que se tratava de uma casa muito cara, o "Schweizerhof". Só pode ter sido a questão dos custos que levou Overbeck a pedir ao Dr. Bettmann que evitasse hospedar-se nesta casa no futuro, pois, juntamente com o honorário de 200 francos, representava uma despesa considerável. Aqui, neste confortável hotel, Bettmann pode ter redigido seu "laudo médico", com o qual voltou para a Friedmatt, provocando Overbeck a proibir-lhe de se intrometer novamente no assunto.

Na manhã seguinte, em 11 de janeiro, Bettmann retornou para Turim.

Segundo a carta de Overbeck a Köselitz, escrita apenas cinco dias mais tarde, o "acompanhante" esteve presente quando o paciente foi entregue aos cuidados do Prof. Wille, mas, em vista da pressa e da agitação, ele não lhe foi apresentado (cf. p. 39s.). Wille repassou o paciente imediatamente para os cuidados de seu assistente. O protocolo registra que o paciente não resistiu ao ser levado embora. O protocolo de internação só foi redigido horas ou até dias mais tarde. O número de informações contido nele só pode ter sido acumulado após algum tempo. Overbeck já não estava mais presente, como revelam três equívocos objetivos:

1) O nome do paciente é escrito erradamente como "Nitsche".

2) O documento registra como data de nascimento o dia 12 (e não o dia 15) de outubro.

3) Sua profissão é indicada como "professor de Filosofia" (em vez de Filologia).

A não menção do acompanhante também indica uma redação tardia baseada na memória: os dois docentes de Basileia Overbeck e Miescher, que os médicos conheciam pessoalmente, são mencionados, não porém o Dr. Bettmann desconhecido, que eles ignoram para não terem que se dar ao trabalho de investigá-lo.

No fundo, diante do evento do colapso espiritual de Nietzsche, não importa com que tipo de assistência e sob quais circunstâncias tudo isso aconteceu. E foi Overbeck que, numa ação enérgica de última hora, conseguiu salvar aquilo que sobrara de seu amigo e entregá-lo aos cuidados médicos inadiáveis.

II

ENTRE TEMORES E ESPERANÇAS
(janeiro de 1889-maio de 1890)

O paciente na clínica

Em 15 de janeiro de 1889, numa carta a Heinrich Köselitz, Overbeck descreve em maior detalhe do que suas experiências constrangedoras em Turim a internação de Nietzsche no instituto em Basileia[50, 185]*:

"A transferência tão temida da estação de trem para o hospital transcorreu quase que completamente no terror silencioso que toda essa ocasião representava para mim. Uma cena na sala de espera do hospital (antecipo aqui que Nietzsche ainda não faz ideia do local em que se encontra; para evitar as cenas de Turim, o acompanhante explicou ao doente com insistência que chegaria incógnito a Basileia [...], caso contrário, estragaria a impressão de entrada triunfal planejada para mais tarde. Nietzsche caminha na postura mais comedida do vagão até a carruagem, onde adota e permanece numa postura de grande prostração; antecipo também que a primeira recepção se deu com o diretor Wille, e este então se retirou por um momento da sala): Digo ao acompanhante: 'Por favor, perdoe-me por não tê-lo apresentado ainda' (eu esquecera de fazê-lo em meio a toda agitação). Nietzsche (que deveria ter reconhecido Wille de encontros no passado): 'Sim, ele precisa ser apresentado. Quem era este senhor?' (referindo-se a Wille, que acabara de se retirar). Eu (temendo nada mais do que a menção de seu nome): 'Ele ainda não se apresentou a nós, saberemos em breve' (Wille retorna). Nietzsche (com a educação de seus melhores dias e com postura digna): 'Creio que já vi o senhor em outra ocasião e lamento profundamente não me lembrar de seu nome. O senhor poderia...' Wille: 'Eu sou Wille'. Nietzsche

---

* Citações segundo os manuscritos no espólio de Overbeck (Biblioteca Universitária de Basileia)[187]. Partes destas já foram publicadas por C.A. Bernouille[50, 185]. Otto Crusius[70b], Erich Podach[197, 198, 199], e na "Overbeckiana" I[188].

(sem mostrar qualquer reação, continuando com a mesma educação e com a voz mais calma, sem se dar conta): 'Wille? O senhor é o médico dos loucos. Alguns anos atrás, tive uma conversa com o senhor sobre a loucura religiosa por ocasião de uma pessoa louca, Adolf Vischer, que, na época, vivia aqui (ou em Basileia)'. Wille o ouviu em silêncio e agora acena com a cabeça. – Imagine a minha surpresa estarrecida com que pude reconhecer a exatidão da lembrança deste episódio, que transcorrera há sete anos. E agora o mais importante: Nietzsche não relaciona essa lembrança completamente lúcida à sua situação pessoal atual, nenhum sinal de que esse 'médico dos loucos' estaria ali por causa dele. Calmamente ele se entrega aos cuidados do médico assistente, que lhe oferece um café da manhã, e, sem qualquer resistência, o segue. Não tenho como explicar de forma mais clara o transtorno avassalador de sua personalidade. Desde então, não o vi mais, nem no sábado, quando voltei mais uma vez para a clínica".

Durante os próximos 14 meses, a vida de Nietzsche está sob os constantes cuidados dos médicos. No entanto, não puderam influenciar o decurso de sua doença, esta já não pôde mais ser desviada de seu trajeto traçado pela natureza. Tudo que a arte medicinal conseguiu fazer foi combater os sintomas, amenizar os estados de sofrimento. Estes aparentam ter sido bastante agudos, sobretudo no período inicial. O prontuário registra insônia, inquietação, cantos em voz alta e gritos, "uma excitação motora constante". Para acalmá-lo, os médicos lhe deram *Sulfonal*. Repetidas vezes, o prontuário registra o enorme apetite, do qual Nietzsche já se gabara em Turim.

Apesar do cansaço das viagens e das fortes impressões dos últimos dias, Overbeck cumpriu, já no dia 10 de janeiro, sua dolorosa responsabilidade de informar a mãe sobre o ocorrido. Esta, então, partiu imediatamente para Basileia, onde chegou no dia 13 de janeiro, hospedando-se na casa de Overbeck, não só para ver seu filho amado e compartilhar de seu infortúnio, mas também porque ela não estava disposta a aceitar as consequências do incidente: a internação num manicômio. Ela acreditava firmemente que, por meio de sua intercessão pia, ela conseguiria salvar o filho com a ajuda de Deus, e a primeira medida que pretendia tomar era, de certa forma, acolhê-lo novamente em seu ventre maternal. Aparentemente, não demonstrou qualquer compreensão diante das ressalvas dos médicos, o que lhe rendeu a dura observação no prontuário: "A mãe passa a impressão de uma pessoa não muito inteligente". Em longas e duras discussões diárias, Overbeck conseguiu pelo menos convencê-la a tirar Nietzsche do hospital em Basileia para levá-lo para uma instituição em Jena. Overbeck não gostou dessa solução, mas não manifestou sua opinião até o conflito em torno de Langbehn, durante o qual ele foi acusado de ter mandado seu amigo infeliz para o hospital em Jena. Em 12 de janeiro de 1890, ele responde a Köselitz que "o instituto de Biswanger não foi minha escolha. Um ano atrás, defendi a posição segundo a qual Nietzsche deveria permanecer perto de mim, lutei principalmente contra o modo apressado em que a mãe levou Nietzsche daqui, exigi que ela partisse primeiro sozinha para procurar aposentos adequados em sua proximidade e até me ofereci a acompanhar seu filho até Frankfurt, onde o entregaria ao acompanhante que a mãe enviaria de Naumburg. Mas nada adiantou, visto que eu não fazia ideia daquilo que eu poderia fazer pessoalmente por Nietzsche e visto que não havia nenhuma pessoa conhecida aqui que pudesse ter me fornecido informações 'competentes', eu deixei que os médicos decidissem e não protestei".

Assim, a chegada da mãe significou para Overbeck mais preocupações e dificuldades adicionais, das quais ele escreve a Köselitz em 15 de janeiro[50]: "A coitada chegou na noite de domingo (13 de janeiro), e ontem à tarde viu seu filho. Agora, pensa apenas (contra a minha vontade e meu conselho urgente) em levá-lo consigo (para sua casa, na verdade, mas o que é absolutamente impossível e o que lhe foi proibido). Amanhã, receberei a resposta de Jena referente à possível internação de Nietzsche. Caso a resposta seja sim, a esposa do pastor pretende partir depois de amanhã, na noite de quinta-feira, com o paciente e um acompanhante excelente – médico e um antigo aluno de Nietzsche – encontrado por minha esposa". E foi o que aconteceu. O novo acompanhante escolhido sabiamente pela Sra. Overbeck era o Dr. Med. Ernst Mähly, filho do Prof. Mähly, ex-colega de Nietzsche, substituto durante a licença deste.

O prontuário informa sobre a visita da mãe no hospital no dia 14 de janeiro: "A visita da mãe alegrou o paciente visivelmente. Quando a mãe entrou na sala, ele se aproximou dela, abraçou-a calorosamente e exclamou: 'Ah, minha querida e boa mamãe, como me alegro em vê-la'. – Ele falou durante muito tempo sobre assuntos familiares, de forma correta, quando, de repente, exclama: 'Veja em mim o tirano de Turim'. Depois dessa exclamação, voltou a falar coisas confusas, de forma que a visita teve que ser encerrada". Durante essa semana, Overbeck não pôde mais ver o amigo até a última despedida na noite de 17 de janeiro de 1889 na estação de trem. No dia 20 de janeiro, relata a Köselitz: "Nietzsche não está mais aqui, na noite da quinta-feira ele partiu na companhia de sua mãe, de um médico e de um enfermeiro, e deve, se tudo transcorreu bem, estar sob os cuidados do Prof. Binswanger em Jena desde a tarde de sexta-feira. Wille concordou plenamente com a escolha do hospital – [...] não, porém, com a partida apressada, mesmo que não tenha protestado, nem mesmo contra a participação da mãe neste translado. Em ambos os pontos ela nada queria saber, rejeitou também a minha proposta de antecipar sua viagem para preparar a internação de seu filho em Jena e de permitir que eu acompanhasse o paciente com o apoio considerado necessário pelo menos até Frankfurt, onde algum dos parentes ou amigos me substituiria. Por favor, permita-me não lhe contar o sofrimento dos quatro dias durante os quais acolhemos a Sra. pastora Nietzsche e os detalhes da partida, este momento terrível e inesquecível, em que vi Nietzsche, cercado por seus dois acompanhantes, atravessar a estação central fortemente iluminada com passos apressados, mas tropeçantes, numa postura dura e desnatural, o rosto feito uma máscara, completamente mudo". E então segue uma confissão de Overbeck que revela a angustiante problemática causada por seu profundo senso de responsabilidade, por sua obrigação de amizade e as circunstâncias coercivas: "Pois nestes dias não me fiz nenhum favor, sofri muito sob a responsabilidade já durante a viagem para Turim e depois quando agi sob a pressão dos eventos e das experiências, e ainda agora me tortura o pensamento de que eu teria prestado um serviço de amizade maior se, em vez de trazê-lo para o hospital psiquiátrico, eu tivesse lhe tirado a vida, e não desejo agora nada mais senão que ele a perca o mais rápido possível [...]. Nietzsche não existe mais! E para isso nem preciso da confirmação da avaliação profissional do médico, que me diz que a paralisia apenas progredirá e que considera impossível qualquer cura, no máximo alguns momentos de descanso. Um detalhe que lhe permitirá julgar por si mesmo: Nietzsche não sentiu nem mesmo o ódio que eu mereci; as últimas palavras que ouvi dele antes de ele desaparecer no vagão foram expressões fervorosas de sua amizade por mim. É neste ponto que chegou este herói da liberdade, ele já nem pensa mais em liberdade".

"Nietzsche não existe mais". Chama atenção o fato de que Overbeck, aqui na carta a Köselitz e já agora, em 20 de janeiro, tem essa certeza, citando também o diagnóstico médico de uma "paralisia progressiva", aparentemente constatada em Basileia, que Overbeck não teve que ser sugerida posteriormente aos médicos em Jena. Tampouco foi registrada posteriormente no prontuário de Jena a pedido de Overbeck, como alegaria mais tarde o "Archiv". Na tarde do sábado de 19 de janeiro, ou seja, dois dias após a partida de Nietzsche para Jena, Overbeck teve uma conversa com o Prof. Wille. Nessa ocasião, o médico deve tê-lo informado sobre seu diagnóstico, baseado em oito dias de intensa observação (a paralisia era a especialidade de Wille). Na primeira página, o prontuário apresenta o diagnóstico "Paralysis progressiva" em outra caligrafia do que o texto do registro. Este deve ter sido escrito pelo assistente médico; o diagnóstico, por sua vez, deve ter sido acrescentado pelo chefe após alguns dias de observação. Em 26 de outubro de 1889, o Prof. Binswanger em Jena pediu permissão para consultar o prontuário de Basileia. Este lhe foi enviado e copiado em Jena, juntamente com o diagnóstico. Erich Podach teve acesso a essa cópia para sua publicação em 1930 e também ao original do prontuário de Jena. Ele reproduziu ambos os documentos sem erros*. No entanto, existem dois textos de Podach, que apresentam algumas divergências: uma reprodução completa no periódico "Die medizinische Welt" (4, Berlim 1930) e uma outra abreviada (sem alterações no original) publicada em seu livro "Nietzsches Zusammenbruch" [O colapso de Nietzsche][197]. Em vista de uma objetivação da discussão muitas vezes embaraçosa sobre a doença de Nietzsche, o procedimento de Podach é louvável. No histórico da doença surgem de vez em quando episódios que o médico conhece como manifestações típicas e que ele registra sem maior comoção, mas que chocam o leigo e ofuscam a imagem de Nietzsche. Por isso, não devem ser expostos a uma discussão improdutiva entre pessoas que não possuem a qualificação necessária – ainda mais que nem mesmo entre os profissionais o diagnóstico é tido como certo.

Já Podach havia chamado atenção para o fato de que alguns dos sintomas e incidentes documentados nos prontuários poderiam corresponder igualmente à imagem de outros diagnósticos, sim, Podach aponta até a possibilidade segundo a qual, sob a impressão de um diagnóstico tido como praticamente certo da paralisia progressiva – mesmo que sem nenhuma intenção tendenciosa –, os sintomas não paralíticos teriam sido ignorados. Demonstra também em termos de uma história da medicina que, na época, por volta de 1889, o conceito da paralisia abarcava uma gama maior de doenças mentais do que hoje e que, mais tarde, o diagnóstico da paralisia pôde ser identificado como equivocado, porque os métodos de exame para a confirmação do diagnóstico baseado em sintomas, ou seja, como "processo baseado em indícios", ainda eram bastante inadequados.

Mesmo que hoje a maioria dos cientistas concorde com o diagnóstico de uma paralisia, tendo entre eles até defensores enérgicos, surgem sempre de novo pesquisadores de peso que exigem certo cuidado e apontam para um quadro clínico possivelmente mais complexo, advertindo contra a prática de interpretar *todas* as manifestações durante os anos de doença – e até antes do colapso visível – como sintomas desta doença. Jaspers também já se pronunciou neste sentido (de forma mais clara em seus seminários do que em suas publicações), e outros trabalhos, como recentemente o estudo do oftalmologista Prof. J. Fuchs de Stuttgart reforçam essa posição[279]. Após reunir todos os documentos acessíveis, Fuchs aponta para a forte miopia de Nietzsche e para o fato de que, em consequência disso, "em virtude da tenuidade das membranas oculares e da falta de pigmentos, Nietzsche era extremamente sensível à luz", pois a "retina absorve a luz não apenas opticamente,

---

* Como confirmou oralmente M. Montinari após examinar os documentos.

mas também como portador de energia" – estimulando "por meio do sistema neuro-hormonal o metabolismo e as glândulas" (segundo Hollwich), o que "exercia uma papel importante [...] no bem-estar físico e psicológico de Nietzsche. Isso adquire um peso ainda maior se levarmos em conta que o próprio Nietzsche atribuía [...] o seu mal-estar exclusivamente aos seus olhos. Aqui está [...] o motivo [...] de seu isolamento tão cruel. [...] Esse sentimento de isolamento o levou à tentativa heroica de superação por meio do grande conceito do 'amor fati' [...], da aceitação e da afirmação do destino. A miopia maligna de Nietzsche tornou-se assim o componente determinante de sua vida e de sua filosofia existencial". Fuchs aponta como características típicas de muitas miopias agudas: "Espertos já na juventude, ativos e, em parte, agressivos, leitores assíduos e bons alunos". Juntam-se a isso ainda traços maníacos. E aplicado a Nietzsche: "Seu jeito de praticar a filosofia de forma agressiva [...] parece-me ter sua raiz em uma correlação anatômico-fisiológica entre cérebro e olho dos míopes agudos. Basta lembrar aqui o tamanho excessivo do globo ocular míope com seu corpo vítreo ampliado e, em combinação com isto, o ampliamento das câmaras cerebrais [...]. É provável que, em Nietzsche, o centro de agressão na parte frontal do 3º ventrículo tenha sido exposto a uma estimulação mais intensa. [...] É evidente que uma ampliação ventricular cause uma reação alterada em centros nervosos vizinhos. É aqui que devemos procurar as causas da peculiaridade psicológica de míopes agudos e da peculiaridade psicológica de Nietzsche. Neste contexto devemos contemplar também a simpaticotonia dos míopes, que, por sua vez, torna o paciente ativo e agressivo. O desvelamento deste tipo de dependências consiga talvez lançar uma nova luz sobre as peculiaridades físico-psicológicas do fenômeno Nietzsche". Fuchs não pretende, portanto, recalcar ou refutar o diagnóstico de uma paralisia, mas acrescentar um componente adicional ao quadro geral. Todas essas discussões e representações parecem ser primeiramente de interesse médico. Elas poderiam ser aplicadas a muitos outros pacientes; portanto, não se limitam à pessoa, à importância ou ao destino de Nietzsche.

Mas as conclusões do diagnóstico oftalmológico apresentam também uma relevância biográfica para Nietzsche. Talvez consigamos compreender a partir deste ponto de vista também seu ser dividido, muitas vezes tão incompreensível: por um lado, a agressividade crescente em suas declarações por escrito; por outro, a relação "limitada" com o mundo do míope agudo e a delicadeza no convívio pessoal, principalmente com as mulheres. E aqui ressurge outra – a velha – pergunta: Nietzsche possuía uma consciência de sua doença, uma consciência *desta* doença, de sua gravidade e de suas possíveis consequências? Na base do material que possuímos hoje, não podemos dar uma resposta definitiva a ela. Também Köselitz se ocupou com essa pergunta, mas também não conseguiu encontrar a resposta. Em 14 de novembro de 1898, numa carta de aniversário, escreveu a Overbeck[187]: "Extremamente delicadas são as cartas de Nietzsche à dama parisiense, cujo nome eu infelizmente esqueci [Louise Ott]. Pelo que consigo entender, ele entretém nela a possibilidade de uma pequena extravagância, mas a supera, talvez em decorrência da indisponibilidade de sua parceira ou em virtude de um respeito adquirido [...]". Permaneceria aqui ainda a terceira possibilidade segundo a qual ele, ciente de sua doença, ciente *dessa* doença, se conteve timidamente? Uma vez que tomou o passo decisivo, permaneceu dependente da prostituição, o que tornou seu relacionamento com a "mulher" tão ambíguo. Suportou também esse destino de forma estoica.

E, além desse aspecto biográfico, o incidente poderia adquirir ainda uma dimensão histórica. A catástrofe ocorreu três meses após seu 44º aniversário. Em vista de sua constituição física robusta, ele poderia ter alcançado 80 anos de idade, assim como sua irmã fisicamente mais delicada alcançou os 90 anos. Portanto, ele poderia ter vivido até 1924/1925 e assim teria testemunhado e talvez tentado impedir a ascensão imperial e econômica do "Reich" e a catástrofe da Primeira Guerra Mundial. Do seu ponto de vista europeu e filosófico, que visa à formação superior do tipo "ser humano" como portador supranacional da cultura, ele teria se pronunciado com toda força contra esse desenvolvimento, sabendo há muito tempo que ele levaria à ruína. Seus últimos esboços para o manifesto político, um ato de loucura no que dizia respeito à sua forma, não, porém ao conteúdo, já apontava para este caminho. Será que um Nietzsche idoso e saudável poderia ter poupado a humanidade da guerra mundial? Pelo menos teria se oposto à interpretação tendenciosa e ao abuso descarado de sua filosofia. E isso já teria sido muito! Poderíamos, partindo de um "e se", desenvolver esse tipo de especulações sobre todos os pontos decisivos da história "mundial". Esses exercícios da imaginação podem ser muito instigantes, mas, no fim das contas, são completamente fúteis. Mesmo assim, lançam uma luz sobre a tragédia do colapso precoce de um espírito significativo, um fato que devemos aceitar sem "julgamento de valor" ("sine ira et studio").

Tratava-se de uma dissolução ou apenas de uma turvação passageira?

Esta era a pergunta decisiva com a qual seus amigos e familiares mais próximos se viam confrontados.

A mãe acreditava na recuperação de seu filho; um ano após o colapso, Julius Langbehn também acreditava ainda numa possível recuperação de sua saúde. Os amigos nutriam essa esperança, mas esta esmoreceu rapidamente. Apenas os médicos sabiam, e Overbeck o vira já em Turim, que não existia qualquer retorno.

Podiam esperar "remissões", estados de uma melhora relativa no bem-estar – isso correspondia ao quadro da doença –, mas um retorno do espírito de Nietzsche, do filósofo, era impossível.

A função central de Overbeck

Overbeck via sua tarefa na preservação da imagem do filósofo – para si mesmo e para a posterioridade. Por isso, precisava evitar qualquer escândalo, principalmente agora, imediatamente após a catástrofe. Ele procurou evitar qualquer desimpedimento e empreendeu grandes esforços, até para os mínimos detalhes. Pagou todas as contas que ainda estavam em aberto em Turim, a do médico (30 liras), a da farmácia (9,90 liras), uma conta considerável de 100 liras (80 marcos alemães) de Fino para diversos serviços prestados, organizou o envio dos pertences de Nietzsche e pagou outras 20 liras a Fino, teve que retornar a Fino também as chaves que se encontravam ainda nas roupas de Nietzsche (para tanto, teve que escrever ao Prof. Wille, e o Dr. Mähly as entregou a Overbeck na estação de trem por ocasião da partida de Nietzsche para Jena), pagou a conta do hospital "Friedmatt" pelos oito dias de internação (25 francos), a conta do hotel para Bettmann, abrigou a mãe de Nietzsche até sua partida em 17 de janeiro, preparou a internação de Nietzsche em Jena, organizou o translado, pagou 60 francos ao jovem acompanhante e médico Dr. Mähly, garantiu a continuação do pagamento da aposentadoria de Basileia, para a qual a cidade dispunha agora apenas de 2.000 francos (mais ou menos 1.600 marcos alemães). Overbeck também escreveu a amigos pedindo uma garantia financeira caso ocorressem despesas imprevistas para tratamentos especiais em Jena – e recebeu respostas positivas. Ele foi o centro de todas as medidas administrativas e informações. De todos os lados, recebia cartas pedindo informações sobre Nietzsche, e dentro de poucas semanas escreveu mais de cem cartas e cartões postais. E tudo isso cumprindo suas obrigações como docente e sob as impressões devastadoras do ocorrido, pois ele amava e venerava seu amigo Nietzsche. A perda dessa pessoa tão próxima, sobretudo a perda dessa forma terrível, o comoveu como se tivesse perdido seu irmão ou seu filho. E a Sra. Overbeck sofreu igualmente. Ainda meses mais tarde, Overbeck compartilhou com seus amigos o estado de saúde preocupante de sua esposa, sobretudo de seus nervos, em decorrência dos eventos. Hoje, falaríamos de uma crise nervosa e receitaríamos remédios fortíssimos. Mesmo assim, apoiou seu marido na medida do possível, escreveu cartas para ele, fez cópias de cartas importantes e procurou apoiá-lo em tudo. Esse tempo de extrema pressão nos revela a imagem de uma comunhão matrimonial íntima e ideal. Sem essa segurança e sem a possibilidade por ela oferecida de se apoiar no amor de sua esposa mesmo em situações de extrema aflição, como, por exemplo, após a primeira impressão em Turim, Overbeck não teria tido a força para resolver com tanta mestria todos esses assuntos – que lhe rendeu a admiração de todos que acompanhavam os eventos. Essa admiração de todos certamente também lhe serviu como apoio.

Um raciocínio frio de uma pessoa não envolvida pode acusá-lo de ter cometido este ou aquele erro, de não ter reagido da melhor forma possível nesta ou naquela situação. Mesmo se isso fosse correto, não diminuiria seus méritos. Como ser humano e amigo, Overbeck fez tudo que esteve a seu alcance, e ele teve que fazer tudo sozinho. Após receber a notícia, Köselitz correu pelas ruas de Berlim como um louco, pois não havia reconhecido a "carta da loucura" tão evidente como tal; a irmã se encontrava no Paraguai, num empreendimento colonial que também se aproximava da catástrofe; a mãe teria sido incapaz de fazer a viagem até Turim e de tomar todas as medidas necessárias. A grande manifestação posterior de seu amor maternal só pôde se desdobrar sobre o fundamento preparado por Overbeck. As acusações levantadas anos mais tarde pelo "Archiv", ou seja, por Elisabeth Förster-Nietzsche, e infelizmente reforçadas por Köselitz, segundo as quais Overbeck teria esquecido em Turim os manuscritos mais importantes sobre a "revalorização" são totalmente equivocadas, até mesmo maliciosas. Onde estavam todas essas pessoas em 1889? O que teria acontecido sem a intervenção enérgica de Overbeck?

Além disso, surgiram coerções situacionais, contra as quais ele não pôde fazer nada, pois não possuía a legitimidade jurídica de tomar decisões definitivas. Nada pôde contrapor à insistência da mãe de retirar o paciente do hospital de Basileia. E certamente teria preferido ver seu amigo internado na 1ª classe mais confortável de Jena. Mas já que esta custava 7 marcos por dia (210 a 217 marcos por mês, enquanto estavam disponíveis apenas 130 marcos por mês), ele teve que aceitar a internação na 2ª classe, o que custava 2,50 marcos por dia para estrangeiros (e Nietzsche foi classificado como tal pelo hospital psiquiátrico em Jena). Existiam "níveis intermediários" com o compartilhamento parcial da sala de estar ou uma "1ª classe com quartos com dois ou três leitos", mas isso custava 4,50 marcos por dia para um estrangeiro, ou seja, excedia os recursos financeiros de Nietzsche. Juntavam-se a isso ainda as despesas extraordinárias, que somavam 223 marcos para o período de 18 de janeiro de 1889 até 24 de março de 1890 – o período de internação de Nietzsche em Jena, como demonstram os recibos cuidadosamente guardados por Overbeck. Encontramos neles despesas como "barbear e cortar cabelos", uma cerveja *lager*, um pouco de água carbonatada, charutos (?), mas aparentemente também aquisições urgentes como camisas, golas, pantufas, suspensórios e um terno. Overbeck precisava cuidar de tudo isso, agora e ainda anos mais tarde ele precisou fornecer os recursos financeiros. Mas tudo isso era de importância secundária diante das

preocupações com a obra

"Nietzsche não existe mais!" Com essa expressão de desespero, Overbeck vê seu amigo sendo levado para longe, e ele reconhece um perigo grande surgindo no horizonte. Por maior que seja o amor com que a mãe cuidará das necessidades físicas de seu filho, ela permanecerá alheia e incompreensível diante de sua essência, sua obra. Mas é justamente essa obra que precisa ser preservada, ela não pode ser arrastada para o abismo da catástrofe. É aqui que Overbeck reconhece o perigo que se aproxima, por isso age com rapidez e determinação. Mas não pretende assumir a responsabilidade sozinho, isso proíbe sua diligência como cientista; pois a despeito de todo o seu envolvimento com a obra de Nietzsche e apesar de ter recebido sempre as publicações de Nietzsche, Overbeck estava ciente de que seus conhecimentos apresentavam algumas lacunas, sobretudo no que dizia respeito aos trabalhos de Nietzsche durante os últimos três ou quatro meses. Existia uma única pessoa que estava a par de tudo: Heinrich Köselitz. Overbeck precisava recorrer a ele, recrutar sua ajuda e repartir com ele essa responsabilidade.

Antes, porém, precisava resolver algo para o qual não precisava da ajuda de Köselitz: organizar a remessa do restante das posses e dos documentos de Nietzsche, que ainda se encontrava em Turim. Overbeck providenciou tudo imediatamente, pois já em 14 de janeiro Fino promete o envio das roupas e da caixa com os livros para o dia seguinte, "le plus vite possible"[188]. Fino envia essa caixa, "forte et bien assurée", de 116 quilos, no dia 19 de janeiro, e no dia 3 de fevereiro agradece pelo ressarcimento de suas despesas. Assim, tudo que Nietzsche possuíra em Turim estava agora com Overbeck. O fato de que, mais tarde (em 1895), foi encontrada uma pasta com manuscritos de Nietzsche em Nice, se deve a um descuido do próprio Nietzsche. Em novembro, providenciara a remessa de todo "depósito de Nice" para Turim e acreditava que nada faltava. Em 11 de dezembro de 1888, escrevera à mãe: "Chegaram de Nice as três caixas de livros. – Agora, estou aqui [em Turim] em todos os sentidos". Essa carta não foi publicada pelo arquivo nietzscheano, ou seja, por Elisabeth Förster-Nietzsche, para não pôr em xeque sua tese das partes desaparecidas da "reavaliação" e a acusação contra Overbeck.

O "depósito de Sils" também chegou a Naumburg apenas após algum tempo, pois a mãe não havia dado as instruções necessárias à Família Durisch, que, portanto, não sabia para onde enviar as coisas. Overbeck fez tudo ao seu alcance para preservar o espólio manuscrito de Nietzsche, também as suas anotações. Entre estas encontravam-se também os manuscritos completados de "Nietzsche contra Wagner" e "Ecce homo". Seu destino foi o mesmo de todos os outros manuscritos de Nietzsche: foram para a gráfica, onde as placas de impressão eram preparadas, ele e Köselitz liam as provas e as corrigiam, enquanto o autor ainda completava ou alterava as partes finais. Dessa vez, porém, essa redação final das partes finais não aconteceu. O "Crepúsculo dos ídolos" estava impresso e pronto para ser enviado para as livrarias; Overbeck encontrou entre os documentos de Turim o manuscrito final do "Anticristo", retido ainda pelo próprio Nietzsche. Em março, Köselitz ainda não sabia de nada desse manuscrito. Entrementes, Overbeck havia produzido uma cópia, que ele lhe ofereceu apenas em 13 de março de 1889. Por isso, a discussão entre Overbeck e Köselitz sobre os últimos escritos de Nietzsche não pôde ter girado em torno dessa obra nos primeiros meses. No que dizia respeito ao "Crepúsculo dos ídolos", os dois concordaram que o lançamento deveria ocorrer o mais rápido possível, antes ainda de a notícia sobre o fim de Nietzsche na loucura se propagar pelo mundo interessado. Na época, as mídias jornalísticas ainda não trabalhavam com a rapidez de hoje. Assim, Overbeck escreveu a Köselitz em 20 de janeiro: "Caso queiramos [...] que o Crepúsculo dos ídolos chegue às pessoas, devemos [...] provavelmente nos apressar, pelo menos em vista do efeito imediato, para que ainda receba algum reconhecimento pelo seu valor; valor este, porém, por trás do qual coloco um grande ponto de interrogação. O mais importante é, porém, que a publicação do Crepúsculo dos ídolos garanta a existência".

A situação era diferente no caso dos escritos pós-filosóficos "Ecce homo" e "Nietzsche contra Wagner". Overbeck e Köselitz travaram uma discussão violenta sobre o último, durante a qual Overbeck chegou a oferecer repetidas vezes que Köselitz assumisse a responsabilidade exclusiva por sua publicação. Os dois concordavam no ponto de que esse escrito não poderia ser suprimido, pois se tratava de uma obra válida de Nietzsche; no entanto, discordavam referente ao momento da publicação e à possibilidade de amenizar algumas formulações excessivamente agressivas. Köselitz insistia na continuação da impressão iniciada por Naumann, Overbeck favorecia um procedimento mais comedido. Naumann se prontificou até a interromper a impressão sem exigir o pagamento dos custos já acumulados; acreditava tanto no sucesso editorial de "O Caso Wagner" e do "Crepúsculo dos deuses" que esperava poder cobrir completamente as suas despesas. Na mesma carta a Köselitz de 20 de janeiro, Overbeck escreve: "Concordo plenamente com sua sugestão de uma publicação limitada de 'Nietzsche contra Wagner'; primeiro, porque eu – e não em virtude de um carinho completamente inexistente da minha parte pelo 'Reich' – quero evitar a qualquer custo todo conflito dos escritos de Nietzsche com a polícia, mas em vista da sabedoria política que rege a nossa Alemanha no momento o publicaria por causa de algumas passagens, sobre o imperador etc.; segundo, porque a obra assume em algumas passagens um caráter confuso, de forma que eu não consigo suprimir a suspeita de que aqui as forças já teriam abandonado Nietzsche – e a alegação de que essas anotações provêm todas de 'escritos mais antigos' de Nietzsche [...], não pode ser levada completamente a sério em virtude de passagens como as páginas 15 e seguintes. No entanto, seria terrível se este pequeno escrito com todas as suas maravilhas – o poema final, entre outros – desaparecesse completamente do mundo e não fosse preservado em segredo para um tempo posterior por meio da impressão! Ou seja: concordo plenamente com sua sugestão*. Apenas comecei a ler o Crepúsculo dos ídolos – coloque-se em minha posição para saber por quê; o que sei dele me proíbe uma sentença de morte parcial ou total, encontrar-me-ia submetido ao final do n. 51, que li por acaso [...]. Mesmo tendo lamentado contra Nietzsche uma passagem semelhante e menos extravagante no Caso Wagner, acredito que deve se aplicar também nesta questão o n. 5 dos 'Provérbios e flechas': 'Quero, uma vez por todas, não saber de muitas coisas. A sabedoria impõe limites também ao conhecimento'". No caso do "Crepúsculo dos ídolos", Overbeck não pretende impor limites tão estreitos, e ele tolera até o final do capítulo "Incursões de um extemporâneo" (ainda o conceito das "Considerações extemporâneas"!), onde lemos no § 51: "Criar coisas nas quais o tempo aplica em vão seus dentes; segundo a forma, *segundo a substância* empenhar-se em prol de uma pequena imortalidade – jamais fui modesto o suficiente para exigir de mim menos do que isto. O aforismo, a sentença, nas quais sou o primeiro mestre dentre os alemães, são as formas da 'eternidade'; minha ambição é dizer em dez frases o que qualquer outro diria em um livro – o que qualquer outro *não* diz em um livro... Eu dei à humanidade o livro mais profundo que ela possui, o meu *Zaratustra*: em breve lhe darei o mais independente. –"

Uma semana depois, em 27 de janeiro, Overbeck confirma explicitamente mais uma vez seu consentimento[50]: "Nenhuma palavra sobre o Crepúsculo dos ídolos? Devo, portanto, entender que ele deve sair imediatamente para o mundo? Nada teria contra isso, agora que o li. Pois mesmo que eu prefira ler Nietzsche na Genealogia da moral do que em suas 'Reconvalescências', não vejo o que, mesmo neste

---

* De completar a impressão e produzir uma pequena tiragem de 20 cópias para os amigos. Naumann acabou produzindo 50 exemplares, o que ocasionou uma discussão violenta entre o editor e Overbeck.

momento extraordinariamente desfavorável, se oporia a esta cornucópia surpreendente de espírito e conhecimento, disposto a se despejar até a última consequência. Esse escrito em momento algum foge ao padrão da literatura nietzscheana e também não se dirige a outros leitores além daqueles que ele já conseguiu adquirir. Desejo que essa publicação não seja adiada, para que ela ocorra ainda antes de chegar ao público a terrível virada no destino de Nietzsche". E a publicação de fato ocorreu naqueles dias. No entanto, em 9 de fevereiro de 1889, o jornal protestante de Basileia, "Allgemeine Schweizer Zeitung", publicou uma resenha, provavelmente de seu editor A. Joneli, tratando da catástrofe como fato já conhecido e vendo o livro como prenúncio claro. A resenha conclui com as palavras: "Quem o conhecia, repetirá em profunda tristeza as palavras do poeta: 'Que espírito nobre foi aqui destruído!'" Chama atenção o fato de que o resenhista alega sem qualquer ressalva uma influência hereditária (Documento 14).

No caso de "Nietzsche contra Wagner", Overbeck avalia a situação de forma completamente diferente. Este se dirigia a leitores diferentes daqueles interessados na filosofia de Nietzsche. E Overbeck teme que isso cause consequências inoportunas. Existem aqui os círculos políticos e sua censura e as autoridades da justiça criminal, que poderiam acusar o autor de "desacato à majestade". Esse perigo já havia assustado o próprio Nietzsche. Overbeck escreve a Köselitz "que, incluo às passagens politicamente perigosas e àquela que menciona o imperador [...] também o final do prefácio" ("Quosque tandem, Crispi...; cf. p. 22)[187]. E ele chama a atenção de Köselitz para a dificuldade principal nessas decisões[187]: "Na situação atual, i.e., na ausência completa de um direito formal, não vejo como nós – dado que o senhor e eu concordemos neste assunto – poderíamos impedir Naumann de servir-se de sua prerrogativa suposta ou real. Gostaria que nós dois nos uníssemos naquilo que nos é possível", ou seja, "que impedíssemos qualquer interferência por parte do interesse editorial de Naumann, ainda mais se seus cálculos fossem corretos. Pois neste momento precisamos proteger Nietzsche de qualquer sucesso público [...]. Aquilo que dele já se publicou já é conhecido o bastante para que ele seja preservado para a posteridade [...] de forma que podemos desprezar, sem qualquer 'catonismo', o 'sucesso' do dia, ainda mais diante do fato de que este poderia ser muito ambíguo em vista das circunstâncias atuais". O perigo é tão grande que este poderia se transformar em um prejuízo irreparável. O escrito era uma provocação contra tudo relacionado a "Wagner", e isso justo num momento em que o desafiador "desaparece do campo de batalha em virtude de uma sorte infeliz. Tudo isso dá um espaço excessivamente favorável a todos os seus adversários". Overbeck reconhece também que o escrito apresenta pontos de ataque que facilitam um golpe fatal por parte do inimigo. Ele compartilha até sua impressão segundo a qual "a obra assume em algumas passagens um caráter confuso", como se "as forças já tivessem abandonado Nietzsche" (cf. p. 50). E só por causa do poema final ("Da pobreza do mais rico"), que Overbeck considera maravilhoso e digno de ser preservado para a posteridade, não pretende arriscar a publicação do escrito *completo* na situação atual – nada, porém, se oporia a uma edição póstuma.

Köselitz compartilha do entusiasmo de Overbeck pelo poema, e para salvá-lo tem a ideia de acrescentá-lo aos "Cânticos de Zaratustra", ou seja, aos "Ditirambos dionisíacos": uma intenção louvável com métodos questionáveis, como mostraria o futuro. Pois com essas "tentativas de resgate" de partes individuais por meio de transferências de um manuscrito para outro começa a história confusa das edições póstumas de Nietzsche até o passado mais recente. No entanto, não podemos nos esquecer de que essa prática editorial não foi marcada apenas pelos editores mais ou menos responsáveis, mais ou menos capazes ou ignorantes, mas também pela situação espiritual da época. Um número crescente de adeptos sonhadores e fanáticos de Nietzsche exigia veementemente a publicação das obras ainda anunciadas por Nietzsche. Por outro lado, os interesses cristãos e eclesiásticos e o medo – aparentemente justificado – de consequências por parte das autoridades estatais limitavam a liberdade editorial. O exemplo brilhante de uma grande proeza literária editorial, a "edição de Sofia" das obras, dos diários e das cartas de Goethe pelo arquivo de Goethe em Weimar, instigou os editores de Nietzsche a uma pressa pouco saudável, e finalmente a catástrofe se aproximou definitivamente na figura da irmã de Nietzsche, que pretendia constituir uma imagem específica de seu irmão, uma imagem esperada e exigida por grande parte dos leitores de Nietzsche. Também aqui constatamos a correlação malfadada entre autor e destinatário – entre causa e efeito –, que podia ser revertida a qualquer momento.

Overbeck pressentiu essa situação e reconheceu já agora as consequências decorrentes da balbúrdia em torno de Nietzsche, que seria encenada durante décadas pelo arquivo. Seu tato humano se opôs a isso. Especialmente agora, no momento em que o infeliz, acometido por uma doença incurável, estava completamente indefeso, Overbeck percebia toda publicidade exagerada como insensível. Nisso concordava plenamente com a mãe. Nietzsche, o ser humano sensível e nobre, vinha para ele em primeiro lugar; era *este* que ele queria preservar. No fim das contas, foi uma decisão ética sua não participar da "revalorização" de seu amigo sofredor em um herói revolucionário, decisão esta que a irmã de Nietzsche nunca entendeu. O fato de Overbeck nem sempre ter defendido seu ponto de vista da forma mais controlada é uma questão à parte.

Erwin Rohde concordou com Overbeck numa decisão fundamental, pois lhe escreveu em 24 de janeiro[187]: "O senhor tem certeza de que deseja publicar seus escritos póstumos, por assim dizer? Este pensamento me dá calafrios. E ainda com essa caricatura de título de 'Crepúsculo dos ídolos'. Mas certamente o senhor reterá seu panfleto contra Wagner? Nos últimos tempos, sua conduta em relação a Wagner sempre me preocupou e torturou – mostrou que há muito havia algo de *doente* nele; pois no passado, *neste* casto *este* tipo de luta lhe teria sido impossível, em vista de toda a sua natureza. Ah, o *velho* Nietzsche, como eu o conheci na universidade e ainda anos depois! Nós nos sentiremos melhor apenas quando *esta* imagem reemergir da escuridão. – Mais luta ainda, justo agora, isso é impossível. Falando nisso: seu panfleto 'A queda de Wagner. Um problema de músico', que vi anunciado por seu editor, realmente foi publicado? Provavelmente se trata do mesmo que o senhor identifica como 'Nietzsche contra Wagner'? – Em todo caso, creio que deveríamos *esperar* com qualquer publicação (com a exceção do antiwagner) – até que seja realmente póstuma". Mas por quanto tempo isso podia durar? Rohde confiou demais na afirmação de Overbeck, que lhe escrevera em 22 de janeiro: "Quanto à falta de qualquer esperança, Wille aqui e Binswanger em Jena concordam plenamente. Quanto à expectativa de vida, eles se manifestam com cautela, um espera no máximo dois anos, o outro afirma que mais de um ano seja mais provável do que um prazo mais curto". Para Overbeck isso representava um adiamento justificável e, por isso, também "mais apropriado dar mais tempo à literatura de Nietzsche para se consolidar, o que ela poderá fazer em todo silêncio, também após aquilo que aconteceu, e o que não precisará ser um processo que se estenda por mais do que alguns poucos anos. Caso procedermos diferentemente, não sei se a atualidade da loucura de Nietzsche não causará um barulho tão grande ao ponto de perturbar profundamente esse processo, de forma que os escritos de Nietzsche se perderiam durante muitos anos para o público como produtos da loucura"[50].

Mas existia ainda outro parceiro:

O editor Naumann

Para ele, a interrupção das publicações, sobretudo dos escritos menores "rápidos", representava um duro revés comercial. Ele, evidentemente, favorecia uma continuação; no entanto, não o fez de forma impertinente ou arrogante. Ele até assumiu o risco de perder dinheiro ao recusar a oferta de quitação dos gastos já acumulados pela gráfica.

Sem dúvida alguma, ele também estava ciente da situação jurídica indefinida. Ele não podia apelar nem a um contrato editorial válido nem a uma última vontade inequivocadamente expressa de Nietzsche em relação aos escritos "Anticristo", "Ecce homo" e "Nietzsche contra Wagner". Nietzsche não tinha mais capacidade de atuação, e um tutor oficial ainda não havia sido designado. Assim, recorreu a uma hipótese talvez singular na história do direito, mas de certo modo interessante, para se livrar da responsabilidade: simplesmente "reconheceu" Overbeck como "tutor situacional" de Nietzsche! Overbeck, por sua vez, não se sentiu completamente à vontade nessa posição jurídica sem fundamento sólido e não agiu nessa função. Usou o reconhecimento de Naumann apenas para refrear o editor e impedi-lo de tomar passos independentes. Em poucos meses se revelariam as dificuldades suscitadas pela questão da tutela em virtude de sua falta de nacionalidade e de uma residência permanente. Por ora, tudo se encontrava num equilíbrio frágil. E o fato de a mãe apoiar a tutela de Overbeck (pois confiava plenamente nele) nada mudava na situação jurídica duvidosa. Mesmo assim, decisões e medidas precisavam ser tomadas constantemente. E visto que não havia ninguém capaz de resolver os assuntos mais urgentes de modo sensato, Overbeck se submeteu às coerções externas. O modo como ele conseguiu lidar com Naumann foi uma proeza de paciência e esperteza tática, como documenta a rica correspondência entre os dois (cf. alguns exemplos em "Documentos 15"). Seu senso de responsabilidade lhe proibia qualquer ação autônoma. Sempre procurou o contato e o consentimento da mãe, dos médicos e dos amigos, primeiramente de Köselitz.

A barricada dos amigos

"Jamais consegui ter um inimigo pessoal", Nietzsche escreveu a Carl Spitteler em 25 de julho de 1888. A prova disso veio agora. Seus velhos amigos se reuniram em torno de seu amigo Nietzsche por intermédio de Overbeck para formar uma barricada de proteção. Nesses dias e meses, ele recebeu cartas de condolência de todos os lados, como após uma morte, até de pessoas que rejeitavam a filosofia de Nietzsche. Todos eles, porém, se comoveram com o terrível destino da pessoa amada. Em 13 de janeiro, Gersdorff escreve[188]: "Sua notícia é tão triste que o noticiamento de sua morte não poderia ter me ferido mais. Sim, tenho pensado várias vezes na possibilidade de que nosso amigo poderia sofrer um colapso sob o impacto de seu pensamento rico e profundo, pois nenhuma coerção profissional o refreava e nenhum relógio eternamente pontual de um trabalho o mantinha nos trilhos. Já temi isso no caso do 'Zaratustra', mas, quando ele retornou para os estudos na forma antiga, acreditei vê-lo num processo de reconvalescença, alegrei-me também com o 'Caso Wagner', cuja essência eu conhecia desde 1880 [...]. [Eu] não imaginei que a sina de Hölderlin recairia sobre este espírito livre e claro dentro de tão pouco tempo. E isso justo num momento em que ele estava prestes a iniciar grandes coisas".

E também Carl Fuchs se comoveu profundamente com o ocorrido, apesar de ter sido alarmado pelos últimos escritos de Nietzsche, no entanto, em sua função como velho wagneriano. Em 14 de janeiro, escreve: "Não tenho palavras para expressar a minha perda [...]. Possuo ainda algumas cartas maravilhosamente refrescantes de Sils-Maria e Turim. Ah, quando ele me escrevia: 'Após alguns anos, reinarei sobre o mundo; pois demiti o velho Deus' – eu via nisso uma grande piada, e se ele tivesse conseguido impor sua razão ainda em vida, é isso que teria acontecido. Mas já os ensaios sobre Wagner não eram dignos dele, tampouco o método de penetrar o mundo por meio *desse* portão ordinário. Lamento [...] não ter lhe dito isso diretamente".

A carta de 16 de janeiro do Prof. Max Heinze em Leipzig demonstra a mesma comoção diante do terrível destino do amigo, à qual se mistura uma preocupação com o futuro das obras, futuro este que já não está mais nas mãos do autor: "A notícia nos abalou profundamente [...], e desde então [...] nossos pensamentos e sentimentos giram em torno do doente. Serve-me como fraco consolo em meio a esse estado indizivelmente triste do doente o fato de que, normalmente, este tipo de pacientes, inconscientes da transformação sofrida, costumam se sentir subjetivamente bem. Que este seja também o caso de Nietzsche, que ele não tenha que sofrer ainda grandes torturas psicológicas até o fim! Sofremos com a pobre mãe, à qual o destino encarregou a obrigação de beber o cálice do sofrimento até o fim [...]. Recebi sua carta anteontem às 9 da manhã, e já às 9h55min, minha esposa, muito mais próxima da Sra. Nietzsche do que eu, partiu para Naumburg, para tentar impedir sua ida a Basileia; infelizmente, em vão: a infeliz já havia partido na noite anterior [...]. Conversei ontem com Naumann [...]. Quero apenas dar o conselho de submeter tudo que deve ser publicado a um exame sensato, para impedir a publicação de coisas demasiado sérias que apenas manchariam a imagem do nosso amigo [...]. Caso exista algo que eu possa fazer para ajudar na resolução dos assuntos de Nietzsche, eu o faria com grande satisfação".

Completamente abalado pela notícia, Paul Deussen consegue responder apenas uma semana mais tarde, após "recuperar o fôlego", e mesmo então ainda tenta recalcar a dura realidade: "Que notícia mais triste me traz a sua carta! Precisei de algum tempo para absorver o pensamento; nos últimos três meses, tenho recebido algumas cartas de Nietzsche, nas quais se manifesta uma autoestima excessiva (p. ex., traduções em sete línguas, venda de um milhão de exemplares etc.), mas que me pareceu mais como sintoma do retorno de suas forças e de uma saúde cada vez mais fortalecida. E por isso não consigo acreditar num abalo real e duradouro. É comum encontrar uma autoestima exagerada em indivíduos geniais; e quando se junta a isso um humor exaltado, gerado por sucessos aparentes ou reais, é possível interpretar esse estado como algo que, na verdade, não é [...]. Eu lhe agradeceria imensamente, se o senhor [...] me enviasse notícias sobre seu estado atual e me dissesse se a mãe está a par de tudo. Eu já teria escrito a ela se não suspeitasse que não lhe disseram tudo para poupá-la". Overbeck o informou imediatamente sobre o estado fatal de Nietzsche, e Deussen respondeu em 26 de janeiro: "Apresso-me então para informar-lhe que o senhor pode contar com uma ajuda minha de 100 marcos [...]: Caso não consiga arrecadar a quantia com a ajuda de outros (o que não espero), eu mesmo contribuirei a quantia requerida para o velho e querido amigo".

Essas foram as reações do círculo de amigos, que Overbeck havia informado diretamente por meio de cartas em 11 e 12 de janeiro. Aos poucos, a notícia se espalhou, e, por isso, algumas perguntas e cartas de condolência chegaram com atrasos consideráveis. Por meio de caminhos peculiares, a notícia do ocorrido chegou também à velha amiga de Sils, Mrs. Emily Fynn: "No verão passado [...], ele nos escreveu que suas obras estavam finalmente recebendo sua devida atenção e ele parecia muito satisfeito com isso. Mas sua última carta de Turim, do início de dezembro de 1888, foi ainda mais feliz e descontraída. Parecia que ele havia descoberto um novo prazer de viver. Tudo lhe parecia *paradisíaco* [...]. Escreveu entre outras coisas: 'Também não trabalhei durante toda a minha vida tanto quanto trabalhei nos últimos 70 dias'. [...] Na época, então, sentia-se completamente saudável, e nós nos alegramos com isso. No Ano-Novo enviou um cartão, e alguns dias mais tarde recebi um envelope que continha uma folha retirada de um caderno com uma brincadeira muito peculiar, que conseguimos decifrar apenas em parte. Eu aceitei a brincadeira e lhe respondi no mesmo estilo, *poste restante* Turim, pois eu havia perdido seu endereço – no entanto, não recebi resposta. Mas assim que reencontrei seu endereço, escrevi o cartão", ao qual Overbeck reagiu. Assim, ela lhe agradece agora em 14 de março e confessa: "Conhecemos o Sr. Prof. Nietzsche durante vários verões em Sils-Maria e rapidamente fomos cativados por seu espírito nobre, por sua cordialidade e generosidade. Tornou-se um fiel amigo nosso, e sua triste notícia [...] nos comoveu dolorosamente. Uma morte rápida certamente teria sido melhor para ele". E essa admiração pessoal resiste até mesmo às ressalvas filosóficas da cristã católica: "O que mais me dói é que ele sofreu esse golpe do destino justamente no momento de sua fama emergente; pois, apesar de não compartilhar de sua vertente filosófica, a ruína de seu espírito me dói ainda mais! – E sua pobre mãe! Talvez os médicos tenham se enganado". E então a velha Mrs. Fynn escreve uma carta longa e cordial à Sra. Nietzsche. Ela lhe conta experiências dos verões em Sils-Maria, mas no fim a consola de uma forma que lança uma luz também sobre as amizades de Nietzsche com as mulheres: por um lado, procurava nelas o lado maternal; por outro, uma personalidade amadurecida, capaz de se contrapor a ele numa sólida visão do mundo, mesmo que fosse completamente contrária às suas próprias ideias. Em 31 de março, a Mrs. Fynn escreve à Sra. Nietzsche: "Sim!, querida e respeitada senhora, tenha coragem. Ninguém sabe melhor do que eu como é difícil carregar sua cruz com paciência e amor, mas quanto mais tentamos nos unir com a sagrada vontade de Deus, mais leve se torna a cruz, pois a graça e o amor de Deus fortalecem nosso coração, e quanto mais velhos ficamos, mais sentimos que é melhor descer para o túmulo (ou melhor, comparecer diante de Deus) com uma cruz do que partir deste mundo com alegria e prazer.

É infinitamente triste que a senhora não pode cuidar de seu filho pessoalmente, mas como dizem os médicos, já não há esperança. – Portanto, tenha bom ânimo, prezada senhora, e confie plenamente *naquele* que criou o lindo e nobre espírito do seu bom filho; este pode devolver-lhe também a saúde e reestabelecer todo o frescor e a vivacidade de seu espírito. – Consola-nos imensamente saber que o professor não está sofrendo e nada sabe sobre seu estado. – A senhora sabe se lhe é permitido receber cartas? Gostaria muito de lhe escrever [...]". A mãe se comoveu profundamente com a carta. Ela a copiou e a enviou imediatamente a Overbeck.

E também Jacob Burckhardt acompanhou os eventos. Não precisou escrever a Overbeck, pois podia informar-se pessoalmente. Encontramos uma manifestação disso apenas numa breve carta a Theodor Opitz em Liestal, de 29 de abril, que – aparentemente respondendo a uma pergunta – se limita a essa informação: "O estado triste e irremediável do Sr. Prof. Nietzsche transformou-se agora infelizmente em fato certo: Loucura com crises paralíticas periódicas. Como testemunha basta o amigo e colega que o trouxe de Turim. Daqui, foi levado para o manicômio de Jena. Seus médicos já não falam mais em cura; nem mesmo sua mãe, que vive nas proximidades, em Naumburg, pôde vê-lo".

Jacob Burckhardt só pode ter recebido uma informação tão precisa diretamente de Overbeck.

Mesmo as pessoas com as quais Nietzsche havia rompido de forma violenta se mostraram profundamente comovidas. Malwida von Meysenbug havia enviado à sua filha Olga Monod o "bilhete da loucura" que ela recebera de Nietzsche[167]: "Como lembrança do coitado, que não foi levado à doença pela megalomania, mas à loucura pela doença", dedicando-lhe em 15 de fevereiro o belo posfácio: "Isso me abalou profundamente, um espírito tão lindo, uma natureza tão nobre! E certamente a culpa cabe a seu grave sofrimento físico e a sua vida pobre e solitária; teve que lutar contra privações, uma alimentação ruim e falta de cuidados, juntando-se a isso a profunda solidão, a imersão em suas ideias, sem que alguém tivesse lhe oferecido uma oposição sensata e amigável, tudo isso turvou aos poucos a clareza de seu espírito e o entregou à megalomania. Se tivesse morrido, a tristeza seria menor. E a pobre mãe, que teve apenas dois filhos e tanto se orgulhava de seu filho, e cuja filha se encontra tão distante!" Malwida não podia saber que também no Paraguai a catástrofe estava prestes a acontecer e que a mãe sofreria um segundo e duro golpe.

Bayreuth também ficou de luto. Overbeck havia escrito a última carta após a morte de Wagner em 1883, pela qual lhe agradeceu a filha mais velha de Cosima, Daniela von Bülow, entrementes casada com o historiador de cultura Henry Thode. Agora, em 5 de março de 1889, ela escreve uma carta de condolência em nome de Cosima. "Por meio da Srta. von Meysenbug soube do triste destino do Prof. Nietzsche e compartilhei a notícia com minha mãe. Ela, que já estava muito assustada com as cartas de Nietzsche, perguntou quem se disporia a cuidar do pobre homem em sua total impotência – pensando imediatamente no senhor. Como soubemos, foi realmente o senhor que intercedeu e ocasionou a última solução para essa existência desesperançosa, solução esta que deve ter abalado e, ao mesmo tempo, acalmado todos os envolvidos. Agora, sabemos que está sob bons cuidados físicos – Deus, porém, lhe dê um fim em paz!"

Cosima transferiu sua lealdade à irmã de Nietzsche e lhe confidenciou, ainda anos mais tarde, os bilhetes da loucura que ela havia recebido do homem venerado. A carta de 3 de março de 1895 a Erwin Rohde demonstra o carinho com que nutriu as lembranças dele[70b]. Por meio de seu genro Henry Thode – colega de Rhode em Heidelberg –, Cosima havia recebido o discurso de posse de Rohde como reitor e escolhido algumas passagens para os "Bayreuther Blätter". Publicou as passagens que tratam do culto de Dioniso como início das formas transcendentes da religião. Cosima escreve: "Senti gratidão pela mão firme que voltou a me conduzir para aquelas regiões em que nos sentimos libertos do medo do presente [...]. Ao mesmo tempo, porém, comoveu-me muito. Tive a impressão de tornar a corresponder com nosso pobre, pobre amigo. Surgiram lembranças perdidas, e como se nada nos tivesse separado, encontrei-me novamente num diálogo com ele e deixei-me instruir por ele naqueles assuntos elevados, que representam um refúgio dos pensamentos. Curiosamente, assim que li sua palestra, meus passos me levaram para Basileia. E lá passei pela universidade que, no passado, continha tanta vida para nós".

Com sua referência ao velho Nietzsche, ao professor universitário e ao amigo de Tribschen, Cosima despertou em Rohde sentimentos iguais.

Rohde retratou sua relação interior com Nietzsche e o fundamento para sua compreensão pela sua conduta posterior de modo insuperável em sua carta a Overbeck, escrita entre 17 e 20 de janeiro de 1889: "Durante dias não ousei abrir sua carta, pois temia a confirmação de uma terrível suspeita, que, mesmo assim, me acometeu como um choque elétrico [...]. Durante muito tempo não consegui me recompor. Não, no fundo não acreditava que algo assim viria a acontecer; apenas o último bilhete – de 7 de janeiro – que recebi de Turim me advertiu: continha tamanha insensatez que não pude interpretá-lo como brincadeira e fui tomado por um sentimento assombroso. De resto, suas últimas manifestações (não conheço, porém, seu panfleto contra Wagner) não davam qualquer indicação de que esta forte razão poderia ruir de forma tão repentina. Estávamos praticamente acostumados com seus exageros em determinados assuntos. Como lamento agora não ter escrito mais cartas a ele! Ele havia me assustado com uma declaração muito estranha, e eu não sabia o que poderia lhe dizer de agradável em reação aos seus últimos escritos profundamente antipáticos (com exceção do aspecto formal, que ele ainda dominava com mestria). Assim, preferi me calar e acreditei que o silêncio era a forma mais suportável do desconsentimento. Eu (acreditava) não ter nada mais a dizer, mas uma expressão de simpatia puramente pessoal poderia ter lhe feito bem! Nem ouso pensar no infortúnio presente. Caso eu possa ser útil em qualquer coisa, seja em questões materiais ou espirituais, por favor, diga-me. Desaba com esse destino parte da própria vida e do próprio fundamento – horrível; e nem consigo imaginar todos os desejos e sonhos e pensamentos engolidos, que, por fim, quebraram como uma onda sobre sua cabeça. Ainda me assombra este incidente. Se pelo menos seus pensamentos e suas representações tivessem ficado menos claros, como (p. ex., no caso de) Hölderlin de forma tão evidente em suas últimas produções; mas ao contrário – seu último escrito ('Genealogia') apresentava uma ordem maior, uma lógica mais rígida do que seus escritos anteriores".

Rohde é o primeiro a apontar para a diferença fundamental entre as loucuras de Hölderlin e Nietzsche; uma diferença, porém, que infelizmente foi rapidamente ofuscada por escritores mais barulhentos.

Rohde nunca conseguiu superar completamente o choque. A consciência da ameaça, porém, foi nutrida por sua própria constituição. Ele já sofria com os sintomas de uma insuficiência cardíaca – ainda não diagnosticada –, que em poucos anos encerraria sua vida, enfraquecida pelo esforço excessivo investido em sua obra principal "Psyche" [Psique], na qual estava trabalhando agora. A amigos ele escreveu em janeiro e março[70b]. "Estou sendo inundado por tantos sentimentos e pensamentos repletos de tristeza e humores de todo tipo – de forma que posso apenas me esconder e nada mais dizer". – "Recentemente, o infortúnio do meu amigo Nietzsche me abalou com tanta força que me senti literalmente doente". Já se observou muitas vezes, em tom de acusação contra Rohde, que em seu livro, que trata em parte dos mesmos assuntos como o "Nascimento da tragédia", de Nietzsche, ele nunca menciona a obra do amigo. Otto Crusius demonstrou que essa acusação não se justifica completamente, apontando para passagens que precisam ser interpretadas com um refinado senso de observação[70b]. No entanto, é correto que ele nunca menciona Nietzsche explicitamente, e existem duas razões plausíveis para isso. No que diz respeito ao conteúdo, as posições dos dois autores divergem bastante. Para Nietzsche, o dionisíaco, o êxtase do culto de Dioniso representava um lado da natureza grega, mas para Rohde o "orgíaco e o misticismo eram elementos *estranhos* no sangue grego". E agora, após a catástrofe, o respeito simplesmente proibia a Rohde gerar uma controvérsia científica com seu querido amigo. Não podia criar um escândalo em torno de Nietzsche, não agora! Nesse ponto concordava plenamente com Overbeck, e lamentou mais tarde também a fundação espetacular do chamado arquivo de Nietzsche como "invenção tola".

Heinrich Köselitz, por sua vez, foi completamente desorientado. A carta da loucura de Nietzsche, escrita na manhã de 4 de janeiro, o alcançou com alguns dias de atraso "apenas em Berlim". É uma ironia do destino que ele responde ao bilhete no dia 9 de janeiro, no dia em que Overbeck já se encontra no trem com o paciente a caminho de Basileia. Köselitz acredita poder responder ao "apelo" do "Crucificado" com uma brincadeira: "Pouco antes, eu mesmo repeti para mim mesmo as palavras que eu havia escrito como variação a uma passagem no Crepúsculo dos deuses, de Wagner:

> Ninguém fala mais da dança do que ele,
> Ninguém dançou menos do que ele etc.

A paródia às palavras do grandioso monólogo final da moribunda Brünnhilde é testemunho de uma ignorância sem igual. Köselitz sabia que qualquer referência ao "Crepúsculo dos deuses" provocaria uma reação sensível por parte de Nietzsche – e percebemos também como essa paródia se aplica perfeitamente à pessoa de Nietzsche. Köselitz, porém, não podia saber que Overbeck encontraria seu amigo em danças extáticas, das quais ele havia falado tantas vezes.

Apenas a mensagem de Overbeck de 11 de janeiro trouxe certeza absoluta. E agora Köseltiz desabou internamente. Perdeu o "apoio que sustentava sua vontade", para aplicar a ele uma passagem da "Valquíria" (II,2). Ele havia recebido de Nietzsche não apenas seu nome "Peter Gast", pelo qual o mestre o chamou já tomado pela loucura, ele lhe devia também todo seu caminho espiritual e a autoconfiança, que precisava ser alimentada, coisa que, durante todos esses anos, apenas Nietzsche havia feito. Justamente nessa última carta de 9 de janeiro encontramos a declaração assustadora: "um ar frio, fumoso e pesado convidava mais para o suicídio do que para a dança", e Köselitz passou algumas semanas entretendo a ideia de cometer esse último ato de desespero. Se não tivesse encontrado em Overbeck um confidente compreensivo, ele teria caído num perigoso vazio, pois Köselitz se encontrava também profissionalmente numa situação difícil. Ele precisava do encorajamento das cartas de Overbeck, às quais ele respondia sempre imediatamente. Além de todas as outras preocupações, Overbeck assumiu também esse fardo, apoiando o confidente de seu amigo.

No início, Köselitz tentou recalcar a radicalidade do ocorrido. Sua primeira reação de 13 de janeiro foi: "Sua mensagem me abalou profundamente! Ainda não consigo imaginar Nietzsche, que, para mim, é uma das manifestações mais sublimes da raça humana, preso na cela de um manicômio. O *crescendo* de sua autopercepção, preocupante para qualquer um que nada sabia dos propósitos de Nietzsche, parecia-me completamente justificável. Ele tinha o direito de ser megalomaníaco. No entanto, sua máquina trabalhava com uma veemência excessiva; pois o que ele fez durante os últimos seis meses, tudo quinta-essências últimas, esgotou seu cérebro. E agora seus grandes sentimentos não são mais contidos e regulados pelo *quantum* necessário de razão.

Ah, quantas vezes ele me pediu para visitá-lo em Turim – e eu não o fiz. Evidentemente, não creio que tivesse causado nenhum efeito sobre ele. Eu apenas o teria distraído, refreado e perturbado em sua solidão. Mas como isso teria sido bom para ele! [...] Bem, não desisto da esperança de que ele possa se recuperar [...]. O problema era, como já disse, que não havia nenhum princípio refreador na proximidade de Nietzsche. Pois a potência espiritual de Nietzsche era tremenda". Overbeck responde então com a carta de várias páginas em 15 de janeiro, nossa fonte mais importante para os eventos em Turim e Basileia.

E agora (em 18 de janeiro), Köselitz é obrigado a reconhecer: "Nestes dias, escrevi três cartas ao senhor, prezado senhor professor, mas não as enviei. Como amigo de Nietzsche, corresponsável por tudo que agora acontece com ele – como amigo de Nietzsche acreditei ter que procurar e identificar tudo que precisa ser apresentado neste caso extraordinário e que talvez não venha a ser considerado pela psicologia dos médicos. Bem: o fato de que eu não lhe enviei estas cartas é prova de que logo reconheci a insensatez do meu empreendimento e não quis abalar a confiança que existe entre nós. Seu relato de ontem não deixa dúvida quanto à loucura de Nietzsche". Agora, Overbeck quer que Köselitz assuma parte da responsabilidade em relação ao espólio de Nietzsche, tenta atribuir-lhe uma tarefa, e Köselitz aceita. Ele procura se envolver num diálogo objetivo sobre a publicação do "Crepúsculo dos ídolos" e de "Nietzsche contra Wagner", sobre a situação financeira de Naumann e outras coisas mais (cartas e cartões postais de 22, 25 e 30 de janeiro). Mas já a carta de 31 de janeiro, ele encerra com uma confissão suspeita: *Não posso* escrever à Sra. Nietzsche! Por favor, venerado senhor professor, transmita minhas desculpas a ela! Todos nós queremos falar o mínimo possível sobre Nietzsche, para que ele não cause ainda um número maior de vítimas", pois "eu mesmo quase enlouqueci ao receber a notícia e ainda agora me encontro sob sua influência devastadora [...]. Fico vagando ao ar livre durante o dia todo, pois meu quarto, meu coração e minha pouca razão são como uma prisão".

Aquilo que, aparentemente, ajudou Köselitz a superar o pior nos primeiros dias foi a distração oferecida por seu velho amigo e colega de estudos Widemann. Após sua partida em 7 de fevereiro, Köselitz escreve a Overbeck: "Desde que Widemann partiu, passei horas terríveis. É quase impossível sobreviver às quartas de uma hora. Oito dias atrás quase teria me jogado pela janela para a praça da Bellealliance, não com intenções suicidas, mas por causa da dor de cabeça e de uma vertigem súbita". Algumas semanas mais tarde (em 23 de fevereiro) ele não consegue sustentar a "objetivação" e sente o desejo de "distanciar-me dos escritos de Nietzsche, a princípio pelo menos dos últimos".

Em 28 de março, relata um encontro com Carl Fuchs, que viera a Berlim para um concerto: "Li para ele algumas passagens do 'Ecce homo', e concordamos que grande parte não pode ser publicada. Em sua presença, algumas coisas tiveram um efeito até cômico". E em 15 de abril: "Ainda não completei a leitura de sua cópia do 'Anticristo'; perdoe-me por retê-la por tanto tempo. O ar neste livro, e ainda mais no 'Ecce homo' (que quase já copiei por completo), é tão abafado! Espero uma trovoada a qualquer instante".

Overbeck havia copiado o manuscrito do "Anticristo", que ele trouxera de Turim, para garantir a preservação do texto e para poder compartilhá-lo com os amigos. Köselitz, por sua vez, estava com o manuscrito do "Ecce homo", que ele estava copiando agora, "redigindo"-o ao mesmo tempo. O que ambos tentavam encontrar em vão era a "Revalorização de todos os valores", anunciada com tanta insistência por Nietzsche. Em 18 (?) de janeiro, Köselitz escreveu sobre o assunto (carta infelizmente preservada apenas em excertos de Overbeck): "Se esta obra *es-*

tivesse completa – creio que Nietzsche enlouqueceu na alegria sobre os triunfos da razão humana dentro dele, sobre a consumação da obra – mesmo assim teríamos que estar satisfeitos, por mais frívolo que isso possa parecer. O que nos atormenta agora é o medo de que o colapso da encarnação destes pensamentos tenha ocorrido cedo demais. O fato de que os manuscritos referentes a essa obra não se encontram entre os pertences trazidos de Turim me atormenta, preciso confessá-lo". Mas ele se acalma ao se lembrar da lealdade da Família Fino em Turim e de que esta não faz ideia da importância dos manuscritos, "de forma que tudo deva chegar em toda sua integridade". E certamente foi o que aconteceu – mesmo assim, a "Revalorização" não estava entre os pertences de Nietzsche, pois ela não existia.

Após o concerto de Fuchs, Köselitz se refugiou imediatamente em Veneza e não se comunicou com Overbeck até setembro. Então, no dia 24, confessa finalmente: "Recebi seu último cartão bondoso em 24 de abril. O fato de eu não ter respondido até hoje, o fato de eu não ter pedido informações sobre o estado de Nietzsche me expõe a grandes equívocos. Meu silêncio foi *intencional* e não causado por falta de tempo. Tive que evitar em minha solidão tudo que tivesse me levado a uma reflexão profunda sobre o nosso terrível acidente [...]. Não posso justificar meu silêncio. O erro se deve unicamente a minha impressionabilidade doentia. E sozinho, em um país estranho, estou sempre prestes a sucumbir".

Em Jena

Entrementes, as coisas seguiam seu rumo.

A viagem para Jena foi mais problemática do que a de Turim para Basileia. Nessa viagem, Nietzsche foi acompanhado pela mãe, pelo jovem médico Dr. Mähly e pelo enfermeiro de 25 anos Jakob Brand, da "Friedmatt", que havia cuidado de Nietzsche durante oito dias no hospital. O Prof. Wille licenciou Mähly para essa viagem (a única viagem para o exterior de Mähly). O pai, o Prof. Jakob Mähly, ex-colega de Nietzsche, descreve a viagem de seu filho sucintamente em suas "Memórias" (1900)[158]. "Meu filho concordou sob a condição de que o manicômio de Basileia lhe desse um enfermeiro forte para conter eventuais excessos do paciente. Essa medida provou ser necessária, como se mostrou durante a viagem difícil. O paciente teve vários ataques de raiva, que chegaram até a se voltar contra a própria [...] mãe e que só puderam ser contidos com a força de todos. Meu filho agradeceu a Deus por ter voltado ileso da viagem". Em seu relato a Overbeck[199], a mãe fala apenas de *uma* crise, antes da chegada a Frankfurt, mas depois disso ela não esteve mais com o paciente, "pois [...] teve um ataque de raiva contra mim, que durou apenas um minuto, mas que foi terrível, de forma que eu, agora, para evitar qualquer inquietação, não ousei mais me aproximar dele". Entre Weimar e Jena, o paciente esteve inquieto, o que a mãe atribuiu "aos bancos duros e à falta de conforto para dormir".

Em Jena, foram recebidos pelo Sr. e pela Sra. Profa. Gelzer-Thurnezsen, que levaram a mãe até sua casa, enquanto o Dr. Mähly e o enfermeiro acompanharam o paciente diretamente até o hospital. Pouco mais tarde a Sra. Gelzer levou a mãe até o hospital, onde esta precisava resolver algumas questões administrativas, como fazer depósitos etc. Ela não pôde ver o filho. Em relação ao grau de internação do filho, a mãe nutria ainda algumas ilusões. Em 19 de janeiro (já de Naumburg), ela relata a Overbeck: "Nós o internamos na primeira classe, a um custo de 5 marcos e 50 por dia [...]. O secretário sugeriu interná-lo na classe 1b, o que custaria 1 marco menos, no entanto teria que compartilhar o quarto com outra pessoa, o que o Sr. Dr. Mähly considerou uma boa ideia; eu, porém, acredito que seria barulhento demais, por isso não é viável. O diretor, por sua vez, sugeriu a segunda classe; evidentemente, ele respeitaria posição e cargo e o manteria na primeira (classe)", juntamente com dois médicos, um oficial e um estudante, e "apenas em caso de superlotação ele seria transferido para a 2ª classe, já que Weimar tem prioridade para outro apartamento e comida de 2ª classe, mas que também é boa, pois a comida de 1ª classe não é encontrada nem nos melhores hotéis". A informação oficial a Overbeck de 21 de janeiro, assinada pelo Prof. Binswanger, porém, diz: "O Sr. Prof. Nietzsche, cuja transferência foi providenciada pelo senhor, chegou aqui em companhia de sua mãe e foi internado na segunda classe". Binswanger pede o endereço para o qual possa enviar as contas. Todas elas foram enviadas para Overbeck, foram pagas em Basileia e cobram, desde o primeiro dia, 2 marcos e 50, ou seja, a diária de segunda classe para estrangeiros. Binswanger abrigou o paciente por conta própria na 1ª classe pelo custo da 2ª classe enquanto as autoridades em Weimar não reclamassem para si os aposentos de 1ª classe. As acusações posteriores, segundo as quais ele teria conferido um tratamento ruim a Nietzsche, prendendo-o numa cela, porque não teria reconhecido a importância do seu paciente, não correspondem à realidade. Foi justamente por isso que Overbeck pediu ao Dr. Mähly que ele o acompanhasse para informar o Dr. Binswanger sobre a personalidade de Nietzsche, o que o jovem Mähly certamente não deixou de fazer. Além do mais, Binswanger era amigo da Família Gelzer em Jena e certamente recebeu informações também deste lado. E assim que seu trabalho como diretor do hospital lhe permitiu, ele leu os escritos de Nietzsche (como relata entusiasmada a mãe em 30 de abril). Não há como saber se ele o fez porque se interessava pela obra e filosofia de Nietzsche, ou porque queria descobrir a etiologia da doença (sobre a qual não mudou sua opinião, como confessa à Sra. Gelzer, mas sem revelar o que ele acredita ser a causa da doença). Mas ele leu as obras e se interessou em grande medida pelo paciente. No outono, pediu ainda que lhe enviassem o prontuário de Basileia e encomendou uma cópia, que permaneceu em Jena.

Otto Binswanger, de Münsterlingen/Suíça (14 de outubro de 1852 a 15 de julho de 1929), havia se especializado na pesquisa da paralisia progressiva, da histeria e da epilepsia. Ele mantinha um relacionamento pessoal com seu colega Wille em Basileia, provavelmente desde o tempo em que Wille, antes de ser chamado para Basileia em 1875, era diretor da famosa instituição em Münsterlingen, e também por intermédio da Sra. Gelzer-Thurneysen, que era de Basileia.

Seu médico assistente Dr. Theodor Ziehen, de Frankfurt (12 de novembro de 1862 a 29 de dezembro de 1950), tornou-se professor de *Filosofia* em Halle, em 1917. Sua primeira grande obra foi, em 1891, um "Manual pra a psicologia fisiológica" com fundamentos positivistas. Mais tarde ocupou-se também com questões estéticas, um dos temas principais no início da carreira de Nietzsche. Ou seja, mais ou menos 20 anos antes de Karl Jaspers, ele também percorreu o caminho da psiquiatria para a filosofia. Não podemos, portanto, alegar que os dois médicos principais não compreendiam seu paciente especial.

A meta e tarefa dos médicos era conter a excitabilidade excessiva, que podia se manifestar em ataques de raiva. Receitaram ao paciente os medicamentos típicos da época, no início em doses grandes; mais tarde reduzidas e adaptadas ao comportamento e ambiente. Nesse contexto, entendemos também a proibição de visitas durante os primeiros meses. Já antes Nietzsche se excitava facilmente, e mesmo após visitas agradáveis ele desenvolvia crises de enxaqueca. As experiências durante a viagem para Jena levaram os médicos a temer que um encontro com a mãe poderia causar algo semelhante, o que teria significado um revés no caminho para a recuperação do paciente. Assim, Paul Deussen e sua esposa, quando passaram por Jena em 21 de abril após uma visita à mãe em Naumburg, também não puderam ver o paciente, e a mãe recebeu a permissão de visitá-lo apenas nos meados de maio. Em 17 de março, Nietzsche havia sido transferido para a ala de pacientes mais calmos, onde conseguiu se manter, "mesmo que ainda cause muito barulho, e há horas em que ele precisa ficar sozinho", como a mãe informa a Overbeck em 9 de abril após uma conversa com o Dr. Ziehen. O fluxo de informações não era tão ruim quanto algumas pessoas chegaram a alegar mais tarde. Naturalmente, em vista de um progresso muito lento, não fazia sentido fazer um relatório semanal, ainda mais porque essa "melhora" era duvidosa. O Dr. Ziehen fez questão de informar à mãe que "esses pequenos sinais de melhora em nada alteram a doença". Nessa época (11 de abril) o Dr. Ziehen escreve também a Overbeck: "Ao todo, o paciente está um pouco mais calmo. Tornaram-se menos frequentes também suas ideias megalomaníacas. Não excluo a possibilidade de uma remissão temporária. Seu estado de alimentação é satisfatório". Overbeck dependia dessas comunicações escassas. As cartas da mãe, que, por intermédio dos Gelzer, por sua vez informados pelo Dr. Binswanger, recebia muito mais notícias, completavam suas informações.

Overbeck encontrou ainda uma segunda fonte, mas esta logo secou. Ida Steinmetz (falecida em 1900), era filha do Prof. Gustav Asverus em Jena, leitora de seus escritos do seu tempo em Jena, lhe escreveu em 28 de janeiro: "Sua carta amável com a notícia do triste destino de seu amigo me comoveu profundamente; pois sei o quanto lhe significava o amigo e que bom amigo o senhor é [...]. Talvez o senhor saiba que a Sra. Binswanger costumava se hospedar na pensão da nossa mãe, ou seja, temos um relacionamento bastante íntimo que nos permite pedir informações sobre o estado de seu amigo [...]. A Sra. Binswanger poderia pedir a seu marido informações mais detalhadas sobre o estado de seu amigo, e talvez o senhor queira que eu as transmita ao senhor. Infelizmente, resta-nos nesses casos desejar apenas a morte como redentor, pois o que resta de um ser humano amado, talentoso e espirituoso, quando o impulso que eleva o ser humano sobre todas as outras criaturas recusa seu serviço. A ideia da loucura pode nos levar à loucura e precisamos ter o cuidado de não refletir demais sobre ela [...]. Se eu não soubesse que a sua querida esposa está com o senhor, eu não teria um momento de tranquilidade. Assim, porém, sei que alguém está cuidando do senhor". Mas Overbeck só recebe outra carta dela em 13 de março: "Recuperando-me de uma doença grave, quero dizer-lhe [...] que hoje o Sr. Binswanger me mandou dizer por meio de seus filhos que, caso viesse a escrever-lhe, eu lhe dissesse que o estado do pobre paciente não mudou. O senhor não deve ter esperado outra coisa e agora precisa aceitar a dor, assim como todos nós precisamos aceitar as nossas dores, por mais difícil que seja. Em meu estado temeroso, desejo nada mais do que a morte, mesmo assim, não quero deixar minha mãe, apesar do sofrimento e da tortura que eu represento para ela". Também aqui: doença, esmorecimento. É assustador como todo o contexto que deveria apoiar Nietzsche é acometido por doenças: o próprio Overbeck, Rohde, em breve também Gersdorff pela doença de sua esposa, Jacob Burckhardt, Malwida von Meysenbug, Mrs. Fynn, Fräulein von Mansuroff, Richard Wagner em seus últimos anos de vida, e também Heinrich von Stein sofreu uma morte precoce. Em 23 de setembro, o próprio Dr. Binswanger informa Overbeck sobre uma melhora: "Sobre o bem-estar do Sr. Nietzsche, comunicamos-lhe que este demonstra externamente uma melhora visível, pois voltou a falar de forma mais sensata e seus estados de excitação com gritarias etc. se tornaram mais raros. Ainda ocorrem ideias ligadas à megalomania, e também alucinações auditivas. As manifestações de paralisia não fizeram nenhum progresso e são insignificantes. Ele reconhece seu ambiente apenas em parte, sempre se dirige ao chefe dos enfermeiros como 'Príncipe Bismarck' etc. Não sabe exatamente onde se encontra. Muitas vezes, tem consciência clara de sua doença e se queixa de suas dores de cabeça. Alimenta-se com regularidade, o sono é muitas vezes inquieto. Sua mãe o visitou várias vezes: ele a reconheceu imediatamente e, às vezes, conseguiu conversar com ela com clareza. E durante os dias seguintes lembra-se bem dessas visitas. Ainda acontecem alguns acidentes higiênicos. A esperança de uma recuperação é mínima, mas não podemos ainda negá-la completamente. Poderemos fazer uma avaliação definitiva apenas em três meses. De forma alguma esperamos um aumento nos custos de alimentação"*.

A "melhora" então veio acompanhada pelo retorno das dores de cabeça e dos olhos e por uma consciência da doença que chegou a assumir formas de uma mania de perseguição, culminando na ideia fixa de que alguém estaria tentando adoecê-lo.

E Binswanger só pode relatar essa fase de acalmamento em setembro, após uma excitação causada pelo calor do verão, que o hospital tentou amenizar transferindo o paciente para um quarto ao norte. No entanto, logo desistiram da tentativa de acalmar o paciente por meio do contato com outros pacientes e permitiram que ele ficasse a sós. Mencionamos aqui do prontuário de Jena e das cartas da mãe a Overbeck do período até o outono de 1889 apenas a evolução de seu estado. Durante todo esse tempo, como já em Turim, Nietzsche teve um bom apetite. Várias vezes, o prontuário o descreve como bom comedor. Mesmo assim, Nietzsche perde peso no primeiro mês, e em 1º de fevereiro chega a pesar apenas 123 libras. Mas depois passa a ganhar peso continuamente, e em 1º de maio chega a pesar 139 libras, para então voltar a perder peso. Em 1º de agosto a balança indica 123 libras; em 1º de fevereiro, 128 libras. Estes devem ter sido os pesos ideais para esse homem musculoso de 1 metro e 70. Durante os próximos anos, ouviremos ainda várias vezes que seu estado físico era bom e até excelente. Seu estado intelectual e psicológico, porém, se encontra em declínio constante.

O prontuário descreve o dia após a internação em Jena, em 19 de janeiro de 1889, da seguinte forma: "O paciente segue para a estação com muitas demonstrações de respeito, curvando-se diante de todos. Com passos majestosos e sempre

---

* A caligrafia e a tinta do texto e da assinatura divergem. É provável que o Dr. Ziehen tenha redigido o relato, que então foi assinado por Binswanger.

olhando para o teto, ele entra em seu quarto e agradece pela 'maravilhosa recepção'. Não sabe onde se encontra. Logo credita estar em Naumburg, logo em Turim. Informa corretamente seus dados pessoais [...]. Ele gesticula e fala constantemente em tom afetado e usa palavras sofisticadas, em italiano e em francês. Tenta inúmeras vezes apertar as mãos dos médicos. Chama atenção o fato de que o paciente, apesar de ter passado muito tempo na Itália, não conhece ou usa de modo errado até as palavras italianas mais simples. Em termos de conteúdo, chama atenção a fuga de ideias de seu palavreado, ocasionalmente fala de suas grande composições e canta passagens destas, fala de seus 'conselheiros e servos'. Quando fala, faz caretas quase que ininterruptamente". Várias vezes, o relatório menciona que Nietzsche fala quase sempre em francês ou italiano. Em 22 de janeiro, quer que "suas composições sejam apresentadas"; ao mesmo tempo, "tem pouca compreensão ou lembrança de seus pensamentos e passagens de suas obras (filosóficas)" (1º de março). Ele reconhece onde está, não, porém, a si mesmo e sua situação. "Sempre designa os médicos corretamente, mas chama a si mesmo de 'Duque de Cumberland' ou de 'Imperador' etc". (10 de março), e alega: "Da última vez, fui Frederico Guilherme IV" (23 de fevereiro). Não fala de seus relacionamentos pessoais. Não reconhece nomes, com a exceção de um único: "Foi a minha Sra. Cosima Wagner que me trouxe para cá" (27 de março).

Com a primavera, que trouxe um aumento das temperaturas – coisa que sempre já lhe causara problemas –, veio uma piora visível. Em 17 de abril, ele se queixa: "À noite, fui xingado. Aplicaram as máquinas mais terríveis contra mim". E em 19 de abril escreve "coisas ilegíveis na parede. 'Quero um revólver, caso se comprove que a própria grã-duquesa esteja cometendo essas porcarias e atentados contra mim'. – 'Estão me adoecendo no lado direito da testa'". No final de abril, o prontuário registra: "Frequentes ataques de raiva", que aumentam tanto em 10 de junho, que ele chega a "quebrar de repente o vidro de uma janela". Pede (16 de junho) "frequentemente ajuda contra as torturas noturnas" e "quebra (em 4 de julho) um copo de vidro 'para impedir o acesso a ele por meio de cacos de vidro', como ele mesmo diz. Salta como um cabrito e faz caretas". A mãe, porém, relata uma visita (29 de julho) de várias horas esperançosas: "Visitei o Fritz do meu coração no domingo e, para ser sincera, encontrei-o bem melhor. Ele sentiu uma alegria imensa ao me ver, perguntou pela Lieschen [Elisabeth] e se alegrou com um retrato meu, que eu lhe trouxera [...]. Antes, porém, quando fomos levados para o auditório, visto que a sala de espera estava lotada, ele disse: 'um quarto maravilhoso, veja, é aqui que realizo minhas preleções diante de um público seleto, e também Leipzig me fez as melhores ofertas, e ofereceram-me também o antigo apartamento de Rohde'. Então, encontrou um lápis, e já que eu tinha comigo um velho envelope, ele começou a escrever nele e parecia estar feliz. Também não pude evitar que ele levasse este lápis e mais outro do auditório, e também papel, que descobrimos por último, e quando lhe disse em tom de brincadeira: 'Velho Fritz, você é um ladrãozinho', ele respondeu, sussurrando em meu ouvido: 'Mas agora tenho algo a fazer quando me esconder em minha caverna'". Outra metáfora dos tempos de Sils!

Em agosto volta a "fazer muito barulho. Explica isso com suas dores de cabeça", quebra (em 16 de agosto) "de repente algumas janelas. Alega ter visto o cano de uma espingarda por trás da janela". "Quase sempre se deita no chão ao lado da cama" (7 de setembro), não sabe quem é, alega estar em Turim, mas reconhece claramente a mãe e, "à noite, ainda se lembra bem da visita matinal da mãe" (15 de setembro).

Em 1º de outubro, o médico constata satisfeito: "Em geral, uma remissão clara", e agora a mãe pode visitar o filho com uma frequência maior. Para ela, essa fase sinaliza uma recuperação completa e ela assume a tutela temporária, certa de que "o nosso Deus, em sua graça e misericórdia, nos devolverá nosso querido Fritz em todo seu vigor e frescor de corpo e espírito. A aparência do meu Fritz é agora a mesma como em seus dias mais saudáveis. E também seus olhos [...] parecem totalmente saudáveis, e também sua natureza descontraída [...]. E também quando converso com ele [...] em seu aniversário, por exemplo [...] não disse uma única palavra errada durante duas horas. Confesso que é preciso guiar e orientar a conversação. Perguntou pelos Förster [...]. Falamos também sobre seu antigo reitor em Pforta, o velho Peter, e eu lhe contei que estava meio cego e que tinha dificuldades de andar. Então, ele disse: 'Difícil de acreditar, essa aparência impressionante; ele parece ter a doença do velho Prof. Ritschl em Leipzig'. Então, falou sobre os méritos do velho Peter na área da língua latina, na área da língua grega, sobre os princípios do Conselheiro Banitz ao nomear o reitor, sobre os princípios bem diferentes de Wiese, seu precursor. Contou ainda suas experiências na viagem com Mazzini e se lembrou também do nome italiano de seu acompanhante, quando atravessou o São Gotardo. Lembrou-se também do velho confeiteiro. Eu não me lembrei do nome, aí ele disse: Kintschy, que ele frequentara com Rohde e Gersdorff e que essa cafeteria já existia há centenas de anos e quantas personalidades nobres e famosas a frequentaram. Por fim, olhou para o grande manicômio e disse: Quando poderei sair deste palácio?"

No fim dessa carta a Overbeck de 1º de novembro, ela observa: "Veio também um jovem estudioso, que conhece apenas os escritos de Fritz, mas em seu entusiasmo estava disposto a fazer tudo pelo Fritz, tornar-se seu enfermeiro, qualquer coisa que lhe fizesse bem e lhe ajudasse a recuperar a saúde, e hoje me escreveu uma carta de 12 páginas, mas no momento não podemos fazer nada, mas me comoveu".

Esse admirador "comovente" insistiu tanto ao longo das próximas semanas que conseguiu a permissão de fazer algumas caminhadas com Nietzsche. Curiosamente, o prontuário registra isso apenas uma vez, em 20 de dezembro: "Recentemente, fez vários passeios com um de seus ex-alunos. – Nenhuma influência significativa sobre seu estado".

A expressão "ex-aluno" nos faz lembrar de Köselitz, mas tratava-se de

Julius Langbehn

Ele era um dos "satélites", uma das "figuras em volta de Nietzsche", mas apenas em virtude de sua intervenção rápida no destino de Nietzsche, em virtude de sua ousada tentativa de cura no diálogo. Na época, ele havia causado grande alvoroço com seu livro "Rembrandt como educador", que, publicado em 1890, teve 25 edições no primeiro ano (66 mil exemplares), chegando a 84 edições, conferindo ao autor o apelido permanente de "*Rembrandtdeutscher*" [alemão de Rembrandt]. Era um daqueles proclamadores da salvação, que costuma seduzir a massa dos crédulos e de intelectuais sem um sólido fundamento de conhecimentos. Ao restringir sua visão de um futuro ideal a um evento nacional, a uma revolução cultural "helênico"-alemã, ele representa, juntamente com o antissemitismo de Bernhard Förster, os "fundamentos do século XX", ou seja: também aqui causa e efeito são intercambiáveis. Seu sucesso passageiro indica que as possibilidades que se realizaram de forma tão terrível no século XX tinham suas raízes já em grandes partes da sociedade do fim do século XIX.

Sua "obra" não deixou rastros visíveis, mas sim sua "interpretação" de Nietzsche. O fato de ter sido justamente Langbehn que se dedicou tanto aos cuidados de Nietzsche, que o integrou ao seu programa como o mais forte sustentáculo espiritual contribuiu para que, além de seu parentesco com o antissemita Förster (seu futuro cunhado), sua obra fosse rápida e fatalmente atribuída a essa vertente.

Em vista dessa consequência fatal, a pesquisa nietzscheana é obrigada a se ocupar com Langbehn de forma mais intensiva do que este homem mereceria.

Os antepassados de Julius Langbehn eram de Holstein. Viviam em circunstâncias humildes e trabalhavam como diaristas. Apenas o avô conseguiu subir na escada social. Primeiro, trabalhou como sapateiro, e aos 42 anos de idade tornou-se mestre. Seu filho estudou Filologia Clássica e se tornou professor. Nascido em 1801, morreu em 1865, quando Julius, nascido em 26 de março de 1851 como terceiro filho, tinha 14 anos de idade. A mãe provinha de uma antiga família de pastores. Ela é descrita como mulher inteligente e pia[178] (seu lema era "servir é belo"), mas depressiva. Ela morreu em 9 de junho de 1883, após dez anos de loucura.

Julius Langbehn foi criado em Kiel. Em 1870, aos 19 anos de idade, alistou-se como voluntário para o serviço militar. Em junho de 1871, ocupando a posição de oficial, foi demitido do Exército em virtude de sua doença (reumatismo). Agora, passou a dedicar-se à arqueologia e história da arte. Entre 1873 e a primavera de 1875, passa por Veneza, Verona e Bérgamo. Em 1875, a confraria estudantil de Kiel o expulsa "em virtude de discursos atrevidos". Agora, muda-se para Munique, para estudar artes. Em 20 de janeiro de 1880, faz sua promoção em Munique com uma dissertação sobre "Figuras aladas gregas" e adquire o título de Dr. Phil. Brunn; seu professor procura obter uma bolsa para Langbehn para uma viagem à Itália e Grécia, mas sem sucesso. Apenas em outono de 1881 o "Instituto Arqueológico Imperial" de Berlim lhe concede a bolsa, mas que se esgota já na primavera de 1882, de forma que Langbehn se vê obrigado a interromper sua viagem de estudos. Aparentemente, as autoridades pressentiram que Langbehn havia se alienado completamente de sua profissão e decidido seguir um caminho que não traria qualquer proveito para a faculdade. Em 21 de novembro, escreveu ao amigo Muhl: "Aproveito a atual fase de descanso [a viagem de estudos!] para me entreter com diversos pensamentos e contemplações – sobre o passado e o futuro. No que diz respeito a este, já tomei minha decisão. Em breve transporei – no sentido literal e no sentido figurativo – o *Rubicão*, i.e., abandonarei a minha profissão. Até agora tenho feito o possível para me ater à ideia de uma carreira tradicional, mas não aguento mais. O preço seria mais alto do que a recompensa. Completarei a bolsa com todas as obrigações vinculadas a ela. Depois, basta!"

Sete anos mais tarde, Nietzsche também pretende "transpor o Rubicão" (carta a Köselitz), já no início do colapso. Tratava-se de um chavão popular da época, que transparece aqui no crepúsculo de Nietzsche?

Langbehn nunca teve uma vida "ordenada", ocupando, por exemplo, uma posição acadêmica. Ele não se importava com bens materiais e se contentava com trabalhos temporários em arquivos e museus. Com seu ser cativante sempre conseguiu ser acolhido na casa de amigos, o que, em vista de suas exigências modestas, não lhes significava nenhum sacrifício.

Sua amizade com o pintor Hans Thoma (2 de outubro de 1839 – 7 de novembro de 1924) o marcou profundamente. Langbehn se hospedou em sua casa entre outubro de 1884 e a primavera de 1885. "Como Thoma escreveu mais tarde, a impressão positiva que Langbehn causou com seu ser e sua aparência por ocasião de seu primeiro encontro conseguiu se manter a despeito de todos os conflitos. No entanto, jamais conseguiu chegar a uma conclusão clara sobre essa amizade mais estranha de sua vida. Ora ressaltava a 'total falta de escrupulosidade', a incompatibilidade com seu ambiente, sua rudeza e a injustiça de seus julgamentos – ora sua absoluta honestidade, seu idealismo"[178].

Thoma tentou entender essa indefinição no ser de Langbehn em outras anotações: "Várias vezes, ele disse que o máximo que o ser humano pode alcançar é tornar-se santo. Reconheci que ele nutria um ideal de grande pureza e que vários conflitos consigo mesmo e com outros tinham sua origem neste ideal. Neste sentido, consegui entendê-lo e o prezava altamente, apesar de todas as mágoas que ele me causou". Isso poderia ter sido escrito também pela mãe de Nietzsche, pois corresponde perfeitamente à sua própria experiência. Ela reagiu com uma intensidade ainda maior a outro traço de seu ser, que Thoma descreve com as seguintes palavras: "Langbehn possuía algo em seu ser que o legitimava como profeta. Possuía uma natureza rica, misteriosamente inacessível – era, provavelmente, um mistério também para si mesmo [...]. Alegava ser um homem feliz, altamente satisfeito. Em todo caso, contentava-se com tão pouco que disso dificilmente surgia alguma insatisfação".

Era também um homem artístico, capaz de se abrir a experiências artísticas intensivas. No tempo que passou com Thoma (1884/1885), fez uma excursão a Darmstadt, onde Langbehn viu a "Flagelação de Cristo", de Rembrandt. O impacto dessa obra de arte marcou toda sua existência futura (semelhante à experiência de Nietzsche com o "Tristão" em Munique). O fato de ele ter dado ao seu livro o título de "Rembrandt o educador" cinco anos mais tarde é, portanto, certamente mais do que uma paródia ao "Schopenhauer como educador" de Nietzsche. No entanto, podemos partir do pressuposto de que um Nietzsche ainda são teria recusado qualquer aproximação por parte do autor, como o fizera no passado com Lanzky.

Da primavera de 1885 até o verão de 1892, Langbehn viveu em Dresden. Nesse período, ele se agarra cada vez mais a uma oposição infrutífera contra seus colegas filólogos e contra toda a instituição de educação e a universidade. É nesse contexto que devemos avaliar também suas invectivas pérfidas contra Binswanger e o hospital em Jena, com as quais conseguiu causar certa insegurança na mãe e em Köselitz. Em fevereiro de 1891, chegou até a rasgar seu diploma de doutorado e a enviá-lo para a faculdade em Munique, quando esta se recusou a acatar seu pedido de anular sua promoção. Ele se aliena cada vez mais da realidade e se dedica a especulações místicas. Converte-se à religião católica romana, esperando encontrar nela satisfação e realização. É batizado em 26 de fevereiro de 1900, e recebe a Primeira Comunhão em 7 de março. Em junho de 1900 ele se muda para a cidade católica de Würzburg e morre em 30 de abril de 1907 em Rosenheim, nas proximidades de Munique, provavelmente em decorrência de um câncer estomacal.

Citamos aqui apenas uma passagem de suas anotações filosófico-religiosas (apud "Der Geist des Ganzen" [O espírito do todo], p. 126): "O diabo é a fonte de todo escândalo criado e sofrido. Antes da queda, o divino caía no mundo em linha reta; agora, incide em linha torta, assim como um bastão parece quebrado ao meio quando o mergulhamos na água. Houve uma refração por um meio fosco – pelo diabo [...]. Assim como todos os bons espíritos se encontram em Deus, os espíritos maus se reúnem no diabo; ele significa incapacidade de desenvolvimento, endurecimento, totalidade do mal, na medida do possível. Satanás possui caráter, mas não possui alma [...]. E assim como Deus é o espírito do todo e do esférico, o diabo é o espírito do dividido e do dilacerado"[148].

Convicto de que a diabólica medicina acadêmica fazia tudo errado e de que ela estava levando Nietzsche à perdição, de que, na verdade, Nietzsche não estava doente, mas apenas sendo negligenciado, tratado de forma errada e levado na direção errada, este homem decidiu se oferecer como salvador no outono de 1889. Prometeu à mãe, suscetível a esse tipo de promessas, devolver seu filho totalmente recuperado – e o usou para seu programa político-cultural. Creio que devemos acreditar que ele realmente confiava na salvação de Nietzsche. Ele mesmo foi a primeira vítima de sua imaginação: pois era ele que precisava de Nietzsche, pelo menos o Nietzsche da fase inicial, o Nietzsche do "Nascimento da tragédia" e das "Considerações extemporâneas" – e também o poeta fantástico do "Zaratustra" (cuja 4ª parte com a "Festa do asno" ainda era desconhecida). Considerava os outros escritos de Nietzsche produtos de devaneios sob influências danosas e acreditava que não teriam sido escritos se alguém tivesse objetado com firmeza. Atribuía (como Kaftan) principalmente os ataques ao cristianismo à exaustão nervosa e acreditava que, ajudando Nietzsche a voltar para o caminho certo e a reconciliar-se com sua essência pia ideal, a tensão se resolveria e o abalo do espírito se acalmaria. E diferentemente de Kaftan, ele acreditava possuir a força e a esperteza intelectual capaz de provocar essa conversão. Mas já após pouco tempo, ele deveria ter percebido que não havia como alcançar Nietzsche dessa forma. No final de novembro de 1889, Nietzsche reagiu com um ataque de raiva à "filosofia" de Langbehn, derrubou uma mesa, ameaçou-o com seus punhos e chamou os enfermeiros. Então, o "salvador" fugiu para Dresden, de onde continuou seu jogo com obstinação, absolutamente convencido de que era seu dever missionário salvar Nietzsche para a humanidade. Durante quase quatro meses, ele conseguiu convencer a mãe e Köselitz com sua assombração, usando de forma esperta a remissão anunciada em setembro por Binswanger como resultado de seu método – e ambos acreditaram nisso, até que, no final de fevereiro de 1890, Overbeck veio e expulsou o demônio, como o havia feito já com o "fantasma Rosalie Nielsen".

A correspondência entre a mãe, Köselitz e Overbeck mostra que o "episódio Langbehn" foi bastante cansativo para todos.

A primeira cena dessa comédia trágica começou com um tom promissor. No final de outubro a mãe recebeu "a visita altamente surpreendente de certo senhor (historiador da arte) de Dresden aqui em Naumburg, apenas uma hora após ter enviado uma carta de profunda admiração anunciando a sua vinda. 'Ele gostaria de colocar-se à disposição caso pudesse ajudar nos cuidados do doente'. Conversamos durante algumas horas [...]. Contei-lhe sobre minha visita ao filho, mas me perguntei se já havia chegado o tempo para permitir que um estranho o visitasse. Por isso, recusei sua oferta. Nossas cartas se cruzavam, e ele me escreveu 12 páginas comoventes. [...] Então, pensei que ele seria o homem certo para acompanhar meu Fritz diariamente em suas caminhadas [...] tão acostumado ao ar livre [...]. Assim, relatei toda a situação a Binswanger e perguntei se ele permitiria – mesmo que apenas tentando –, que determinado senhor fizesse caminhadas de duas horas de manhã e à tarde [...]. Disse-lhe que certamente isso melhoraria seu sono e que seus nervos se recuperariam. E Deus seja louvado, o Sr. Prof. Binswanger aceitou a proposta. Oito dias atrás [= 13 de novembro de 1889] veio o adorável Dr. Langbehn (de Schleswig-Holstein), e eu o conheci como um dos seres humanos mais inteligentes e respeitáveis [...]. Na quinta-feira [= 14 de novembro], às 7h20min da manhã, fomos para Jena. Eu apresentei o doutor ao Prof. Binswanger e aos médicos e [...] também ao meu Fritz, e assim nós três ficamos passeando na frente do hospital. Logo mencionei Veneza e foi uma maravilha ouvir a conversa dos dois. Fritz, lembrando o doutor da bela pintura e falando com entusiasmo sobre ela, citou pequenos versos, que [...] ele havia escrito naquela cidade [...] e, por fim, disse ao doutor: 'Acho que o senhor poderá me endireitar'. O doutor [...] me pediu que ficasse até o dia seguinte, para que o Fritz pudesse acostumar-se a ele na minha presença. Foi o que fiz, e durante os dois passeios daquele dia alegrei-me ao ouvir a conversa entre duas pessoas tão eruditas e inteligentes, e o doutor se encantou com a personalidade do meu Fritz, e desde então o acompanha duas vezes por dia em seus passeios, e me relata minuciosamente, e ontem o Fritz lhe disse novamente: 'Acho que o senhor me salvará' [...]. Hoje [= 21 de novembro] o Sr. Dr. Langbehn me escreveu [...] que o Fritz se alegra como uma criança com qualquer atenção e diz: 'ele é uma criança e um rei, e como criança real que é, precisa ser tratado, este é o único método correto'".

Essa harmonia, porém, não perdurou. Após duas semanas, em 28 de novembro, a mãe se vê obrigada a relatar que o "pobre doutor parece muito ocupado com a correção das provas de seu livro e, a julgar pelas suas cartas, parece estar bastante nervoso". Não sabemos com certeza se Langbehn tenta justificar sua partida súbita *após* o ataque de raiva de seu paciente ou se sua nervosidade contagiou o paciente, causando o incidente após o dia 28. Curiosamente, o prontuário apresenta apenas um registro (de 21 de novembro): "Estou com dores de cabeça, de forma que não consigo andar nem enxergar", e os passeios com Langbehn são mencionados como "recentes" apenas três semanas depois (em 20 de dezembro). Mas nessa data Langbehn já não estava mais em Jena havia muito tempo.

Em 8 de dezembro a mãe faz uma visita de três dias ao filho e relata que seu "filho está indo bem, desde que faz suas caminhadas com seu acompanhante. Este, porém, já partiu, estava nervoso demais e, durante a publicação de seu livro, expôs-se a uma tarefa maior do que seus nervos aguentavam [...]. Este serviço de amor foi agora assumido por um médico jovem, que caminha com ele diariamente". Mas não por muito tempo.

Inicialmente, havia sido combinado que a mãe retirasse o paciente do hospital em 6 de dezembro – resultado das infâmias espalhadas por Langbehn – e o levasse para Naumburg, *com* o Dr. Langbehn, onde este pretendia dar seguimento ao seu tratamento. Mas no dia 6 de dezembro o "senhor doutor" (como a mãe sempre o menciona em suas cartas) já havia partido, e a mãe não conseguiu liberar os quartos necessários. Há anos ela hospedava pensionários, que completavam sua pequena pensão e os juros de seus bens. Desistir dessa renda certamente foi um sacrifício. É possível que a pensão que o paciente recebia de Basileia tenha compensado essa perda. Sua preocupação constante de que essa pensão pudesse ser encerrada confirma essa suposição. Mas ela estava decidida a realizar o plano. Mas os locatários, dispostos a liberar os quartos até o dia 1º de dezembro, não puderam fazer isso, pois o tribunal para o qual trabalhavam não os dispensaria antes do Natal. Langbehn usou isso para distorcer os fatos e alegou que a mãe teria impedido a transferência do filho, também por medo da fofoca na cidade. Mas logo a mãe refutou essa alegação por meio de seus atos.

Langbehn passou a ser um peso cada vez maior para os relacionamentos com sua impertinência insuportável, ressaltando sempre sua ajuda altruísta, de forma que até mesmo Köselitz, que no início o venerava quase incondicionalmente, chegou a suspeitar que "ele finge apenas querer tornar-se 'tutor', fazendo de tudo para perdurar a 'injustiça', para assim poder causar escândalos" (carta de 20 de fevereiro de 1890 a Overbeck).

O fracasso total, que – após duas semanas – o levou a abandonar Nietzsche nas mãos do por ele tão difamado instituto, deve ter despertado em Langbehn o desejo de se retirar o mais rápido possível desse empreendimento fracassado, mas – se possível – com a glória da vítima incompreendida e para a vergonha do "mundo", ou seja, da mesma forma como costumava ver sua existência e o mundo inteiro.

E também sua veneração incondicional de Nietzsche deve ter sofrido um golpe e se refugiado numa relativização na qual ele, Langbehn, também se apresentava como o derrotado generoso. Alguns anos depois, representou sua posição em relação a Nietzsche nesse sentido em várias variações, que chegam a ser pedidos de perdão pelo fato de ele, o homem profundamente pio, ter perdido seu tempo com Nietzsche, esse homem possesso pelo demônio. Uma vez, o faz sob o título de "Pobres, crianças, pecadores". A eles se "dirige meu ímpeto de conversão [...]. Nietzsche pertence ao mesmo tempo a esses três grupos de seres humanos; no fundo, é isso que me liga a ele. O fato de ele não ter sido só pecador, mas também pobre e criança, para isso eu poderia apresentar provas comoventes. O coração de Nietzsche tinha uma postura nobre. Como pessoa, ele fez jus ao padrão da infantilidade, humildade e ingenuidade – apesar de seu espírito ter apresentado muitas superficialidades, falhas, fraquezas e doenças [...]. Naturezas como Nietzsche, Byron – que muitas vezes caiu na lama –, como Shellez [...] não pretendo derrubá-los ainda mais, mas erguê-los. Aqui, só posso lamentar, não condenar. Não deveríamos julgar esses 'republicanos e pecadores' como pessoas, mas acudi-los tanto na vida quanto na morte". E mais tarde, no outono de 1900, escreve a seu Bispo Von Keppler em Friburgo: "Não devemos confundir Nietzsche com seus seguidores e imitadores. Creio que seja possível e até mesmo provável que, se tivesse tido uma vida mais longa, ele teria mudado sua opinião sobre o cristianismo, como o fez também Wagner [...]. 'Ateus' como Shelley e 'anticristos' como Nietzsche são simplesmente moleques que fugiram de casa e que devemos levar de volta ao caminho certo [...]. Os desvios de Nietzsche, sua chamada filosofia, são apenas um suicídio espiritual e moral [...], ele estava totalmente equivocado em ver Dom Quixote e *diable boiteux* em uma mesma pessoa. [...] Minha avaliação sobre o homem Nietzsche se baseia em minha impressão pessoal dele. Jamais conheci uma pessoa mais ingênua e inofensiva entre os estudiosos. Meu desprezo por seus escritos, porém – com exceção do assombroso Zaratustra –, é possivelmente maior do que o do senhor. Não consigo ler uma única página sem que eu sinta um mal-estar fisiológico. Considero-o, em outras palavras, uma natureza pura possessa pelo diabo"[178].

76

A "impressão pessoal" de Langbehn se baseava exclusivamente no encontro breve de duas semanas com o Nietzsche doente. O fato de ele ter deduzido disso as suas conclusões demonstra uma postura bastante ousada. Igualmente evocada é sua esperança de que Nietzsche, contanto que sua doença tivesse sido curável, poderia ter retornado para o caminho certo por meio de sua teologia, com a qual ele encantou o coração da pia Sra. Nietzsche ao ponto de impedi-la de reconhecer como seu filho estava sendo usado para os propósitos de Langbehn. Enquanto Langbehn se amuava em Dresden, a mãe voltou à ativa. Em 8 de janeiro, ela escreve a Overbeck: "Os passeios com o médico jovem não funcionaram bem, provavelmente faltava-lhe a tendência espiritual adequada para um diálogo com ele, e assim voltamos à velha ladainha, também no Natal, quando quis visitá-lo no dia 24. Fizemos duas tentativas de vê-lo, e apenas no dia de Natal tivemos sucesso, e ele se alegrou como uma criança com os presentes e muito mais ainda com a árvore de Natal adornada". Porém, ainda não se sentiu forte o bastante para assumir a tarefa que a esperava: "No entanto, a visita não me deixou muito satisfeita; saí do hospital com um suspiro! Orei para que meu querido e amado Senhor me enviasse alguém como intermediador com o Sr. Langbehn, o qual eu vejo como único salvador das mãos de Deus!" Esse salvador, porém, a importunou de Dresden com cartas cheias de acusações e com o plano de levar Nietzsche para Dresden, de acomodá-lo lá ou nas proximidades da cidade sob os cuidados de um médico e de diversos enfermeiros, de todo um cortejo do qual ele, Langbehn, seria o mestre, prometendo que acompanharia Nietzsche diariamente duas vezes em caminhadas de duas horas. Para tanto, pediu que lhe transferissem a pensão de 1.600 marcos e toda a tutela (caso viesse a faltar algum dinheiro, ele o pediria aos admiradores de Nietzsche).

Isso era muito dinheiro. A mãe se dirigiu a Köselitz para pedir seu conselho, e este decidiu em 6 de janeiro viajar até Dresden para fazer uma avaliação crítica desse Dr. Langbehn e de seus planos, como prometeu a Overbeck. Mas então ocorreu a desgraça, e ele também deixou se ludibriar.

Agora a mãe estava numa situação duplamente difícil, sobretudo no que dizia respeito à sua relação com Binswanger. Ela também havia experimentado uma decepção com ele por ocasião da avaliação médica para a tutela. Em 21 de novembro de 1889, ela – abalada – relata a Overbeck: "[...] no qual ele retratou a doença do meu filho como algo hereditário; o assessor do tribunal Von Dömming teve a delicadeza de me perguntar 'se ele deveria ler para mim o documento ou se eu preferia lê-lo sozinha', e em cada prova que ele mencionava, eu tive que dizer: 'Mas isso não é verdade', de forma que os senhores quiseram fazer uma observação na margem, coisa que eu recusei, pois o Sr. Binswanger parece não aceitar qualquer objeção, apesar de eu já ter respondido uma vez a ele durante uma conversa que meu marido havia adquirido seu amolecimento cerebral em decorrência de uma queda numa escada de pedra, igualmente meu filho de 1 ano e 9 meses em virtude de convulsões dentárias [...] e Binswanger alega que teria sido um acidente vascular cerebral, e também a minha filha teria um caráter exaltado, Fritz já como garoto algo estranho, ou seja, foram três páginas nesse tom, e pedi uma cópia desse nobre documento e agora duvido se o Prof. Binswanger seja a pessoa indicada para o filho do meu coração, pois todo o laudo passava a impressão de que 'não há nada que se possa fazer'". No entanto, reconheceu também os grandes avanços obtidos em comparação com seu estado em Turim no ano passado, a disposição generosa de Binswanger de respeitar seus muitos desejos. Ela reivindicou isso também de Langbehn e apelou a constatações semelhantes de Overbeck: "A partir daquela carta, ele zombou de mim tantas e tantas vezes; aparentemente, eu preferia dar ouvidos a um professor a 100 milhas de distância e cujos elogios se destinavam indiretamente a Binswanger e não a ele, e visto que *todos* os professores davam cobertura uns aos outros e ele nada queria saber de 'professores e judeus', eu deveria optar pelos professores, que ele se retiraria".

Assim, Overbeck se viu incluído em todo esse drama de ataques, difamações e exigências por parte de Langbehn. Resumindo toda a situação, Overbeck escreve sobre isso em 27 de janeiro a Erwin Rohde: "Juntou-se a isso nestes dias uma correspondência sobre Nietzsche que me deixou bastante abalado. Seu estado parece superar todas as expectativas que tínhamos um ano atrás. Mesmo que *eu* não acredite numa recuperação e mesmo que *eu* não veja um final feliz para tudo isso, apareceu um admirador de Nietzsche que pretende resgatá-lo de sua loucura. Parece ser um bárbaro bem especial – historiador da arte, de Schleswig-Holstein, aparentemente um antissemita profissional, para mim recomendações já um tanto duvidosas –, que, sem jamais ter visto Nietzsche antes de novembro, começou a falar mal sobre o tratamento de até então, cujo fruto é tudo que já conseguimos alcançar até agora, que teve as discussões mais acirradas com a Sra. Nietzsche e que, recentemente, praticamente a obrigou a ceder-lhe a tutela de seu filho para dois anos. Pretende tratá-lo em Dresden sob sua supervisão [...]. Há apenas três semanas vejo-me obrigado a me ocupar com este assunto, sem, porém [...], poder fazer nada além de não me intrometer. Pois o que Köselitz me disse sobre o Dr. Langbehn me levou a tomar esta decisão. Segundo Köselitz, trata-se de um homem extraordinário e com as mais nobres e puras intenções em relação a Nietzsche. Köselitz, que há mais ou menos um mês se encontra em sua cidade natal (Annaberg), visitou o Dr. Langbehn a caminho de Danzig em Dresden [...] e no momento se encontra em Jena. Ele consegue fazer passeios com

Nietzsche fora do hospital, coisa que o Dr. Langbehn também conseguira. Quando deve ocorrer essa grande mudança – disso não tenho notícias".

Overbeck não queria ser envolvido nisso, não queria contribuir para decisões para as quais, da distância e sem conhecimento pessoal desse salvador furioso, ele não poderia assumir qualquer responsabilidade, apesar da insistência de Köselitz.

Dois pontos estavam sendo discutidos: A crítica desmedida de Langbehn ao Prof. Binswanger e seu hospital em Jena e o desejo de Langbehn de receber a tutela por dois anos.

A crítica ao Prof. Binswanger, acatada por Köselitz sem uma avaliação objetiva, é apresentada a Overbeck em 7 de janeiro de 1890, "às 9 da manhã": "O Dr. Langbehn [...] foi por puro entusiasmo por Nietzsche e porque temia aquilo que também eu temia desde o início: ou seja, que cometessem a mesma barbaridade em Nietzsche que aplicaram também a Hölderlin, Robert Mayer etc. No instituto de Binswanger, ele é tratado como um degenerado professor, que se chafurdou e enlouqueceu na Itália – ah não, justamente não como professor, mas como prisioneiro e delinquente, tratamento este que levará um homem com a sensibilidade de Nietzsche à morte. Nada de observação, estudo do doente, nada da chamada ciência moderna, da qual nós leigos temos tanto respeito – um tratamento bruto, indigno e negligente! Enfermeiros, que o agarram e zombam dele, enquanto ele se apercebe de tudo e sofre terrivelmente. Ou seja, é como se Nietzsche estivesse num asilo de pobres – nada mais. Comida miserável, desconforto em todos os aspectos (não há cadeira no quarto, apenas um sofá duro sem almofadas, o banheiro ao lado do quarto, de onde este recebe seu cheiro etc.). De acordo com tudo que este excelente e meritório Dr. Langbehn me contou, os nervos de Nietzsche estão abalados apenas em decorrência de excesso de trabalho. Ele, o Dr. Langbehn, conhece vários casos semelhantes [...] que se encontravam em um estado pior do que Nietzsche e que se recuperaram totalmente". Overbeck responde: "Nem penso em defender o instituto de Jena, pois tenho preconceitos contra todas as instituições do tipo [...]. No entanto, pergunto-me diante de todas as atrocidades apresentadas agora como justamente Nietzsche poderia superá-las em vez de 'morrer', o que o senhor corretamente diz ser a consequência inevitável diante das circunstâncias apresentadas pelo senhor. Nietzsche, porém, parece ter se recuperado num sentido ordinário. Por isso, vejo-me obrigado a duvidar de que seu caso seja tratado com essa rudeza total; além disso, soube que, há pelo menos três meses, seu caso já não é mais tratado como perdido, que, na época, era a avaliação definitiva, feita, por exemplo, aqui com absoluta firmeza [...], mas como devo reagir ao saber que ele conheceria indivíduos que teriam se recuperado de um estado muito pior do que o de Nietzsche? Pois Langbehn conhece o estado de Nietzsche apenas desde o momento em que ele já se encontrava em uma situação bastante diferente do seu pior momento, e desde o início os médicos disseram que períodos de melhoras deveriam ser esperados". E no que diz respeito à questão tutelar, Overbeck constata: "Este é o ponto ao qual eu me oponho fortemente, se é que minha opinião deva ser considerada. Após refletir sobre todos os aspectos da questão, não consigo superar o fato de que não conheço o Dr. Langbehn". Mas ele pretende certificar-se sobre a situação em Jena: "O que farei sob estas circunstâncias é o seguinte: Escreverei a um médico em Jena que conheço desde meus tempos de docência livre, pedindo-lhe confidencialmente que descubra o máximo possível sobre o tratamento que Nietzsche está recebendo. Não sei, porém, se terei êxito com isso, pois [...] não sei se haverá impedimentos em respeito à colegialidade. No entanto, trata-se para mim de um ponto vital, que – no que me diz respeito – precisa ser esclarecido", pois Overbeck também tinha suas dúvidas em relação a Binswanger, que, alguns dias depois (em 12 de janeiro), ele comunica a Köselitz: "Por ocasião da internação de Nietzsche em Jena, procurei imediatamente estabelecer um contato regular com Binswanger, recorrendo para isso também à intermediação de uma senhora amiga minha em Jena, que conhece Binswanger. Essa intermediação me rendeu algumas promessas que, porém, nunca foram cumpridas. Tudo que recebi foram pequenos bilhetes do médico assistente [...]. O que despertou ainda mais minhas suspeitas do que tudo isso foi que, no outono, Binswanger esteve *aqui* sem se importar em me procurar nem em me informar de sua presença. Sei apenas que ele não esteve aqui por causa de Nietzsche; Binswanger é suíço e tem parentes aqui – conversou com Wille sobre Nietzsche e defendeu diante dele uma posição menos desesperada de seu caso [...]. Um segundo ponto que me pareceu suspeito foi o tamanho das [...] contas do hospital, e a última que recebi anteontem, quase [...], por ser tão baixa, me levou a tratar novamente da questão da alimentação de Nietzsche. Por fim, a Sra. P. [...] me comunicou uma declaração de Binswanger sobre os escritos de Nietzsche que demonstrava, no mínimo, certa indiferença. Eu não entendo isso, quero dizer, os escritos de Nietzsche deveriam ser de grande interesse para um médico, não no sentido ordinário em que as pessoas os interpretam como prenúncios de sua loucura, mas no sentido de que sua doença poderia ter exercido alguma influência. Confesso que isso de vez em quando ainda me influi alguma esperança". Apesar das pequenas decepções, Overbeck se concentra na melhora do quadro geral e, de vez em quando, até se dá ao luxo de nutrir algum sentimento de esperança, por mais que isso contrarie seus conhecimentos.

Overbeck não foi o único a se mostrar contrário ao pedido de tutela. O editor Naumann não gostou da ideia de receber um senhor novo e tão imprevisível e manifestou sua opinião em uma carta a Langbehn. Em 26 de janeiro, Köselitz argumenta contra as objeções de Naumann: "Isso é chato. Ele [Langbehn] *precisa* ter a tutela: por um lado, porque não pode sofrer intervenções em seu sistema de projeção ampla; por outro, porque *nós* queremos ter uma garantia. Seu *desejo* de tratar Nietzsche tornar-se-ia uma *obrigação* de tratar Nietzsche (com a responsabilidade diante do juiz tutelar)". Esse argumento duvidoso não conseguiu convencer Overbeck. Pelo contrário, apontou uma contradição interior muito mais profunda. Köselitz e a mãe estavam se desculpando com a situação de coerção em que se encontravam.

Pois temiam que, caso não transferissem a tutela para Langbehn, ele causaria um escândalo público com seu escrito "O Caso Nietzsche", acusando-os nele como irresponsáveis. Overbeck reagiu energicamente a esse ponto: justamente por isso não cabia transferir a tutela para Langbehn. Pois um ser humano, considerado capaz de tamanha perfídia, não merecia essa confiança. No entanto, a resistência emocional ruiu sobretudo por parte da mãe contra essa decisão dolorosa, e ela passou a se mostrar cada vez mais favorável à transferência, como Overbeck soube por meio de Köselitz em 15 de janeiro: "Agora, (ela) parece favorável a tudo que Langbehn exige – portanto, não podemos recorrer à violência: o senhor, prezado professor, o Dr. Fuchs, Naumann, Widemann e eu a assaltamos nestes últimos dias: ela realmente deve ter tido a impressão de Erínias". E para destacar mais uma vez a proficiência de Langbehn, ele apresenta a "prova" problemática de que, em novembro, Nietzsche teria demonstrado ao Dr. Langbehn "a sentença matematicamente comprovável da repetição infinita de todas as sequências de desenvolvimentos cósmicos".

A disposição da mãe de ceder aos pedidos de Langbehn deve ter lhe causado grande constrangimento. Pois agora acrescentou novas exigências, questionando ao mesmo tempo aquilo que ele poderia oferecer, de tal modo que todo o empreendimento estava destinado ao fracasso. Em 31 de janeiro, exigiu da mãe: "A firmante se obriga por meio deste sob juramento, para o caso em que a tutela jurídica de seu filho Friedrich Nietzsche seja transferida ao Dr. Julius Langbehn, abster-se de qualquer comunicação oral ou por escrito com seu filho. Compromete-se além disso sob juramento, no que diz respeito a eventuais visitas ao filho durante o tempo desta tutela, a obedecer às instruções do Dr. Langbehn; sobretudo a informá-lo sobre o momento de sua chegada e partida *com antecedência*". Por outro lado, informou a Köselitz no dia seguinte: "Houve uma nova virada, no sentido de que poderia iniciar o meu tratamento de Nietzsche [...] apenas em três meses; até lá, terei que tratar da minha dor de garganta, que tem piorado ultimamente. Evidentemente, estou disposto a assumir a tutela já agora [...] no entanto, creio que seja melhor dar ao juiz esses três meses para efetuar a transferência [...]. O senhor terá que cuidar dessas negociações com o juiz – imediatamente [...]. Durante esse período, o senhor ou outros amigos terão que fazer companhia ao Sr. Nietzsche; se o senhor me telegrafar *imediatamente* que está disposto e possui a competência de trazer Nietzsche para cá dentro de seis a sete dias, eu organizarei para ele uma hospedagem aqui nas proximidades de Dresden; naturalmente, porém, eu teria que dispor de toda a sua aposentadoria – 1.600 marcos – [...]. Eu mesmo permanecerei apenas mais oito dias em Dresden, depois farei uma viagem de três meses". Retirar Nietzsche do hospital dentro de seis a sete dias; transferir a aposentadoria para Langbehn: eram exigências que não podiam ser cumpridas, e Langbehn sabia disso. Mas como se isso não bastasse, exigiu ainda a desistência de qualquer contato por parte da mãe, "sem essa assinatura não aceitarei a tutela".

Köselitz permaneceu calmo e não deixou se provocar, pois suspeitava que era esta a intenção de Langbehn. "Quem ler a pilha de cartas que tenho dele dificilmente entenderá por que, em vez de segurá-lo, não o empurrei para longe. Mas justamente porque suspeitei que ele queria ser afastado com violência ('injustamente' aos seus olhos) do Caso Nietzsche, eu não lhe fiz esse favor. Contra pessoas tão violentas, aplico a política do papa e do sultão – tremenda longanimidade, persistência e demonstração do sentimento de que, como um poder com longa tradição, não me deixo desequilibrar pelo latido de um cão." Mas como Overbeck deveria entender essa declaração sensata, se Köselitz, na mesma carta, apenas algumas linhas mais adiante, volta a elogiar Langbehn nos mais altos tons? Köselitz continua: "Devo à posterioridade preservar este homem para Nietzsche. Por que o diabo não deveria ser expulso por belzebu? – Jamais encontraremos outra pessoa com as qualidades de Langbehn que se disponha a assumir a responsabilidade de cuidar de Nietzsche durante dois anos". No entanto, de repente ele se apercebe do caráter duvidoso de todo esse empreendimento. Já em 8 de janeiro, Overbeck o havia advertido de que Nietzsche poderia se tornar vítima dessa ação equivocada. Este mesmo pensamento passa a inquietar Köselitz. Ele insere o seguinte pensamento entre suas elaborações: "Preciso deixar em aberto a pergunta que favor estaríamos fazendo a Nietzsche se o devolvêssemos à vida. Creio que ele nos agradeceria tanto quanto um homem que pulasse no rio para se matar e fosse resgatado por um burro idiota. Encontrei Nietzsche em estados em que tive a impressão de que ele estivesse *fingindo* a sua loucura, como se estivesse feliz por tudo ter acabado assim. Muito provavelmente, só conseguiria escrever a filosofia de Dioniso como louco – pois esta ainda não foi escrita, apesar de ele acreditar que já a tenha anotado".

Assim, Köselitz oscila entre uma impressão e outra ainda em 20 de fevereiro, enquanto a mãe, enojada pela arrogância de Langbehn, já se opunha ao pedido deste. Köselitz nutria a esperança do milagre de uma solução clemente, e foi Overbeck quem teve que iniciar esse milagre, pois Köselitz já não era mais capaz disso, principalmente após receber de Langbehn no início de fevereiro o livro "Rembrandt como educador" e mostrar-se entusiasmado, enquanto Overbeck criticou esta mesma obra: "Certamente, este livro contém mil verdades, mas também um número igual de tolices. Algumas coisas são pura simplificação [...]. Há muito não li algo de caráter tão doutrinário. Tudo isso se apresenta como antípoda de Nietzsche".

Köselitz havia ido a Jena em 20 de janeiro para preencher a lacuna deixada por Langbehn. No dia seguinte, escreveu a Overbeck: "Reencontrei nosso grande amigo após dois anos e três meses – o senhor pode imaginar que o fiz com o coração dilacerado. Ele me reconheceu imediatamente, abraçou e me beijou, e seus repetidos apertos de mão pareciam querer me dizer que não conseguia acreditar que eu estivesse ali. Admiro sua memória; no entanto, percebi também (algo que o Dr. Langbehn não conseguiu controlar) que, de vez em quando, acrescentava alguma invenção e adotava perspectivas assombrosas. De vez em quando, parece o velho Nietzsche; muitas vezes, porém, seu desequilíbrio se torna aparente. Seu riso é descontraído, mas também pode se tornar assustador; ataques súbitos de raiva e uma obstinação com detalhes também ocorrem. Biscoitos são a melhor forma de distraí-lo. – Faço passeios diários com ele". Agora, portanto, cabia a *ele* fazer as caminhadas com o "prisioneiro" do Prof. Binswanger!

Durante quatro semanas Köselitz se encontra diariamente com Nietzsche, o dobro do tempo que Langbehn aguentara ao seu lado. Por volta do dia 16 de fevereiro, junta-se a ele também a mãe. Ela aluga um quarto em Jena, na Collegienstrasse 12, de onde Köselitz relata a Overbeck em 20 de fevereiro: "Às nove da manhã, Nietzsche é retirado do hospital e permanece na cidade até às seis da tarde. O quarto em que os dois passam a maior parte do tempo se encontra acima do meu, de forma que estou sempre próximo caso aconteça algo. Hoje é o terceiro dia desta tentativa; houve um único incidente, nada grave. A mãe havia limpado os óculos de Nietzsche, nisso, a lente se soltou da armação. Nietzsche começou a chorar. 'Mãe, o que foi que você fez!' Consegui consertar os óculos rapidamente, e Nietzsche se acalmou".

Para a mãe teriam sido dias felizes se ainda não pairasse sobre ela a sombra do conflito com Langbehn. Köselitz continuava a interceder pelo retorno deste, pois precisava que alguém o substituísse. Seu tempo se encerrou no final de fevereiro. Danzig havia lhe prometido a apresentação de sua ópera, e ele queria supervisionar os ensaios. Por isso, escreve no final de sua carta a Overbeck: "Prezado senhor professor, o senhor não teria tempo de visitar Nietzsche logo após o fim do semestre? – Estou aqui há mais de quatro semanas; um serviço muito cansativo".

Com a mesma rapidez com que decidira viajar para Turim um ano antes, Overbeck decidiu agora fazer uma visita em Jena. Ele aproveitou os três dias de Carnaval de 23 a 25 de fevereiro e passou esse tempo no convívio com seu amigo doente, que se encontrava em um estado surpreendentemente bom. Suas anotações revelam: "Com a permissão do médico, pude conviver muitas horas com ele, conversar, comer e passear nas proximidades da cidade. Um terceiro completamente estranho dificilmente teria tido a oportunidade de fazer observações constrangedores, com exceção das truanices no comportamento de Nietzsche – à mesa ou na rua, quando tentava bater em cachorros ou até mesmo pessoas, quando estas apareciam repentinamente. Para ele, éramos dois velhos amigos, e apenas eu sabia que nosso convívio vivia exclusivamente do passado. Nietzsche me cumprimentara imediatamente quando nos encontramos no apartamento de sua mãe em Jena, como se nada tivesse abalado o nosso velho relacionamento, e foi assim até a minha despedida de Jena. Nietzsche conversou muito, mas o conteúdo dessas conversas se limitava quase que exclusivamente ao tempo anterior à sua loucura. Eu tentei repetidas vezes desviar seus pensamentos para aquelas experiências mais recentes. Interessava-me sobretudo seu contato, interrompido apenas recentemente, com o Dr. Langbehn. Em vão: De vez em quando, Nietzsche – e isso sem qualquer incentivo por minha parte – fazia um comunicado confuso sobre suas experiências atuais, por exemplo, sobre seu convívio no manicômio, do qual ele estava ciente; ao todo, porém, parecia não ter lembranças de seu passado mais recente, por vezes, até parecia evitá-las conscientemente – afirmava, por exemplo, mal se lembrar do Dr. Langbehn; os assuntos sobre os quais conversamos com intimidade provinham quase que exclusivamente do tempo *anterior* à irrupção de sua loucura. No entanto, as lembranças daquele tempo também não eram nada confiáveis, por mais detalhadas que fossem. Pois as lembranças lúcidas e absolutamente corretas se misturavam a outras um tanto confusas e de natureza absolutamente fantástica. Ao todo, porém, posso dizer que Nietzsche ainda possuía um tesouro considerável de lembranças reais do tempo anterior ao momento do abalo de seu espírito, enquanto as experiências mais recentes pareciam ter sido apagadas, como se nunca tivessem sido percebidas por ele. Sob estas circunstâncias, nosso convívio – ele durou três dias – se deu como que de dois planetas diferentes. Eu havia permanecido no planeta velho, antigamente – i.e., até o momento de sua loucura – habitado por nós dois, enquanto Nietzsche se encontrava num planeta novo, mas conseguimos conversar apenas sobre coisas que pertenciam àquele período mais antigo, das quais Nietzsche tinha apenas lembranças fragmentadas. Sob essas condições alteradas, porém, convivemos como se nada tivesse acontecido, como os velhos amigos que éramos. Como exemplo de nossas conversas menciono apenas a discussão sobre o retorno de Nietzsche para seu cargo em Basileia, sobre o qual sempre voltava a falar, acreditando estar próximo de reassumi-lo. Para mim, isso era um sintoma forte de seu abalo espiritual, levando em consideração o quanto ele havia tentado desprender-se daquela posição em seus dias de sanidade. Deparei-me como sintoma nas nossas conversas o fato de que estas sempre tratavam das circunstâncias exteriores de Nietzsche, referentes sobretudo às pessoas com que Nietzsche se relacionara (Wagner e outros), manifestando aqui aquela mistura maravilhosa de lucidez e confusão. Ao mesmo tempo, jamais falou sobre seus escritos e seus planos irrealizados, que, em seus últimos dias de lucidez, o haviam preocupado tanto. Havia também momentos de genialidade, que lembravam os tempos de suas mais altas aspirações, muita coisa me surpreendeu neste sentido; ao todo, porém, estes momentos haviam se tornado raros, e eu tive a impressão de que o espírito de Nietzsche conseguia se elevar apenas em momentos de exceção, sem perder-se no fantástico. Quanto ao resto, interpretei sua 'tranquilidade' apenas como resultado de uma exaustão ou de um enfraquecimento. Agora, Nietzsche não manifestava qualquer traço daquela resistência de Turim, e, mesmo quando se entregava às truanices, ele se mostrou influenciável como uma criança – seus pensamentos podiam ser desviados facilmente, sujeitando-se imediatamente a qualquer pessoa presente –, e quando voltamos do nosso passeio, ele deixou-se levar para o seu quarto no hospital sem a menor dificuldade. Assim, esse meu terceiro encontro com Nietzsche após a irrupção de sua loucura me serviu como sinal de seu apego a mim. Evidentemente, quando voltei para casa após aquelas férias de carnaval, fui tomado por impressões muito mais tristes do que a semi-integridade da nossa amizade, que ainda existia. Mas seja como for, em todo caso, foi a última impressão que eu teria dele".

Apesar da melhora supreendente no estado de Nietzsche, Overbeck não ignorou – diferentemente da mãe de Nietzsche – o dano irreversível do núcleo do ser de seu amigo. O homem amável do convívio diário de antigamente ainda existia, mas agora já sem a mais alta espiritualidade do filósofo, e sim com a tendência para a infantilidade.

Durante esses três dias Overbeck conseguiu que Köselitz e a mãe rompessem definitivamente com Langbehn, abrindo assim o caminho para

a mãe

Ela havia chegado no momento certo para assumir uma tarefa para a qual – na opinião de Köselitz – ninguém era capaz ou forte o bastante. Nem mesmo Langbehn:

"Apenas em dias muitos positivos acreditei realmente que ele conseguiria ser o tutor de Nietzsche durante um período prolongado. Pois, após 14 dias, este ser humano já teria se cansado da história [...]. Nem o senhor, prezado professor, nem Widemann, nem eu poderíamos assumir tamanha responsabilidade, simplesmente porque devemos aos nossos talentos [...] fazê-los brilhar" (20 de fevereiro de 1890). Mas foi justamente isso que a mãe conseguiu realizar: "fazer brilhar" um talento singular, durante sete anos, e apenas a sua morte a impediu de continuar servindo ao filho, que havia voltado para o seu seio. Köselitz partiu de Jena nos primeiros dias de março. A promessa do Dr. Fuchs em Danzig de estrear a ópera de Köselitz naquela cidade foi uma razão justificável. Mas isso não explica a redução drástica de sua correspondência. Os únicos contatos que deram força e esperança durante as difíceis sete semanas de passeios solitários com o paciente em Jena foram o convívio pessoal com o Prof. Gelzer de Jena e as cartas de Overbeck em Basileia. E ela demonstrou sua gratidão com sinceridade e confiança: "Preciso dizer-lhe, meu bom professor, uma palavra cordial de gratidão, da mais profunda gratidão, pois o senhor esteve disposto a realizar esse serviço de amor com seu coração misericordioso, a despeito do inverno [...]. Deus seja louvado que o terrível inverno esperou até esta sexta-feira para nos castigar com sua neve, pois quase não consegui chegar no hospital para ali providenciar [...] que meu filho fizesse suas refeições na instituição [...]. Anteontem foi um dia difícil, pois quando o levei para a cidade por volta das 10 da manhã, não consegui tirá-lo de determinada rua (mas jamais soltei seu braço) e de impedi-lo de contemplar as coisas nas vitrines, de entrar numa padaria e escolher pães de todo tipo e figos, tâmaras e nozes numa loja de especialidades, que ele comeu durante nosso passeio [...]. Aprendemos com esse tipo de incidentes, por isso fui buscá-lo apenas por volta do meio-dia, e ele me acompanhou alegremente até o nosso apartamento na cidade. [...] Antes da refeição, fizemos um pequeno passeio e fomos até o restaurante 'Stern', onde tivemos que comer na sala do piano [...] Ele logo tocou algo lindo ao piano, então almoçamos, depois o Sr. Köselitz tocou algo, e Nietzsche o ouviu com a expressão mais feliz. Mais tarde fiz um passeio longo com ele, passando pelo 'Felsenkeller' até a ponte ferroviária [...]. Em casa, ele dormiu um pouco, e, quando acordou, li algo para ele [...]. Durante a leitura acariciei sua testa, às vezes minha mão repousava durante alguns segundos em sua cabeça, e ele parecia gostar disso [...]. Preciso aprender todas essas coisas pequenas aos poucos, mas a leitura lenta parecia agradar-lhe [...]. Assim, precisamos ter paciência e confiar na graça e na misericórdia do nosso Deus fiel, também no que diz respeito ao futuro próximo, quando o Sr. Köselitz nos deixará" (carta de 28 de fevereiro de 1890 a Overbeck).

Assim, ela o observa e se adapta a suas peculiaridades – e assume cada vez mais uma liderança sutil. E o efeito tranquilizador disso tudo sobre o estado do paciente é positivo. Após três semanas, em 22 de março, ela relata a Overbeck: "Parece-me que ele esteja ficando mais claro a cada semana. Alguns dias atrás, quando encerramos nossa refeição no 'Stern', ele tocou algo ao piano que gostei muito, mas que não consegui identificar, e à noite eu o perguntei o que ele havia tocado, e ele respondeu: 'O opus 31 de Ludwig van Beethoven', três movimentos, e ontem ele me perguntou quem dos meus irmãos teria recebido as obras de Adalbert Stifter, que ele vira na biblioteca do avô [...]. Eu o lembrei de que, em Naumburg, havíamos lido 'As irmãs' de Stifter juntos, e ele se lembrou nitidamente. E quando toca ao piano, percebo que ele reflete enquanto toca, e agora ele costuma tocar baixinho, porque eu o pedi e sempre volto a pedir, 'para que ele não excite seus nervos' – e ele obedece tão bem. Mas também já aconteceu que ele não quis aceitar que eu o guiasse, então eu disse: 'Tudo bem, se você não quiser que eu o guie, eu partirei, pois o Prof. Binswanger me instruiu a guiá-lo sempre'. Então, ele logo quer fazer as pazes e me abraça no meio da rua e se agarra ainda mais ao meu braço [...]. Sim, se minha voz aguentasse, eu leria para ele o tempo todo, e ele seria feliz, mesmo que eu não acredite que ele consiga se lembrar daquilo que ouve, mas o meu murmúrio parece acalmá-lo. Eu tinha falado com Binswanger sobre deixá-lo comigo também às noites antes de dizer qualquer coisa ao Fritz. O Prof. Binswanger logo emitiu a permissão e eu tive que assiná-la na inspetoria. Mas quando perguntei ao Fritz, ele disse: 'Isso é um pequeno exagero, deixe-me voltar para o hospital. Durmo tão bem ali'. E assim as coisas ficaram do jeito que estavam. [...] Busco-o às 9h30min e ele fica comigo até às 6h45min. [...] Ele não está muito disposto a ir para Naumburg, e eu também pensei na luta diária que teria que enfrentar se não o deixasse entrar em seu escritório com seus livros. Tampouco poderia tocar piano tanto quanto tocava no passado, nem sair sozinho etc. etc. [...] Sério, é preciso conviver com essa criança querida, e um estranho não consegue fazê-lo; quando alguém passa por nós, nós simplesmente damos meia-volta [...] porque ele não quer cumprimentar ninguém [...] e ontem ele me disse: 'Escapamos mais uma vez do perigo'". Por outro lado, fala com pessoas completamente estranhas na rua e as cumprimenta com um aperto de mão. Aos poucos, porém, amadurece a decisão de tirá-lo do hospital. A mãe precisava encontrar outro apartamento para o 1º de abril, e agora ela o fez sob a condição de poder levar o paciente consigo. Finalmente, ela encontra "um lindo apartamento, perfeito para o Fritz, no Ziegelmühlenweg 3, na casa da Dra. Schrön", para onde ela se muda já em 24 de março com seu filho. Essa transição também ocorreu sem empecilhos. Na véspera, quando o devolveu pela última vez ao hospital após seu passeio vespertino, ele disse à mãe: "Mãezinha, estamos aqui de volta a esta casa terrível, como você pôde fazer isto comigo, estávamos em direção oposta, quem foi que me trouxe para esta casa, não entrarei, voltarei com você para o seu apartamento". A mãe fez um sinal para o enfermeiro-chefe presente "de pegá-lo pelo outro braço, e com isso ele já havia esquecido sua indisposição". Então, a mãe relata: "No dia seguinte [...] fui buscar meu filho por volta das 10 da manhã, para primeiro fazer um passeio com ele [...] e então instalar-nos no novo apartamento, mas na noite chamei seu enfermeiro [...]. Foi uma sorte eu ter feito isso, pois de repente ele declarou: 'Estou acostumado a ter luz à noite, e a porta também precisa estar bem trancada'. Tive que inventar uma mentira [...] e ele se acalmou, mas isso me deixou tão nervosa que não consegui fechar o olho naquela noite". A mãe lhe disse que havia sido instruído por Binswanger a não lhe dar lâmpada nem fósforos "e assim a criança obedeceu. Agora, tira suas roupas sozinho às noites, e eu vou até sua cama para desejar-lhe uma boa noite e dar-lhe um copo de água com açúcar [...]. Desde ontem, estou sozinha no apartamento [a locatária havia viajado] [...]. Parece-me que fizemos grandes progressos nestes oito dias, e sua aparência é agora tão natural, ele ri de forma tão natural [...]. Diz coisas inteligentes, come com educação, é vaidoso, cumprimenta muito menos [pessoas estranhas] [...] toca piano [...], ou seja, espero em Deus que tudo fique bem. Ler para ele com minha mão direita em sua testa é o que ele mais gosta, e às vezes ele beija minha mão e sussurra: 'Eu te adoro, minha querida mamãezinha'. [...] Ontem mandei trazer suas coisas do hospital e escrevi aos médicos, pois ele não quer voltar para lá, ou melhor, eu não quero expô-lo a isso" (30 de março, em carta a Overbeck).

Dessa forma, os dois esperaram a primavera, quando um evento imprevisível os obrigou a se mudarem para Naumburg. A mãe relata a Overbeck: "Dois dias antes da nossa partida fomos, como sempre, tomar um banho de água glicosada. Mas então veio ao nosso encontro o supervisor do banho [...] e nos disse que hoje não seria possível, pois ele estaria limpando o sistema de aquecimento [...]. No dia seguinte, acordei muito cedo [...] tomamos café com pãezinhos [...]. Apressei-me o mais rápido que pude para preparar os sanduíches de presunto [...] como segundo café da manhã para o nosso passeio após o banho [...] e o obrigo a vestir o manto de saída [...] já que seu manto de casa estava desgastado. Mas ele queria ficar com este, pegar o chapéu e sair [...]. Não teve jeito. Pediu que 'pegasse tudo, quero ir para o banho'. Tolamente, subo novamente, pego tudo e vou até o banheiro, mas meu Fritz não estava lá, eu o procuro, vou três vezes até a clínica de oftalmologia, onde se encontram os banhos, volto para casa, vou até o 'Paradies', onde também costumamos almoçar, passo no barbeiro, mando também os empregados da casa procurarem por ele, nada. Foram duas horas de angústia e desespero! Finalmente decido ir até a polícia [...] e quando, banhada em suor, já não aguento mais [...] entro na Kollegienstrasse e vejo meu filho conversando com um policial. Eu poderia ter caído de joelhos, tão grande foi minha gratidão! [...] Fiquei sabendo que ele pretendia tomar banho numa poça ao lado do banho dos senhores e que ficou andando um bom tempo por aí sem roupas. Evidentemente, não ousei repreendê-lo e apenas o perguntei: 'Criança, você não estava no banheiro, para onde foi?' E ele respondeu: 'Ontem você ouviu o que o mestre de banho disse, que não seria possível tomar banho ali, então fui tomar banho onde sempre tomei banho no passado', e ele contou que teria prestado um depoimento oral: que ele era o Prof. Nietzsche, nascido em Lützen nas proximidades de Röcken, que seu pai havia sido educador na corte de Altenburg e depois pastor em Röcken. Eu achava que havíamos sobrevivido ao incidente [...] quando, no dia seguinte, aparece o Dr. Ziehen (nenhum dos médicos [...] havia se interessado por ele durante as sete semanas, apesar de eu ter enviado um relatório após os primeiros oito dias). Ou seja, apareceu o Dr. Ziehen e disse que o incidente no dia anterior teria causado grande escândalo, algo muito desagradável para os médicos do instituto. E apesar de eu lhe contar todos os detalhes [...] ele insistiu na ordem de Binswanger de pedir a visita do médico municipal e que eu teria que contratar um enfermeiro ou devolvê-lo ao instituto [...]. O médico municipal [...] não veio, e eu, temendo que me enviariam um enfermeiro, fiz as malas. Após almoçarmos no 'Paradies', fomos até a casa dos Gelzer, onde Fritz tocou ao piano, enquanto eu lhes contava tudo [...] mandei chamar o filho de uma amiga, um moço pragmático e maravilhoso companheiro de viagem, e às seis horas da tarde nos despedimos do maravilhoso apartamento com seus dois quartos grandes e a varanda [...]. A viagem transcorreu de forma excelente, pois Fritz parecia se divertir. Eu havia enviado um telegrama a Alwine, e sua alegria infantil ao nos ver nos comoveu, e ela deu saltos de alegria ao ver o professor tão bem. Fritz quis ver todos os cômodos e tive que levá-lo até o quarto no sótão, e tudo o alegrava".

A mãe sabia que a tarefa que a esperava seria árdua: "A minha existência não é fácil, mesmo assim, sou profundamente grata ao meu Deus por eu conseguir cuidar dele sem ajuda de terceiros [...]. Ninguém entende o filho melhor do que a mãe". Ela aceita sua obrigação como missão e presente da mão de Deus e inicia seu relato com as palavras: "Mas reconheço também nisso a providência de Deus, pois meu filho se sente tão bem aqui".

O ciclo se completa; agora, o filho voltou completamente ao seio da mãe. Teria sua vida sido apenas um grande excurso, uma aberração? Em todo caso, o retorno repentino para Naumburg é uma virada significativa. O limite extremo da remissão havia sido alcançado, e agora se inicia o esmorecimento definitivo em Naumburg, seguido pela existência meramente vegetativa em Weimar até a dissolução física. A esperança foi superada, resta agora apenas a resignação.

III

Naumburg
(13 de maio de 1890-julho de 1897)

A mãe havia tido um sucesso visível com os passeios em Jena. Por isso, não viu motivo para desistir deles em Naumburg. Valia apenas evitar incidentes e não causar escândalos públicos que pudessem chamar a atenção da polícia, e a própria casa em Naumburg oferecia essa oportunidade. A mãe tinha ainda pelo menos um locador, um senhor aposentado chamado Tittel, que se dispôs a acompanhá-los nos passeios para poder intervir com força "masculina" em casos de emergência. No entanto, isso nunca foi necessário. Na mesma carta de 28 de maio de 1890, em que a mãe havia narrado e justificado a fuga de Jena, a mãe relata também[199]: "No térreo, mora um aposentado, ao qual pedi que nos acompanhasse em nossos passeios. Eu o apresentei ao Fritz, para que este senhor o ajude nos banhos [...]. Ele tomou o banho, o Sr. Tittel nos acompanhou num pequeno passeio, mas quando ofereci o café da manhã ao Fritz, ele o jogou na grama e, nervoso por eu não ter permitido que viajasse para Leipzig, exclamou que assim não aguentaria a vida. Eu sabia que era apenas a companhia do Sr. Tittel que o excitara tanto, e desde então pedi que o Sr. Tittel nos seguisse a mais ou menos 50 passos de distância, sem que o Fritz o perceba, é claro, e graças a Deus tudo voltou ao normal. Naturalmente surge de vez em quando a ideia de voltar para Turim, [...] 'ele precisaria buscar pessoalmente suas coisas, que haviam permanecido num lugar acessível', e quando eu lhe disse que certamente o bom Overbeck já havia cuidado de tudo, ele respondeu: 'Sou o único que pode fazer isso'. Mas quando voltamos para casa, ele já havia esquecido tudo". E então ela descreve o dia a dia: "Cedo de manhã, logo após o café da manhã, caminhamos até o Bürgergarten, atravessamos toda a linda floresta de Buchwald e, seguindo pelas sombras da estrada de terra, voltamos para casa por volta do meio-dia. Depois vem o barbeiro, depois ele toca um pouco ao piano, e [nós] passamos o tempo até a 1 hora. Alwine traz então sopa, entrada e assado no valor de 12 moedas de prata e meia, comida excelente [...]. O Sr. Tittel recebe a hospedagem e o almoço de graça, e Alwine cozinha diariamente para nós verduras e carne, pois eu só consigo cuidar do meu querido paciente, o que exige todas as minhas poucas forças que ainda possuo. Após dormirmos um pouco depois do almoço, nós nos sentamos na varanda, onde leio para ele até o jantar, para o qual eu mesmo preparo o leite com chocolate e sanduíches de presunto. Depois disso, fazemos um passeio até às 9h45min; então, eu o coloco na cama e preparo tudo para o dia seguinte, deitando-me completamente exausta às 11 da noite. Mesmo assim, sinto-me abençoada por ele estar satisfeito comigo, como recentemente, quando lhe disse: 'Você deveria ter a companhia de uma pessoa culta', e ele respondeu: 'Assim como convivemos, simplesmente não existe substituto para você, querida mãezinha'. É claro que isso me alegra". Sobre as conversas, ela diz em termos bem gerais: "Suas lembranças são boas até Turim, mas a partir de então quase todo dia e cada objeto, pelo menos nossas caminhadas diárias, lhe são novidade e ele se alegra tanto com a floresta, tampouco acredito que ele compreenda o que leio para ele, também não gosta quando tento lhe explicar algo, ele fica feliz apenas quando leio sem parar e quando leio muito. Bem, espero que, com a ajuda de Deus e com o passar do tempo, tudo se resolva. Muitas vezes nos divertimos um com o outro, e ele ri como antigamente!" E orgulhosa ela escreve no início de agosto: "Queria apenas que o senhor o visse novamente, o senhor o encontraria muito melhor, e assim peço ao Doador de todas as coisas boas que Ele me mostre sempre o que é bom e saudável para o filho do meu coração".

Após o incidente em Jena, Overbeck a aconselhara a ter sempre um médico ou "outra pessoa experiente à disposição", e ela concordou plenamente com ele, podendo acrescentar então: "Por isso contratei, logo após a nossa chegada, o Sr. Tittel, um homem muito mais simpático do que um dos melhores enfermeiros que conheci em Jena [...]. Mas o próprio Sr. Tittel alega: 'Nem sou necessário, o senhor professor já acompanha a senhora pastora, enquanto antes ele se apoiava tanto na senhora pastora; portanto, realmente não mereço sua generosidade em relação ao quarto e à refeição gratuitos'. Se meu filho soubesse ou percebesse uma única vez que ele está sendo observado, acho que não conseguiria levá-lo mais em nenhum passeio, mas agora ele mesmo me lembra dele [...]. Ele não passa um único momento, seja na casa ou ao ar livre, sem que alguém o observe, e ele obedece bem, sobretudo quando lhe digo: 'tudo bem, então, faço como você quiser'. Então, ele logo vem e diz: 'Como é que você tinha pensado, mãezinha?', e volta a obedecer como uma criança".

Nessa época, Nietzsche ouve da varanda um concerto ao ar livre e ainda toca piano com frequência, "às vezes suas composições pequenas ou corais de um antigo hinário [ou seja, ainda lê partituras]; anteontem, por exemplo, tocou algo para a Sophie Pinder, depois mostrou-lhe as pessoas de dois álbuns, e quando eu disse sobre um dos parentes: 'Este morreu no ano passado', Fritz o olhou mais uma vez na fotografia e disse (pois havia sido uma pessoa boa): 'Bem-aventurados os mortos que morrem no Senhor'; essa atmosfera religiosa está se manifestando cada vez mais nele, ele me contou [...] que havia estudado a Bíblia inteira em Turim e feito milhares de anotações. Então, incentivou-me a ler este salmo e aquele, e eu me admirei de seus conhecimentos bíblicos". Se ela tivesse sabido que ele adquirira esses conhecimentos bíblicos principalmente em preparação para o 'Anticristo', dificilmente ela teria se alegrado tanto!

Aparentemente, esses relatos otimistas pareciam sempre um pouco exagerados a Overbeck, pois ele sabia o que se escondia por trás dessa fachada descontraída, que catástrofe se escondia no fundo, que podia romper a superfície a qualquer momento. Em 31 de julho de 1890, ele escreveu a Rohde[187]: "Desde maio deste ano ele está [...] sob os cuidados da mãe, após uma fuga um tanto tola de Jena, e até agora tudo tem transcorrido melhor do que todos esperávamos e sem qualquer catástrofe, mas também sem sintomas de melhora, que – contra todos os prognósticos dos médicos – nos dariam a esperança de um fim da impotência do doente". Ele também não escondeu seus receios da senhora pastora, levando-a a responder em julho: "Mas não se preocupe [...] em relação a 'catástrofes'; eu, como o senhor, me lembro delas sempre, pois evidentemente o nosso querido paciente ainda não recuperou a clareza de espírito, mas ainda tenho o melhor domínio sobre ele, tanto física quanto espiritualmente. Quando ele teima em fazer algo – até agora esses incidentes têm sido apenas de natureza insignificante –, eu simplesmente fecho as portas da antessala ou saio do seu caminho sem dizer uma palavra. Após pouco tempo, ele me procura, beija minha mão e diz: 'O que é que você queria?' e 'Muito bom, muito bom, minha querida criatura', e faz o que eu pedira. Evidentemente, quando ele quer isso ou aquilo que o alegra e não pode prejudicá-lo, eu permito que ele faça a sua vontade ou pergunto se ele quer que eu faça algo assim ou daquele jeito, para que ele não se aperceba do meu regimento como uma tirania, e falo também abertamente com ele, de forma que a desconfiança com que ele veio do hospital seja substituída pela confiança completa. Oito dias atrás [...] estivemos na casa de Krug e assistimos à procissão de todos os estamentos, que haviam montado em carros grandes todo o seu artesanato em honra dos 500 anos do clube de tiro, com três corais e 700 atiradores [...]. Fritz se divertiu bastante e riu muito. De vez em quando, aparecia uma Pinder ou uma Krug e conversava com ele, e ele contava sempre algo interessante e até falou de detalhes de programas musicais da

Itália [...]. Depois, alegrou-se muito com a cidade decorada. Em casa, tomamos café, e eu tive que ler para ele o poema final do Zaratustra (que preciso ler para ele com frequência), e ele tocou um pouco ao piano. À noite, fomos até a feira com seus carrosséis [...] e muita gente [...], ele queria tanto, e aparentemente ele gostou muito, como também no dia seguinte, quando assistimos aos fogos duas vezes [...] de longe e ouvimos o concerto. Seu estado físico é, graças a Deus, *completamente* normal e tudo está ficando apertado para ele".

Overbeck logo recebeu a confirmação de que os relatos da mãe eram influenciados por seus próprios desejos. Por volta de 22 ou 24 de setembro, Paul Deussen e sua esposa fizeram uma visita de algumas horas em Naumburg. A mãe relata o dia em 29 de setembro em uma carta a Overbeck: "Quando pergunto: Com quem nos sentamos aqui no jardim [...], ele responde: 'Com o Dr. Deussen'. Quando o perguntei por que ele o chamava de doutor e não de Prof. Deussen, ele disse: 'Ele prefere o título de doutor ao título de professor'. Ele conta também como levamos os Deussen até a estação ferroviária e que eles haviam trazido uma bagagem muito pesada (ele carregou a mala com Deussen); disse-me também, quando o perguntei, sobre o que haviam conversado". Overbeck escreveu imediatamente a Deussen, perguntando-lhe qual a impressão que ele tivera de Nietzsche, e em 25 de novembro recebeu a resposta[187]: "[...] não posso, infelizmente, lhe dar notícias muito favoráveis [...]. Sob os grandes cuidados de sua mãe, ele se encontra fisicamente bem. Come com apetite, dorme bem, faz longas caminhadas com sua mãe e, na época, costumava tomar banhos sob a supervisão do mestre de banho. E também o seu comportamento era calmo e de forma alguma anormal. Mas seu espírito estava praticamente apagado. Na maior parte do tempo ouvia em silêncio, e suas respostas eram reminiscências fragmentadas do passado, por exemplo, que Schopenhauer nascera em Danzig e coisas semelhantes. Quando lhe contei da Espanha, ele me interrompeu com a observação de que Deussen também estivera lá, e quando eu lhe disse: mas Deussen sou eu, ele me olhou surpreso. Ou seja, lembrava-se ainda de mim *in abstracto* e também me tratou como um velho amigo, mas já não conseguia reunir a imagem com o conceito [...]. A mãe de Nietzsche espera uma recuperação, e certamente não a privaremos deste consolo, mas devo confessar que Nietzsche não me passou a impressão de que conseguiria recuperar um emprego normal de suas faculdades espirituais". E em suas memórias de 1901, ele escreve ainda[73]: "Seus interesses voltaram a ser os de uma criança: observou durante muito tempo um garoto que estava tocando seu tambor; e a locomotiva prendeu sua atenção. Em casa, ele passava a maior parte do tempo em sua varanda ensolarada, imerso em pensamentos profundos, de vez em quando se entretia com monólogos, muitas vezes sobre pessoas e experiências de

Pforta, numa confusão completa". Essa lembrança tardia, porém, deve ter sofrido uma impressão posterior.

A visita de poucas horas dos Deussen foi a única visita de amigos que ele recebeu naquele tempo – com exceção, é claro, dos contatos frequentes com as famílias Krug e Pinder em Naumburg e de algumas visitas curtas do Prof. Heinze e sua esposa de Leipzig. Por causa de sua docência, Overbeck estava preso a Basileia; Köselitz com sua ópera, em Danzig – e Rohde temia o encontro: "Ao viajar para Berlim, o trem passou também por Naumburg, que, com suas torres e residências rurais, olhou-me como uma velha e inesquecível lembrança da juventude. 23 anos se passaram desde então; que pessoa maravilhosa e como uma revelação nova do ser humano me parecia na época o pobre Nietzsche! Eu não quis sair do trem; tenho medo de vê-lo agora; temo que não me livraria da imagem pelo resto da minha vida; e em que isso lhe serviria? [...] Provavelmente, tudo continuará a se arrastar com essa tristeza", ele escreve em 27 de outubro de 1890 a Overbeck[187]. Mas em 16 de dezembro chega a grande visita:

A irmã do Paraguai

A alegria de Nietzsche, na medida em que era capaz de senti-la, pôde ser imperturbada, pois desconhecia as circunstâncias da visita. A mãe, porém, as conhecia, e para ela eram uma fonte de preocupações adicionais.

Bernhard Förster havia escolhido o fundamento completatmente errado para a sua colônia: ideologia em vez de conhecimento e habilidade.

Seus colonos não pretendiam construir em primeira linha um "paraíso" ariano-germânico, antes queriam viver razoavelmente bem do trabalho de suas mãos. E fracassaram. O solo da floresta desmatada tinha pouca água e não era terra fértil, e os poucos bens que conseguiram produzir não puderam ser levados aos mercados interessantes, pois não existiam meios de transporte adequados. Förster recusou uma cooperação sensata com colônias vizinhas também alemãs, mas menos rigorosas em termos ideológicos, o que impediu o sucesso econômico. Surgiram inveja e brigas, pois enquanto os colonos viviam em cabanas miseráveis na floresta, o casal líder vivia em sua sede "Försterhof", onde recebia convidados, mantinha um nível de vida confortável, financiado, muito provavelmente, por meio da venda de artigos do dia a dia, cujo comércio o casal havia monopolizado. Juntaram-se a isso incertezas referentes às relações de posse, pois Förster, que apenas arrendara a terra do governo, a vendia aos seus colonos, ainda na Alemanha antes da partida dos emigrantes, mas sem poder entregar certificados de posse, devolvendo as garantias depositadas apenas aos poucos e apenas parcialmente.

Na Alemanha, por sua vez, um jornal criado especialmente para esse fim, o "Kolonialnachrichten" [Notícias coloniais], gerava uma propaganda glorificadora e enganadora. E até mesmo os "Bayreuther Blätter" se juntaram a esse coro – algo que viria a prejudicar seriamente a sua reputação. O que influiu aqui foi certamente a antiga relação e amizade pessoal entre Cosima Wagner e Elisabeth. Ao mesmo tempo, porém, chegavam relatos extremamente críticos, que refrearam o fluxo tão necessário de novos colonos. Isso foi especialmente grave para Förster, pois ele havia assumido o compromisso diante do governo do Paraguai de povoar a região. O ataque mais furioso – talvez em virtude de uma decepção pessoal – foi lançado pelo ex-colono Julius Klingbeil com seu excelente livro "Enthüllungen über die Dr. Bernhard Förstersche Ansiedlung Neu-Germanien in Paraguay" [Revelações sobre a colônia Nova Germânia do Dr. Bernhard Förster no Paraguai][137], onde encontramos, entre muitas outras coisas, a acusação segundo a qual "chamam determinados atos de 'negócio' que, na Alemanha, chamaríamos simplesmente de 'fraude' e condenaríamos de acordo com a lei". Klingbeil descreve a vida pomposa do Casal Förster, que se comporta como regente do pequeno principado (como chama a colônia). O casal "possui vacas de leite. Durante minha estadia, pude constatar que os empregados consistiam de dois casais alemães e oito pessoas".

Essa publicação deveria ter bastado para destruir de vez a colônia, mas a propaganda positiva foi muito mais esperta e penetrante*. Se compararmos com isso a guerra de artigos e livros, travada poucos anos mais tarde durante décadas pelo arquivo nietzscheano com o mesmo fundamento ideológico, dá-se a nítida impressão de que a mesma mão coordenara ambos os casos.

Essa suspeita é confirmada por todas as declarações críticas por parte dos círculos de colonos, que não acreditavam que o próprio Bernhard Förster fosse capaz de práticas comerciais ilegais, vendo-o mais como vítima infeliz de suas ideias absurdas. Mas seus juízos sobre a mulher como força impulsionadora e organizadora intrigante eram todos extremamente maliciosos. Klingbeil conclui (p. 37): "Era uma experiência repugnante testemunhar como ele suporta a dominação de sua esposa déspota [...]. Além do mais, toda vez que alguém deseja discutir algo com o Dr., ele lhe diz: 'Fale com minha esposa'". E ele retrata o casal (p. 45). "O doutor [...] uma mistura de covardia e ambição, enquanto sua esposa possuía, além da última destas qualidades, também um grau extraordinário de coragem. Para o mal dos próximos, essa virtude

---

* Em 1932, tudo isso foi apresentado em todos os detalhes com muitas provas ao público interessado[198].

heroica se manifestava em atos não muito bons e nobres." É possível que Elisabeth tenha tido a esperança de assim ainda salvar o empreendimento da ruína, mas ela levou o marido diretamente para a falência. *Ele* não aguentou a tensão insuportável e optou pela morte em 3 de junho de 1889. E assim como pouco mais tarde ela tentaria esconder os rastros para a razão da doença do irmão e da morte do pai, Elisabeth encobriu também esse evento – altamente difamado na época – por meio de uma lenda. Ela conseguiu produzir até um documento oficial segundo o qual Bernhard Förster teria morrido de um ataque cardíaco, provocado por exaustão e uma infecção aguda, enquanto a notícia de seu suicídio já estava sendo espalhada pela mídia.

Para a mãe já tão acometida, deve ter sido um consolo e uma sorte poder acreditar na versão da filha.

Agora, Elisabeth assumiu a liderança do empreendimento colonial, mesmo que com o apoio de seu fiel administrador. E também essa imagem se repetirá mais tarde no "Nietzsche-Archiv"! No entanto, as dificuldades se tornaram tão grandes que ela teve que tomar a decisão de retornar para a Alemanha por alguns meses, para ali não só reforçar pessoalmente a propaganda, mas também para arrecadar dinheiro. Essa foi a única razão pela qual ela voltou para casa, não foi por causa do irmão ou para apoiar a mãe em sua tarefa exaustiva, que ela continuou a exercer sozinha mesmo durante a estadia de Elisabeth. Seu fardo até aumentou ainda mais com as excitações causadas pelas atividades coloniais de Elisabeth.

O Caso Förster, porém, apressou a resolução de outro problema:

A questão da tutela

Supostamente, Bernhard Förster havia legado um lote ao seu cunhado Friedrich Nietzsche. As opiniões divergem em relação a isso, e Podach defende a tese segundo a qual se tratava de dois lotes que Förster recebera como garantia para um empréstimo, que, a despeito de todas as recusas e de todas as advertências de Overbeck, haviam sido extorquidos de Nietzsche[198]. Seja como for, o testemunho não pôde ser executado enquanto essa questão permanecia em aberto. E o herdeiro já não era mais capaz de resolvê-la, ele precisava de uma representação por meio de um tutor reconhecido pela lei e pelo direito. A "tutela situacional" de Naumann já não servia mais!

A mãe, à qual cabia iniciar a questão, tomou a medida mais lógica: ela pediu a Overbeck que ele assumisse essa tutela legal e que desse entrada aos processos necessários em Basileia. Em 3 de agosto de 1889, ela lhe escreveu: "Hoje então o grande pedido, se o senhor estaria bondosamente disposto a mediar a solicitação anexa, pois tudo precisa ser acelerado, e se o senhor, em sua grande bondade e seu amor pelo meu filho, aceitaria assumir a tutela, ou se eu devo assumi-la. Eu já permiti lhe explicar o quão pouco eu sou capacitada para isso, mas, por favor, discuta isso com o tribunal de Basileia e com o seu bom coração e sua querida esposa". Então ela se lembra de outro relacionamento antigo em Basileia: "O pai da esposa do Prof. Gelzer [em Jena] não é presidente do tribunal? Talvez ele teria a bondade de informá-lo sobre a interdição. Em virtude da distância e porque o governo pressiona tanto, por isso peço perdão por já ter sugerido o seu nome".

Overbeck, porém, estava de férias e, por isso, não pôde cuidar imediatamente do assunto. A mãe acreditava não poder esperar até seu retorno e dirigiu-se diretamente ao pai da Sra. Gelzer, ao Sr. Dr. Eduard Thurneysen-Gemuseus (1824-1900), na época presidente do tribunal penal em Basileia[111]. Em 15 de agosto de 1889, de Langenbruck, onde também estava passando suas férias, ele escreveu a Overbeck: "No dia 11 de agosto [...] recebi da Sra. Nietzsche uma carta de Naumburg, acompanhada de um requerimento para o tribunal cível em Basileia. Neste, requer a transferência da tutela do Prof. Nietzsche para o senhor: caso necessário, com um processo de interdição. Na carta dirigida a mim, ela explica a situação no Paraguai e as razões que teriam exigido essa medida [...] e, para não atrasar a resolução do problema, ela agora se dirige a mim, visto que o senhor havia viajado. Este foi o único motivo pelo qual eu me intrometi nos assuntos que se encontram sob seus excelentes cuidados, ainda mais que acredito tratar-se de uma medida inútil. Eu enviei o requerimento da Sra. Nietzsche, acompanhado pelas explicações necessárias, para a secretaria de órfãos, responsável pela designação de tutores, e recebo dela agora a informação que o tribunal cível de Basileia trata apenas de casos de interdição que envolvam cidadãos de Basileia; e a secretaria de órfãos, apenas com a designação de tutores para cidadãos suíços. O escrivão da secretaria aconselha, de acordo com a lei tutelar prussiana, que a Sra. Nietzsche se dirija ao tribunal da última residência do *pai* Nietzsche ou, caso isso não seja possível, diretamente ao Ministério da Justiça da Prússia. Enviou também uma declaração referente à incompetência das autoridades de Basileia [...]. Comunico tudo isso ao senhor, pedindo que o senhor me perdoe por intrometer-me em assuntos seus. A Sra. Nietzsche insistiu tanto que não tive a coragem de negar-lhe este pedido e de aguardar o seu retorno, mesmo que eu não veja a necessidade de tanta pressa". Se, na época, Nietzsche tivesse sido suíço e cidadão de Basileia, o tribunal cível não poderia ter negado sua competência. Outra dificuldade, porém, nem é mencionada aqui: em virtude da distância geográfica, Overbeck jamais se dispôs a assumir a tutela. E também não teria se tornado tutor exclusivo, mas apenas "tutor supervisor", ou seja, sempre teria que se comunicar com um colega, que, provavelmente, residiria em ou perto de Naumburg. No fim, após passar por todas as instâncias legais, a própria mãe teve que assumir a tutela, o que ela comunica a Overbeck em 8 de janeiro de 1890: "Hoje assumi a tutela, e já que tive que escolher um tutor supervisor, sugeri o seu nome, meu querido professor, mas fui aconselhada a escolher uma pessoa da minha família, pois tudo ficaria mais complicado com uma pessoa no exterior. No entanto, peço que o senhor tenha a bondade de continuar a fazer tudo como sempre, não é, meu bom professor? Ah, meu querido Fritz sempre lhe foi muito grato, e eu ainda muito mais, pois sinto-me completamente impotente".

As autoridades conseguiram impor sua vontade, e a mãe escolheu como tutor supervisor o seu irmão, o Pastor Edmund Oehler, em Gorenzen, onde o jovem Nietzsche havia passado várias férias e feriados, aos quais ele dedicara sua composição de 1863/1864 "Noite de São Silvestre" para violino e piano[125]. Edmund Oehler não pôde exercer sua função por muito tempo, pois faleceu em setembro de 1891, mas nesse período breve ele interveio pelo menos uma vez de forma significativa na vida filosófica póstuma de Nietzsche: ele ajudou a impedir a distribuição da quarta parte já impressa do "Zaratustra" em abril de 1891, juntamente com a mãe e a irmã Elisabeth, que, de resto, pouco se preocupou com seu irmão nesse tempo. Köselitz comentou a decisão com certa ironia e amargura em sua carta de 4 de abril de 1891 a Overbeck[188]: "No fundo, é absolutamente risível que duas mulheres religiosas e um pastor rural decidam sobre a publicação de escritos de um ateu e anticristão. No momento, porém, falta-me o humor para rir".

Após a morte de Edmund Oehler, sua função foi assumida pelo sobrinho e futuro biógrafo da Sra. Nietzsche, o Conselheiro Adalbert Oehler, de Halle, que exerceu seu cargo até a morte de seu tutelado, tendo que tomar várias decisões difíceis e enfrentar dificuldades com a tutora sucessora da mãe, sua prima Elisabeth. Mas ao contrário de seu tio Edmund Oehler, ele não se intrometeu na edição da obra. Voltaremos a encontrá-lo em assuntos relacionados à aposentadoria de Basileia e às maquinações de Elisabeth no contexto da edição das obras completas.

Discussão sobre os escritos "póstumos"

A postura de Köselitz, tanto quanto a de Overbeck e Rohde, perante os escritos tardios de Nietzsche não era acrítica. Em 27 de fevereiro de 1889, ele escreveu a Overbeck: "Jamais pensei em enviar o 'Ecce homo' para a gráfica sem que o senhor o tivesse visto. Queria apenas que o senhor, prezado professor, conhecesse o escrito por meio da minha cópia, ou seja, sem aquelas passagens que me passam a impressão de um êxtase exagerado ou de desprezo e injustiça excessivos, para que assim o senhor tivesse primeiro aquela impressão que eu nem consigo imaginar, porque sempre me lembro das passagens excluídas. Logo em seguida, o senhor receberia o original, cujos esboços já devem ter sido encontrados entre os documentos de Turim. Em 30 de outubro, Nietzsche informa que iniciou o 'Ecce homo' no dia de seu aniversário e que já conseguiu avançar bastante; em 13 de novembro, que já enviou o manuscrito para a gráfica; [...] em 2 de dezembro, que pediu a Naumann que devolvesse o manuscrito para mais uma revisão; em 9 de dezembro, que o manuscrito já está novamente com Naumann. – As coisas que Nietzsche alterou ou incluiu (partes muito grandes, de forma que me maravilhei com sua produtividade!) já apresentam outro tom do que o primeiro manuscrito. *Menos* comedimento e mais golpes de *machado*, de forma que até a minha cabeça começa a doer! As duas primeiras folhas, que o senhor já conhece, são inofensivas comparadas com aquilo que vem depois, sobretudo quando a leitura se aproxima do capítulo 'Por que eu sou um destino' [...]. Mesmo assim, creio que seria o mais inteligente por ora nem pensar em uma publicação do 'Ecce homo'. Por favor, instrua Naumann nesse sentido, prezado senhor professor! Ou seja, destruir as placas antes que o livro seja impresso inadvertidamente". E quando Overbeck lhe manda a cópia do 'Anticristo', Köselitz o lê repetidas vezes, também com seu amigo Widemann. Então, confessa a Overbeck em 14 de novembro de 1889: "Sentimos a sucção, o demoníaco, a tempestade que paira no ar nesse escrito, que ele compartilha com o 'Zaratustra' e com o 'Crepúsculo dos ídolos'. Com a exceção de algumas passagens curtas, que certamente teriam sido alteradas por ocasião da impressão (como Nietzsche costumava melhorar muito os seus textos), consideramos que a visão do Império Romano dos primeiros séculos d.C. necessita de muitas modificações. Evidentemente, Nietzsche se *recusa* a reconhecer a exaustão, o declínio da Antiguidade; no entanto, seria um milagre se algo tão débil quanto o cristianismo tivesse vencido o Império Romano no fim do século IV, se este tivesse sido tão indestrutível quanto Nietzsche o considerava ser. O Constantino de Burckhardt nos passa pelo menos a impressão do medo, da superstição, do 'enfeiuramento', da rudeza espiritual crescentes e de que sem essas condições o desembocamento no cristianismo e no bizantinismo seria impensável". Mas Köselitz considerava exagerada a decisão de reter o 'Zaratustra', com a justificativa de "temerem o promotor", e ele lamenta que a decisão tenha sido tomada em virtude de uma infeliz sequência de acasos.

Em 31 de março de 1891, o editor Naumann escreveu a Overbeck "que o Zaratustra está todo impresso há algumas semanas, mas ainda não pude distribuí-lo em virtude de alguns outros trabalhos". Para economizar os custos de remessa, ele pretendia enviá-lo juntamente com dois outros livros. "Aí, recebo de repente um telegrama de Naumburg dizendo-me o seguinte: 'Por favor, não publicar o Zaratustra sem a minha permissão definitiva. Franziska Nietzsche'. Sinceramente, não encontrei nenhuma explicação sensata para isso, apesar de me considerar bastante informado no assunto. Recentemente, desejei, para não ter que lidar com os muitos pedidos e para me poupar a correspondência insignificante, publicar uma fotografia realmente do Prof. Nietzsche e de acrescentá-la ao Zaratustra; essas fotografias já foram encomendadas, amanhã receberei as primeiras cópias, e por isso a publicação do livro sofreu um atraso de algumas semanas, pois tive algumas discussões inúteis com o fotógrafo em Naumburg, cuja fotografia eu queria reproduzir. No entanto, já enviei exemplares do Zaratustra IV aos nossos resenhistas com o compromisso de publicarem sua resenha apenas quando eu distribuir o livro, pois sempre tentei estar um passo à frente. Determinei o início da venda do livro em várias livrarias para o dia 10 de abril deste ano, pois a notícia da publicação do livro já chegou aos amigos de Nietzsche. Para resolver a questão da fotografia, aproveito a visita pessoal de certo Sr. Lauterbach, que [...] visitou nosso Prof. Nietzsche em Naumburg, e pedi por meio dele que a Sra. Nietzsche me informasse se a placa havia sido paga pelo fotógrafo ou pelo Prof. Nietzsche. Respondeu-me que a placa havia sido paga pelo seu filho. Além do mais, as senhoras Nietzsche e Förster se mostraram bastante satisfeitas com o fato de que a fotografia seria incluída ao Zaratustra. Entrementes, porém, ocorreu uma mudança na postura das duas damas, porque alegam que o promotor poderia atacar o livro, provocando assim um final infeliz para o autor. Não sei como as senhoras podem ter chegado a essa conclusão, realmente não faço a mínima ideia". Mas em 2 de abril Naumann ainda acredita na publicação e escreve a Overbeck: "Em anexo, envio-lhe uma cópia do Zaratustra IV: até agora chegou apenas uma parte das fotografias, o resto virá amanhã, e creio ser desnecessário informar-lhe que ainda será impresso a assinatura do Sr. Prof.-Dr. Nietzsche embaixo da imagem [...]. Envio-lhe ainda um cartão postal que acaba de chegar. É assim dia após dia, escrevo o tempo todo; todos os admiradores do Prof. Nietzsche sabem, porém, que o livro está impresso, pois isso já foi anunciado por vários jornais. Se esse trabalho fosse apenas um negócio, tudo estaria dentro dos conformes; assim, porém, só fico escrevendo e gastando dinheiro à toa com selos para um assunto cuja repetição monótona deixaria qualquer um nervoso.

Um item editorial filosófico é, em termos financeiros, a pior coisa que existe. Por que, então, não trabalhar o ferro enquanto ele estiver quente? Fritzsch, que eu consultei há mais ou menos quatro meses em relação à tiragem, informou-me na época que ele acredita ter vendido 600 cópias do Zaratustra I – III, por isso eu sabia que não poderia fazer uma tiragem acima de 1.000 exemplares; no entanto, duvido que, em vista do interesse atual pela vertente filosófica em geral e pelo Prof. Nietzsche em especial, seja uma boa ideia arquivar o livro, como já o fizemos com 'Nietzsche contra Wagner' e com o 'Ecce homo'! Menciono apenas um fato, cuja veracidade eu posso garantir: nas bibliotecas universitárias e estaduais nem de Berlim nem em Leipzig pode-se encontrar os livros de Nietzsche, é algo incompreensível diante do interesse geral pelo autor; diante disso, não seria ainda mais necessário fazer de tudo para impulsionar o movimento nietzscheano?" Mas o veto de Naumburg permaneceu, e Naumann se viu obrigado a enviar uma carta circular: "Respondendo às suas perguntas, informo humildemente aos senhores que *Nietzsche, Friedrich, Zaratustra volume IV*, cuja publicação havia sido prometida para o abril de 1891, por ora não será publicado, pois as anotações do autor revelaram que ele não desejava que sua obra fosse publicada na forma atual. Visto que o estado atual do Sr. Prof. Nietzsche não exclui a possibilidade de uma recuperação, seus familiares desejam não antecipar-se à vontade expressa pelo autor. Portanto, peço aos senhores que comuniquem isso aos seus clientes". O que havia acontecido? As cartas da mãe a Overbeck[199] e Köselitz, a correspondência entre Overbeck/Köselitz e Naumann[187] permitem reconstruir os eventos.

Em Leipzig, certo Dr. Lauterbach havia decidido realizar uma série de palestras (preleções?) sobre Nietzsche, que precisaram ser canceladas por causa de problemas relacionados à sua voz. Mas ele continuou interessado e, por isso, escreveu a Naumann. Por volta de 21 ou 22 de março, ele o enviou a Naumburg, para tratar dos direitos autorais da fotografia. Assim, a publicação da quarta parte do Zaratustra é discutida pela família, cuja autorização, "sem o conhecimento da irmã" (como ele se expressa em uma carta a Overbeck), ele havia recebido da mãe. Ela não conhecia o texto e exigiu apenas o consentimento de Overbeck. Mas Elisabeth analisou o texto mais de perto e não gostou da "Festa do asno". Justamente agora ela não podia estragar suas relações com os círculos eclesiásticos, pois estava tentando convencer a Igreja que esta lhe cedesse um pastor pago pela Prússia para a capela de sua colônia. Ela forçou a decisão com uma pergunta a Lauterbach: "Será que o promotor não interviria?" Lauterbach então respondeu "que isso pode sim ser possível, o que seria muito divertido". A mãe ficou preocupada, pois "para ser sincera [...] não me sinto forte o bastante para enfrentar essa 'diversão'". E ela ficou preocupada também com o fato de ter dado sua permissão sem consultar o tutor supervisor, e agora, após tomar conhecimento do conteúdo do livro, ela acreditava que era impossível que ele consentiria com a publicação. Uma conversa alguns dias mais tarde confirmou sua suspeita.

Elisabeth, porém, recusou a publicação não só em virtude de ressalvas teológicas, o que se reflete na carta circular de Naumann. Ela alegou que seu irmão havia chamado essa quarta parte repetidas vezes de "o final impublicável", revogando também a impressão especial produzida para os amigos, pois não queria publicar o escrito *nessa* forma, como ela alegava saber. Köselitz responde a isso numa carta à Sra. Nietzsche (como ele relata a Overbeck em 4 de abril): "Nietzsche jamais me disse algo sobre uma publicação vinte anos após a sua morte. Aqui em Veneza, sentados diante das 35 cópias, discutimos várias vezes sobre a questão da publicação. Sim, ele pretendia entregar essas 35 cópias a Naumann, para que ele as distribuísse, mais ou menos dois anos após sua impressão. Mais tarde, quando nutria esperanças bastante exageradas sobre o lucro de seus escritos, ele reviu sua decisão [...]. Nietzsche pode atingir uma idade muito alta. Se imaginarmos que essa quarta parte (sem a qual a obra permanecerá incompleta) seja publicada apenas em 50 anos, é possível que, em vista das mudanças cada vez mais rápidas nas preferências do público, essa publicação ocorra num tempo em que seu efeito seria quase cômico. Uma obra precisa desdobrar seu efeito no tempo do qual ela surgiu; caso contrário, nada terá a dizer aos leitores futuros [...]. Já não me lembro mais de tudo que escrevi ontem à Sra. Nietzsche; sei apenas que chamei a não publicação do livro uma *blasfêmia* diante do grande nome de Friedrich Nietzsche e também diante do seu mundo – uma blasfêmia que lhe renderia uma fama triste". Köselitz também tentou intimidar a mãe. Ele chamou "sua atenção para o fato de que uma revogação tardia de seu consentimento, que eu obtive de forma absolutamente legal, [...] custará entre 300 e 400 marcos – em troca desta quantia, ela receberia 1.000 exemplares". No entanto, essa tática não foi bem-sucedida. O próprio Köselitz justificava suas intervenções e alterações nos escritos com o costume de Nietzsche de fazer mudanças consideráveis ainda durante o processo de impressão (cf. acima, p. 99, carta de 14 de novembro de 1891 a Overbeck). Por isso, não é de todo impossível que, ao revogar a impressão especial do livro, Nietzsche pretendia submeter sua obra a uma revisão substancial. Portanto, isso lança uma luz sobre a posição especial do Zaratustra IV dentro de sua obra geral: Não se trata necessariamente de um texto autorizado por Nietzsche! E também a ameaça de Köselitz referente aos custos de uma revogação não possui um fundamento sólido. As reivindicações de Naumann poderiam ter sido feitas a ele, Köselitz, pois *ele* havia dado a ordem para a publicação sem qualquer legitimação jurídica. Naumann, porém, conhecia bem a sua situação jurídica e, por fim, teve que arcar com o prejuízo por ter negligenciado suas obrigações. É possível que esse tipo de reflexões e ponderações o tenham levado a ceder às exigências da Sra. Förster, quando ela o procurou em Leipzig no dia 13 de abril. Quando se despediram, ambos estavam satisfeitos com o acordo obtido. Elisabeth lhe concedeu os direitos editoriais. Para o caso de uma edição das obras reunidas ou de uma reedição parcial, e Elisabeth acreditava que isso garantiria uma pensão para a mãe.

Mas como essas reedições deveriam ser feitas, a quem caberia a supervisão redacional? O autor ainda estava vivo, mas espiritualmente já estava morto. E mesmo a modesta atividade espiritual, que se manifestara durante os últimos meses sob os cuidados da mãe, começou a adormecer nos meses do inverno de 1891/1892. De forma lenta, mas irreversível.

O caminho para a apatia

Carl von Gersdorff o descreveu de forma certeira e trágica em 17 de fevereiro em sua carta a Overbeck: "Agora, tudo indica que a loucura está prestes a se transformar em tolice".

Essa impressão se apoiava em uma notícia de Köselitz. Após a estreia de sua ópera* em Danzig, em 23 de janeiro de 1891, e a apresentação festiva por ocasião do aniversário do imperador, em 27 de janeiro, e algumas outras poucas repetições, Köselitz fez uma visita a Naumburg no início de fevereiro. Em 5 de fevereiro, ele relata a Carl Fuchs em Danzig[54]: "A aparência física de Nietzsche é excelente, corpo bronzeado – mas seu espírito vale menos do que no ano passado. Talvez ainda esteja abalado com a minha chegada. No entanto, acredito saber segundo as informações da Sra. Förster, que agora ele está submergindo cada vez mais em apatia. Em vez de uma resposta, recebo uma risada ou um mero aceno com a cabeça – muito estranho. Esta tarde, fomos de carro até a escola de Pforta; Nietzsche [...] se recusou a passar pela porta. – Se eu interpretei corretamente a expressão em seu rosto, naquele momento, ele teve ciência de seu estado atual. Era como se ele se envergonhasse de estar diante da instituição de ensino que havia sido tão importante para ele". Em 26 de fevereiro escreve uma carta muito parecida a Overbeck. Demonstra surpresa diante do relacionamento entre os irmãos, pois Elisabeth "era quase inexistente para Nietzsche: tanta correspondência e tantas viagens. Nietzsche a trata de forma totalmente apática. Mas esta apatia agora faz parte de seu ser. Fala muito pouco, já não é mais possível conversar com ele. Um sorriso, um aceno com a cabeça ou uma admiração exagerada – isso é o máximo que consegui como reação dele. Em comparação com o ano passado, sua memória diminui de forma lamentável: ele já

---

* Com o título original "Die heimliche Ehe", título italiano "Il matrimonio segreto", e não com o título sugerido por Nietzsche "Der Löwe von Venedig" (O leão de Veneza).

não consegue mais se orientar em seu passado. No ano passado, eu o ouvi tocando ao piano e ainda me supreendi com a lógica e a intensificação de suas improvisações. Neste ano já não havia mais nada disso. Não possui mais um senso rítmico, tudo está confuso e errado! – Sua aparência física é de uma saúde esplêndida, seu andar é vigoroso, como antigamente: durante as caminhadas, ele costuma correr. Quando alguém lê algo para ele, ele ouve com atenção e parece acompanhar o texto. Aumentou muito a ausência de uma vontade própria. Levantar-se de uma poltrona por vontade própria – acho que isso quase não acontece mais [...]. Seus passos não têm mais destinos conscientes: sem um guia, ele caminharia o tempo todo em linha reta até se deparar com um obstáculo intransponível. – Fizemos também um passeio até a escola de Pforta; lá ele se recusou a passar pela porta do apartamento do reitor, ficava apenas apontando para ele, temendo-o como o diabo a água-benta [...]. Ele não reconheceu as localidades [...] como velhos conhecidos: tudo lhe era novidade".

E a mãe também percebeu a mudança de comportamento do paciente durante a visita de Köselitz. Em uma carta a Overbeck de 28 de fevereiro, ela diz que a visita de Köselitz *e* a presença da irmã eram demais para o paciente tão irritável. Mas ela faz também uma observação correta de autocrítica: "Talvez eu tenha diminuído demais as minhas expectativas em relação a seu espírito, talvez também em virtude daquela declaração de Binswanger diante do juiz: 'incurável'. Essa declaração me deixou muito infeliz, e assim qualquer sinal de atividade espiritual me alegra como um raio de sol e de esperança, ao qual me agarro". Ela permitiu que seu bem-estar físico a iludisse.

Agora, ela procura instigar cada vez mais a sua memória e se surpreende com o fluxo de informações. Ele relata muitos fatos de forma imprecisa, mas ela não tem como avaliar isso, apenas uma vez percebe que ele confunde Aristófanes com Ésquilo. Mas pergunta também: "A Sra. Bachofen não era uma mulher muito bonita, a despeito de seus filhos já adultos? – Sim, respondeu ele, e ela tocava maravilhas ao piano". Na época, porém, em que Nietzsche musicava com ela, os filhos da Sra. Bachofen, nascida em 1845, casada em 1865, ainda não eram adultos. Tampouco a mãe percebeu a falha de sua memória, quando ele lhe contou em 29 de junho: "Na Tellsplatte escrevi minha palestra inaugural sobre Homero, e lá encontrei a boa companhia do Sr. e da Sra. Osenbrüggen, conhecedores excelentes da história de Zurique, e da Sra. Exner, uma jurista de Viena" (cf. vol. 1, p. 241).

Agora, a mãe tenta desesperadamente preservar – diante de si mesma e dos amigos e conhecidos – a imagem da recuperação – também espiritual – de seu "filho do coração". Constantemente, pede que visitantes confirmem a boa aparência do filho, procura incentivar também "boas conversas" num ambiente descontraído, como, por exemplo, em 25 de março de 1891: Edmund von Hagen "que, como o Dr. Langbehn, não pôde ser convencido de que havia algo de errado com o Fritz, e atribuiu isso apenas à avaliação equivocada daqueles que não eram filósofos".

E supostamente também o velho amigo de escola Pinder e Klara Krug se mostraram agradavelmente surpresos. A tudo isso poderíamos responder com a resposta de Köseltiz a Langbehn: apenas quem conhecera Nietzsche *antes* da cesura podia avaliar a extensão da queda.

Com o passar do tempo, nem mesmo a mãe se satisfez mais com essas "confirmações". Ela queria a avaliação de um médico e, por isso, organizou uma consulta com o Prof. Binswanger. Novamente, ela comprovou sua sensibilidade extraordinária, pois um encontro abrupto poderia ter provocado consequências terríveis. Após um encontro de Elisabeth com Binswanger e após "voltar extasiada da visita em Jena", ela organizou um encontro na casa dos Gelzer. "A boa Sra. Gelzer estava na estação de trem, que fica bem perto de sua casa, e Fritz logo a abraçou e a acompanhou para sua casa. Logo apareceu também o Prof. Binswanger, que ele cumprimentou amigavelmente como um velho conhecido. Ele conversou com o professor, respondendo à maioria das perguntas, mas jamais olhou para ele, apenas para mim. Um sinal de sua doença, pois ele está acostumado apenas com a minha presença. Binswanger lhe perguntou como estavam seus olhos. E ele respondeu: 'Na verdade, estão melhores'. Se ele tinha dores de cabeça? 'Nunca.' Com o que ele se ocupava? 'Tocando piano e cantando.' [...] Binswanger ficou mais de meia hora, então deixamos o Fritz com a Sr. Gelzer, e eu acompanhei o professor até a antessala, onde ele se mostrou bastante satisfeito e disse: 'Estou surpreso, mesmo que seu estado ainda deixe muito a desejar', mas a tranquilidade constante e sua conduta natural parecem tê-lo impressionado. Eu relatei como havíamos organizado o seu dia a dia e sua dieta, disse-lhe também que ele continuava a tomar dois banhos por semana [...] e ele aprovou tudo, 'sua aparência é excelente' [...]. Mesmo assim, pergunto-me constantemente de como melhorar seu estado espiritual [...] E também a Lieschen [Elisabeth] se pergunta se a receita de Binswanger seria correta [...]. Ele disse: "Tranquilidade, tranquilidade e mais tranquilidade".

Mas a mãe não estava disposta a simplesmente aceitar o fato de que a remissão não se estendia também à vida espiritual. Assim, procurou repetidas vezes conversar com seu filho sobre seu passado filológico, na medida em que seus conhecimentos limitados o permitiam. Mas para fora, tentou acrescentar à imagem do paciente fisicamente fortalecido também o brilho de um despertar espiritual, pedindo que ele escrevesse pequenos adendos às suas cartas ou saudações, mas cujas formulações dificilmente provinham dele mesmo. É mais provável que ela as tenha ditado ou até escrito para ele, assim como um aluno do primeiro ano do ensino fundamental costuma escrever saudações aos tios e às tias. Assim, o poema de cinco versos que Nietzsche acrescentou à carta da mãe à filha Elisabeth em 22 de fevereiro dificilmente seria um "Nietzsche original".

A primeira tentativa desse tipo por parte da mãe deve ter sido uma carta a Köselitz, sobre a qual este escreve à amiga Cäcilie Gusselbauer em 17 de setembro de 1890: "No envelope, Nietzsche havia escrito em letras grandes:

– saudações de seu – ... amigo N.

Certamente, pretendera acrescentar algo após o 'seu', como, por exemplo, 'seu tolo' ou algo assim: pois existem momentos em que ele se apercebe de seu estado. Certa vez assinou algumas linhas que ele escrevera em Jena para sua irmã na América com 'o louco'! Senti uma dor aguda no peito quando me deparei com sua caligrafia". Um ano mais tarde, pouco havia mudado. A uma carta da mãe a Overbeck de 29 de junho de 1891, ele acrescenta: "Saudações cordiais a agradecimentos de seus [sic!] amigo Nietzsche". Esse erro gramatical ocorre muitas vezes nos escritos de juventude de Nietzsche, e ele precisou de muito tempo para se livrar dele. Aparentemente, o dialeto exercera um domínio forte sobre ele. E agora, após perder o domínio sobre seu espírito, este velho costume volta a irromper.

No verão, a mãe encomenda uma fotografia de seu paciente. E aqui se manifesta a distância entre desejo da mãe e realidade. Ela considera a fotografia uma prova do estado excelente de seu filho, de forma que envia uma cópia aos amigos Overbeck e Köselitz. E. Podach relata (1932) que a fotografia "mostra Nietzsche sem gravata e com uma expressão facial muito doente e débil"[199]. Deixá-lo sem gravata, com a camisa aberta, era uma medida necessária para evitar uma congestão de sangue na cabeça, que ocorria sempre que ele curvava sua cabeça para ler um livro. Ele lia muito, "e o fazia com o maior prazer, sempre em voz alta e com uma expressão tão natural, de modo que todos acreditavam que ele entendia o que lia". Seis meses mais tarde (em 26 de fevereiro de 1892), Köselitz fala dessa paixão pela leitura em uma carta a Overbeck: "Ele demonstra a maior excitação durante a leitura: o sangue lhe sobe à cabeça e sua fala se transforma em latido. O melhor que se pode fazer neste momento é tirar-lhe o livro. Já não resta dúvida de que ele nada entende daquilo que lê. Ele lê o número da página, a primeira linha, uma linha do meio da página, então vira a página, e continua assim até o fim do livro".

O programa de higiene física é aplicado com grande diligência e consequência férrea. "Pelo menos três vezes por semana, vamos de carruagem para os banhos e voltamos a pé, pois tenho medo que ele possa se superaquecer na ida. Mas na volta ele sempre expressa sua alegria sobre o banho, e cremos que isso, além das três a quatro horas de caminhadas diárias, também fortaleça seus nervos." Diga-se de passagem que isso é um desempenho admirável também da mãe de já 65 anos de idade. No aniversário de Nietzsche em 15 de outubro de 1891, Köselitz, vindo de Annaberg, fez-lhe uma visita em Naumburg. Ele não relata sua impressão de forma imediata em carta alguma. Apenas em 26 de fevereiro do ano seguinte ele faz uma breve comparação com sua visita mais recente de 4 a 6 de fevereiro de 1892: "Nietzsche se abriu um pouco apenas no terceiro dia de minha visita; passou os primeiros dois dias em silêncio, observando suas mãos, como que maravilhado com o fato de ainda lhe pertencerem. Raramente ele dedica toda a sua atenção à fala de outra pessoa. O que chamou minha atenção foi a delicadeza com que trata todas as coisas humanas – sinal de que elas lhe são inatas [...]. Sua aparência era boa; mas tive a impressão de que estava mais apagado do que em seu último aniversário [...]. Admirável é a resistência física da velha Sra. Nietzsche; a consciência da inutilidade de seus esforços jamais diminuiu o seu zelo". Essa consciência se expressa por fim (em 31 de março de 1892) também em uma carta a Overbeck. A Família Overbeck havia viajado para o sul, e o clima se mostrava de seu lado mais favorável. A mãe escreve: "Nós também tivemos dias maravilhosos aqui, uma primavera formidável [...] mas anteontem fizemos nossa caminhada de 1 hora e 45 minutos em meio a uma terrível tempestade de neve, encontrando nossa floresta no mais lindo adorno natalino. Apesar dos nossos guarda-chuvas, voltamos encharcados. No entanto, a despeito do tempo ruim, insisto em nossas duas caminhadas diárias [...] e quando desisto de uma caminhada, como o fiz recentemente em virtude de uma forte chuva, isso se vinga com uma noite ruim. Em geral, vejo-me infelizmente obrigada a relatar que não há sinais de uma melhora. No entanto, ele continua sendo um paciente adorável, que não influi medo; antes desperta o desejo de acariciá-lo, o que realmente ocorre com frequência, e ele aparenta gostar disso. [...] De vez em quando leio algo para ele durante 15 minutos, mas logo ele demonstra sua vontade de dormir, um fenômeno pelo qual Binswanger já pergunta há muito tempo e que ele já esperava. Há dias em que ele fica muito quieto; outros, em que ele demonstra uma vivacidade enorme, lembrando-se de seu tempo em Basileia, de sua vida em Pforta [...] e também de seu tempo de faculdade em Leipzig. Nesses momentos voltamos a ter um pouco de esperança [...]. É preciso ficar atento dia e noite. Quando mantemos a rotina exata, tudo corre bem; tudo como profetizou o Prof. Binswanger, e quase chego a acreditar que os cuidados atuais não são nada comparados com aquilo que ainda nos espera. Mas sempre, sempre meu coração transborda de gratidão diante do bom Deus pelo fato de eu poder cuidar desse filho do meu coração, e eu continuarei a fazê-lo, não importa quão difícil se torne, com o mesmo sentimento de gratidão e com a oração de que Ele o preserve para mim". Sua oração seria respondida durante mais cinco anos.

Por ocasião da visita de Köselitz em outubro de 1891, as conversas e discussões se concentravam no

acordo com Naumann

A Sra. Förster havia progredido bem com suas atividades coloniais, de forma que finalmente conseguiu encontrar algum tempo para cuidar dos assuntos de seu irmão. Ela até havia escrito um livro: "Die Bernhard Förstersche Kolonie 'Neu-Germania' in Paraguay" ['Nova Germânia', a colônia de Bernhard Förster no Paraguai], que foi publicado em junho de 1891 e sobre o qual Köselitz escreve a Overbeck em 12 de outubro: "Foi com grande prazer que li o escrito da Sra. Förster sobre a Nova Germânia: ele foi redigido com grande destreza e certamente ajudará a autora a assustar os elementos indesejados e a atrair os desejados, como também esclarece muitos dos boatos maliciosos". No outono de 1891 Naumann ofereceu à irmã belicosa de seu infeliz autor motivos suficientes para intervir. Ele acreditava poder se aproveitar da ignorância da mãe, da evidente incompetência de Köselitz e da incerteza jurídica e publicou segundas edições de "Além do bem e do mal", da "Genealogia da moral" e do "Caso Wagner". Fiel ao seu princípio de trabalhar o ferro enquanto este estiver quente, ele reconheceu o interesse crescente do público por Nietzsche. Aparentemente, porém, não havia contado com a reivindicação dos administradores do espólio de Nietzsche, que exigiam uma participação adequada no lucro financeiro do sucesso editorial. Ele também tinha exigências a fazer decorrentes das impressões anteriores, mas de repente não sabia mais o quanto devia cobrar. Em vista da decepção com o Zaratustra IV seis meses atrás, Naumann certamente não tinha motivos para ser modesto em suas exigências. Em 5 de outubro, tudo que a mãe pode relatar a Overbeck é: "Referente a Naumann, tudo está suspenso, pois ele pediu quatro semanas de licença para avaliar o caso". Mas então veio a exigência pesada de Naumann: 3 mil marcos, o que correspondia mais ou menos à reivindicação dos administradores do espólio pela participação no lucro. Isso não era aceitável; além do mais, essa conduta contrastava demais com as declarações de Naumann feitas na primavera de 1889, quando havia desistido de qualquer compensação, postura essa que surpreendeu especialmente Köselitz. Na época (em 12 de fevereiro de 1889), Naumann havia declarado em uma carta a Overbeck: "Meu saldo é atualmente – sem dedução dos gastos editoriais nem dos custos para a obra iniciada "Ecce homo" – 524 marcos e 93 centavos. Eu já comuniquei ao Sr. Köselitz que, em vista do triste destino que acometeu o Sr. Prof. Nietzsche, desisto de qualquer depósito em minha conta" (cf. Documento 15). Após a decisão de não publicar o Zaratustra IV, Köselitz escreveu a Overbeck em 20 de abril de 1891: "Naumann se submete às condições! – que homem generoso e bondoso!!!" Agora, em 12 de outubro, Köselitz não entende como essa "generosidade" pôde se transformar em uma exigência tão dura: "Os custos de 3 mil marcos reivindicados por Naumann para a impressão parecem incríveis. Caso realmente seja assim, devo ter me enganado em relação a ele. A venda de, por exemplo, 'Além do bem e do mal' (vendido a 5 marcos pelas livrarias) deve ter dado um lucro de pelo menos 2 mil e 500 marcos. Suponhamos que a impressão tenha custado 800 ou até mesmo mil marcos, restariam ainda mil e quinhentos marcos. E mesmo se ele fosse tão descarado ao ponto de alegar que a distribuição dos livros tenha custado mil e quinhentos marcos, a conta fecharia em zero". E também o rebaixamento "moral" de agora não ser reconhecido como editor, mas apenas como impressor e comissionário levou Naumann a tomar outras providências. Já que ele não podia ser editor das obras de Nietzsche, os livros armazenados não eram "objetos de sua editora", mas sim do autor ou de seus tutores, de forma que estes lhe deviam "taxas de armazenamento". Apenas em um ponto Naumann havia violado a lei, e foi nesse ponto que a Sra. Förster pôde atacá-lo: nas segundas edições não autorizadas das obras de Nietzsche. Três cartas nos informam sobre as reivindicações dos dois partidos e sobre o desenvolvimento do caso: duas cartas de Köselitz a Overbeck de 23 de outubro e 14 de novembro e uma carta da mãe a Overbeck de 30 de dezembro de 1891[187]. Köselitz escreve:

"A conta enviada por Naumann é exorbitante! A produção dos livros é no mínimo 30% mais cara do que a de qualquer outra gráfica. Consultei-me com Fritzsch e Schmeitzner. A taxa de armazenamento (que nenhum editor idôneo cobraria) é de 56 marcos para o primeiro ano, depois 80 marcos e por fim 100 marcos, de forma que os cinco anos chegam a somar 436 marcos apenas para o armazenamento! Naumann reimprimiu 'Além do bem e do mal', a 'Genealogia' e o 'Caso Wagner' (mil exemplares de cada) sem dizer uma única palavra a qualquer pessoa, apesar de não possuir os direitos para essas segundas edições. – Todo o seu cálculo é mesquinho e contrasta risivelmente com sua conversa fiada sobre sacrifício, amizade e altruísmo, por meio da qual ele conseguiu convencer Nietzsche e a nós mesmos. Para Naumann, Nietzsche não é nada mais do que um objeto de exploração. Baseado na impressão pessoal que tive de Naumann, não achei que algo assim fosse possível. No entanto, deveria ter percebido que um homem verdadeiramente nobre e prestativo não fica falando de seu altruísmo. Por outro lado, eu acreditava ter que atribuir essa falta de boa educação ao espírito de um comerciante que ousa traçar caminhos incomuns.

A Sra. Förster entregou o caso ao advogado Dr. Wilde em Naumburg. Este pediu o parecer de outras gráficas, fez preços novos, um novo cálculo, para talvez pagar a Naumann uma quantia de 40 marcos por folha para as novas impressões etc. etc.

Minha pergunta – se é que o senhor deseje me dar a sua atenção – seria: Será que entre os documentos de Nietzsche se encontram ainda algumas contas antigas de Naumann? Não creio que os preços de impressão apresentados agora sejam os mesmos que Naumann comunicou a Nietzsche na época: 1.000 exemplares Além do bem e do mal (12 folhas), 1.290 marcos (com envelopes); 1.000 exemplares Crepúsculo dos ídolos (9 folhas), 653 marcos; 1.000 exemplares Caso Wagner (3,75 folhas), 418 marcos; 1.000 exemplares Zaratustra IV (10 folhas), com retrato, 700 marcos.

Se pudéssemos documentar a alteração dos preços atuais por meio das faturas antigas, isso naturalmente fortaleceria a nossa posição. Considera a fatura emitida atualmente por Naumann produto de sua pura imaginação, feita para poder ficar com os livros como compensação para a dívida de 3 mil marcos (que os herdeiros de Nietzsche não quitarão)". E em 14 de novembro de 1891: "A quantia de 580 marcos corresponde exatamente à quantia reclamada por Naumann*. Evidentemente, o próprio Nietzsche deveria ter protestado contra essa quantia; agora já é tarde demais para o não reconhecimento desta. Nunca conversei com Nietzsche sobre faturas etc. Mas mesmo se tivéssemos discutido o assunto, eu dificilmente teria contestado qualquer coisa. Portanto, pouco podemos fazer contra os custos de produção; restam, porém, muitos outros pontos nas muitas páginas da fatura que não podemos aceitar. E permanece a questão das edições não autorizadas.

Será que a Sra. Förster viajou para o Paraguai? Nem disso eu sei. Certamente isso seria ruim para o nosso caso. A Sra. Nietzsche não está disposta a lidar com advogados; quando estive em sua casa, ela não concordava em nada com sua filha; ela preferia sofrer uma injustiça do que submeter-se a obrigação de lidar com juristas custosos. A única coisa que se pode responder a isso é que não é o direito dela, mas o de seu filho que está sendo ameaçado aqui. Se ela tivesse um conhecimento mais profundo do assunto, certamente não falaria assim. No entanto, não corresponde à sua natureza ocupar-se com esse tipo de coisas. Tudo que exige exatidão e que envolve números lhe é estranho, e de forma alguma ela seria capaz de fazer desta a sua própria causa.

---

* Overbeck deve ter encontrado um comprovante com essa quantia.

Meu pai, ao qual apresentei o caso, acredita que dificilmente conseguiremos ter êxito. Reivindicações comerciais, a não ser que apresentem um desvio exorbitante daquilo que se pode esperar, dificilmente podem ser anuladas. Até mesmo a avaliação de pessoas consultadas e peritas na área permite certa margem de ação.

Naumann precisaria adquirir da Família Nietzsche as novas edições produzidas sem autorização; Schmeitzner acredita que ele lhes deve 40 marcos por folha. A distribuição etc. seria então problema exclusivamente de Naumann: a fatura para essa segunda edição, portanto, seria anulada. No entanto, o espertinho do Naumann criou a fatura toda de tal forma que, caso essa reivindicação fosse feita, ele apresentaria sua fatura de 3 mil marcos! E, então, ambas as partes se anulam reciprocamente ou sobra para os Nietzsche ainda um resto de dívida. Realmente não sei se a Sra. Nietzsche não tem razão com sua alegação que todo o caso só causa gastos jurídicos. Por determinadas razões não posso me envolver nessa questão. O que eu poderia fazer é: lembrar ao Naumann como ele deveria se comportar como mero impressor e comissionário (e não como editor) diante de edições antigas e novas. Infelizmente, Nietzsche não insistiu num contrato. Se esse documento existisse, resolveríamos o assunto imediatamente".

E a mãe escreve a Overbeck em 30 de dezembro de 1891: "Agora ela [Elisabeth] conseguiu resolver toda essa história do Naumann com verdadeira coragem de leão, como lhe atesta até mesmo o conselheiro do tribunal, que se surpreendeu com a estratégia e os conhecimentos da minha filha. Talvez o senhor já tenha ouvido por meio do Sr. Köselitz das exigências absurdas de Naumann, no fim se dispôs a 'satisfazer-se com 1.500 marcos'. A Lieschen, porém, soube demonstrar, tendo providenciado todas as provas com as tarifas de diversas gráficas boas, que era *ele* quem deveria pagar. Por isso, foi intimado várias vezes, mas não compareceu. Então, foi convocado a comparecer no dia seguinte e, caso não o fizesse, todo o processo seria entregue à promotoria para o encaminhamento de um processo criminal, sobretudo por causa das novas edições [...]. Então enviou um telegrama informando que seu sobrinho compareceria, e Elisabeth o citou diretamente para uma reunião com o conselheiro do tribunal. [...] Primeiro, ela lhe fez um longo sermão sobre o comportamento de seu tio, sobre sua demonstração inicial de empatia e sua exploração do infortúnio alheio, explicando-lhe também os aspectos jurídicos criminais. Evidentemente, o tio o havia ocupado com argumentos contrários, mas aos poucos ele teve que confessar tudo, e assim foi determinado que ele nos devia 3.500 marcos. E após voltar para o tio no mesmo dia, retornou no dia seguinte cabisbaixo e obediente, dizendo apenas: 'Como a senhora doutora deseja'. Ou seja, os 1.500 marcos exigidos por Naumann foram negados e 3.500 marcos entregues em nossas mãos, para legalizar posteriormente suas atividades ilegais, e todos os contratos referentes às novas edições serão registrados em cartório. A Lieschen combinou de acertar tudo com o sobrinho em nome do tio, mas deixou claro que não deseja mais ver o Sr. Naumann".

Após gastarem suas energias brigando, todos voltaram a se reconciliar: em 9 de fevereiro de 1892 foi assinado o contrato referente à edição das obras completas com Naumann como editor. Köselitz, que não se envolvera na briga, mas se interessava pelo resultado das negociações porque se via como organizador das obras de Nietzsche, relatou a Overbeck em 26 de fevereiro de 1892: "Estive em Naumburg de 4 a 6 de fevereiro, e no dia 8 negociei com Naumann. No dia seguinte, o sobrinho de Naumann (que assumirá a empresa de Naumann no futuro) foi até a Sra. Förster, onde assinaram o contrato editorial. Naumann será o editor-geral de Nietzsche: os livros que ainda estão com Fritzsch serão publicados por Naumann numa segunda edição. Por essas segundas edições, Naumann pagará 50 marcos por folha de impressão (o número de folhas será calculado sempre na base da primeira edição). Pela terceira e outras edições, Naumann pagará 30 marcos por folha. Não creio que teria sido possível encontrar um editor que tivesse oferecido condições mais vantajosas do que essas; por isso, fiz de tudo para convencer a Sra. Förster a aceitar a proposta. Fritzsch é um editor idôneo, no entanto, quem ocupará o primeiro lugar em sua editora será sempre Wagner. Wagner e Nietzsche na editora de um wagneriano, isso não promete dar muito certo. Nietzsche sempre será tratado um pouco como o filho adotivo. – Quando estive em Naumburg, Fritzsch também passou algumas horas conosco; voltei a visitá-lo mais tarde em Leipzig. Ele não parecia muito interessado nas obras de Nietzsche. Pediram também a ele que informasse suas condições, caso estivesse interessado numa edição das obras completas. Em secreto, ele estava muito interessado em adquirir todos os direitos de Nietzsche, no entanto ele não o demonstrou. Isso ficou evidente apenas quando o contrato foi assinado com Naumann no dia 9. Então, Fritzsch enviou um telegrama indignado para Naumburg".

A mãe não se sentiu muito à vontade com essas negociações. Em 31 de março, ela escreveu a Overbeck: "O senhor se admira tanto quanto eu e o Sr. Köselitz do contrato firmado com Naumann, que supostamente seria tão vantajoso para nós; no entanto, achei-o complicado demais e só o vi e li no dia em que deveria assiná-lo. Achei tudo rápido demais, apressado provavelmente pelo jovem Naumann e também pelo conselheiro do tribunal. A Lieschen também tinha algumas reservas, mas a carta do Sr. Köselitz, que julgava os termos excepcionalmente vantajosos, nos acalmou. Ah, e a questão do Zaratustra!"

Sim, o Zaratustra! Finalmente, a parte IV seria publicada como parte da edição das obras completas de Nietzsche. O primeiro Zaratustra com todas as quatro partes e com uma minuciosa introdução escrito por "Peter Gast" foi publicado no outono de 1892, e, apenas um ano após sua interrupção, a quarta parte do Zaratustra também chegou às livrarias. No entanto, assim que tudo se acalmou, surgiram novas preocupações para a mãe:

Elisabeth retorna ao Paraguai

e deixa nas mãos da mãe sua difícil tarefa. Ela havia partido para sempre, ou pelo menos para ficar alguns anos? Essa era a pergunta para a qual ainda não havia resposta definitiva. Elisabeth, por sua vez, já falava de um possível retorno no futuro próximo. Ela sabia muito bem que sua posição no além-mar não podia ser mantida por muito tempo. Por mais que essa expectativa deixasse a mãe feliz – pois ela não gostou de ver sua filha partir –, pesava-lhe no coração outra preocupação muito peculiar: o evidente regresso espiritual e também o desmoronamento físico de seu paciente, que decorreu exatamente como Binswanger previra: "Estas imagens futuras de uma piora são o único consolo na separação da minha Lieschen [...]. Um pensamento terrível e quase insuperável, mas, caso o regresso do espírito do nosso amado se manifestasse cada vez mais, sei de experiência própria o quanto ela sofre e sofreria. Creio que ela não consegue imaginar, e ela diz que poderá retornar em breve, mas eu não chamo sua atenção para isso. Prefiro vê-la um pouco triste do que vê-la sofrer com isso, o que seria demais para suportar e sinto que isso me roubaria as forças para cuidar do filho. Sua presença é uma grande alegria para nós, e como ficarei triste quando ele perguntará no futuro – como o já faz agora com tanta frequência: 'Onde está minha irmã?', e fala dela com tanto carinho" (carta a Overbeck em 1º de abril de 1892).

Elisabeth embarcou em 2 de junho de 1892 em Hamburgo e chegou em Montevidéo no dia 26 de junho. Após pouco mais de um ano, ela retorna definitivamente para a sua pátria, chegando em Naumburg no início de setembro de 1893. Ela havia vendido o "Försterhof", separando-se assim formalmente da colônia. Em casa, encontra seu irmão em um estado muito regredido. O desmoronamento havia sofrido uma aceleração.

Felizmente, o temor da mãe de que Elisabeth não teria forças para cumprir as exigências da assistência ao irmão, que nada mais podia ser do que um acompanhamento no terrível caminho até o fim, não se confirmaria. Por mais justificadas que fossem as acusações levantadas contra Elisabeth como futura diretora do arquivo, quando se viu confrontada com a tarefa de cuidar do bem-estar físico de seu irmão ela o fez com o mesmo zelo e carinho manifestado pela mãe. O amor fraternal venceu todas as ressalvas e diferenças, como já havia acontecido no passado por parte do irmão. O vínculo de sangue entre essas três pessoas era excepcionalmente forte, representava um fundamento sem o qual toda a vida – física e espiritual – de Nietzsche não teria sido possível e sem a qual ela permaneceria incompreensível.

A mãe, porém, se enganou ao acreditar que conseguiria esconder de Elisabeth a completa falta de esperança para um desenvolvimento positivo. Ainda antes da partida de Elisabeth, Erwin Rohde escreveu a Overbeck em 17 de maio de 1892: "Por acaso, encontrei o Zaratustra IV de Nietzsche. Então foi finalmente publicado! Um livro curioso, mas muitas vezes comovente, no qual ouço em cada página a voz baixa de uma alma a caminho do abismo. Incrível como ele se acomodou em seu mundo dos sonhos – consigo ler tudo isso apenas com tristeza melancólica. Essa experiência de saber que um dos espíritos mais profundos e mais ricos que jamais encontramos desapareceu na loucura e na inacessibilidade de seu mundo delirante – isso volta a ressoar o tempo todo com o toque triste dos sinos fúnebres. Ouvi que desistiram dele, também os seus: foi o que me escreveu Volkelt após um encontro com a irmã de Nietzsche (que, segundo a descrição de Volkelt – e espero que isso não seja apenas uma ilusão sua! –, aparenta ter feito avanços espirituais consideráveis) em Jena". E agora, em 3 de julho de 1892, a mãe também finalmente confessa a Overbeck: "Desde que tudo indica que a previsão de Binswanger se comprova e o bem-estar do nosso querido paciente não progride, antes regride cada vez mais, escrever um relato tornou-se um trabalho, ao contrário de antigamente, quando sempre era um prazer escrever ao senhor, sempre na ilusão de que tudo estava indo tão bem; no entanto, foi tudo imaginação minha. Essa doença avança, mesmo que lentamente, continuamente em seu caminho de destruição do espírito, coisa que o olho treinado do médico reconheceu imediatamente, o que, infelizmente, vejo-me obrigada a reconhecer agora. Sua aparência é excelente e também o seu bem-estar físico, quase sou tentada a chamá-lo de normal, mas seu querido e maravilhoso espírito empobrece cada vez mais; no entanto, todo o seu ser tem algo de muito comovente". Ela precisa continuar a colocar sua mão em sua testa quando lê para ele, e então ele aperta sua mão "durante horas contra o peito, e eu sinto como isso o alegra e tranquiliza".

Poucos dias mais tarde ela descreve a Overbeck o estado real de Nietzsche: "Hoje, o nosso querido paciente, enquanto tomava o café da manhã com ele em sua cama (pois preciso dar-lhe tudo, também no almoço, até lavá-lo e vestir e sempre lembrá-lo), estava muito descontraído [...]. Agora, por exemplo, ele está em absoluto silêncio, as mãos apoiadas na poltrona do avô, que ele observa alternadamente. Seu rosto tem a aparência de seus melhores dias, de forma que seu sofrimento sempre permanecerá um mistério para mim [...]. Há mais ou menos três meses fiz uma visita com ele a Binswanger em Jena. Este se alegrou ao vê-lo, mas Fritz não disse uma única palavra. O Prof. Binswanger expressou sua alegria pelo fato de eu poder cuidar dele, e ele ama e admira o Fritz em suas obras e lamenta que 'as asas de águia do nobre espírito desse meu grande filho foram paralisadas tão cedo', como me escreveu mais tarde".

A partir de setembro, a mãe é obrigada a transferir as caminhadas para a noite, pois "às tardes ele está sempre mais ou menos excitado, [...] é bom estarmos protegidos pela escuridão, seja pelo andar apressado demais na minha mão, seja que ele tente se desprender repentinamente, seja pelas pequenas lutas, quando tento evitar que ele caia na Chausseegraben – ele adora caminhar na beira –, no entanto, considero a movimentação de seu corpo a melhor medida para ele, pois em casa só passa de uma cadeira para outra ou para o sofá. Além disso, dou-lhe um banho quente duas a três vezes por semana [na banheira] e nos dias entre os banhos, toma banho de chuveiro, depois o café da manhã na cama e o passeio". Em casa, fica sentado à janela e brinca com "5 carteiras, que, além de algumas moedas, contêm várias coisas pequenas, e expressa sua alegria sobre os cânticos de guerra de Hasekiel, cujos versos mencionam todos os generais de 1866 [...]. Depois almoça, e ele gosta de tudo; no entanto, jamais pede comida por iniciativa própria [...]. Ontem, dia de licença de Alwine, quando eu não pude sair com ele, ele ficou conversando até às 23h45min. Ele tem expressões fixas, que ele repete muitas vezes, como, por exemplo: 'Estou morto porque sou estúpido', e diz o mesmo também vice-versa, ou: 'eu não abalo nenhum cavalo', em vez de 'amo', palavra que fico repetindo para ele centenas de vezes durante as nossas caminhadas, mesmo assim ele raramente consegue expressá-la corretamente. Nesta manhã [...] suas primeiras palavras foram: 'Eu não abalo nenhum cavalo'". Se pensarmos no incidente em Turim com o cavalo e em seu orgulho com que se chamava de "artilheiro montado", essa declaração adota uma dimensão assombrosa.

No dia 3 de outubro de 1892 ele amassa o papel de carta da mãe. No mesmo dia, "visitou-nos a filha do pastor principal Wenke e tocou algo para ele, também de Wagner, mas ele se mostrou desinteressado, porém demonstrou agrado pela visita, de forma que pedi a ela que voltasse em breve, já que ele não tem mais contato nenhum com pessoas estranhas".

Em 15 de outubro, no aniversário de Nietzsche, Köselitz está em Naumburg. Ele vem buscar os manuscritos que Overbeck enviara para Naumburg e que haviam chegado no dia anterior. Curiosamente, em sua carta de 29 de outubro a Overbeck, Köselitz não fala sobre a impressão que teve do paciente, e também a mãe nada escreve sobre isso em sua carta a Overbeck de 5 de novembro. Köselitz lhe escreve apenas uma exposição – fundamentalmente significativa – sobre seu trabalho com a nova edição, e a mãe lhe escreve sobre um homem chamado Jürgenssohn de Berlim, que lhe sugeriu um método de tratamento natural, mas a mãe permanece cética. "Além disso, passamos noite após noite quase em claro, pois ele, absolutamente satisfeito e descontraído, fica conversando em voz alta consigo mesmo e esfregando com sua mão direita o lado esquerdo de seu peito. Preciso impedi-lo de fazer isso, permanecendo ao seu lado, pois sem supervisão ele intensifica esse movimento até ficar todo suado, e nesse caso não ajudam nem palavras boas nem advertências, é a excitação dos seus nervos." Köselitz também ficou profundamente impressionado com essa mania de movimentação, o que ele expressa em sua carta de 5 de janeiro de 1893 a Overbeck: "Da última vez que estive em Naumburg, Nietzsche não me reconheceu. Foi impossível conversar com ele [...]. Assustador foi seu ser enfático durante a leitura e seus monólogos; tive a impressão de que, nesse estado, ele poderia bater ou esganar a sua mãe. Duas ou três semanas atrás, porém, ela me escreveu que essa excitação se acalmou"*.

E a mãe escreveu algo semelhante a Overbeck em 8 de janeiro: "Descrevi ao Prof. Binswanger o seu estado, e ele disse que se tratava de uma grave excitação cerebral e de um novo avanço da doença. Eu sei o que Binswanger pensa a respeito de todo o sofrimento do meu filho, e assim não tive forças para entregá-lo a ele. Ele reconheceu isso e receitou alguns remédios por meio de um amigo, mas não pude aplicá-los nesse estado sem provocar um acidente vascular cerebral imediato. Ou seja, foi um período terrível; no entanto, a situação se acalmou aos poucos, quando [...] o deixavam ficar sentado até à meia-noite em sua poltrona, onde ele conseguia dormir um pouco, esfregando a mão no encosto, mas sem se excitar como acontecia na cama. Esse período, porém, desgastou suas forças. A paralisia cerebral parece se estender agora até a coluna, pois ele está tão rígido que não caminhamos nem mais uma hora por dia".

Na primavera, a mãe faz alterações na casa. No quarto do paciente, manda abrir uma porta para a varanda. Isso facilitava a movimentação, uma medida ne-

---

* Essa carta, citada segundo Bernouille[50] II, p. 346, sumiu dos arquivos de Overbeck[187].

cessária, visto que as caminhadas se tornavam cada vez mais problemáticas. Finalmente, a mãe teve que desistir de todo delas – em decorrência da rigidez na coluna e também de seu comportamento, que chamava a atenção das pessoas. No início, a mãe foi bem-sucedida em sua tentativa de recitar alguns poemas antes de um encontro, de forma que ele se distraía e interrompia seus monólogos. Mas quando isso também não adiantava mais e ele a interrompia na mais alta voz, ela teve que desistir também disso, coisa que lhe custou muitas lágrimas. Agora, viu-se obrigada a limitar as excursões para a vizinhança imediata da casa. Ela contratou um cocheiro que os levava para a floresta, onde podiam caminhar durante uma hora e meia. Felizmente, o cocheiro era um pouco surdo, de forma que a gritaria do passageiro não o irritava. Ele começava a gritar sem motivos aparentes e sem mudar sua expressão facial, sem qualquer sinal de dor. Em casa, Alwine, há 15 anos a fiel empregada da Sra. Nietzsche, transporta o filho numa cadeira de rodas. Alwine foi uma ajuda inestimável nesse tempo cada vez mais difícil e desgastante para a mãe.

No verão de 1893, quando Overbeck anunciou a possibilidade de uma visita, a mãe teve que prepará-lo para a possibilidade de que seu filho não o reconheceria. O filho faz também à mãe em março de 1893 a estranha pergunta: "Seria você a Franziska?" E ele repete de forma estereotípica determinadas expressões como "mais luz" ou "sumariamente morto". Será que ele havia ouvido algo desse tipo durante alguma conversa de terceiros sobre sua doença, reproduzindo agora de forma mecânica e inconsciente?

Enquanto o espírito do autor se dissolvia, sua obra se propagava cada vez mais, também graças à nova edição organizada por Köselitz e publicada por Naumann, por fim solidamente apoiada no contrato de 9 de fevereiro de 1892. Köselitz, que havia se mudado de Veneza para sua cidade natal Annaberg, próxima de Naumburg e Leipzig, trabalhava como um louco nessa reedição, para a qual ele escreveu as introduções, tentando justificar suas interpretações com recurso às suas experiências e impressões pessoais da época em que trabalhara com Nietzsche.

Em agosto ou setembro de 1892, ele escreveu à mãe: "Para as novas edições dos outros escritos de seu filho, gostaria de ter em mãos os exemplares desses escritos usados por ele. Certa vez, ele me escreveu que havia feito muitas alterações no primeiro volume de 'Humano, demasiado humano'. Eu gostaria de aproveitar essas alterações para uma nova edição. Mas creio que esses livros estão com o Prof. Overbeck em Basileia. O que a senhora acha de pedir que ele lhe mande essa caixa, que não pode ficar lá eternamente? Assim, em outubro, eu poderia consultar esses livros". Overbeck enviou as caixas (eram cinco) bem-embaladas, de forma que "chegaram aqui em excelente estado, 24 horas antes da chegada do nosso querido convidado Köselitz, e assim enviei tudo para a sua hospedaria, onde ele terá toda a liberdade para usar o material. E foi o que ele fez".

Em 29 de outubro, ele pede desculpas a Overbeck no antigo e amigável tom de subordinação ("seu eternamente grato aluno") pelo longo período de silêncio. Mas logo passa a desdobrar seus planos para a sua edição:

"O fato de que o senhor leu a introdução à segunda edição do Zaratustra me honra e me alegra. Creio que esse prefácio explique a um leitor que se aproxima da obra de Nietzsche e não consegue se orientar no caos dos aforismos as intenções de Nietzsche. Concentrei-me sobretudo em um aspecto da teoria de Nietzsche – que o homem precisa dominar primeiro a si mesmo: a moral do senhor dentro do mundo das pulsões do ser humano individual. O restante – tornar-se senhor sobre os outros – resulta disso automaticamente. – Por ora, transformei o 'super-homem' em uma qualidade, em um *abstractum* – mesmo sabendo que Nietzsche o via também de outra forma. Quero primeiro deixar passar uma década e acostumar os leitores de Nietzsche a essa concepção antes de falar dos grandes disciplinadores, que Nietzsche considerava necessários. Não chamar os escritos de Nietzsche a escola mais alta da nobreza apenas pelo fato de falarem um pouco demais sobre a nobreza não é, a meu ver, motivo para chamá-los assim da mesma forma. Nietzsche deu um novo sentido ao conceito da 'nobreza', portanto, não teve como não falar dela. Meus conhecimentos são poucos: confesso, portanto, que em nenhum outro lugar encontrei algo semelhante sobre questões de ordem. Talvez em Platão – mas como psicólogo, este era ingênuo e falastrão. O Cortigiano de Castiglione, por exemplo, é apenas um livro do tipo de 'A boa etiqueta', ou seja, um livro para pessoas jovens que pretendem ingressar na alta sociedade. Castiglione escreve para a nobreza. Nietzsche, porém, se aproxima da questão como organizador do povo, numa era democrática. – Por vezes, Nietzsche transmite a impressão de que ele se percebia como nobre – mas ele não compartilha isso com todos que tinham o direito de 'se achar'?

Até mesmo essa expressão desastrada: 'Eu dei aos alemães os livros mais profundos que eles possuem' é totalmente tola para o estilo de homens grandes; uma tolice orgulhosa – ou seja, nobre, nobre como o são os gigantes; essa expressão nasceu de uma dor imensa; um homem que dá o seu melhor e que, por isso, é tratado pelos outros como se ele pretendesse machucá-los – diz de forma absolutamente honesta e direta como ele mesmo se vê; para finalmente se libertar de todos os indecisos e medianos em sua volta. No que diz respeito à sua convicção de poder sofrer de loucura, tive muitas experiências com Nietzsche, talvez até coisas piores do que as vividas pelo senhor, prezado professor. Por vezes, ficava tão exaltado que eu mesmo quase ficava louco – num país estranho, em quartos assombrosos, frios e abandonados, a força da impressão se duplifica. Mas jamais percebi qualquer traço de loucura – pelo contrário. É absolutamente natural que uma pessoa dilacerada pela dor faça as conjeturas mais terríveis sobre o futuro de seu sofrimento; para um super-homem, porém, estas não podem servir como bitola na avaliação do sofrimento.

No entanto – falta-me a calma para apresentar essas coisas de forma ordenada e com formulações mais aguçadas. Eu ficaria muito feliz se meu prefácio ao Zaratustra incentivasse também o senhor a fixar *sua* impressão sobre Nietzsche; pois apenas o maior número possível de testemunhas permitirá que pessoas mais distantes adquiram uma imagem mais ou menos apropriada. Amigos de uma pessoa tão extraordinária e curiosa como Nietzsche têm até a obrigação de registrar suas experiências para tempos futuros. A postura de Nietzsche diante do mundo é a de um artista – o mundo, uma obra de arte que continuamente se gera por meio de si mesma. O que importa ao artista o imoralismo, amoralismo ou qualquer moralismo: ele vê apenas a beleza, a saúde, a força, a felicidade, a nobreza, ele quer 'raça'. Acho encantador esse ponto de vista: por isso, farei o pouco que me é possível para não diminuir o efeito de Nietzsche na história".

Dominado por esse tipo de pensamentos, Köselitz publicou em 1892, além do "Zaratustra" completo, todas as quatro "Considerações extemporâneas" com as respectivas passagens do "Ecce homo"; e, em 1893, "Humano, demasiado humano" (ambas as partes), "Além do bem e do mal" e a "Genealogia da moral"; todos com uma introdução.

Mas em meio a essa atividade, ocorreu um "evento que me inquietou e abalou todo o projeto Nietzsche:

A Sra. Förster voltou do Paraguai!

Houve alguns dias ruins em que quase desisti da minha participação na organização dos escritos de Nietzsche", escreve Köselitz a Overbeck em 19 de setembro de 1893. Ele não se enganara e foi o primeiro a sentir todo o impacto do novo regimento. Durante um encontro em Leipzig, Elisabeth o atacou com a pergunta: "E quem foi que designou o senhor como organizador?"

O conflito se agravou rapidamente, e já em 23 de outubro de 1893 Köselitz lhe entregou todos os manuscritos de Nietzsche que estavam com ele em Annaberg. "Não creio que exista ainda alguém capaz de ler estes manuscritos", ele escreve em voz triunfante a Overbeck, nutrindo assim a esperança de que Naumburg não conseguirá abrir mão de sua colaboração. No entanto, Elisabeth ignorou também esse obstáculo, com todos os riscos para a edição dos escritos 'póstumos'. Por ora,

Köselitz foi completamente excluído dos trabalhos. Apenas seis anos mais tarde, no início de outubro de 1899, Elisabeth o chamou para trabalhar no arquivo, onde Köselitz acatou todos os seus métodos e convicções[121].

Ela não só o exclui de todo trabalho editorial, ela refutou também tudo que ele havia feito até então. Os volumes por ele redigidos foram recolhidos e destruídos, e Elisabeth deu início a uma nova edição das obras completas, para a qual ela conseguiu conquistar a participação do Dr. Fritz Kögel* como organizador responsável, cuja primeira tarefa era criticar em artigos de jornais o trabalho de Köselitz e denunciar os seus prefácios como "equivocados". Köselitz acreditava que Elisabeth havia tomado conhecimento do Dr. Kögel dois anos antes (em 1891, em Berlim) por intermédio de Cosima Wagner. Kögel era formado em filologia; no entanto, teve mais sucesso na administração da indústria de aço alemã (tubos de Mannesmann), o que prometia uma atividade editorial mais eficiente, aspecto importante diante da situação financeira. A família dependia da venda dos livros, pois a pequena aposentadoria de Basileia só bastava para uma vida humilde, como a que Nietzsche levara antigamente e a que a mãe havia adotado nos últimos anos. Agora, porém, a irmã introduziu o estilo de vida do "Försterhof" e começou a contratar funcionários. Nos últimos tempos, o apoio financeiro vindo de Basileia já não havia sido o suficiente para cobrir as despesas da mãe: Os cuidados exigidos pelo paciente cada vez mais impotente se tornaram cada vez mais dispendiosos – as alterações necessárias na casa haviam custado muito, e, por conta destas, a mãe teve que expulsar seu último locatário.

Elisabeth, por sua vez, não trouxe nada do Paraguai. Apesar da "venda" do "Försterhof", todo o lucro permaneceu na América do Sul para quitar as dívidas.

Assim, torna-se compreensível a preocupação, e até o medo, com a qual a mãe se dirigia a Overbeck, quando o dinheiro de Basileia atrasava alguns dias. Durante todos esses anos Overbeck se encarregou da remessa do dinheiro e garantiu que os subsídios, originalmente garantidos para seis anos (a partir de 1879), fossem estendidos sempre de novo. Na primavera de 1890 (reunião de 20 de março), a comissão que administrava o legado de Heusler autorizara, a pedido de Overbeck, um crédito adicional de 500 francos, pelo qual a mãe agradeceu a Overbeck em 7 de junho: "Para falar agora de assuntos financeiros: Preciso perguntar abertamente se o nosso querido paciente receberá a contribuição adicional, obtida exclusivamente pela

---

* Fritz Kögel, nascido em 2 de agosto de 1860 em Hasserode/Harz, adquiriu o título de Dr. Phil. em Jena, falecido em 20 de outubro de 1904 em Bad Kösen. Seus escritos incluem, entre outros: "Vox humana" (1891, anônimo); "Gastgaben" (1894); poemas (1898); "Die Arche Noah" (A arca de Noé) (livro infantil; 1902).

grande bondade do senhor, mesmo se eu não a necessitasse imediatamente e pedisse que o senhor a guardasse para gastos futuros? Se ele progredir, é possível que ele desejará estar aqui ou ali, ainda mais se minha filha retornar, e aqui não podemos alugar nada, de forma que precisaremos do dinheiro. E será que os bons cidadãos de Basileia continuarão a ser tão inesgotáveis em sua generosidade?" Ou seja, o dinheiro não foi usado e permaneceu como crédito na conta de Nietzsche durante os próximos anos. Em decorrência da regulamentação tutelar em Naumburg, as autoridades exigiram a transferência de todos os bens de Nietzsche, que até então haviam sido administrados com tanto cuidado por Overbeck em Basileia. A mãe confirma o recebimento em 29 de setembro e em 5 de outubro de 1890. Agora, Overbeck precisava cuidar apenas da "aposentadoria" e de sua remessa a cada três ou seis meses. A mãe lhe agradece por isso em 11 de dezembro de 1890: "Como sou grata aos bons cidadãos de Basileia pelo fato de garantirem o básico da nossa existência. Pois naturalmente ocupamos dois apartamentos, o do térreo está desocupado e outro será liberado em breve, mas no momento não posso me preocupar com inquilinos". No entanto, mais uma vez ela teve sorte com a locação de seus aposentos e, assim, após ser informada por Overbeck que o crédito adicional seria autorizado também no ano seguinte, pôde responder em 29 de junho de 1891: "O senhor não se cansa de interceder por nós; no entanto, tenho certeza que seu bondoso coração está disposto a fazer esse sacrifício pelo nosso querido paciente. Lembro-me sempre dos bons cidadãos de Basileia com grande gratidão pelo fato de não ter que me preocupar com eles, pois agora aluguei também os dois apartamentos". Mas já no outono, a situação se apresenta como mais crítica. Aparentemente, ela não tinha inquilinos permanentes, mas apenas funcionários (estagiários?) do tribunal regional, que se revezavam em pequenos intervalos. Em 5 de outubro de 1891, ela escreve a Overbeck: "No momento, não tenho condições de tratar da locação do apartamento na minha casa, e visto que os senhores do tribunal só trabalham seis meses no nosso tribunal, as mudanças são contínuas, de forma que, no momento, só tenho o inquilino que está comigo há seis anos. Além disso, neste ano tive que finalmente fazer a reforma do esgoto e do sistema hidráulico e também da fachada da casa". Ela sabe também que esses subsídios não estão garantidos para sempre e que nem poderia recorrer à justiça. Por isso, é tomada por pânico quando o dinheiro atrasa alguns dias, como, por exemplo, em 3 de julho de 1892: "Sei que, no terceiro dia do mês, ainda não deveria escrever [...] mas, por favor, não leve a mal [...]. Acostumei-me tanto com a remessa pontual do dinheiro que nem sei como explicar esse atraso, e visto que o pagamento depende da bondade dos bons cidadãos de Basileia, entretenho os piores pensamentos [...]. Uma eventual descontinuação do pagamento transformaria meu futuro em uma preocupação quase insuportável, pois como tutora receberia no máximo os juros de seu modesto capital, pois o tribunal controla minuciosamente os bens do paciente. Eu mesma o faço com um cuidado ainda maior, no entanto – visto que neste ano ocorreram alguns gastos imprevistos e há um ano e meio conto apenas com um inquilino sem previsão para um segundo, e visto que dois apartamentos precisaram ser reformados – tive que usar algumas centenas de marcos provindos da venda de seus livros, por mais que eu tenha procurado evitar isso. A partir de agora, porém, terei que relatar essa renda, que consistia de alguns mil marcos [provindos do contrato de Naumann], de forma que no futuro o tribunal me concederá apenas o mínimo, mas, mesmo assim, não quero privar meu querido paciente de nada [...], sua existência é, ao todo, muito humilde". Ela informa a situação real a Overbeck em 8 de janeiro de 1893: "Nem ouso dizer quão bem-vinda foi [a remessa de dinheiro] também dessa vez; no entanto, voltarei a falar disso amanhã, quando, por meio do cunhado da Sra. Pinder, o conselheiro de justiça Wilde, que trata dos assuntos com Naumann, poderei comunicar maiores detalhes", para então continuar no dia seguinte: "Hoje [...] a Sophiechen Pinder me trouxe o bilhete de seu tio [...]. Referente à 'metade gasta', desta eu recebi 300 marcos em 1891, quando nossa renda não cobriu os gastos. O restante foi gasto com as viagens da minha filha para encontrar um editor apropriado, para negociações, pareceres de outras gráficas para contrapô-las às exigências absurdas de Naumann, além disso para o Prof. Binswanger, que, por nada cobrar pelas consultas do meu filho, recebeu todas as obras do meu filho em impressões especiais, e todos os outros gastos decorrentes da briga com Naumann [...]. E o que restou, minha filha usou para sua viagem [...]. No entanto, visto que não consigo encontrar ninguém para o apartamento no térreo e visto que o último inquilino também se licenciou por um ano, e, diante da dificuldade de encontrar um locatário disposto a aceitar a presença de nosso querido paciente, as coisas estão bastante apertadas, mesmo assim não quero desistir de nada que possa prejudicar o cuidado, o fortalecimento e o alívio do meu filho. Eu e minha excelente empregada ainda damos conta de levantá-lo [...] e o bondoso Deus certamente providenciará que ele não fique mais pesado, obrigando-nos a contratar um enfermeiro. Portanto, peço que o senhor interceda bondosamente por ele, para que sua aposentadoria lhe seja concedida novamente. Eu lhe seria eternamente grata por isso".

A aposentadoria era reavaliada a cada três anos, e em 1894 houve essa reunião. E Overbeck intercedeu. Sua influência e sua reputação pesavam bastante.

Entrementes, os lucros da venda dos livros estavam dando juros, que precisavam ser usados para cobrir os gastos. Em 29 de março de 1894, a mãe escreve a Overbeck: "Minha mais profunda gratidão por todo [...] o trabalho que o senhor teve. A cada 1º de abril e 1º de outubro, quando também recebo minha aposentadoria semestral de 170 marcos, sinto-me quase como a pessoa mais rica do mundo; no entanto, sei muito bem que essa riqueza precisa durar seis meses, além dos juros do nosso Fritz, que me foram concedidos desde o 1º de outubro. No entanto, quantas contas precisam ser pagas nessas datas! Graças a Deus, temos nossa casa própria, pois quem nos aceitaria como inquilinos, e se nos aceitasse, quem nos suportaria?"

Esta, então, era a base econômica na qual as três mulheres (mãe, Elisabeth e Alwine) podiam se apoiar com seu paciente: a casa da mãe, na qual o "Fritz" ainda havia investido seu dinheiro antes de seu colapso, sua aposentadoria de 1.600 marcos ao ano e a renda de seus livros, ou melhor: os juros da renda depositada numa poupança. O paciente garantia a renda de uma família.

Em longo prazo, porém, essa base era fraca, e, em vista da aposentadoria de Basileia, também insegura demais. Elisabeth reconheceu isso corretamente e a tempo. A solução que ela encontrou para isso foi

a fundação e operação de um arquivo nietzscheano

Nem a mãe, nem Overbeck e nem mesmo Rohde conseguiram se entusiasmar com a ideia, e eles tinham boas razões para suas ressalvas. Estas, porém, pertenciam mais ao âmbito ético do que à dura realidade da existência econômica. E no que dizia respeito a esta, o futuro justificaria o passo de Elisabeth. No entanto, a forma como ela conduziu o arquivo e definiu sua missão, como ela mesma se via dentro dele, oferecia muitos pontos de ataque. Os ataques foram lançados, e ela reagiu com uma brutalidade indigna de uma instituição destinada a Nietzsche. Ela fracassou exatamente onde Overbeck temia que isso ocorresse. Ela demonstrou uma falta de gosto e dignidade, causando assim a ruptura com ele. No entanto, isso é uma questão que deve ser tratada por uma 'História do arquivo nietzscheano', e não nos cabe escrevê-la aqui*.

Em termos organizacionais, Elisabeth partiu de um pensamento correto: Já que pretendia fundar um arquivo nietzscheano (e esse "já que" causou discórdias já por ocasião da fundação), ela não podia perder tempo. O interesse crescente por Nietzsche demonstrado por muitos grupos precisava ser aproveitado. Por outro lado, o instituto precisava de uma ampla base de apoio, e a simpatia continuada dos amigos pelo amigo doente se oferecia como fundamento. Elisabeth se pôs imediatamente a reativar antigas amizades, por exemplo, com Meta von Salis, à qual ela apresentou os planos para um arquivo nietzscheano já em 18 de novembro de 1893 e que, durante os próximos anos, contribuiria de forma essencial para a existência da institui-

---

* Aqui a "Nietzsche-Chronik", de Karl Schlechta[229], fornece informações adicionais, por mais sucinta que seja.

ção "Nietzsche-Archiv". Logo evidenciou-se que na escolha de seus funcionários Elisabeth se servia do "Goethe-Archiv" em Weimar como modelo. E como este não era um arquivo "aberto" para cientistas interessados (como hoje, p. ex., as coleções de manuscritos das grandes bibliotecas ou do "Goethe- und Schiller-Archiv" em Weimar). O objetivo dos arquivos atuais é reunir o máximo possível de fontes para disponibilizá-las de forma concentrada para a ciência. Os arquivos da época, por sua vez – principalmente o Goethe-Archiv e ainda mais o arquivo nietzscheano até a morte da Sra. Förster (em 8 de novembro de 1935), reuniam o material para evitar que acabasse em coleções particulares e assim impedir a publicação livre, garantindo assim o monopólio de sua exploração. Isso, é claro, abria as portas para o abuso, tentação esta à qual Elisabeth não resistiu.

A infelicidade financeira da mãe de não conseguir alugar os aposentos no térreo favoreceu os planos de Elisabeth. Aqui ela instalou a primeira "sala de arquivo", que ela apresentou à mãe pela primeira vez após a ceia natalina em 24 de dezembro de 1893. Seria a última vez que a mãe celebraria um Natal tão satisfatório. Em 29 de dezembro, ela escreve a Overbeck: "Na véspera de Natal, Lieschen [...] já havia se recuperado [de uma gripe], de forma que pudemos preparar uma árvore de Natal, escolhida por meu filho, pois quando lhe perguntei se queria uma árvore grande ou pequena, ele respondeu: 'Um bem grande, é claro'. Além disso, demos a ele um pequeno sinfônio* que produz tons cristalinos, e nele tocamos a marcha nupcial do Lohengrin no momento em que entramos na sala com as velas da árvore acesas. [...] Ele se sentou em sua poltrona, próximo à árvore, e seu rosto brilhava, e ele olhou para o piano para ver se a música vinha de lá, e várias vezes, sem qualquer excitação, repetiu: 'Esta é a coisa mais linda em toda a casa'. Evidentemente, ficamos também muito felizes diante desse efeito inesperado manifestado por nosso 'coração angelical', como o chama a Lieschen [...]. Nós duas não nos demos nenhum presente, estamos economizando tudo para a 'sala de arquivo'". E referente ao paciente, ela acrescenta: "Ao todo, podemos dizer que o estado do nosso querido paciente é satisfatório, ele está mais calmo, costuma dormir a noite inteira, ri de vez em quando em sua voz alta, seu apetite é saudável [...]. Em dias ensolarados, eu o levo na cadeira de rodas para a nossa linda varanda [...], de resto fazemos um passeio ao banho duas ou três vezes por semana, uma carruagem nos traz de volta para casa, o que lhe faz

---

* Posteriormente, chamado também de "polifônio". Inventado no final do século XIX pelos Irmãos Lochmann, de Leipzig-Gohlis. Tratava-se de um instrumento musical do gênero das caixas de música. Um mecanismo de molas fazia girar uma placa perfurada (feita de lataria) de mais ou menos 30cm de diâmetro, pela qual passava um pente de ferro. As placas podiam ser trocadas. Esses aparelhos, precursores dos nossos toca-discos [sic] também em sua aparência, foram construídos até 1905[273].

muito bem; as caminhadas, porém, continuam suspensas". E nunca seriam retomadas, com exceção de algumas poucas tentativas, como a mãe descreve três meses depois (em 29 de março de 1894): "Os gritos súbitos – e com *aquela* voz, mas com a expressão mais descontraída – é o mais desgastante, sobretudo o cuidado para que ninguém o ouça, e quanto mais eu imploro, mais ele grita, de forma que me parece ser o melhor permanecer com ele em seu quarto [...]. Continuo a ir ao banho com ele, mas os passeios estão limitados até o muro, onde há um sol maravilhoso, mas assim que viramos a esquina ele pergunta: 'Onde está a nossa casa?', e fica feliz quando voltamos para ela [...]. No entanto, esses passeios são raros e só podem ser feitos em dias muito calmos [...]. Tampouco posso deixá-lo andar sozinho em sua cadeira de rodas [...], apenas na varanda ensolarada [...] isso funciona em alguns dias durante uns quinze minutos. Hoje, porém, tive que interrompê-lo após poucos passos por causa de seus gritos e levá-lo para o interior da varanda e deitá-lo em sua poltrona [...]. Foi ótima também a ideia da minha filha de transformar os dois quartos inferiores em uma única sala, onde podemos receber as visitas, pois lá não é possível ouvir o nosso amado [...]. Minha boa filha me surpreendeu com tudo isso só no meu aniversário, pois ela esteve doente, gripe, e este foi o primeiro dia em que ela conseguiu descer a escada. No entanto, 'a despeito da terrível fraqueza', ela não se deitou, para poder ajudar com o meu filho. Ela não fechou um olho durante dezesseis noites. No que diz respeito à edição das obras [...], creio que o senhor tenha sido informado pelo Sr. Köselitz e o Prof. Rohde, que teve a bondade de dar alguns conselhos; eu me calarei sobre isso".

A mãe não foi envolvida nos trabalhos de edição das obras completas; mesmo assim, esta se tornou uma nova fonte de preocupações para ela. Ela gostava de Köselitz e confiava nele quase tanto quanto confiava em Overbeck. O fato de sua "eliminação" tão brutal pela filha a fez sofrer. O esfriamento simultâneo do relacionamento de Elisabeth com Overbeck significou para a mãe a perda de um dos sustentáculos mais preciosos; a mãe se sentiu isolada. Ainda no ano seguinte, ela implora pela visita de Overbeck com sua "querida senhora esposa". Ela tinha espaço na casa para hospedá-los, pois Elisabeth já havia mudado o arquivo para outra localidade: "O senhor também não terá que ver a minha filha. Lamento profundamente a desavença de Elisabeth com o senhor e também com o Sr. Köselitz. Por favor, transmita minhas saudações a ele (pois sempre tenho tomado seu partido). Quem sabe se vocês, como os dois melhores amigos do meu filho, não terão que interceder também por sua mãe, que sozinha teve que educá-lo quando, ele aos 5 anos de idade e a Lieschen aos 3, seu pai faleceu". De alguma forma, ela se sente isolada de seu filho, pelo menos de sua obra, da qual, a despeito de todas as ressalvas, ela se orgulhava, e reduzida à função de enfermeira.

A disposição da primeira "edição das obras completas" apresentava uma curiosidade incompreensível até mesmo para a mãe: ela começou com o "Volume II"!

Como volume I, Naumann imaginava uma biografia e esperava que Köselitz a escreveria. No fundo, a ideia de Naumann de introduzir o leitor ao pensamento de Nietzsche com uma biografia não era ruim. No entanto, a ideia não provinha do reconhecimento da subjetividade incomum, da dependência entre vida e obra de Nietzsche, mas do desejo de Naumann de se livrar das cartas que o obrigavam a responder perguntas sobre a vida de Nietzsche.

A princípio, Köselitz aceitou o plano e procurou reunir informações no círculo de amigos para confirmar ou completar suas próprias experiências. Assim, Carl von Gersdorff escreve a Overbeck em 15 de agosto de 1893: "Ontem recebi um agradável sinal de vida de Köselitz [...] que, a pedido de Naumann, ele estaria escrevendo uma biografia sobre o nosso amigo incomparável, contando também com o apoio de todos que tiveram alguma relação com ele. Eu refrescarei as minhas lembranças e procurarei documentá-las e enviá-las a Köselitz, pois sei que ele é discreto. Não duvido de sua capacitação para essa grande e nobre tarefa. Seus talentos filosóficos e musicais, sua seriedade e seu entusiasmo prometem render bons frutos. O senhor soube que no último ano foram vendidas mil cópias do Zaratustra? E que muitos leitores se encontram na França? Certamente leitores melhores do que na Alemanha".

Köselitz, porém, rapidamente supera a tentação – ou se assusta com o tamanho do empreendimento – e escreve a Overbeck em 19 de novembro de 1893: "Jamais pensei seriamente em escrever a biografia para o primeiro volume anunciado por Naumann". E isso também não seria necessário, pois Elisabeth já estava escrevendo a sua própria biografia do irmão. Naumann queria satisfazer uma demanda, mas as intenções de Elisabeth eram outras. Ela queria anteceder-se a Köselitz e, possivelmente, a outros. Entre estes "outros" ela temia sobretudo sua arqui-inimiga Lou Salomé, agora esposa do Sr. Andreas, que, desde 1891, havia publicado diversos artigos sobre Nietzsche em revistas berlinenses (que, em 1894, foram reunidos e publicados sob o título de "Friedrich Nietzsche em suas obras"), projetando-se como pessoa particularmente iniciada e conhecedora em virtude de sua amizade com o autor. Outro velho amigo de Nietzsche, Heinrich Romundt, mostrou-se convencido e o comprovou com citações em suas cartas a Overbeck, de que a biografia de Elisabeth Förster era, em primeira linha, uma polêmica contra Lou Andreas-Salomé. Publicamente, tomou o partido de Lou Salomé, atraindo assim a ira da senhora sobre o arquivo com todas as suas consequências. Ela o ameaçou de destruí-lo completamente como cientista e publicista caso não obedecesse e se calasse. Ela o "puniu", ignorando-o completamente em sua biografia. Overbeck, que se envolvera indiretamente no conflito por meio da correspondência, recebeu o mesmo tratamento: Elisabeth o mencionou apenas marginalmente com a justificativa "sensível" de que ele, como teólogo, certamente não gostaria de se ver publicamente associado ao anticristo Nietzsche.

Overbeck também não refutou de todo as interpretações de Lou Andreas-Salomé, pois chegou à conclusão de que, a despeito de todas as suas falhas, ainda era o melhor que estava sendo publicado sobre a filosofia de Nietzsche. No entanto, não gostou como ela destacava sua "amizade". Ele conhecia os detalhes íntimos desse relacionamento e sabia que a amizade havia durado apenas sete meses, não o suficiente para justificar tamanha pretensão. Köselitz se mostrou bem mais crítico, como, por exemplo, em sua carta de 29 de setembro de 1893 a Overbeck: "Essa Lou [...] é uma ensaísta perfeitamente organizada, e talvez minha refutação seja bárbara, mas nada me repugna mais do que um Nietzsche como ela o retrata, como neuropata e fracote, semelhante ao Chopin, que, em virtude das retratações de Sand e Liszt, vive em nossa imaginação como imagem completamente desfigurada [...]. Lembro-me agora que um polonês [...] escreveu um livro intitulado de 'Friedrich Nietzsche e Frédéric Chopin' [...]. Esse polonês vê Nietzsche como um tipo de Chopin noturno na área intelectual e linguística – e creio que a Lou seja responsável por esse equívoco".

Quaisquer que foram os impulsos que levaram a essa biografia, ela assumiu um volume que ultrapassava em muito o espaço reservado para o primeiro volume da edição geral. Em abril de 1895, foi publicado o primeiro volume como edição independente; e no final de dezembro do ano seguinte, a primeira parte do volume 2. Ou seja: faltava ainda o texto para o primeiro volume da edição geral, e Elisabeth determinou que este seria composto pelos "Philologica", ou seja, as publicações do estudante e jovem professor de Filologia Clássica, i.e., os trabalhos sobre Diógenes Laércio, Hesíodo e Homero, e, para tanto, pediu a ajuda do velho amigo e reconhecido filólogo Erwin Rohde.

Esse passo, porém, era arriscado. Rohde acabara de completar sua grande obra principal "Psyche", para a qual ele havia trabalhado muitos anos e que havia esgotado todas as suas forças até a exaustão. Seu desespero sobre o estado das universidades alemãs na área das ciências do espírito havia consumido o resto de suas energias. Assim, aos 48 anos de idade, ele já era um homem velho e fraco, abalado por sua deficiência cardíaca, que poucos anos depois (em 11 de janeiro de 1898) levaria à sua morte. Sempre precisamos nos lembrar disso quando avaliarmos a conduta nem sempre compreensível de Rohde durante esses anos.

Ele havia rompido com Nietzsche não só porque não se dispôs a acompanhar o trajeto filosófico de Nietzsche, mas também porque o condenou violentamente.

O que restava era uma lembrança romântica da juventude de seus anos de estudo compartilhados sob a influência de Schopenhauer e Wagner, que continuavam a ser suas estrelas-guias. Essa lembrança alimentou agora a dedicação, a simpatia pelo velho amigo e a veneração pelo homem Nietzsche. No entanto, tudo isso não servia como fundamento para tomar decisões sensatas em questões relacionadas à edição das obras e do espólio (mais ou menos a partir do 'Zaratustra'). Mas Elisabeth estava interessada apenas nos 'Philologica'. E, em relação a estes, Rohde era um cientista sério demais para não reconhecer suas fraquezas, suas insuficiências científicas – algo que o próprio Nietzsche havia reconhecido desde cedo. Rohde não gostou desses escritos desde sua primeira publicação e considerava "muitas de suas partes simplesmente incorretas". Para a filologia, os 'Philologica' de Nietzsche não têm valor nenhum – o filólogo Rohde reconheceu isso imediatamente; no entanto, são importantes para o conhecimento de Nietzsche (os estudos sobre Demócrito!), mas isso era algo que não interessava a Rohde. No entanto, interessava-se sim pelos ideais da Sra. Förster. Em 14 de março de 1893, escreveu a Overbeck: "Ontem li na *Rundschau* uma fofoca simplória de um professor de Berna e judeu de Berlim chamado Stein sobre Nietzsche. Desprezível! [...] Ele escreveu um livro estupidamente ousado sobre a psicologia estoica e agora se acha. Um dos judeus literários que se intrometem em tudo com sua curiosidade ordinária. (Existe também uma espécie um pouco mais suportável.) É esse tipo de gentalha que agora passa a explorar o coitado do Nietzsche. Aparentemente, existe toda uma literatura nietzscheana escrita por jovens inexperientes: eu não a conheço. Mas esses brutamontes universitários à la Stein são mais desprezíveis ainda".

Ambos, tanto a Sra. Förster quanto Erwin Rohde, jamais compreenderam que Friedrich Nietzsche era um evento da história do espírito *europeu*; que sua filosofia, que partia da Antiguidade e sobretudo dos pré-socráticos, era parte da filosofia ocidental em si. Foram *eles* que o reduziram a um "despertar" do espírito nacionalista alemão, construindo assim o fundamento para o desenvolvimento fatídico e sua interpretação equivocada.

Na Páscoa (abril) de 1894, Rohde fez uma visita a Naumburg, a convite da Sra. Förster, para discutir a organização da (nova!) edição geral, para a qual firmaram um novo contrato com Naumann em 24 de abril de 1894, após o qual a Sra. Förster se sentiu imensamente fortalecida e "legitimada". Apenas meses depois, em 27 de dezembro de 1894, Rohde relata essa visita a Overbeck: "Eu vi o infeliz com meus próprios olhos: ele está completamente bronco, não reconhece ninguém além da mãe e da irmã, mal fala uma oração completa a cada mês, e também fisicamente estava completamente descarnado, fraco e pequeno, apenas sua pele tinha uma cor saudável, ou seja, uma aparência lastimável! Mas aparentemente ele já não sente mais nada [...].

Num sentido terrível ele já se encontra no 'além' de todo ἐπέκεινα. A irmã assumiu com energia louvável a publicação dos escritos [...]. O maravilhoso Köselitz os contaminara completamente, corrigindo o *estilo* de Nietzsche – que tolice! – e acrescentado prefácios importunos. Era necessário pôr um fim a isso, e os novos organizadores estão fazendo um trabalho excelente. Eu mesmo li massas de cadernos filológicos, mas não encontrei nada que pudesse ser publicado – apenas muitas e amplas ideias. Não sei se os 'Philologica' científicos serão incluídos à edição geral. Eu aconselhei que não o fizessem. Estão incluindo demais: até mesmo quase todo o 'Ecce homo' idiota. A Sra. Förster se mostrou muito entristecida pelo modo duro e quase hostil com que o senhor a tratou por ocasião da reedição: creio que o senhor deva estar equivocado em relação a ela, pois eu mesmo vi de perto que a Sra. Förster entretém apenas as melhores e mais louváveis das intenções em relação à obra e ao senhor".

Overbeck, porém, permaneceu cético diante das qualidades editoriais da Sra. Förster, tão elogiadas por Rohde, principalmente porque reconhecia sua total falta de tato e sensibilidade. Mais tarde, Rudolf Steiner expressaria objeções bem mais objetivas[239]: "O fato de que a Sra. Förster-Nietzsche, em tudo que diz respeito à teoria de Nietzsche, é completamente leiga. Ela não tem um juízo próprio nem mesmo sobre os aspectos mais simples dessa teoria. [...] Falta à Sra. Förster qualquer sensibilidade para distinções mais delicadas e até mesmo para as distinções lógicas mais brutas; seu pensamento não apresenta um mínimo de coerência lógica; falta-lhe qualquer senso de objetividade. Um evento que ocorre hoje assume nela amanhã uma forma que despreza qualquer semelhança com a realidade, antes se adapta à sua necessidade momentânea. Ressalto, porém, explicitamente que jamais suspeitei que a Sra. Förster tenha alterado os fatos propositalmente ou *conscientemente* tenha feito afirmações falsas. Não, ela *acredita* sempre naquilo que diz. Ela convence a si mesma que ontem era vermelho o que, com toda certeza, apresentava uma cor azul". E Steiner sabia do que estava falando, pois nenhuma outra pessoa teve a oportunidade de avaliar as capacidades filosóficas da Sra. Förster como ele, pois no outono de 1896 ela o havia contratado como seu professor particular de Filosofia! Köselitz escreve a Overbeck em 7 de outubro de 1897 cheio de sarcasmo: "Tudo indica que a Sra. Förster tolera apenas a presença de solteiros, ou seja, de pessoas que prometem a possibilidade de um relacionamento amoroso. Agora, ela se apaixonou pelo Dr. Steiner". Mas essas palavras não são tanto uma descrição certeira da editora, antes revelam o quanto Köselitz se sentiu ofendido por ter sido excluído. Afinal de contas, todos eles tinham em torno de trinta anos de idade. De um mundo completamente diferente surge o desejo da mãe (31 de dezembro de 1894): "Acho que o horrível 'Anticristo' e vários poemas deveriam ser excluídos do oitavo volume – isso me causa profunda tristeza. Ele já escreveu o bastante sobre essas coisas em suas obras, e entendo agora as suas palavras: 'Por favor, não leia o livro para a mamãezinha, ele foi escrito de um ponto de vista completamente diferente'. Creio também que a filosofia não é para mulheres, perdemos o chão sob os pés".

A filosofia lhe é estranha, e lhe é estranha sobretudo a filosofia do seu filho, mas ela não se arroga a julgá-lo, ela tem apenas um desejo. Ela estranha também a atividade em torno do "Archiv" e tem olhos apenas para

a lenta imersão do amado filho em apatia total

E sobre tudo isso ela escreve a Overbeck, o único ser humano em que ela confia sem ressalvas: "Tivemos, já que ele gritava tanto durante o banho, que recorrer aos banhos em casa. É um pouco complicado, pois, por causa de sua gritaria, só podemos usar seu quarto bem-isolado. Assim, somos obrigados a levar 20 baldes de água até a banheira, e depois o mesmo tanto de água precisa ser retirado [...]. Já lhe dou um banho a cada dois dias, o que parece tranquilizá-lo um pouco, juntamente com a massagem nos dias entre os banhos" (3 de julho de 1894).

"Do meu lado, está sentado o meu bom filho; e na nossa frente, um pintor de Berlim*, que contratamos para retratá-lo [...]. Devo confessar que é um empreendimento bastante estressante, pois o bom Fritz não tem muita paciência; espero que o pintor consiga!" Esse retrato, porém, não estava sendo feito para preservar sua imagem para "nós", antes serviria como parte das exposições que a irmã estava organizando para alimentar a mania em torno de Nietzsche. "A notícia mais recente é que a minha filha fundou um lar próprio perto daqui para abrigar o arquivo [...]. Apesar de ter discordado com essa decisão, devo reconhecer agora que foi a coisa certa a fazer, pois está sendo difícil cuidar de suas necessidades físicas e administrar seus bens espirituais ao mesmo tempo. Em virtude destes, alguns senhores passaram um dia inteiro na nossa casa, e eu estive o tempo todo preocupada em fechar as portas por causa do barulho, e o ar fresco é algo que nosso querido paciente necessita tanto [...]. E agora, em 1º de outubro, mudou-se de Weimar para Naumburg o segundo diretor do Goethe-Archiv, o Sr. Von der Hellen – juntamente com sua esposa e seus dois filhinhos –, para substituir o Dr. Zerbst, que não conseguiu cumprir as expectativas; e assim as atividades aumentaram muito na casa da minha filha; ambos possuem um grande talento musical, como também o Sr. Kögel, e agora pretendem organizar semanalmente noites de música e publicar algumas peças do nosso querido. Tudo isso não pode acontecer numa casa em que se encontra uma pessoa tão

---

* Curt Stöving (6 de março de 1863-dezembro de 1939); pintor e arquiteto condecorado. Além dos retratos, fez também um busto e placas de bronze de Nietzsche.

doente, e confesso que também as minhas energias só aguentam até às 10h" (11 de outubro de 1894).

O Dr. Max Zerbst (nascido em 1º de setembro de 1863 em Jena), havia trabalhado como assistente de Kögel desde abril. Em 1º de setembro, na data da mudança do arquivo para aposentos maiores (Grodlitzerstrasse 7), ele foi substituído pelo funcionário "mais rápido" do Goethe-Archiv em Weimar*. Eduard von der Hellen (1863-1927) havia publicado 16 volumes de cartas de Goethe num período de oito anos! Se a irmã pretendia vencer a corrida editorial contra o modelo de Weimar pelo menos em termos de volume, fazia sentido contratar os funcionários da concorrente. Mas tudo isso não harmonizava com a postura da mãe – e Elisabeth fez bem ao sair da casa.

No final de sua carta, a mãe ainda anuncia: "Amanhã, virá o Prof. Deussen de Berlim e pretende ficar alguns dias na minha casa e passar aqui pelo menos as noites, pois suponho que passará os dias com os senhores [do arquivo]". Nietzsche completaria 50 anos de idade em 15 de outubro. Esse último encontro com seu velho amigo deve ter ficado gravado profundamente na memória de Deussen, de forma que devemos supor que a imagem, como ele a retrata em suas memórias, seja correta[74]: "Ficou sentado em silêncio sem dar atenção a qualquer pessoa, apenas as flores que eu trouxera chamaram seu interesse por pouco tempo, e o bolo que lhe ofereceram foi devorado com grande apetite"**.

Todos os relatos de visitantes, de antigos amigos, revelam que Nietzsche, já agora no outono de 1894, estava completamente apático e não reconhecia mais ninguém além da mãe, da irmã e de Alwine.

No final de fevereiro de 1895, Nietzsche é acometido, pela primeira vez desde seu colapso espiritual, por uma doença grave. A mãe, após superar o medo provocado pela situação, relata a Overbeck em 28 de março: "Eu percebi que meu querido paciente estava sem fôlego [...] de forma que chamei o médico imediatamente, que, para o nosso susto, constatou uma febre de mais de 40 graus. Rapidamente, preparamos um banho de 28 graus, mas o Fritz estava tão fraco que o médico e seu assistente tiveram que colocá-lo e tirá-lo do banho. No dia seguinte repetimos o banho e não lhe demos nada além de água gelada e mingau de aveia. No terceiro dia a febre já havia baixado e desapareceu completamente no quarto dia, de forma que pude ali-

---

* Zerbst não deixou de ser adepto de Nietzsche. Ele publicou: "Philosophie der Freude" (Filosofia da alegria) (1904); "Sobre Zaratustra" (palestras, 1905); "Nietzsche der Künstler" [Nietzsche, o artista] (1907)[33, 205].

** Os outros relatos de Deussen sobre duas visitas anteriores e sobre os eventos em Turim infelizmente se confundiram na memória tardia do autor.

mentá-lo com caldo de carne; durante a crise, o médico nos visitou três vezes ao dia, pois a falta de movimento havia causado uma pneumonia, ou melhor, uma congestão pulmonar; como foi grande o nosso medo! Mas agora louvamos a Deus, pois agora ele está bem". E justamente agora a irmã inicia uma briga com esse médico Oscar Gutjahr, que – mantendo um contato constante com o Prof. Binswanger em Jena – supervisiona o bem-estar do paciente desde sua mudança para Naumburg, cuidando também da mãe. O motivo dessa briga é uma das histórias fantásticas da irmã (ela alega que cartas de Nietzsche a ela haviam sido roubadas no Paraguai, e que estas agora estavam sendo vendidas por um chantagista em Chemnitz). Elisabeth acusa o médico em longas cartas de se posicionar contra ela sob a influência da mãe, espalhando infâmias do pior tipo sobre esta. Ela professa ofensas contra o Dr. Gutjahr, que certamente teriam sido suficientes para levá-la à justiça. Gutjahr, porém, considerou sua adversária indigna de tanta atenção e desistiu de resolver o conflito diante de um juiz[54]. A mãe não foi informada sobre todos os detalhes, mas ela percebeu a tensão e sofreu com o caso; por isso pediu ajuda a Overbeck (cf. p. 125).

A biografia redigida apressadamente pela filha, cujo primeiro volume foi publicado em abril de 1895, também foi motivo de preocupação para a mãe. Ela reconheceu que havia sido ignorada propositalmente, e isso doeu. Köselitz suspeitava (carta de 16 de novembro de 1896 a Overbeck) que a mãe, num primeiro impulso, entreteve o pensamento de escrever ela mesma uma biografia de seu grande filho, mas evidentemente ela não possuía as forças para tamanho empreendimento.

A única grande alegria daquele ano ocorreu em 24 de setembro: Overbeck, em sua viagem de Dresden (onde ele havia visitado seus parentes) para Basileia, fez uma parada de algumas horas em Naumburg. Antes disso, em 19 de setembro, ele se encontrara com Elisabeth em Leipzig, prometendo-lhe o envio de fatos biográficos para o trabalho da irmã, mas constantando, ao mesmo tempo, a incompatibilidade de seus pontos de vista em relação à "exploração" do espólio espiritual de Nietzsche. No entanto, isso não afetou o relacionamento da mãe com Overbeck. Ela invejou sua filha pelo privilégio desse encontro e implorou que Overbeck lhe concedesse o mesmo favor. Foi a última vez em que ela o encontrou e em que ele viu seu amigo. Overbeck descreve o encontro em suas memórias[50]: "Que transformação terrível havia ocorrido com Nietzsche desde 1890! Na manhã e na tarde daquele dia, eu o vi repetidas vezes. Durante todo esse tempo ele nunca se levantou de sua poltrona, não trocou uma única palavra comigo; sim, de vez em quando me olhava com uma expressão por vezes apática, por vezes hostil, e me passou a impressão de um animal nobre e moribundo que havia se refugiado em algum canto para aguardar a morte. Não sei se ele me reconheceu, nem sei se ele ainda tinha o domínio da língua, coisa que duvido, mas não tive a coragem de perguntar à sua coitada mãe".

Pouco tempo depois dessa visita, em novembro de 1895, o estado de saúde do paciente voltou a piorar de forma preocupante. Ele teve convulsões na região do queixo, que o impediram de engolir, de forma que a mãe temia que ele não seria capaz de ingerir alimentos e assim sofreria uma morte terrível. Felizmente, essas convulsões diminuíram e passaram a ocorrer apenas em intervalos e por pouco tempo, como em 27 de março de 1896, dia em que a mãe relata: "[...] mas elas já não o impedem tanto quanto no início [...] e assim esse estado, que ocorre apenas a cada dois dias, não provoca mais esse medo terrível e talvez ele passe completamente na medida em que nos aproximamos da linda primavera".

O alívio que a mãe sentiu diante dessa forma mais leve do desenvolvimento da doença e também o orgulho diante do elogio feito pelo Prof. Binswanger em uma de suas visitas periódicas a Naumburg foi ofuscado pelas manipulações comerciais e financeiras de sua filha, que permaneceram incompreensíveis para a mãe e cuja vítima impotente ela acabaria sendo (cf. o próximo capítulo "A aposentadoria de Basileia").

As cartas a Overbeck de 1896 falam quase que exclusivamente desses assuntos, e apenas uma única vez, no final do ano, lemos algo sobre o paciente: "Em geral, podemos dizer que seu estado e sua aparência continuam os mesmos, quando não ocorre a paralisia (como Binswanger a chama). Recentemente, voltou a visitar nosso querido paciente; no entanto, justamente quando o Fritz estava tendo um dia bom, e o professor se surpreendeu ao encontrá-lo tão bem. Ele disse: 'Sra. Nietzsche, preciso elogiá-la; é difícil acreditar que este homem já tem 52 anos de idade'. Tive que providenciar algo comestível, pois o professor queria ver se ele conseguia mastigar e engolir, e se mostrou satisfeito também com isso. De Natal a Natal, porém, espero naturalmente um progresso de seu espírito; antigamente, ainda se alegrava com a árvore de Natal, dessa vez adormeceu diante dela. E seu andar também apresenta grandes dificuldades, especialmente em dias como hoje. Mesmo assim, precisamos agradecer a Deus por tudo estar como está" e como tudo estava havia dois anos: "Ele vive de um dia para o outro; às vezes, suas gritarias começam já às três da manhã, como hoje, aí ajuda um pouco apenas caminhar muito com ele em seu quarto grande no térreo, que chamamos de 'sala dos passeios', o antigo arquivo, o que ele acaba de fazer com seus costumeiros gritos de alegria, e agora está deitado no sofá, um pouco mais calmo, e no dia seguinte ele costuma dormir muito" (carta de 31 de dezembro de 1894). E em 8 de abril de 1895, ela escreve: "Creio até que o senhor se alegraria [...] com sua aparência, como, por exemplo, hoje, mesmo após uma noite passada em claro por ambos. Mas ele recuperou o sono durante o dia e agora está sentado do meu lado aqui na varanda, que é uma verdadeira bênção. De vez em quando fazemos nossos pequenos passeios de 15 minutos pelos cômodos da casa.

Ou seja, estamos *indo*, mas não me pergunte *como*, mas estou feliz por tê-lo comigo, e esse sentimento ajuda a suportar a infinita dor que sinto em meu coração, mas me ajuda saber que *ele* não está sofrendo". A alteração entre dias calmos e dias agitados domina o dia a dia. Em 6 de outubro de 1895, ela escreve: "Agora, às 8 da noite, ele volta a se agitar, e normalmente esse estado se intensifica durante 24 horas, de forma que não esperamos viver um domingo agradável, e assim esse estado retorna a cada segundo dia. A noite passada foi boa, e assim o Deus amado nos ajuda a sobreviver dia após dia, pois assim logo me sinto fortalecida".

Por volta do dia 20 de dezembro de 1895, o Prof. Binswanger fez outra visita e se surpreendeu com a boa aparência do paciente, fazendo o belo elogio à incansável mãe: "O que a senhora fez é maravilhoso, sim, maravilhoso". Sua fé e sua persistência jamais foram abaladas, apesar de todos esses medos, das muitas vigílias e decepções em vista do avanço contínuo da doença, mas, por fim, ela mesma adoeceu. No início de abril de 1897 ela escreve – pela última vez – a Overbeck: "Desde o Natal venho sofrendo de uma infecção estomacal e intestinal, e agora juntou-se a isso também uma forte gripe, pois até ontem faltavam-me sono e apetite, de forma que minha fraqueza me obriga a ficar de cama, e só levanto quando nosso querido precisa de assistência. O médico, que há dez dias me visita diariamente, proibiu qualquer correspondência e visita, com exceção da minha filha, que está comigo sempre que possível. Graças a Deus, a minha excelente Alwine ainda consegue dar conta do trabalho, pois eu me sinto completamente incapacitada. O médico está satisfeito com sua aparência e seu estado geral, mas seus pés estão cada vez mais pesados".

O estado dessa corajosa mulher piorou rapidamente. A infecção intestinal era apenas sintoma de uma doença mais grave. Em 20 de abril de 1897, a morte libertou a mãe na idade de 71 anos e dois meses e meio de todo trabalho e toda preocupação, que, justamente nos últimos tempos, havia aumentado mais uma vez com o fim da aposentadoria de Basileia.

Com a morte da mãe, o tempo de Friedrich Nietzsche em Naumburg chegou ao fim.

IV

A APOSENTADORIA DE BASILEIA
(1879-1897)

A pensão que havia sido concedida a Nietzsche por ocasião de sua saída da universidade em Basileia em 1879 consistia de três partes bastante diferentes. Estas tinham em comum apenas que, segundo as estruturas sociais da época, Nietzsche não tinha direito legal a elas e que seu pagamento era limitado a seis anos, ou seja, até 30 de junho de 1885.

1.000 francos lhe foram concedidos pelo conselho executivo (governo do Cantão) e pagos pelo tesouro do Estado. A partir de 1º de julho de 1885, o conselho precisaria ter renovado sua autorização, o que não ocorreu, porque ninguém estava ciente do problema. Apenas Overbeck sabia que seria necessário entrar com um novo pedido como base para essa decisão. Overbeck, porém – provavelmente com boas razões –, temia que esse pedido provocaria uma nova discussão sobre o caso, que poderia ter levado a uma decisão negativa. Assim, decidiu agir segundo o princípio do "quieta non movere" (mais ou menos: "Não mexa em coisas que não chamam atenção"), pois a quantia continuava a ser paga a partir de 1º de julho de 1885 – sem fundamento legal.

Outros 1.000 francos eram pagos pelo "fundo do legado de Heusler", administrado pelo colégio de professores da universidade. Esse fundo nada tinha a ver com a dinastia de estudiosos dos professores Andreas Heusler, antes fazia parte do legado testamentário de certo "Friedrich Heussler, cidadão desta cidade"*, que deixou para a cidade de Basileia (como poucos anos antes o famoso Christoph Merian) 705 mil francos (vários milhões, em moeda atual), destes "deixo para a louvável univer-

---

* Falecido em 11 de outubro de 1862, sepultado em 14 de outubro de 1862 na I greja de St. Peter. Teve sua última residência em Blumenrain, na "Casa Brandis"; o testamento foi publicado em 14 de outubro pelo tabelião Gedeon Meyer.

sidade desta cidade 100 mil francos em nova moeda, cujos juros anuais devem ser distribuídos entre professores licenciados por motivos de doença, idade ou outras situações emergenciais ou entre suas viúvas e órfãos". Após o término do período de seis anos, a pensão de Nietzsche foi renovada a cada ano, até 1897. O fundo do legado de Heusler financiava vários estudos, pesquisas, viúvas e aposentados. A cada ano, o "curator fiscorum academicorum" apresentava ao colégio universitário a lista dos favorecidos, que, normalmente, era autorizada sem maiores discussões. Assim, a contribuição para Nietzsche permaneceu automaticamente na lista a partir de 1885. Para este pagamento, portanto, existia uma base jurídica.

A terceira parte de 1.000 francos provinha dos círculos da "Sociedade Acadêmica de Voluntários". Não era a sociedade em si que arcava com essa despesa. Na época, era comum apresentar "listas de subscrição" para casos desse tipo, das quais várias circulavam ao mesmo tempo. A sociedade era responsável apenas pela cobrança dessas quantias prometidas pelos seus membros, transferindo-as então para o tesouro estadual, que então providenciava o pagamento aos beneficiados. No caso de Nietzsche, o pagamento era feito durante todos esses anos a Overbeck. E também a subscrição da Sociedade Acadêmica de Voluntários obrigava seus contribuintes ao pagamento durante seis anos depois, a continuação era garantida a cada três anos, ou seja, em 1885, 1888, 1891; e pela última vez em 1894, por meio de novas listas de subscrição. Também aqui existia a base jurídica para a contribuição estendida.

O fundamento decisivo foi a carta circular do presidente da sociedade, do ex--Prefeito Carl Felix Burckhardt-Von der Mühll[*], de 6 de junho de 1879: "O Sr. Prof. Niezsche [sic] pediu e recebeu sua demissão de seu cargo na nossa universidade em decorrência de sua doença, que o impossibilitou de cumprir suas obrigações. Este se encontra em uma situação econômica tão difícil que torna uma aposentadoria indispensável. Por isso, a *T. Curatel* estava pensando em disponibilizar 3 mil francos para este fim; no entanto, só poderá arcar com dois terços desta quantia com fundos estaduais e do legado Heusler, de forma que seria muito bem-visto se alguns amigos do Sr. Niezsche se comprometessem a pagar os 1.000 francos restantes para o período mencionado.

O assinante desta carta oferece a intermediação da Sociedade Acadêmica, contanto que os bens da própria sociedade não sejam usados para este fim.

---

[*] 1º de janeiro de 1824-15 de setembro de 1885; o último prefeito de Basileia que, em 1875, teve que deixar seu cargo por causa da reforma constitucional de 1875; 1876-1885, presidente da Sociedade Acadêmica de Voluntários.

Creio que todos conhecem a triste situação do Sr. Niezsche e que todos acatarão este pedido com benevolência. Evidentemente, cada membro tem plena liberdade de decisão. Eu agradeceria se os contribuintes me informassem, e peço que o assunto seja tratado com confidencialidade".

A lista de subscrição criada por Carl Felix Burckhardt foi assinada por (nesta sequência):

Prof. Wilhelm Vischer-Heusler (1833-1886; filho do tutor de Nietzsche, o Prof. W. Vischer-Bilfinger)

Prof. J.J. Merian (1826-1892)

Conselheiro Dr. Carl Burckhardt-Burckhardt (1831-1901)

Sra. Rosalie Sarasin-Brunner (1826-1908; viúva do Prefeito Felix Sarasin, falecido em 1862)

Emil Thurneysen-Merian (1815-1886; fabricante de laços)

Johann Georg Fürstenberger-Vischer (1833-1897; tesoureiro da Sociedade Acadêmica 1867-1897)

Prof. Karl Steffensen-Burckhardt (1816-1888)

Dr. Johann Jakob Bachofen-Burckhardt (1815-1887)

"Ehinger" (provavelmente o Banco Ehinger & Co.)

Prof. Andreas Heusler-Sarasin (1834-1921)

Dr. Ludwig Sieber (1833-1891; a partir de 1871 bibliotecário, a partir de 1883 bibliotecário-chefe da biblioteca universitária)

Prof. Eduard Hagenbach-Bischoff (1833-1910, físico; desde 1877 membro do conselho de educação)

Prof. Heinrich Schiess-Gemusens (1833-1914; 1864-1896 diretor da clínica oftalmológica; primeiro professor ordinário de Oftalmologia da Universidade de Basileia; oftalmologista de Nietzsche durante seus anos em Basileia)

Karl Sarasin (1815-1886; conselheiro)

Sra. Emma Vischer-Bilfinger (1815-1893; viúva do Prof. W. Vischer)

As quantias oscilam entre 25 e 120 francos, e visto que J.J. Bachofen se comprometeu a contribuir apenas por três anos, o total anual para os primeiros três anos chegou a 1.025 francos, reduzindo-se depois para 975 francos.

Se contemplarmos a idade dos donatários, vemos que, por ocasião da última renovação em junho de 1894, poucos ainda estavam vivos e tiveram que ser substituídos por novos, que já não tinham mais um vínculo pessoal com Nietzsche e que deram continuação à contribuição apenas em virtude de seus laços familiares com os donatários originais. Por isso, o então presidente da Sociedade, o Dr. Isaac Iselin-Sarasin, escreveu aos subscritores, antes disso, porém, ao tesoureiro Georg Fürstenberger: "Pelo que sei, a situação do Sr. Nietzsche tem permanecido a mesma, de forma que a suspensão de sua aposentadoria lhe causaria sérias dificuldades. Por isso, perguntarei aos subscritores se eles estão dispostos a continuar com suas contribuições e já lhe agradeço pela renovação da sua.

É claro que o trabalho de recolher essas contribuições não pode mais ser imposto ao senhor, e com prazer eu assumo a responsabilidade de tomar as providências necessárias. Peço também que o senhor me envie a lista de Rütimeyer, para que eu possa tomar conhecimento das assinaturas.

De resto, peço que o senhor disponha da minha pessoa para qualquer coisa que eu possa fazer pelo senhor".

O convite de 14 de maio para a subscrição, enviada aos membros, dizia: "Em 1891, os senhores tiveram a bondade de renovar suas contribuições para uma aposentadoria do Sr. Prof. Nietzsche para outros três anos até 30 de junho de 1894. A situação financeira do Sr. Nietzsche continua a mesma, e é altamente desejável que a aposentadoria intermediada pela Sociedade Acadêmica seja estendida por outros três anos.

Por isso, permito-me, anexando a última lista de subscrição, apresentar aos senhores uma nova lista e pedir que os senhores consignem as mesmas quantias, dispondo-se a contribuí-las de 1º de julho de 1894 a 30 de junho de 1897".

Dos donatários de 1879 encontramos na lista ainda: Georg Fürstenberger, Frau Rosalie Sarasin-Brunner, Prof. A. Heusler-Sarasin e Prof. Schiess-Gemuseus. Os seguintes herdeiros dão continuação à tradição: a Sra. Merian-Thurneysen, a Sra. Vischer-Heusler, a Sra. Steffensen-Burckhardt. Juntam-se a estes como contribuintes novos os genros da Sra. Rosalie Sarasin: Eduard Vischer-Sarasin, arquiteto e atual presidente da Sociedade, e o Dr. Isaac Iselin-Sarasin (1851-1930; conselheiro 1893-1906). Além destes, A. Burckhardt-Heusler, a Sra. Merian-Burckhardt, Adolf Merian (irmão do prof. J.J. Merian), a Sra. Merian-Thurneysen. Ou seja, eram as mesmas famílias tradicionais de Basileia que permaneceram leais ao Prof. Nietzsche.

Um incidente embaraçoso

Visto que essa parte da pensão era paga trimestralmente (o pagamento do fundo de Heusler era efetuado a cada seis meses) e depositada primeiramente, também após 1885, na conta da secretaria da fazenda, o tesoureiro estadual continuou a pagar a quantia inteira. Apenas quando soube do colapso espiritual de Nietzsche em 1889, ele analisou mais de perto a decisão do conselho e se assustou ao constatar que, há quatro anos, vinha pagando 1.000 francos sem base jurídica. Era uma situação embaraçosa para um homem diligente. As chances de recuperar o dinheiro do beneficiado eram praticamente nulas. Assim, teve que relatar o ocorrido ao seu superior, que reagiu com certa irritação, provocando uma resposta um tanto maliciosa da Basileia "espiritual" contra a Basileia "política".

H. Zehntner, o secretário do departamento de educação, escreveu em 6 de setembro de 1889 ao Prof. Hagenbach-Bischoff: "O Sr. L. David acaba de descobrir que a pensão do Sr. Nietzsche esgotou há muito tempo e que está sendo paga há vários anos, tanto pelos fundos da universidade quanto pela Sociedade Acadêmica sem base jurídica. Não sei como é a situação no fundo de Heusler e na Sociedade Acadêmica, mas por parte do Estado a quantia de 1.000 francos nunca foi prorrogada, e os seis anos, contados a partir de 26 de junho de 1879, se esgotaram em 1º de julho de 1885. O senhor Conselheiro R. Zutt acredita que a pensão estadual deve ser suspensa e não vê razões para renová-la. No entanto, está disposto a ouvir primeiro a opinião do senhor". Em 7 de setembro, Hagenbach respondeu: "A 'descoberta' do Sr. David, segundo a qual a pensão do Sr. Nietzsche estaria sendo paga sem 'base jurídica', é completamente equivocada no que diz respeito ao fundo universitário. Quando o Sr. Nietzsche adoeceu, autorizamos uma pensão de 1.000 francos anuais para um período de seis anos. Quando este período se esgotou (em 1885), a pensão foi renovada anualmente, como comprovam os protocolos do colégio universitário.

Observo ainda que os 1.000 francos não são pagos pelo fundo de acréscimos (*fiscus universitatis*), cujos gastos são decididos pelo conselho da educação e pelo conselho executivo, mas pelo fundo do legado de Heusler, cuja aplicação é, segundo o § 25 da lei universitária, determinada definitivamente pelo colégio universitário, tendo apenas que prestar contas posteriormente ao Estado. A administração da universidade e, pelo que sei, também a Sociedade Acadêmica têm agido de forma muito concreta neste assunto, portanto, o Sr. David não pôde descobrir nada; nada tenho a ver com o pagamento da pensão estadual e não posso informá-lo a respeito deste.

Caso o Estado decida suspender o pagamento da pensão, isso será muito embaraçoso para o Sr. Nietzsche, que se encontra hospitalizado num manicômio. O Sr. Prof. Overbeck pode lhe dar maiores informações sobre as circunstâncias do infeliz Sr. Nietzsche, e, se o senhor assim o desejar, prontifico-me a consegui-las e transmiti-las ao senhor diretor do departamento de educação". E após assinar a carta, acrescentou: "As contribuições da Sociedade Acadêmica foram, como se vê em seu relatório financeiro (página 10 do relato anual de 1881), pagas por diversas subscrições 'separadas', ou seja, destinadas especificamente para este fim. Pelo que sei, os contribuintes se comprometeram para um período de seis anos e depois renovaram suas contribuições". No mesmo dia, o conselheiro responsável informou por meio de seu secretário Zehntner: "Agradeço seu comunicado, que demonstra – como já suspeitávamos – a total legalidade da pensão do Sr. Nietzsche no que diz respeito à Sociedade Acadêmica e ao fundo de Heusler, que não estão sob o controle do governo, e constatamos que apenas por parte do Estado existem irregularidades. Já que o assunto foi levantado, o senhor Conselheiro Zutt pede que o senhor entre em contato com o Prof. Overbeck para saber se os 1.000 francos do Estado ainda são realmente necessários. O Sr. R.R. Zutt duvida muito disso, e não lhe agrada o fato de esta pensão ser gasta no exterior. Caso não existisse uma necessidade absoluta, o conselheiro não estaria disposto a renovar a autorização". A observação de que "esta pensão está sendo gasta no exterior" deve ter causado uma impressão bastante grotesca sobre os membros das antigas famílias de Basileia e da universidade, ainda mais que a família do próprio Conselheiro Zutt provinha de Bruchsal, na Alemanha, tendo entrado na Suíça por Kriegstetten (no Cantão de Solothurn) e adquirido a cidadania de Basileia apenas em 1860. Trata-se de detalhes que precisam ser levados em consideração para uma avaliação dos acontecimentos na cidade de Basileia daquela época. Vítima dessas tensões, porém, foi no fim a Família Nietzsche.

Agora, o tesoureiro estadual Lucas David se dirigiu diretamente a Overbeck com uma carta de 13 de setembro: "Considero ser minha obrigação informá-lo que não sou mais *autorizado* a *pagar*-lhe para o Sr. Dr. Friedrich Nietzsche a quantia de 1.000 francos anuais, que até agora o tesouro estadual tem contribuído para a pensão deste [...]. As quantias pagas posteriormente foram pagas apenas em virtude de um equívoco; espero, porém, que o conselheiro titular *autorize* os pagamentos feitos após 1885, levando em consideração o estado de saúde do beneficiado".

Desde 1885, o mesmo, apesar de ter tido conhecimento da duração de sua pensão, *jamais* pediu uma *extensão* nem ao governo nem à secretaria de educação, *tampouco informou o senhor sobre a duração da pensão*, e ambas as medidas teriam sido *obrigação* do Sr. Nietzsche [...]. Essa situação é para mim, como deve ser também para o senhor, *altamente desagradável*, e conversei sobre isso com o Conselheiro Zutt, diretor da secretaria de educação, e peço que o senhor entre em contato com ele". Os muitos grifos revelam a agitação e conturbação deste homem. Sua alegação, porém, de que Nietzsche não teria informado Overbeck adequadamente é incorreta. O próprio Nietzsche pouco se preocupou com o contexto de sua pensão. O próprio Overbeck se sentiu acusado, e nessa situação nada lhe restou senão desistir da contribuição do Estado, o que ele pôde fazer sem grandes preocupações, pois já sabia exatamente quanto custava a estadia de Nietzsche em Jena. E para eventuais gastos adicionais, ele já havia recebido algum dinheiro de amigos. Além disso, podemos supor que ele já estava discutindo com seus colegas a possibilidade de receber mais dinheiro do fundo de Heusler. Quando Overbeck pediu 500 francos adicionais, o colégio autorizou a quantia tanto em 1891 quanto em 1892 ao Sr. Nietzsche, porém não usou este dinheiro, pois não necessitava dele no momento.

Assim, após conversar com Overbeck, Hagenbach informou ao conselheiro em 25 de setembro: "O Sr. Prof. Nietzsche se encontra no manicômio em Jena e depende, com a exceção de algumas economias insignificantes, totalmente daquilo que recebe de Basileia. O Sr. Overbeck, que administra tudo, acredita poder cobrir os gastos com 2.000 francos ao ano, caso não ocorra nada inesperado. A quantia de 1.000 francos da Sociedade Acadêmica está, pelo que sei, garantida para os próximos dois anos, e a quantia de 1.000 francos do fundo de Heusler foi sempre autorizada sem maiores discussões a cada ano. O Sr. Overbeck acredita, portanto, que no futuro seja possível sobreviver sem a contribuição do Estado". Assim, a partir de 1º de julho de 1889, a pensão de Basileia foi reduzida a 2.000 francos (1.600 marcos alemães), financiados pelo fundo e pelas subscrições, contribuições estas que precisavam ser renovadas a cada ano e a cada três anos respectivamente. A mãe sabia que essa base financeira não era muito estável, e ela sabia também que "os bons cidadãos de Basileia", como ela sempre os chamava, não teriam sido tão generosos durante tanto tempo se não fosse pelos esforços e pela reputação de Overbeck. Tratava-se de uma distorção maliciosa por parte da Sra. Förster para manchar a honra de Overbeck quando esta escreveu ao Prof. K. Von der Mühll em 7 de setembro de 1897: "Mais ou menos 14 dias antes de sua morte, a minha amada mãe foi lembrada desta história por meio de uma carta do Prof. Overbeck. Ele lhe escreveu que a partir de agora a pensão de Basileia seria reduzida à metade. Minha mãe me disse: 'Então você estava certa ao dizer que a pensão de Basileia não era vitalícia'. Ela sempre leu isso nas entrelinhas das cartas do Prof. Overbeck".

Uma primeira crise

ocorreu em 1894/1895. A nova (a terceira!) edição geral das obras de Nietzsche já havia alcançado o oitavo volume com o 'Anticristo' e, graças ao novo contrato bem mais favorável com Naumann, vinha dando bons lucros. Isso suscitou em Basileia a pergunta se a pensão, que, na verdade, era uma assistência social, ainda podia ser justificada. A Sociedade Acadêmica de Voluntários tomou uma primeira decisão em maio de 1894: os donatários renovaram a subscrição para um período de três anos, garantindo assim 1.000 francos anuais até o final de 1897. No entanto, a situação foi avaliada diferentemente pelo colégio responsável pelo fundo de Heusler. O reitor da universidade para 1895 e, portanto, também presidente da comissão responsável pelo fundo do legado de Heusler, o físico Prof. Karl von der Mühll-His (13 de setembro de 1841-9 de maio de 1912; 1872-1889 professor em Leipzig, depois em Basileia), dirigiu-se em 12 de janeiro de 1895 ao Prof. Max Heinze em Leipzig, que ele conhecia pessoalmente: "Durante a avaliação das pensões para o ano de 1895, foi feita a observação que o senhor, respeitado senhor conselheiro secreto, segundo uma declaração de seu colega Wech (?), poderia nos informar sobre a situação atual do infeliz Friedrich Nietzsche. Como o senhor deve se lembrar, não existe nenhuma obrigação nossa de estender sua pensão. Além disso, precisamos levar em conta que nossos recursos são limitados e que, possivelmente, as contribuições para a nossa universidade e para os nossos necessitados são muito mais urgentes. Por isso, eu agradeceria muito se o senhor poderia informar a comissão, que deverá apresentar uma sugestão ao colégio".

A princípio, em vista do sucesso da edição geral das obras de Nietzsche, Heinze acreditava que a contribuição de Basileia não seria mais necessária; no entanto, teve o cuidado de contatar a Sra. Förster, levando esta a relatar minuciosamente, em 4 de fevereiro, seu ponto de vista diretamente ao Prof. Von der Mühll: "Meu caro irmão havia expressado já no passado seu desejo de, algum dia, poder desistir de sua pensão de Basileia. Por isso, conversei no final deste outono com o Conselheiro Dr. Oehler em Magdeburg, título do meu irmão desde seu adoecimento. [...] Devo dizer agora que ele havia considerado este desejo do meu irmão seriamente, mas apresentou tantas razões contrárias que eu tive que reconhecer a insensatez do meu pedido [...]. Nossa pequena família consiste da minha mãe, do meu irmão e de mim. As modestas rendas da minha mãe e também as minhas cessarão quase que completamente com a nossa morte ou serão repassadas para outras mãos. Enquanto vivermos juntos, e um cuidar do outro, os gastos com nosso paciente são diminuídos consideravelmente; no entanto, é possível que nós duas morramos antes do nosso querido paciente (Hölderlin alcançou os 74 anos de idade). Neste caso, ele teria que ser transferido para um instituto, e com que dinheiro pagariam o enfermeiro necessário para cuidar dele? – Meu irmão possui 1.075 marcos [...] em juros, e mesmo se ele recebesse um pouco de capital adicional, dificilmente poderia ser internado num instituto bom, de segunda ou terceira classe – um pensamento verdadeiramente terrível para nossos corações!

Talvez o senhor tenha ouvido que o meu irmão obteve boas rendas por meio dos seus livros, isso é correto, mas é justamente o capital que investimos em seu nome é que lhe fornece os juros de 1.075 marcos. Quando meu irmão adoeceu, ele possuía mais ou menos 12 mil marcos de capital, mas suas muitas curas e sobretudo as impressões privadas de seus livros reduziram seus bens a este mínimo. [...] Após seu adoecimento, o editor exigiu do tutor 1.500 marcos para cobrir seus gastos de impressão, apesar de meu irmão já ter pago tantos mil. Na época, ele havia fechado um acordo incrivelmente desfavorável com o editor; com grandes esforços e após muitos incômodos durante três anos consegui pôr ordem nesse assunto.

Desde então, tudo mudou: o tutor não precisa mais pagar quaisquer gastos com os livros, antes arrecada um bom lucro para o meu irmão; no entanto, ele considera isso apenas como restituição do capital original, investindo-o quase que completamente para a obtenção de juros. Meu irmão possui agora 29 mil marcos em ações [...]. Essa renda teria sido ainda melhor se [...] não tivesse sido publicada uma edição completa não autorizada e de baixa qualidade, que nos obrigou a destruir 3.500 volumes. Evidentemente, a edição geral atual, com funcionários tão capacitados como o Sr. Dr. Kögel e o Sr. Dr. Von der Hellen, custa grandes quantias, mas os maiores gastos são pagos pela empresa Naumann e por mim mesma [...]. O tutor do meu irmão me informou que é absolutamente impossível desistir da pensão de Basileia. [...] Tudo isso me abala, pois temo que Basileia esteja receosa em conceder essa pensão ao meu irmão, e ele mesmo nunca queria ser um peso para a cidade. Eu mesma nada possuo; o restante do dinheiro líquido que o possuía foi usado para a instalação e manutenção do arquivo nietzscheano, medida absolutamente necessária com base para a edição geral. Não posso dizer nada disso à minha pobre mãe, [...] pois ela considera a pensão de Basileia a única garantia [...] além dos poucos juros, e ela duvida que seus livros continuarão a dar lucro. Eu também acredito que, após a edição geral, não teremos mais lucros maiores; quem compra livros filosóficos na Alemanha? Os livros do meu irmão não foram escritos para a massa. Se eu pudesse escolher, venderia seus livros apenas aos pouquíssimos que o entendem, por isso não lamento o alto preço [...]. No entanto, devo retornar ao assunto principal desta longa carta; fico muito triste por não poder tirar este peso da cidade de Basileia, gostaria muito de fazê-lo. Talvez, porém, eu poderia fazer a seguinte proposta:

Seria possível a Universidade de Basileia firmar um contrato com o tutor? O tutor do meu irmão se obrigaria, caso a Universidade de Basileia continuasse a pagar a pensão do meu irmão até 1º de janeiro de 1900, contribuir 10 mil francos ao fundo que financia a pensão após a morte do nosso querido paciente. Eu peço com urgência que o senhor redija um contrato com validade jurídica tanto na Suíça como na Alemanha em nome da herdeira do meu irmão (minha mãe).

Imploro ao senhor que pondere este assunto com um coração compassivo! Meu único desejo é proteger meu tão amado irmão de qualquer necessidade, e satisfazer todos os seus desejos é minha sagrada obrigação, por isso quero tanto não ser um peso para a cidade de Basileia. [...] Caso me ocorra uma proposta melhor, eu me reservo o direito de dirigir-me novamente ao senhor. O senhor pode ter a certeza de que ninguém deseja desistir da pensão de Basileia mais do que eu, mas também não posso permitir nada que dificulte a vida do meu irmão tão impotente e da minha mãe tão atordoada por preocupações. A proposta acima me parece boa. Evidentemente, a quantia de 10 mil francos será paga também se meu irmão não viver mais cinco anos. Durante este período de cinco anos, economizaremos cada centavo de suas rendas e tomaremos todo tipo de providências para proteger nosso caro paciente de qualquer necessidade".

Após essa longa carta, o Prof. Von der Mühll deve ter explicado à irmã mais uma vez que não cabia a ela *desistir*, mas sim ao colégio *autorizar* a pensão e que, atualmente e até 1897, ela poderia contar apenas com a pensão de 1.000 francos da Sociedade Acadêmica. Então, em 16 de fevereiro, ela assume outra postura: "O fato de que alguém possa pensar em negar a pensão, toda a pensão, ao meu pobre irmão, e isso em tempos em que o governo cuida até do mais simples diarista em tempos de doença e necessidade, me parece absolutamente incrível. Temo que, recentemente, tenha me expressado mal: eu lhe disse claramente que só conseguimos acumular seu pequeno capital em virtude da publicação da edição geral – isso, porém, significa que uma nova edição – e novos lucros – só serão possíveis em quatro anos. Sim, ainda serão publicados dois ou três volumes com seus escritos inéditos; no entanto, não sabemos ainda quando, pois ainda será necessário fazer um trabalho muito dispendioso de decifrar os textos. Ou seja, a Universidade de Basileia impõe a um de seus antigos membros mais famosos a calamidade de viver de 1.000 marcos ao ano. Este é o preço de um enfermeiro [...] assim que sua paralisia piorar [...]. Um homem da importância do meu irmão, nessa situação de doença e impotência, terá que ser sustentado pelos seus parentes com tão poucos bens? Creio que entendi completamente errado a pergunta recente. Acreditava que a universidade estava pedindo que *desistíssemos* da pensão de Basileia. Por isso eu lhe escrevi que o faríamos no momento em que teríamos a certeza de uma renda garantida para o nosso pobre paciente. [...] Repito que alcançaremos este ponto em cinco anos, pois acredito que em quatro anos poderemos relançar a edição geral de suas obras".

Aparentemente, a universidade se satisfez com essas informações, pois a pensão de Nietzsche foi autorizada sem discussão. Mas já no ano seguinte as dúvidas ressurgiram, dessa vez provocadas por duas cartas da Sra. Förster. O Prof. Karl von der Mühll informa Overbeck em 7 de dezembro de 1895 sobre essa correspondência: "Minha resposta limitou-se essencialmente à informação que todos aqui não queriam ter nada a ver com o contato proposto e que nós, aqui, deveríamos apoiar quaisquer contribuições futuras até chegarmos à convicção de que os recursos necessários para o cuidado do paciente podem ser retirados de outro lugar". Aparentemente, a Sra. Förster havia apresentado mais uma vez seu plano de devolução da pensão, para assim garantir uma renda fixa. Entrementes, porém, ela havia encontrado outro meio de se garantir financeiramente. Ela conseguiu se impor à mãe e ao tutor Oehler, e eles lhe cederam todos os direitos – e lucros – referentes às publicações, demonstrando assim uma sensibilidade extraordinária para o sucesso comercial.

A irmã adquire os direitos autorais

Ela armou a armadilha com grande ardil: Mesmo sabendo que a contribuição da Sociedade Acadêmica estava garantida até 1897 e que o Prof. Von der Mühll confirmara o apoio, pelo menos por ora, por parte do fundo de Heusler, ela, no final de novembro, passou a aterrorizar a mãe com a "notícia profundamente preocupante" de que essa pensão "deveria ser negada ao meu pobre filho", como a mãe escreve em 28 de novembro de 1895 a Overbeck: "Soube também através de terceiros que minha filha tem falado de um tipo de restituição, ideia esta que ela não pode estar cogitando seriamente", e ela pede uma resposta rápida de Overbeck, talvez até por telegrama, pois no domingo (1º de dezembro) viria seu sobrinho Adalbert para discutir um "assunto muito excitante", cuja decisão dependeria da garantia da pensão de Basileia. Pois Elisabeth já preparou um substituto para essa pensão. Se os tutores (a mãe e o Conselheiro Oehler) transferissem os direitos autorais para ela (Elisabeth), ela pagaria 30 mil marcos e prometeria à mãe uma pensão anual de 1.600 marcos. A mãe desconfiava dessa proposta maravilhosa, ela não conseguia imaginar de onde viria tanto dinheiro. "De amigos", garantiu a filha, sem revelar quem eram esses "amigos"; tampouco lhe apresentou as condições para tanta generosidade. Em 6 de dezembro de 1895, a mãe confessa a Overbeck: "[...] não estou conseguindo me alegrar com essa proposta, e assim essa decisão me é uma tortura. E também meu sobrinho [...] não conseguiu chegar a uma decisão clara, ou antes a tomou para me dar tranquilidade, mas a cada dia que passa encontro mais razões contra do que a favor da proposta". Ela também lhe diz por que ela não acredita na existência de tanto dinheiro: "Os gastos são tão altos que não podemos economizar muito, e eu jamais recebi nada nem de seus juros nem do arquivo". Finalmente, poucos dias antes do Natal, ela não resiste mais, e, humilhada e com a sensação amarga de ter cometido um erro, ela conta a Overbeck em 27 de dezembro de 1895: "As últimas semanas têm sido bastante difíceis, mas, antes de lhe explicar tudo por escrito, creio que seja melhor enviar-lhe o respectivo documento*, que lhe dirá que o Nietzsche-Archiv com todos os seus rendimentos (também de Naumann) foi transferido para a minha filha. Foi totalmente surpreendida com o contrato, de tal forma que, à noite, meu sobrinho em Magdeburg o enviou para mim, sendo que, no dia seguinte, Elisabeth já havia marcado um encontro com o tabelião para a assinatura deste. – No entanto, não contaram com minha teimosia, e resisti durante quatro semanas. Por fim, acreditando que eu mesmo adoeceria e também porque meu sobrinho não parava de me escrever, tentando me convencer a assinar o documento, eu acabei cedendo; pedi ainda no dia anterior que o Prof. Heinze de Leipzig viesse. Ele [...] concordou em cada ponto com a minha opinião, pois já havia recebido uma cópia do contrato da Lieschen [...]. Considerei tudo um grande equívoco por parte da minha filha querer *comprar* o tesouro espiritual do meu filho, do nosso querido paciente, com dinheiro de estranhos, pois eu não via a mínima necessidade de mudar qualquer coisa. Nem eu nem meu sobrinho jamais colocamos qualquer obstáculo no caminho da Lieschen e do Sr. Kögel. [...] Diante de Heinze, Lieschen alegou que precisava dos direitos para poder decidir sobre a aquisição de eventuais correspondências etc. [...] Assim, no dia seguinte, vieram a minha filha e o tabelião até a minha casa, pois eu estava doente, e assinei com profunda amargura o contrato. – Acredito que nem ela sabe de onde tirar o dinheiro para sua própria existência, para o salário de Kögel e para a pensão de 1.600 marcos para o Fritz (que, como me disse o Prof. Heinze, deve existir apenas no papel), pois a Lieschen não sabe lidar com dinheiro [...]. No entanto, desde a assinatura, a atmosfera aqui em casa melhorou muito e passamos uma véspera de Natal muito feliz".

Agora, a Sra. Förster pôde escrever ao Prof. Karl von der Mühll em 12 de janeiro de 1896 uma de suas longas cartas com uma postura já não mais de pedinte. Primeiro, ela se desculpa por ter esquecido a carta de Von der Mühll em algum lugar em Weimar, Leipzig ou Berlim, mas garante que a responderá mais tarde. Também "pedirei ao tutor de meu irmão que lhe envie uma relação detalhada de todos os bens do meu irmão. Então, o tutor e o senhor poderão decidir com toda liberdade o que melhor corresponda à situação do meu irmão em relação à pensão. Minha mãe não faz a menor ideia de tudo isso, pois meu sobrinho [...] trata de todos os assuntos financeiros [...]. E esta era a infelicidade do contrato editorial atual: minha mãe devia decidir sem nenhum conhecimento e apenas de acordo com suas curiosas

---

* Cf. Documento 16.

concepções. O senhor se admira que, apesar de tudo, o contrato mesmo assim veio a ser assinado? Isso se deu da seguinte forma: Os poucos que conseguiam entender a situação toda, três juristas excelentes, a firma C.G. Naumann e um amigo, lançaram simultaneamente o ataque contra minha mãe tão incrivelmente alógica; a situação se agravou ao ponto de ameaçarem tirar dela a tutela caso não assinasse o contrato tão favorável ao meu irmão. Então ela consentiu, mesmo que muito aborrecida. Apenas posteriormente fiquei sabendo que aquilo que mais irritara os peritos, ou seja, o equívoco proposital em relação à minha "conduta louvável", como dizem os bons", se devera ao meu próprio erro. Nem antes, nem agora posso falar sobre meus atos sem que minha mãe os desprezasse. Por acaso, alguns dias atrás, um dos peritos relata a situação que eu encontrara cinco anos atrás – um caos total! Visto que a impressão dos livros havia sido organizada pelo meu irmão, existiam dívidas de 5 mil marcos que estavam sendo reivindicadas e uma poupança de apenas 10 a 12 marcos; e agora, cinco anos depois, meu irmão possui 60 mil marcos; além disso, ofereço-lhe, para o caso de um fim da pensão de Basileia, uma aposentadoria de 1.600 marcos, e o perito afirmou que isso era algo incrível, explicável apenas com meu amor extraordinário pelo meu irmão [...]. A firma C.G. Naumann havia interpretado como definitivo um acordo oral com meu irmão [...]. Ninguém me deu seu apoio. Overbeck estranhamente apoiou o adversário e praticamente sancionou o equívoco. Se esse equívoco tivesse persistido, meu irmão estaria pobre e dependeria exclusivamente da pensão de Basileia, mas agora chegamos ao ponto em que podemos discutir a questão da pensão. Além do mais, o perito ressaltou ainda como eu havia providenciado para que a herança espiritual do meu irmão sobrevivesse, fundando o arquivo, publicando a edição geral de suas obras, *summa summarum*, praticando uma abundância de bons atos. Por fim, lembrou ainda os sacrifícios que eu fizera, todo o meu dinheiro, meu tempo e minha energia sacrificados pelo meu irmão [...]. Esse retrato geral da minha excelência [...] por fim convenceu a minha mãe. Desde então, ela é uma mulher transformada e demonstra agora também a mim todas as qualidades amáveis de sua natureza. [...] Preciso pedir ao senhor que não considere como decisivas quaisquer observações do Sr. Overbeck. Ele não entende nada dessa situação, apenas dificultou tudo para mim e me tratou de forma inapropriada. Conversei sobre isso com o conselheiro secreto Rohde, e ele desaprovou o comportamento de Overbeck, mas me disse também que a culpa era de sua esposa, pois estaria tentando afastar Overbeck de todos os seus velhos amigos; talvez isso desculpe o seu comportamento".

É provável que a Sra. Förster, durante a visita de Rohde a Naumburg, o tenha importunado tanto com queixas e observações maliciosas sobre Overbeck, deixando-o numa situação muito desagradável. Ele prezava Overbeck altamente, e a amizade com o estudioso idôneo lhe era cara. Por outro lado, reconheceu também algumas qualidades das atividades da irmã de seu amigo, com o qual ele mantinha laços pessoais desde os tempos de estudo. Para ele, a tensão entre a Sra. Förster e Overbeck era, no mínimo, lamentável e até fatídico para a vida literária póstuma de Nietzsche. Assim, tentou intermediar, protegendo Overbeck diante da Sra. Förster – no entanto, de forma muito infeliz, atribuindo toda a culpa à esposa; por outro lado, escreve cartas a Overbeck tentando convencê-lo a cooperar com a Sra. Förster, mas Overbeck não via razão para fazê-lo. Assim, a intermediação de Rohde não teve o êxito desejado, mas felizmente também não teve efeitos negativos sobre a amizade destes velhos amigos de Nietzsche. Overbeck, pelo menos, jamais demonstrou ter tomado conhecimento de sua observação referente à sua esposa feita pela Sra. Förster. É possível que o Prof. Von der Mühll jamais tenha usado essa "informação", pois simplesmente ignorou esta carta e autorizou a continuação da pensão.

O *curator fiscorum academicorum*, o Prof. Hagenbach-Bischoff, incluiu a pensão de Nietzsche também para 1896 em sua lista, mas observou em uma carta circular de 26 de fevereiro de 1896 aos membros da comissão: "Esperamos que no futuro o pagamento de uma pensão para o Sr. Nietzsche não seja mais necessário, mas visto que sua situação continua um tanto crítica, a suspensão abrupta da pensão poderia ter consequências desagradáveis para o paciente. Caso se evidencie no decorrer do ano que o pagamento da pensão tenha se tornado desnecessário, a soma destinada a ele evidentemente não será paga".

Os membros da comissão não se opuseram à resolução por via circular, não realizaram nenhuma reunião, e assim a quantia foi incluída no orçamento. O Prof. Hagenbach, porém, não se contentou, e em 29 de fevereiro de 1896 escreveu ao colega Von der Mühll: "Estou retornando a carta da Sra. Förster. Eu a li. Se esses 60 mil marcos realmente existirem e, além destes, ainda existe a possibilidade da pensão de 1.600 marcos, podemos suspender a pensão sem maiores problemas. Mas todo o teor e o tom da carta me levam a crer que devemos pedir informações de uma pessoa mais sóbria. Muito bem-vinda seria uma informação do tutor: o colega Overbeck conhece o tutor, e talvez pudéssemos pedir informações a ele". O Prof. Von der Mühll acatou a sugestão, e Overbeck escreveu ao Conselheiro Oehler em Magdeburg, que então forneceu as seguintes informações em 30 de março:

1) "Rendas garantidas se limitam no momento aos juros decorrentes dos 29.600 marcos em ações, que, rendendo 3,5% ao ano, chegam a 1.000 marcos."

2) "O Prof. Nietzsche não tem mais direito a rendas autorais. Todos os direitos contratuais foram transferidos para a irmã, a Sra. Förster-Nietzsche [...]."

Então ele relata as razões pelas quais o tutor defendera a transferência dos direitos autorais: Os tutores responsáveis não podiam exercer qualquer influência sobre a edição geral por meio do Dr. Kögel e da Sra. Förster, pois não se consideravam competentes; por outro lado, não queria assumir os riscos ligados a esse empreendimento. O risco era pequeno para os primeiros volumes praticamente já editados, estes prometiam até um pequeno lucro. O espólio, porém, de difícil decifragem e interesse questionável, poderia acarretar perdas enormes. Por lei, porém, os tutores não podiam expor seu tutelado a tais riscos. E existia outro risco, que precisava ser evitado: o de que o legado espiritual deste tutelado se dissipasse. "Essa tensão entre as obrigações dos tutores se manifestou claramente em questões individuais desse empreendimento. Por isso, optamos pela solução de transferir todos os direitos editoriais à Sra. Förster. Ela se comprometeu a pagar uma quantia de 30 mil marcos à tutela jurídica e, além disso e caso a pensão de Basileia fosse suspensa, uma pensão de 1.600 marcos anuais, e a arcar com todas as despesas do arquivo e referentes a todas as edições das obras de Nietzsche. Essas obrigações assumidas pela Sra. Förster no contrato, porém, se apoiam num fundamento duvidoso. Ela mesma sacrificou todos os seus bens em prol do empreendimento colonial de seu marido no Paraguai. Os 30 mil marcos mencionados acima lhe foram *emprestados* por amigos, a juros de 3% ao ano. Caso a edição geral das obras avancem de forma satisfatória e os grandes gastos causados pelo empreendimento possam ser limitados (em breve), é possível que a Sra. Förster consiga cumprir as obrigações por ela assumidas. No entanto, ninguém sabe se tudo ocorrerá como ela espera. Portanto, ainda não posso garantir que, caso forem suspensas as ajudas generosamente concedidas pela universidade e suas fundações, o Sr. Nietzsche realmente receberá as compensações prometidas pela Sra. Förster. Creio, porém, que a Sra. Förster veja tudo isso de forma um pouco diferente. Ela aposta no futuro: é possível que seus cálculos estejam corretos. No entanto, relatando de forma responsável a situação financeira, só posso falar das condições reais atuais.

3) Os créditos que o Sr. Nietzsche recebeu no passado de amigos – principalmente para cobrir as despesas editoriais de algumas obras – já foram todos quitados; resta apenas uma dívida de 1.000 marcos que será paga na medida em que entrarem os recursos.

4) A mãe – a Sra. Nietzsche – recebe uma pensão muito modesta, creio que 300 a 400 marcos por ano. Ela possui uma casa em Naumburg com algumas hipo-

tecas de alguns mil marcos*. Antigamente, ela alugava a casa, de forma que isso lhe fornecia uma renda suficiente para seu estilo de vida extremamente humilde. No entanto, a doença de seu filho a impossibilita de alugar a casa a terceiros. Por isso, a casa só lhe causa despesas há vários anos, e não lhe dá qualquer renda...

Qualquer que seja a decisão que os senhores tomarem, quero garantir-lhes que serei sempre grato à Universidade de Basileia e a seus membros e autoridades pela generosidade demonstrada ao meu sobrinho Friedrich Nietzsche.

Finalmente, Adalbert Oehler comunicou agora também à sua tia em Naumburg o mistério envolvendo os 30 mil marcos. Em 2 de abril, a mãe escreve a Overbeck: "Eu soube que os 30 mil marcos foram *emprestados*, o que confirmou a suspeita que tive desde o início. Tudo isso é uma comédia, mas precisamos aceitar os fatos se não quisermos estragar os poucos anos que ainda nos restam, e por isso espero que tudo dê certo. Talvez saberei apenas por que tudo aconteceu dessa forma no momento em que meu sobrinho nos faça uma visita aqui em Naumburg [...]. Estiveram aqui agora mesmo dois senhores de Berlim, que haviam marcado uma reunião com minha filha". Mas o que ela ainda não sabia: de onde viera o dinheiro. Por isso, também não sabia por que os "senhores de Berlim" haviam vindo.

Elisabeth havia pedido um empréstimo a diversos "amigos" e "admiradores" em vários lugares. (Esta era a viagem durante a qual ela perdera a carta de Von der Mühll em algum lugar.) No entanto, ela não foi bem-sucedida, pois não podia oferecer garantias. Agora, passou a fazer um perigoso jogo duplo: Ela só pode tirar os direitos autorais da mãe se ela lhe oferecer 30 mil marcos; estes, porém, ela só pode receber após conseguir os direitos autorais da mãe. Por ocasião da assinatura do contrato, ela dá a entender que já dispõe do dinheiro, consegue assim a transferência dos direitos autorais e agora, com estes, parte em busca de amigos dispostos a lhe dar o dinheiro. A primeira que ela procura é a amiga Meta von Salis. Já em outubro ela havia lhe pedido um empréstimo de 500 marcos. Meta von Salis lhe deu o dinheiro com o qual ela pôde comprar a carta misteriosa, que supostamente lhe havia sido roubada no Paraguai. Aparentemente, ela teve um interesse muito grande em adquirir (e destruir?) essa carta de seu irmão. No entanto, as rendas do arquivo não bastavam (suas viagens de 1895 a Turim, Sils e Basileia haviam custado demais), por isso dependia desse empréstimo de Meta von Salis.

Mas nem mesmo agora, com os direitos autorais em mãos, ela conseguiu os empréstimos. Em 30 de dezembro de 1895, ela, deprimida e cabisbaixa, escreve a

---

* Em uma carta a Overbeck, a mãe diz que se tratam de 3.500 marcos.

Meta von Salis e relata também que o Dr. Kögel continua empenhado nessa questão em Berlim, tendo encontrado uma possibilidade; no entanto, estariam exigindo uma garantia de 5 a 6 mil marcos por meio de ações (ou seja, pelos bens do irmão!). Ainda em 24 de janeiro de 1896, Elisabeth relata a Meta von Salis uma dificuldade que estaria ameaçando as negociações. O Dr. Kögel e o Dr. Hermann Hecker queriam emprestar o dinheiro de Von der Heydt; o Conde Harry Kessler e o Dr. Raoul Richter favoreciam Robert von Mendelssohn. Independentemente da decisão final, era provável que precisassem de um fiador. Elisabeth propõe a Meta von Salis: Meta von Salis emprestaria 10 mil, Elisabeth 2 mil, e o Dr. Richter, o Conde Kessler e o Dr. Hecker cada um 6 mil marcos. Em 26 de janeiro, o contrato foi assinado, cujas garantias liberaram os 30 mil marcos cedidos por Robert von Mendelssohn (pessoalmente, não por seu banco) para um período de cinco anos até 1º de fevereiro de 1901. Como fiadores assinaram: Meta von Salis, Dr. Hermann Hecker, o Conde Harry Kessler e o Dr. Raoul Richter, dos quais cada um se dispôs a afiançar 6 mil marcos. Aparentemente, o próprio Robert von Mendelssohn assumiu os 6 mil marcos restantes[*]. É irônico o fato de que o arquivo de Nietzsche, que mais tarde seria transformado em centro espiritual do nacional-socialismo, precisou recorrer a capital judeu, o que o próprio Nietzsche já havia previsto em 9 de dezembro de 1888 em uma carta a Heinrich Köselitz: "O senhor já sabe que precisarei de todo *o capital judeu* para o *meu* movimento internacional?" Talvez a Sra. Förster tenha se lembrado disso quando, em 1933 e a despeito de toda sua veneração pela pessoa do "Führer" e seu programa nacional, ela se manifestou expressamente contra a perseguição aos judeus como grande equívoco sob a influência de conselheiros ruins.

As decisões em Basileia foram independentemente de qualquer influência dessas tramas todas. A quantia anual foi incluída ao orçamento de 1896 do fundo de Heusler, e o Prof. Von der Mühll encaminhou imediatamente a carta de Oehler a Franz Overbeck: "Eu informei ao senhor conselheiro Dr. Oehler em Magdeburg o recebimento desta e lhe agradeci pelas informações. Na minha opinião, a situação se apresenta de forma clara e simples: Procuraremos autorizar a ajuda de 2 mil francos a cada ano até a morte do infeliz".

Mesmo assim, o ano de 1897 trouxe

o fim da pensão de Basileia

A primeira parte da pensão a ser suspensa em 30 de junho de 1897 foi a subscrição da Sociedade Acadêmica. Em 15 de julho, G. Preiswerk (contador?) escreve

---

[*] Cf. Documento 17.

ao tesoureiro Dr. Rudolf Sarasin-Vischer sobre a dificuldade de arrecadar a quantia total após a morte de Georg Fürstenberger e pede que a parte de Fürstenberger seja assumida pelo caixa geral. "Antes, porém, de contabilizar este gasto, quero informar o senhor desta questão. Caso o senhor considere necessário comunicá-la também ao senhor presidente da sociedade, eu o farei; no entanto, o faria com uma consciência mais leve se minha proposta recebesse o consentimento do senhor." O tesoureiro queria que o assunto fosse resolvido em "silêncio", visto que "segundo uma informação do nosso senhor presidente [Dr. Iselin-Sarasin] nossos subscritores não estão mais dispostos a renovar sua subscrição para o Sr. Nietzsche". À maioria faltava uma relação pessoal com Nietzsche. Além do mais, o sucesso do arquivo de Nietzsche (entrementes transferido para Weimar) noticiado pela imprensa deve ter causado certo desconforto entre os membros da sociedade. Aparentemente, não existia mais necessidade para uma pensão.

A quantia de 1.000 francos do fundo de Heusler, porém, havia sido autorizada mais uma vez para todo o ano de 1897 e foi pago; isso teria acontecido também sem o pedido do tutor Oehler ao Prof. Karl von der Mühll de 21 de junho de 1897: "A situação continua igual [...] à descrita em meu relato detalhado do ano passado [...]. Após o falecimento precoce da mãe de Friedrich Nietzsche, eu, como tutor deste, combinei com a Sra. Förster que esta assumisse todos os cuidados e despesas para seu irmão e ficasse com todas as rendas de seu irmão. Essas rendas somam – sem a pensão de Basileia – 2.100 marcos. Não preciso dizer que esta quantia não basta para cobrir todos os gastos relacionados ao irmão, com o qual ela se mudará no próximo mês para uma casa isolada em Weimar, e que ela precisará fazer sacrifícios para cumprir suas obrigações. Visto que agora, em virtude da mudança e de adaptações necessárias na casa nova em Weimar, se acumulam despesas consideráveis, eu agradeceria profundamente se as parcelas da pensão concedida para este ano ainda fossem pagas. Acatando uma proposta da Sra. Förster, tentarei, a partir de agora, não recorrer mais à pensão concedida até agora. Temos todos os motivos para agradecer de todo coração a toda ajuda fornecida pela universidade e seus amigos. Esperamos, porém, que, sob as circunstâncias atuais, seja possível abrir mão desta pensão. [...] Quero então fazer a proposta em nome do paciente que, caso as circunstâncias se desenvolverem de forma tão desfavorável que sejamos obrigados a pedir ajuda, o senhor nos permita dirigir-nos ao senhor [...]. Quero aproveitar esta oportunidade também para agradecer mais uma vez ao senhor, venerado professor, e a todos os contribuintes pela ajuda concedida ao nosso infeliz paciente".

Como demonstram diversas cartas à Sra. Förster, o Prof. Von der Mühll se empenhou de forma excepcional por Nietzsche. Assim, preocupou-se ao saber da suspensão das contribuições pela Sociedade Acadêmica a partir de 1º de julho e expressou diante de Overbeck a intenção de pedir ao fundo de Heusler esta quantia, caso ela realmente fosse suspensa. No entanto, acreditava que o pagamento fosse continuado pelo menos até o fim do ano: "Caso isto não ocorrer, eu faria a tentativa de pedir à regência 500 francos ainda para este ano e justificaria meu pedido com os gastos extraordinários causados pela morte da mãe e pela mudança para Weimar, afirmando que não seria justo negar-lhe este último apoio. Talvez fosse até possível receber esta quantia da própria Sociedade Acadêmica". Overbeck o informou em 27 de julho que a Sociedade não pagaria mais. Em julho, Von der Mühll expôs mais uma vez toda a situação ao Conselheiro Oehler, vendo-se obrigado a informá-lo que no fim de 1897 o fundo de Heusler também suspenderia os pagamentos em virtude do adoecimento do Prof. Franz Misteli, que lecionava Linguística Comparativa desde 1874. Von der Mühll reforça também em sua carta a Oehler a intenção de obter uma quantia adicional de 500 francos para o ano de 1897, o que ainda seria possível, visto que a pensão de Misteli seria paga apenas a partir de janeiro do ano seguinte; no entanto, o conselheiro precisaria demonstrar uma necessidade especial para reforçar o seu pedido, por isso pede ao Dr. Oehler: "Preciso agora de sua declaração expressa de que os 500 francos são necessários, talvez com uma explicação mais detalhada". Esta, porém, parece nunca ter chegado em suas mãos, pois o pedido não foi feito. Von der Mühll encerra sua carta com a promessa: "Farei o possível para que a cidade de Basileia cumpra sua obrigação moral até o fim e me coloco à sua completa disposição caso uma ajuda adicional se torne necessária".

Felizmente, essa ajuda não foi mais necessária, o que a Sra. Förster confirma em uma de suas típicas cartas longas e patéticas ao Prof. Von der Mühll: "O tutor do meu irmão me enviou uma carta sua para que eu a respondesse. Aproveito a oportunidade para expressar a minha grande gratidão pelo empenho da Universidade de Basileia e de todos que se interessaram com tanto carinho pelo irmão e pelo esforço de afastar todas as preocupações financeiras da minha mãe e do meu irmão. Sempre nutri o profundo desejo de poder desistir da pensão de Basileia; tantas vezes ele expressou seu incômodo de depender de uma comunidade tão pequena durante tanto tempo [...]. Agora, ao tentar viver apenas das nossas rendas literárias e não pedir a continuação de pequena parte da pensão, eu o faço apenas porque tento cumprir em todos os meus atos os desejos do meu caro irmão, mesmo tendo que fazer sacrifícios pessoais". O desenvolvimento do arquivo e do espólio de Nietzsche a dispensaram de qualquer sacrifício. Rapidamente, ela desempenhou o papel de "*grande dame*" abastada.

A suspensão da pensão de Basileia, porém, rompeu todos os últimos laços positivos com a cidade. Agora, ela não precisava mais poupar e cortejar Overbeck, e rapidamente ele se transformou em alvo da agressividade da Sra. Förster, enquanto ele não tinha outro desejo senão preservar a sua paz e não se envolver com todo o teatro encenado em torno do arquivo. Em 31 de março de 1897 ele se aposentara de sua docência, foi dispensado pelo governo com o reconhecimento de seus excelentes serviços, e agora queria apenas desfrutar em paz dos seus últimos anos de vida. Ele não criou quaisquer obstáculos para o arquivo, mas também não quis ser envolvido em suas atividades. A Sra. Förster frustrou profundamente este seu último desejo com seus constantes ataques, estabelecendo assim a tensão fatídica entre Basileia e Weimar*.

---

* As cartas citadas neste capítulo sem indicação de fonte se encontram todas no arquivo estatal da cidade de Basileia[236]: Universitäts-Archiv III 17/6, Privat-Archiv 340/F 1 e espólio de Overbeck na biblioteca universitária[250].

V

Weimar
(julho de 1897-fim de agosto de 1900)

Nietzsche conseguiu se integrar e ser aceito e apoiado apenas por uma "sociedade": aquela formada pelas antigas famílias Burckhardt, Heusler, His, Merian, Sarasin, Thurneysen e Vischer de Basileia, e ele sempre esteve muito ciente desses laços. Ainda em 20 de outubro de 1887 ele escreveu ao mestre de capela de Basileia Alfred Volkland, enviando em anexo o seu "Hino à amizade": "No que diz respeito à sociedade de Basileia [...] ele despertaria em mim um forte interesse. Não existe outro lugar que vê este velho filósofo com olhos tão favoráveis [...]". Suas relações com o círculo de Wagner eram de natureza diferente. Este não era uma sociedade de estudiosos e comerciantes líderes (e ricos), mas de personalidades individuais interessantes. Elas podiam oferecer amizade, mas nenhum arraigamento.

Nietzsche perdeu esse arraigamento com o fim de pensão em 1897. E, no mesmo ano, a morte da mãe o privou também do solo materno de Naumburg, que nunca havia sido pátria para ele.

Ele sempre permaneceu alheio ao "povo", ao arraigamento num corpo popular; por isso, também, seus frequentes ataques contra o nacionalismo de seu tempo. Nem em Basileia (onde seu cargo num instituto de ensino público o impedia), nem em Sils, Gênova ou Turim se deu essa ligação mais íntima com a população. O convívio de Nietzsche se limitou em todos os lugares aos acadêmicos e à baixa nobreza (ou, como em Basileia, às famílias mais importantes). Por isso, ficou ressentido com o fato de que Jacob Burckhardt se encontrava também com os cidadãos comuns ("filisteus") nas tavernas da cidade.

Suas forças espirituais o haviam abandonado há muito, e agora – inconsciente – também o abandonaram os produtos de seu espírito. Eles foram transferidos para a sua irmã. E finalmente, também ele, seu corpo já em estado vegetativo, passou a ser controlado por ela. Ele se transformou em elemento do arquivo, mesmo que em elemento especial, em objeto de culto.

Elisabeth havia se mudado com o arquivo para Weimar já em 1º de agosto de 1896. Ela alegava trabalhar melhor naquela cidade, sobretudo na biografia, e de receber mais impulsos e de estar mais próxima das fontes. Sim, em comparação com Naumburg, Weimar oferecia um ambiente espiritual bem mais rico. E Weimar como sede concedia ao arquivo uma reputação melhor, externamente isso o elevava ao mesmo nível do arquivo de Goethe, e Elisabeth teria sido a última a se acanhar diante de um nome de tanto peso. E Weimar prometia também mais visitantes, mais visitantes importantes. Também não precisava mais "seduzir" os funcionários do arquivo de Goethe e convencê-los a sair de Weimar. E ela precisava de muitos funcionários. No outono de 1896 conseguiu recrutar Rudolf Steiner. Ele teve que lhe dar aulas de filosofia. Em 5 de dezembro ela lhe oferece o cargo de editor do arquivo de Nietzsche, oferta esta, porém, que Steiner recusou repetidas vezes. Para sua surpresa, a Sra. Förster mesmo assim espalhou a notícia de que ela o teria contratado como editor. Evidentemente, isso gerou tensões com o velho funcionário Dr. Kögel, que havia se noivado com a Srta. Gelzer de Jena, perdendo assim todas as simpatias de sua chefe. Kögel foi demitido em junho de 1897, Steiner abandonou ao mesmo tempo seu "aprendizado". No outono de 1898 ela contrata o Dr. Arthur Seidl como novo funcionário. No entanto, sua função se limita à correção dos supostos erros cometidos pelo Dr. Kögel. Um ano mais tarde, ele também se demite e é substituído pelo Dr. Ernst Horneffer, ao qual se junta mais tarde o seu irmão Dr. August Horneffer. No final de outubro de 1899 a Sra. Förster consegue, finalmente, contratar Heinrich Köselitz para a edição das cartas de Nietzsche (cf. [121]).

Ou seja, a organização era bastante confusa e pouco sistemática neste arquivo, que ela instalou primeiro na Wörtherstrasse. Mas este local não era representativo o suficiente para ela. E então a Sra. Förster desenvolveu uma metodologia e teimosia surpreendentes. Em 20 de maio, conseguiu convencer Meta von Salis a adquirir a casa "Silverblick" na Luisenstrasse por 39 mil marcos e a colocá-la à disposição do arquivo[213]. Na colina em frente, que acompanhava o decurso do Vale do Rio Ilm do outro lado da cidade, já se erguia o novo prédio do "Goethe- und Schiller-Archiv", que, desde 26 de junho de 1896, abrigava o "Goethe-Archiv", fundado em 1885, e o recém-adquirido espólio de Schiller. Em 20 ou 21 de julho Elisabeth se instalou no "Silberblick" com seu arquivo. Imediatamente contratou trabalhadores e jardineiros e executou alterações no prédio, pagas pela dona da casa, e as quais Elisabeth justificou posteriormente com a desculpa criativa: "Minha amada Meta, meu equívoco foi considerar a casa como casa do meu irmão"[213]. Então, desenvolve o plano de adquirir a casa e oferece 40 mil marcos por ela a Meta von Salis. Ela consegue impor sua vontade em menos de um ano. O contrato de venda foi assinado em 1º de julho de 1898. Meta von Salis concorda até em ser fiadora da quantia que Elisabeth não consegue pagar agora. Por fim, a hipoteca de 19 mil marcos é assumida pela Sparkasse Weimar. Os 21 mil marcos que ela precisa pagar do próprio bolso e que ela só consegue quitar em 1º de abril de 1899 após várias promessas não cumpridas provêm da venda da casa materna em Naumburg em maio de 1899 por 15 mil marcos, que certamente não foram repassadas a ela na íntegra, pois ela não era a única herdeira. Por ora, porém, o "Silberblick" pertence formalmente a seu primo e tutor de seu irmão, o Conselheiro Dr. Adalbert Oehler em Magdeburg.

O novo lar do arquivo oferecia espaço suficiente para que a irmã pudesse ficar com seu irmão e também com a idosa Alwine, garantindo assim a continuação dos cuidados de Nietzsche. Assim, o paciente em sua apatia não parece ter se conscientizado da ausência da mãe. Em 8 de agosto, ocorre então a mudança da Wörthstrasse para o "Silberblick" – no mesmo dia morre em Basileia Jacob Burckhardt.

A mudança, ou melhor, a chegada de Nietzsche parece ter sido um evento espetacular. "Um velho conhecido dos tempos de Basileia, Ludwig von Scheffler, relata [...]: 'Na colina oposta se ergue um moinho holandês quebrado [...] Ao lado, constroem uma casa. Uma casa verdadeiramente feia! No verão fica completamente exposta ao calor do dia. A piada dos filisteus de Weimar não erra tanto quando a chama de 'Vila Insolação'. Como se pode viver nessa casa? Mesmo assim! Certo dia, meu filho volta agitado da escola: 'Pai, você ouviu? Lá em cima mora agora um filósofo maluco!' Eu repreendo o menino, mas logo suas palavras serão confirmadas. A irmã de Nietzsche veio para Weimar com seu irmão doente! Eu vou até o jardim e escolho as rosas mais belas para um buquê. Então, subo a colina até a vila nas alturas, o coração transborda de pensamentos pertencentes às lembranças da juventude. Como na época no Spalentorweg, uma dama me abre a porta! Reconheço imediatamente o seu rosto. Cumprimentamo-nos durante minutos. A irmã de Nietzsche me leva até um tipo de salão. Já na época, era completamente dedicado à memória do irmão. Seus retratos nas paredes, livros, manuscritos expostos por toda parte! Então, aproximo-me instintivamente da janela para apreciar a vista. Na nossa frente, o moinho. A Sra. Förster aponta com um gesto melancólico para ela: 'Uma parábola da nossa existência. Sem asas!' E então eu soube que uma admiradora suíça do filósofo adquirira a casa para ele. Aqui, no silêncio e no isolamento, ela ainda nutria a esperança de uma cura para seus nervos adoecidos'"[50]. Sobre as primeiras visitas, Elisabeth escreve à Meta von Salis: "Entrementes, tive visitas muito agradáveis: primeiro o Conde Kessler e depois a Sra. von Petery, e depois de amanhã virá Stöving [...]. O Dr. Meyer comprou em Berlim o retrato de Stöving por 2 mil marcos e agora o doou ao arquivo! Infelizmente, o retrato ainda se encontra em uma exposição e só virá em setembro. O Conde Kessler é agora o nosso conselheiro em assuntos bibliográficos. Pretendemos produzir uma nova pequena edição do Zaratustra, a atual tem algo de poesia lírica para damas jovens"[213].

Em novembro, Resa von Schirnhofer passou três dias em Weimar. Foi seu primeiro encontro com a irmã de Nietzsche. Em suas memórias, ela conta[226]: "O convite de Elisabeth Förster-Nietzsche de visitar seu irmão foi algo natural, apesar de eu mesma não ter expressado este desejo, pois temia que a lembrança amável do tempo de nossos encontros poderia ser manchada pela impressão de uma aparência alterada pela doença [...]. Imóvel, apático, isolado em seu mundo, ele me pareceu um autômato, colocado ali por uma vontade alheia. Eu não me lembro de tê-lo cumprimentado e de ter vencido a estranheza, que se apoderou de mim diante dessa personalidade outrora tão familiar, mas agora tão muda e estranha. [...] Assim, despedi-me triste, refletindo sobre que tipo de pensamentos e sentimentos ainda existiria por trás da máscara impenetrável dessa figura de vida, que ostentava o selo da impotência humana e na qual qualquer centelha de vida espiritual parecia ter se apagado. A Sra. Elisabeth quis saber tudo sobre meus encontros e minhas conversas com seu irmão e me perguntou também se ele havia conversado comigo sobre Stirner e seu livro 'Der Einzige und sein Eigentum' [O único e sua posse]. Eu refleti um pouco e então respondi que não me lembrava de ter ouvido este nome sair de sua boca. Ela parecia não se satisfazer com isso e insistiu, reformulando sua pergunta: se eu pudesse garantir que ele jamais mencionara este nome. Senti-me como uma delinquente num interrogatória diante do juiz e disse que só poderia afirmar que este nome não se encontrava nem nos meus diários daquele tempo nem em minha memória como algo mencionado por Nietzsche. Ela, porém, retornou repetidas vezes ao assunto e sempre recebeu a mesma resposta. Mas a pergunta central – se Nietzsche havia conhecido Stirner – permaneceu sem resposta, pois o fato de ele não o ter mencionado em nossas conversas não significa que ele não o tenha conhecido. No entanto, é compreensível que a Sra. Elisabeth tenha feito esta pergunta, pois os estudos de R. Schellwien (1892) e Henri Lichtenberger (1874) sobre Max Stirner apontaram vários paralelos entre Stirner e as teorias de Nietzsche". A pergunta se Nietzsche conhecia a obra principal de Stirner de 1845 permanece indecidida até hoje. Elisabeth contestava esse fato energicamente (por razões evidentes), Köselitz duvidava e Franz e Ida Overbeck tinham certeza disso. A Sra. Overbeck se lembra de conversas sobre o autor (talvez em 1874, após a publicação de Lichtenberger?), e Franz Overbeck recorreu também ao testemunho de Adolf Baumgartner [documento 18]. Mais ou menos na mesma época da visita de Resa von Schirnhofer, veio também o escritor Karl Böttcher (1852-1909), que relata suas impressões na edição de quatro de dezembro do "Tagblatt" de Riga[54] e em 1900 em seu livro "Auf Studienpfaden" [Nas trilhas de estudos][58]: "Ao entrar na ampla sala iluminada de dois lados, eu a encontro vazia. Mas não – ali – no canto, no sofá por trás da mesa, descansa em seu pijama uma figura um pouco retraída [...]. Ele está dormindo, o doente está dormindo. Sua respiração é calma e profunda [...]. Olhos retraídos, mãos pálidas sobre o peito. Continuo conversando com a irmã em voz baixa [...]. Voltamos para a biblioteca [...]. Pouco mais tarde, volto para a sala com o paciente. Ele despertou e agora está sentado na cadeira ao lado da janela. Seus ombros largos se dobram sobre um livro grosso, no qual ele parece estar lendo, apesar de segurá-lo de cabeça para baixo. Olhos grandes e cintilantes me encaram: É como se ele começasse a sondar suas lembranças tentando identificar este homem estranho. Mas logo retorna para o livro, sem tomar conhecimento da irmã ou de mim [...]. Às vezes, parece estar monologando. 'Nesta casa só vivem pessoas boas.' [...] E mais tarde: 'Escrevi muitas coisas bonitas'. Ele recebe um pedaço de bolo. 'Este livro é muito bonito', ele diz com voz séria.

Não como Lenau, que se agitava, não – é a noite de Hölderlin que se deita em um tipo de loucura elégica sobre Nietzsche; ele está calmo, manso, mas também sem alegria e sofrimento. Sua atividade psicológica está totalmente destruída: apagou-se sua memória, apagou-se seu juízo, apagou-se sua imaginação; secou a fonte tão altiva do espírito, o arco-íris que reluzia no brilho do sol perdeu suas cores [...] os olhos azuis, tremeluzentes na noite do espírito".

Adalbert Oehler relata a Meta von Salis apenas sucintamente que estivera no "Silberblick" pela primeira vez no domingo, 19 de dezembro. De resto, as notícias sobre o estado do paciente se tornam cada vez mais escassas, mas todas elas contradizem totalmente à representação dada por Elisabeth em sua biografia, em que ela alega certo despertar do espírito, conversas sensatas e até alguma mobilidade física, até o revés no verão de 1898, que ela diagnostica como "leve AVC"[86]. Uma sobrinha, Marie Schenk, que esteve em Weimar em 22 de novembro de 1897, relata a Meta von Salis[213]: "O paciente parece estar suportando seu estado, e as massagens, aplicadas por mãos experientes, parecem lhe fazer bem". Só isso. Nenhuma palavra a mais.

Em 12 de setembro de 1898, ela volta a escrever a Meta von Salis: "Em julho, minha tia estava tão satisfeita com o estado do paciente que ela até chegou a nutrir a esperança de que poderia ocorrer uma melhora. Infelizmente, porém, era uma ilusão. Um professor de Jena[*], que a tia mandara chamar, declarou que a doença era

---

[*] Provavelmente Ziehen, de cuja visita "após 10 anos" Elisabeth fala em sua biografia (p. 924).

incurável". A essas fases de aparente melhora, sempre se seguiam fases de piora, que levavam o paciente a um nível cada vez mais baixo. Assim, em maio de 1899, a irmã acredita em outro AVC, do qual o paciente se recupera um pouco, de forma que Marie Schenk pode relatar em 29 de junho de 1899: "O estado de Friedrich Nietzsche varia muito. Recentemente, a tia Förster temeu por sua vida, pois ficou 36 horas deitado sem nenhum sinal de vida. Ontem, minha irmã Martha me escreveu de Weimar, que seu marido vai diariamente ao arquivo de Nietzsche, ele espera que os problemas nos pés não lhe causem maiores sofrimentos. Aparentemente, ele caiu sobre o pé, coisa que aparenta ser muito dolorosa".

Em 30 de dezembro de 1899, Marie Schenk escreve a Meta von Salis de uma visita em setembro de 1899, durante a qual, porém, ela não viu o paciente: "Soube que Friedrich Nietzsche está mais ou menos. Na minha última visita a Weimar em setembro*, a tia não se cansou de repetir como sua aparência estava melhor e que também seu estado geral tinha melhorado. No entanto, isso muda a cada dia, e a tia costuma ver tudo na luz mais positiva".

Estes poucos testemunhos revelam bem o tipo dessa avaliação e como era, de fato, a realidade.

Em maio de 1898 Elisabeth contrata o escultor Max Kruse de Berlim para fazer um busto de mármore. Hoje, esta obra se encontra no *Nietzschehaus* em Sils-Maria, após ter se perdido durante muitos anos. Na época, porém, ela chamou muita atenção – graças aos esforços da própria Elisabeth Förster. O Grão-duque de Weimar veio para o arquivo só para ver o busto. "Aparentemente, o paciente demonstrou grande paciência durante as sessões, e sua aparência foi boa, levando-se em consideração o seu estado." E já no setembro seguinte, Elisabeth contratou o escultor Arnold Kramer de Dresden para produzir uma estatueta de Nietzsche. Em seus últimos meses de vida, o pintor Hans Olde (1855-1917) teve ainda a oportunidade de desenhar o paciente diante do pôr do sol. Visitantes seletos recebiam o privilégio de ver o paciente, sempre mantendo a atmosfera e a magia de um ritual (Adendo p. 167).

A descrição mais exaltada devemos à Freifrau von Ungern-Sternberg, que conhecera Nietzsche durante a viagem a Sorrento em outubro de 1876, na época ainda Freiin v.d. Pahlen. Ela escreve sobre sua última visita poucas semanas antes da morte de Nietzsche, ou seja, em julho de 1900[54, 86]: "Um reencontro, ansiado e temido, foi-me con-

---

* Marie Schenk casou-se em 24 de novembro de 1898 com o Pastor Gelpke (filho da irmã de Bernhard Förster!) e passou a morar em Langenroda, perto de Donndorf.

cedido após três dias de pedidos incessantes – e além de mim receberam este privilégio também alguns amigos velhos e novos. Tive o grande prazer de conhecer Gast (Köselitz), o homem de coração dourado e alma musical expressiva. Novos adeptos, um jovem casal de educação harmoniosa, seres nobres não só de nascença, mas também de postura, completava o simpático círculo. [...] Apenas graças a um sistema inventado por ela [pela irmã], que consiste basicamente de uma alteração entre posição sentada e posição deitada a cada duas horas, o infeliz paciente pode ser poupado da tortura da escara. Assim, sem dores físicas, ele leva uma vida pacífica e contemplativa, acolhido no amor incansável, que se renova a cada nascer do sol. [...] Ah, como me senti enaltecida ao vê-lo na nobreza de seu ser, na tão profunda beleza de sua expressão espiritual! A beleza do olho, já não mais ocultada por óculos, me encantou. Desses tristes astros oculares, que buscam o horizonte, partia um efeito poderoso, um fluido magnético espiritual, do qual nenhuma natureza sensível podia se esquivar. Vestido em roupas brancas*, ele descansava sobre um divã, e eu me aproximei tímida dele, apresentada pela sua irmã com as palavras: 'Querido, trago-lhe aqui uma amiga querida, da qual nós dois costumávamos nos lembrar com frequência'. Com as duas mãos apertei sua mão magra direita – a mesma que escrevera sequências de pensamentos imortais, *aere perennius* – e sussurrei: 'Há muito tempo, nós nos encontramos na Itália, em Gênova e em Pisa'. Seu olhar me avaliou, e então, balançando sua grande cabeça, olhou para a irmã com uma pergunta muda, e a irmã lhe disse palavras carinhosas. Sob as mãos do Mestre Peter Gast, o piano encheu a sala com maravilhosos tons, harmonias poderosas, que se apoderaram do paciente com poder mágico e, igual a uma centelha elétrica, percorreram seu organismo. Um encanto se deitou sobre sua fisionomia, todo seu corpo estremeceu de alegria febril – e uma nova vida renasceu em suas mãos translúcidas e paralisadas. A música rompeu as amarras da paralisia, e as mãos se aproximaram uma da outra como sinal de aplauso. Ele não se cansou de demonstrar sua alegria; o instrumento já havia se calado – mas olhando para a irmã, a excitação ainda se manifestava como eco da tempestade de entusiasmo, em sua fisionomia e suas mãos que continuavam a aplaudir. Uma cena para os deuses, que eu tive o privilégio de assistir. Com lágrimas nos olhos, tomados por sentimentos inexprimíveis, as testemunhas dessa agitação espiritual se retiraram. Apertos de mão e lágrimas abrandaram a tensão da alma".

Este foi o efeito da música de Peter Gast! Em abril de 1898, após anos de alienação, até de inimizade por parte da Sra. Förster, ela começou a reconquistar

---

* A Sra. Förster observa: "Nos últimos anos de vida, ele costumava usar um longo manto de tecido branco, do tipo das batinas dos sacerdotes de ordens católicas".

este homem indispensável para o deciframento dos manuscritos com o envio de um volume recém-lançado de poesias de Nietzsche e com uma dedicatória pessoal. A princípio, Köselitz reage com sarcasmo e escreve a Overbeck em 14 de abril de 1898[188]: "Eu quase ri ao ler a dedicatória 'Ao Sr. Peter Gast com as saudações mais cordiais da editora'. Essa dama tão nobre acaba de entrar com outro processo contra Naumann. Ela só sabe inquietar, torturar, maltratar e condenar as pessoas com a injustiça mais evidente. Ela chegou a chamar o Dr. Kögel, que trabalhava como um jumento de carga, de 'preguiçoso' etc. Eu mesmo estou feliz por ter resolvido tudo rapidamente assim que esse lhama retornou da América". A Sra. Förster, porém, confia que o tempo garanta o sucesso de seu gesto de reconciliação, mas não perde de vista o seu propósito, e em 15 de novembro do ano seguinte (1899) Köselitz escreve a Overbeck, que deve ter ficado muito surpreso com a carta[187]: "Prezado senhor professor! Meu espírito está com o senhor em seu aniversário para desejar-lhe de todo coração felicidade e saúde, mas também para pedir perdão pelo terrível atraso de minha resposta à sua última carta tão bondosa. Até mesmo estas linhas chegarão com atraso, pois estou ocupado não só com os preparativos para o nosso concerto no museu, mas também com os cuidados de minha mãe, que já tem 80 anos de idade.

Creio que eu tenha recebido o relato do Dr. Seidl sobre o volume VIII de Nietzsche ao mesmo tempo que o senhor. A pequena edição impressa com letras alemãs, que incluirá este relato, ainda não foi lançada.

Visto que tudo indica que a Sra. Förster esteja tentando excluir o senhor e substituí-lo pela parisiense Sra. Ott – mesmo que apenas na página 455 do relato mencionado –, eu concordo plenamente com o seu protesto. O Dr. Arthur Seidl já saiu do arquivo há alguns meses. Ele voltou para Munique, sua cidade paterna, sem qualquer discórdia com a irmã de Nietzsche. Agora trabalha no arquivo o Dr. Horneffer, um homem verdadeiramente excelente.

Como sei de tudo isso? Eu mesmo estive em Weimar de 11 a 14 de outubro! Ao longo do ano, tenho recebido várias cartas longas do arquivo, que eu não respondi. No início de outubro, então, recebi uma carta propondo a edição das composições de Nietzsche, que, dessa vez, não me fez rir nem chorar, mas que me pareceu aceitável. Por acaso, tive outros assuntos a resolver em Weimar e subi até o 'Silberblick', que oferece uma vista parecida à de San Miniato em direção a Florença. Nosso reencontro se deu como se nada tivesse acontecido. Apenas no terceiro dia conversamos sobre nossas diferenças. Infelizmente não posso relatar toda a história com o Dr. Kögel, pois ela me desviaria do assunto.

O arquivo foi lindamente organizado – Nietzsche descansa em seu manto de flanela branca o dia todo em um divã, de aparência boa, muito calmo, e me contemplou com o olhar de um sonhador. Quando me sentei ao piano e toquei para ele o *Pria che spunti in ciel l'aurora*, algo parecia se mexer no fundo de sua memória ofuscada: ele bateu palmas fracamente e de forma quase inaudível com suas mãos de Cristo. Não creio que tenha me reconhecido.

Os escritos de Nietzsche permanecem na editora de Naumann. S. Fischer em Berlim está organizando apenas uma edição de luxo do Zaratustra com uma tiragem de 500 exemplares – provavelmente no estilo das manias mais modernas, pois a Sra. Förster disse que a culpa não era dela. A Sra. Förster havia pedido a Naumann os direitos para essa edição especial.

No início de dezembro voltarei mais uma vez a Weimar: por ocasião da minha primeira visita, não tive a oportunidade de ver as partituras existentes, pois fizemos tantos passeios, foram tantos encontros, tantas pesquisas em documentos dos últimos anos.

Agora, porém, preciso encerrar esta carta. Estou curioso para saber o que o senhor acha do meu comportamento. Para uma avaliação correta, porém, o senhor precisaria de muito material, mas cuja enumeração o tempo não me permite.

Com os desejos e as saudações mais cordiais ao senhor e à sua esposa, permaneço sempre em profunda gratidão, seu aluno Heinrich Köselitz".

Na verdade, a Sra. Förster estava pensando não na edição das composições, mas da correspondência de Nietzsche. E entre este material encontravam-se cartas que Köselitz não teria ousado mencionar: as observações duras, e provavelmente injustas de Nietzsche sobre o amigo como "tolo" e espírito lento, como fardo. Isso deveria ser incluído à edição? E sob quais condições a Sra. Förster estaria disposta a excluir essas passagens da publicação? Köselitz não podia informar seu antigo professor sobre essas perguntas (cf. [121]).

Quando, no início de abril de 1900, a mãe de Köselitz morreu em Annaberg, ele pôde se mudar definitivamente para Weimar, onde se hospedou primeiro na Liszt-strasse 22. Em 4 de agosto, ele contou a Overbeck sobre sua vida e suas impressões (já em seu novo apartamento na Luisenstrasse 13/II, ou seja, mais próximo do arquivo)[187]: "Esse tempo que acabo de viver foi muito agitado, e assim que eu conseguia vislumbrar o local onde eu teria a honra de rever o senhor, tudo mudava novamente. Agora, as circunstâncias se apresentam de tal forma que pretendo permanecer aqui durante os próximos dois anos; sim, pretendo casar-me em 3 de setembro! Com um amor que já tenho há dez anos: com a Srta. Elise Wagner de Leipzig, de 26 anos de idade.

No momento, estou muito ocupado com o deciframento dos últimos manuscritos de Nietzsche e também com a revisão do 'Leão de Veneza' (que deverá ser publicado em dezembro). Pergunto, então, prezado senhor professor, se sua viagem Frankfurt-Eisenach-Weimar-Leipzig não poderia levá-lo também para Dresden. Isso me daria a imensa alegria de rever o senhor e sua esposa. O senhor não precisa ter medo de que a Sra. Förster possa cruzar os nossos caminhos. Ela não dá um passo na cidade e só se locomove de carruagem. Ela se transformou em dama da corte, muito requisitada nos círculos da corte e da aristocracia como entretenimento".

Ou seja, Köselitz mantém sua postura crítica diante da senhora sobre o arquivo. Aparentemente, a visita de Overbeck realmente ocorreu em setembro, mas foi breve. Köselitz permaneceu exposto à influência hostil da Sra. Förster, e logo sucumbiu a ela, vindo a defender até a hipótese completamente fantasiosa de que Overbeck teria inventado a "lenda" da lues como fundamento da doença de Nietzsche e de que o registro no prontuário de Jena só teria sido feito baseado em uma informação providenciada por ele. Tratava-se de uma alegação que podia ser refutada claramente pelo testemunho de Binswanger, mas que foi mantida ferreamente pelo arquivo – pela Sra. Förster e por Köselitz – na controvérsia com Möbius após 1902[*].

O fim

Desde os dias de Alexandre o Grande, encontramos a triste imagem recorrente de que diádocos, epígonos e hereges acabam brigando sobre a pergunta referente ao herdeiro legítimo de um grande legado – afastando-se assim cada vez mais da substância, do espírito desse legado e, por fim, turvando sua imagem.

Enquanto ainda havia vida no corpo de Nietzsche, essas controvérsias ainda se mantinham encobertas, manifestando-se apenas como relâmpagos no horizonte. Por quanto tempo mais essa restrição teria sido praticada, visto que seu espírito já havia morrido onze anos atrás? Será que a magia do lugar cultual com sua relíquia vivo-morta exercia um poder tão grande?

A morte do paciente em 25 de agosto de 1900 trouxe também a suspensão dessa obrigação com a piedade. Abriu também as represas para as diversas vertentes da exegese nietzscheana, que abarcavam tudo entre os extremos da veneração de um santo e do ódio mortal – ainda hoje.

E como contrasta com esse barulho e conflito global a silenciosa despedida desse corajoso filósofo de sua vida trágica. Dessa vez é a Sra. Mathilde Schenk-

---

[*] Cf. Documento 19.

-Nietzsche, mãe de Marie Schenk, que, em 30 de agosto de 1900, informa a Meta von Salis com as palavras sucintas e sóbrias: "Na semana passada, o falecido foi acometido por um catarro, que por fim se apoderou também dos pulmões. Na noite da sexta-feira para o sábado (24/25 de agosto) ele sofreu um AVC. Na manhã do sábado, meu marido foi chamado às 8 horas para a casa da Sra. E. Förster-Nietzsche, onde encontrou o paciente estertorando inconsciente, com um leve tremor nas mãos e nos pés, entre 11 e 12 horas da manhã ele deu seu último suspiro. No domingo de manhã, meu marido, encarregado pela irmã do falecido, viajou para Röcken para preparar seu sepultamento no túmulo de seus pais [...]. Na manhã da terceira-feira, seu corpo foi transferido para Röcken".

A participação de óbito pessoal de Elisabeth Förster dizia:

> Hoje ao meio-dia faleceu meu amado irmão
> Friedrich Nietzsche
> Weimar, 25 de agosto de 1900.

A informação de óbito do arquivo foi assinada por Peter Gast, Arthur Seidl, Ernst e August Horneffer e convidava para a celebração fúnebre no "Silberblick" na segunda-feira, 27 de agosto, com o programa:

1) Cântico de consolo das amigas da Sra. Förster: "Klänge" (poesia de Claus Groth), de Johannes Brahms ("Wenn ein müder Leib begraben").

2) Palestra de Ernst Horneffer.

3) Lamentação das mulheres: "Quae fremuerunt gentes", de Palestrina.

O programa musical revela a participação do músico Peter Gast. Em sua juventude, Nietzsche musicalizara duas poesias de Groth, uma dessas foi usada também por Brahms, e outra poesia de Groth o inspirara para uma peça para piano (cf. vol. 1, p. 80, 97, 102). Ele compôs também um "Miserere" para cinco vozes, claramente influenciado pelos seus estudos intensivos de Palestrina.

Na terça-feira, 28 de agosto, às 4 da tarde, ocorreu o sepultamento no túmulo da família em Röcken[213]:

1) Toque dos velhos sinos (que já haviam tocados em seu nascimento e na morte precoce de seu pai).

2) Coral masculino.

3) Discurso do prefeito Dr. Adalbert Oehler [agora prefeito em Halberstadt].

4) Coral masculino.

5) Palavras de despedida: Prof. Max Heinze, Carl von Gersdorff, Dr. Carl Fuchs.

6) "Confissões" de Peter Gast.

7) Coral masculino.

8) Palavras de despedida da congregação (exclusivamente citações do Zaratustra), então fechou-se o túmulo sob uma pedra imensa, que Nietzsche havia doado ao túmulo do pai[*].

Certamente foi uma celebração digna e comovente. Mas será que ela correspondia também à natureza e ao pensamento de Nietzsche? Ele sempre havia exigido honestidade e sinceridade até a última consequência e sempre lutara contra as aparências. Essa celebração correspondia a essas exigências?

No cemitério de uma igreja cristã e sob seus sinos foram faladas palavras de despedida do livro do anticristo Zaratustra. E, aparentemente, nenhum dos presentes percebeu o abismo que se abria entre o local e o ato, entre pretensão e realidade. O pastor local, pelo menos, teve a decência de não participar da celebração: naquele dia, ele esteve "ausente em função de obrigações do seu cargo" e se limitou a registrar o sepultamento no livro da paróquia. Na coluna "estado civil e confissão", ele escreveu: "Nascido em Röcken em 15 de outubro de 1844 como filho do Pastor Nietzsche, evangélico, mas após suas obras filosóficas anticristão".

E outra pessoa também teria sofrido com a ambiguidade da situação: Overbeck. Mas ele não estava presente. Ele não se ausentou propositalmente, como o acusaram posteriormente. Mais uma vez, sua ausência se deveu a um daqueles acasos fatídicos com consequências desproporcionais.

Após a carta bem-humorada de Köselitz de 4 de agosto, Overbeck não esperava receber notícias ruins de Weimar. Em 7 de agosto respondeu comunicando-lhe seus planos para as próximas semanas[187]: "Na próxima quinta-feira (16 de agosto) partiremos para os Vosges, onde permaneceremos até o final do mês – no 'Gasthaus zu den 3 Ähren', perto de Colmar na Alsácia. No início de setembro, nós nos hospedaremos na Villa Königswald em Klotzsche, perto de Dresden. Nos últimos dias de setembro passaremos por Weimar e não temos nada melhor a fazer do que passar algumas horas em seu novo lar". Mas em alguma confusão momentânea Overbeck envia a carta para Dresden, não para Weimar. Assim, Köselitz nunca a recebeu. Muito mais tarde, em 25 de outubro, ela é retornada a Overbeck em Basileia. Por isso Köselitz não teve conhecimento do endereço atual de Overbeck e mandou sua carta de 25 de agosto para Basileia: "Aquilo que temíamos há muito – a morte de Nietzsche – parece querer ocorrer hoje ou nesta noite. Certamente o senhor virá

---

[*] Cf. Documento 20.

para ver mais uma vez o nosso amigo imortal – talvez não em decorrência desta carta, mas certamente após o recebimento do telegrama que lhe trará a notícia de seu falecimento"[187]: Mas quando o telegrama alcançou Overbeck na Alsácia, já era tarde demais para chegar em tempo a Röcken. Talvez isso tenha sido uma sorte para Overbeck, pois assim não teve que se despedir de seu amigo numa cerimônia ambígua. Ele pôde preservá-lo em sua memória como exemplo de um homem que havia suportado sua vida penosa em cumprimento de seu chamado – seu "amor fati" – e que deixou para trás uma obra que sempre representará um desafio a nós e que, em suas múltiplas facetas, oferece muitas possibilidades de abordagem e explicação, mas que dificilmente poderá ser compreendida em sua totalidade por um único contemplador.

Já a tarefa de ver Nietzsche como ser humano de seu tempo e no fluxo dos tempos, no contexto de seu mundo e das vertentes espirituais que remetem até o início da Antiguidade, ultrapassa qualquer medida ordinária.

Adendo à p. 160: Em um ensaio excelente, a historiadora da arte Hildegard Gantner-Schlee demonstrou que a encomenda do retrato produzido por Olde partiu da revista PAN e que, no início, Elisabeth Förster não aprovou a ideia. Por intermédio de Harry Graf Kessler, Olde pôde trabalhar em Weimar a partir do início de junho até o início de agosto de 1899, sempre sob a supervisão da Sra. Förster.

Nesse tempo, foram feitos sete retratos a óleo, um desenho a tinta, 17 desenhos a lápis e carvão, 5 gravuras e 16 fotografias. A partir deste material Olde criou as famosas gravuras para a revista PAN, mas a Sra. Förster ainda fez correções e alterações na testa e no queixo, de forma que Olde, numa carta de 13 de dezembro de 1900 à sua esposa, denunciou as gravuras como "distorcidas".

Na verdade, trata-se de um retrato impreciso de Nietzsche.

QUINTA PARTE

Documentos
(textos e ilustrações)
Registro

I

Documentos, textos

1
Volume I, p. 576

Arquivo estatal da cidade de Basileia[236]: Documentos (protocolos e escritos) referentes à licença de Nietzsche de 1876/1877, em sequência cronológica: os textos ainda inéditos são reproduzidos aqui em sua íntegra.

1. Pedido de licença de Nietzsche, de 19 de maio de 1876, ao presidente do conselho universitário Dr. Carl Burckhardt (publicado em HKG Br. IV/p. 276)[8].

2. Reunião do conselho em 26 de maio de 1876. Protocolo das "atas universitárias" T $2_{,8}$ p. 511: 9ª reunião, 26 de maio, todos os membros presentes. O Sr. Prof.-Dr. Nietzsche pede, em decorrência de sua saúde frágil e para o propósito de uma viagem mais demorada ao sul, a autorização de uma licença para o ano de 1876/1877, a partir do semestre de inverno. Naturalmente, ele está disposto a abrir mão de seu salário para este ano.

/. Deve ser pedida a autorização para uma licença de um ano para o Sr. Prof. Nietzsche à secretaria de educação. Sua desistência de seu salário só deve ser aprovada na medida dos custos necessários para pagar seu substituto.

3. Carta do conselho anexa ao pedido dirigido à secretaria de educação, de 26 de maio de 1876 (publicada em Stroux, p. 82/83)[242].

4. Secretaria de educação; 11ª reunião em 2 de junho de 1876: protocolos S[4,5] p. 168s. Presentes: Pastor Respinger, Sr. Ad. Burckhardt.

O conselho da universidade e do Pädagogium sugere que o pedido de licença para o Sr. Prof. Nietzsche para o ano de 15 de outubro de 1876/1877 para uma viagem ao sul seja concedido. O pedido se justifica com base no estado de saúde do Sr. Nietzsche. Este, porém, pretende usar a licença também para visitar os locais clássicos. Apesar de o Sr. Nietzsche desistir de seu salário para o tempo de sua ausência, o conselho considera justo, em vista de seus excelentes serviços e de seu salário modesto durante sete anos (elevado apenas recentemente para 4.500 francos), não lhe impor outras despesas senão o salário do seu substituto, que deverá somar em torno de 1.200 francos.

/. Deve-se agir conforme o pedido.

5. Reunião do conselho de 6 de julho de 1876; protocolos T 2,₃, p. 515s.

Discute-se a substituição do Sr. Prof. Nietzsche durante a sua licença como professor de Grego da 3ª classe do Pädagogium. O presidente titular revela que o Sr. Prof. Mähly se oferece para assumir essa substituição sob a condição de que seja dispensado das aulas de latim da 2ª classe. A informação do senhor reitor Burckhardt sobre a carga horária evidencia que essa combinação geraria dificuldades consideráveis. Visto que cada medida provisória traz também desvantagens, o conselho julga melhor criar apenas uma, e não duas dificuldades. Sob essas condições, parece-lhe a solução mais prática oferecer a substituição ao Sr. Dr. A. Burckhardt, que já dá aulas de grego às duas classes inferiores do Pädagogium e, no início deste ano, já deu aulas bem-sucedidas à 3ª classe e que, das 6 aulas, poderá administrar 4 aulas sem mudanças em sua carga horária.

/. A oferta do Sr. Prof. Mähly é recusada. Encaminha-se ao Sr. Dr. Ach. Burckhardt o pedido de assumir as aulas do Prof. Nietzsche da 3ª classe durante a ausência deste. Para estas aulas, ele receberá o mesmo salário como para as suas outras aulas no Pädagogium.

6. Protocolo intermediário do conselho, de 22 de outubro de 1877 (por meio de carta circular) T 2,₃, p. 558/559: O Sr. Prof. Nietzsche pede licença para o próximo inverno referente às suas aulas na 3ª classe do Pädagogium. Todas as suas tentativas de cura têm sido malsucedidas, e recentemente seus médicos lhe proibiram qualquer leitura e escrita, caso não queira correr o risco de perder completamente a sua visão. Ele espera poder cumprir suas obrigações na universidade. O Sr. Nietzsche anuncia decisões relacionadas a toda sua atividade nesta cidade.

/. Deve dirigir-se ao conselho educacional o pedido de um crédito adicional para a substituição e ao Dr. A. Burckhardt o pedido de continuar suas aulas.

7. Conselho; 15ª reunião, segunda-feira, 5 de novembro de 1877: T 2,₃, p. 559.

Decisão do conselho educacional de 1º de novembro autorizada de pagar ao substituto, o Sr. Dr. Ach. Burckhardt, um salário de 190 francos por ano e aula semanal referente à sua substituição do Sr. Prof. Nietzsche no Pädagogium durante o semestre de inverno atual.

2
Volume I, p. 577

Allgemeine Musikalische Zeitung[284]

Redator responsável: Friedrich Chrysander

Leipzig, 24 e 31 de janeiro de 1877.

Ano XII, n. 4 e 5

A nona sinfonia de L. van Beethoven.

(Uma palestra pública, apresentada em Basileia em 29 de novembro de 1876, por ocasião da apresentação na inauguração da nova sala de concertos.)

De S. Bagge

Eu já falei aqui sobre a nona sinfonia de Beethoven, por ocasião de uma apresentação geral da vida e obra de Beethoven, que tentei esboçar aqui há algum tempo*. Na época, porém, só pude mencioná-la sem entrar em maiores detalhes. Hoje, dia em que a obra será nova e completamente apresentada numa ocasião festiva, talvez não seja inapropriado tratar dela em maior detalhe e ousar a tentativa extremamente difícil de dar a oportunidade àqueles ouvintes que talvez tenham o desejo de ouvir um músico falar sobre a sinfonia para assim adquirirem o ponto de vista correto para a compreensão da obra. Eu disse "extremamente difícil", pois esta obra suscita perguntas de importância decisiva para a avaliação correta desta; perguntas, porém, que nem mesmo capacidades de primeira ordem não conseguiram responder de forma completamente satisfatória.

Certamente seria errado ignorar as várias ressalvas e objeções levantadas contra a nona sinfonia e me satisfazer com uma apoteose entusiasmada. No entanto, serei breve para não limitar o meu elogio e louvor a esta maravilhosa obra.

---

* Essa palestra anterior acaba de ser publicada no "Schweizerisches Sängerblatt".

De menor importância são aquelas declarações que se referem às "dificuldades excessivas da execução". Um artista como Beethoven podia e conseguia prever que ao progresso da técnica orquestral seria fácil executar aquilo que no momento parecia quase impossível. Se a obra conquistasse por excelência interior o direito ao futuro apreço, seu criador poderia ignorar com toda a tranquilidade de sua alma todas aquelas queixas irrelevantes sobretudo na área instrumental.

Uma segunda objeção foi expressada repetidamente contra a figuração formal da nona sinfonia. Seus críticos alegavam que ela era incompreensível, sem forma e excessivamente longa, muitas vezes cansativa e não iluminada pelo brilho resplandecente do gênio como as outras obras do mestre. Neste ponto, as opiniões também mudaram de forma fundamental durante os 52 anos de sua existência (ela foi composta em 1823/1824, ou seja, 3 a 4 anos antes da morte de Beethoven, num estado de completa surdez), entrementes tivemos que aprender a aceitar e compreender complexidades, durações e produções penosas muito maiores ainda, de forma que àquele que acompanhou os desenvolvimentos da arte, agora a nona sinfonia aparece como uma pura configuração celestial. Recentemente, porém, tivemos que aprender a nos aprofundar no espírito de um mestre, já não podemos mais ter a expectativa de que um mestre, sob quaisquer condições, desça ao nível mais inferior de compreensão de um ouvinte e lhe ofereça apenas aquilo que lhe agrade de imediato. Com isso, porém, não pretendo afirmar que a arte pura, que dispensa qualquer comentário, não seja em geral superior a uma arte para a qual precisamos primeiro procurar penosamente sua chave. No entanto, este não é o caso da nona sinfonia de Beethoven: ela exige apenas uma capacidade de absorção correspondente à cultura do tempo e uma relação mais íntima com a arte; além disso, certa liberdade de preconceitos, como, por exemplo, aqueles que não se extraem da música de outras nações. A música alemã sempre teve a peculiaridade de querer e oferecer mais do que o mero prazer auditivo e espiritual, uma elevação do coração; e nenhuma outra obra de Beethoven oferece justamente isso em medida tão grande quanto a nona sinfonia.

Preciso falar ainda de um terceiro ponto, que muitas vezes tem sido usado como crítica a Beethoven, enquanto outros usaram este mesmo ponto para dele deduzir a obra reformadora de Beethoven e datar uma virada no desenvolvimento da arte a partir desta. Avanço agora em território de fatos históricos e preciso tratar em maior detalhe deste ponto.

Trata-se do uso do canto em uma sinfonia, no qual alguns (não incorretamente) reconhecem uma violação da unidade necessária dos meios artísticos, uma mistura inadmissível dos gêneros artísticos, enquanto os outros veem esse procedimento como ato libertador, como prova de que o próprio Beethoven considerou o canto como algo necessário para alcançar o efeito perfeito da música.

Diversas circunstâncias, até então ignoradas, evidenciam claramente que Beethoven não pretendia efetuar uma ruptura com o passado ou com a arte até então válida nem causar uma revolução com sua nona sinfonia. Já o fato de ele não ter intitulado sua obra simplesmente de "Sinfonia", mas de "Sinfonia com coro final sobre a poesia de Schiller 'Aos amigos'", indica que ele mesmo considerava sua obra como excepcionalmente figurada desta forma, que ele via seu final como acréscimo irregular, que ele se permitiu adicionar desta vez, sem, de forma alguma, considerar a forma ambígua como progresso ou consequência necessária de desenvolvimentos anteriores. Em segundo lugar, Beethoven fez esboços para uma décima sinfonia, na qual não deveria ocorrer canto algum. Caso Beethoven realmente tivesse acreditado que o efeito pleno não podia ser obtido com a música instrumental pura, como alegam diversos amigos da "música do futuro", ele teria sido inconsequente ao escrever uma sinfonia sem canto após uma sinfonia com canto. Teria sido igualmente inconsequente se tivesse considerado necessário introduzir o canto apenas à música orquestral – deveria ter escrito também quartetos e sonatas com canto, talvez com canto individual, o que, felizmente, nunca lhe passou pela cabeça.

Ou seja, toda essa conversa segundo a qual Beethoven se viu obrigado a recorrer ao canto para expressar suas últimas revelações não leva a nada[*]. A incapacidade de encontrar a forma adequada para revestir a poesia de Schiller explica tudo. Essa poesia o havia cativado tanto, havia incitado sua imaginação de forma tão poderosa que ele precisava se livrar dela por meio de sua musicalização. Já os numerosos motivos musicais, que ele havia esboçado e refutado para as primeiras palavras da poesia, mostram claramente sua luta e busca pela forma adequada. Juntou-se a isso outra questão. Beethoven reconheceu que não poderia usar toda a poesia em sua grande amplitude retórica. Na época, a poesia já havia sido composta várias vezes como cântico para coral, mas esta forma não o atraía, pois ela o privava da possibilidade de investigar musicalmente os ricos detalhes do conteúdo. Mas compor toda a poesia em toda a sua extensão teria resultado numa obra monstruosa e, por fim, entediante. Beethoven, que, durante a leitura, certamente teve também ideias instrumentais, teve então a ideia de transformá-la em uma obra vocal e instrumental e, curiosamente, pensou primeiro na possibilidade de uma "abertura" (Ouvertüre). No entanto, em virtude de sua duração restrita, ele logo teve que desistir dessa forma; a

---

[*] Cf. HÜFFER, F. "Die Poesie in der Musik" [A poesia na música]. Prefácio XII e texto 12.

sinfonia, por sua vez, lhe ofereceu a possibilidade de um desdobramento irrestrito, sobretudo das oposições necessárias, para preparar e motivar a expressão da alegria. O que a poesia não lhe oferecia: os sofrimentos e as lutas que antecedem a alegria, e estes ele podia expressar por meio da música instrumental, para então, por meio do canto, conferir uma expressão intensificada ao júbilo. Beethoven acatou essa ideia com entusiasmo e não imaginou que, por isso, alguém o acusasse de ferir a unidade dos órgãos sonoros ou que partidos musicais extremos se servissem disso para gerar tendências revolucionárias. Pois ele acreditava ter demonstrado que havia alcançado efeitos plenos por meio da música instrumental pura e não podia ceder espaço ao temor de que toda a criação de sua vida inteira fosse menosprezada em prol de uma obra única, de uma obra de arte excepcionalmente figurada.

Chega então de colocar à prova a paciência do leitor com a disputa sobre a justificativa artística da forma artística mista, que Beethoven aplicou na nona sinfonia. Uma área mais frutífera para a contemplação seja talvez o conteúdo musical e poético da obra em seus detalhes, e é sobre estes dois pontos que pretendo falar agora.

Trata-se de uma peculiaridade conhecida de Beethoven que ele nunca quis se repetir, antes sempre procurava usar cada obra nova para expressar um conteúdo especial sob múltiplas modificações da forma. Se compararmos a nona sinfonia com seus antecessores, chama a atenção não só a mistura acima mencionada de música instrumental e canto, antes encontramos muitos pontos nos quais Beethoven – para primeiro falarmos sobre questões da forma musical – se manifestou como completamente novo. Talvez pudéssemos resumir a essência disso dizendo que, na nona sinfonia, ele procurou a novidade não na execução do contraponto, mas nas introduções e nos revestimentos orgânicos. O que parece dominar toda a obra é o princípio do preparo. Já o próprio final, cujo teor principal é o canto, possui uma longa introdução muito curiosa. Para este final, os três primeiros movimentos servem como introdução preparativa. Mas já estes três primeiros movimentos (ou pelo menos os dois primeiros) possuem suas introduções especiais, que acima chamei de orgânicas, pois não se trata de introduções do tipo que ocorre na primeira, segunda, quarta e sétima sinfonias, ou seja, movimentos lentos que precedem o primeiro *allegro*, mas que, em seu tema, nada têm em comum com este; antes trata-se de introduções que aos poucos desdobram o tema vindouro diante dos nossos olhos. Isso vale principalmente no primeiro movimento para o surgimento do tema a partir de um motivo mais rítmico do que melódico, de certa forma a partir de um núcleo primordial. E no segundo movimento, no *scherzo*, Beethoven lança primeiro o motivo principal, ritmos em saltos quádruplos de oitava, antes de – após um intervalo geral – entoar o tema em fugas. No *adagio*, ele introduz o tema por meio de dois compassos muito peculiares, que não podemos chamar de orgânicos, mas que mesmo assim se apresentam como revestimento ou preparativo maravilhoso. Esses dois compassos lembram as duas notas introdutórias que ele enviou a Londres para o *adagio* da grande Sonata em Si, opus 106. Sem dúvida alguma, porém, a introdução mais interessante é a introdução ao próprio *finale*, tecido em parte de motivos novos, em parte de ecos dos movimentos anteriores, em parte de prenúncios instrumentais ao tema vindouro da alegria: uma disposição curiosa, até então singular na obra de Beethoven.

No que diz respeito à forma dos movimentos ao todo, esta é, com exceção do *finale*, essencialmente a já existente e provada forma da sinfonia e sonata com modificações insignificantes na disposição, mudança de tom etc., modificações estas cujas mais importantes pretendo mencionar aqui.

No primeiro movimento, Beethoven abandona a repetição da primeira parte, até então comum e também por ele praticada em todas as oito sinfonias anteriores, porque o conteúdo rico e peculiar da primeira parte não seja imediatamente compreendido por completo. Mas Beethoven deve ter tido boas razões – e caso não esteja enganado, estas eram justamente o devir e desenvolvimento do tema – para não apresentá-lo duas vezes no mesmo tom e idêntico em todos os pontos. O fato de que Beethoven compôs a parte das cordas não, como era de costume, na escala paralela de Fá maior, mas em Si maior, é interessante para o músico, e talvez seja de importância também para o efeito estético, mas não cabe aqui falar sobre isso em maior detalhe.

O *scherzo* chama atenção em virtude de sua grande e ampla disposição. Antigamente, essa peça sinfônica era, como minueto, nada mais do que um breve *intermezzo*, um ponto de descanso descontraído entre os movimentos seriamente elaborados. Dessa vez, Beethoven o amplia, em correspondência com a extensão maior do todo, para uma peça extraordinariamente extensa, mas também maravilhosa. Como se não bastasse que as duas partes principais já são muito extensas, ele as repete, e até mesmo após o chamado trio, onde as repetições não costumam ocorrer, ele exige a repetição da primeira parte principal. Apenas uma invenção tão rica e livre como Beethoven a desenvolveu aqui podia evitar o cansaço e fornecer um deleite rico a despeito de sua extensão. Mas também aqui ele percorre toda a esfera sonora, e a ousadia das modulações e os meios rítmicos provocam surpresa e admiração em cada músico e amigo da música.

O *adagio* contém um desvio notável do ordinário, pois Beethoven desiste da unidade do compasso e da velocidade, fazendo as cordas executarem um tema em compasso ternário simples mais animado. Na época, isso teria sido algo impossível, se as pessoas já não tivessem conhecido liberdades análogas em obras anteriores de Beethoven.

O *finale*, por fim, se apresenta à primeira vista como coleção de peças rapsódicas. Mas a forma de fantasia, aplicada aqui, não é nenhuma novidade; antes foi, como se sabe, já usada de modo maravilhoso por Mozart. Seu uso foi reservado a Beethoven apenas na sinfonia. A forma livre se apresenta aqui de forma mais contida, pois Beethoven aplicou ao mesmo tempo a forma de variações. O tema que Beethoven inventou para as primeiras palavras do texto – "Alegria, formosa centelha divina" – percorre todo o movimento nas mais diversas variações e representa o fio de Ariadne, que nos permite acompanhar musicalmente todo o movimento; basta reconhecê-lo em todas as suas transformações. Assim, oferece o motivo temático constante por exemplo na marcha em Si maior (compasso 6/8) e no *fugato* seguinte, depois na fuga dupla em Ré maior (6/4) e nas figuras orquestrais do último *allegro*, alternando e combinando apenas com o motivo de "Abracem-se, milhões". De forma alguma é possível alegar, sob estas condições, que a forma se desmancha: não existe apenas um laço espiritual ou emocional indeterminado, mas também um laço puramente musical e muito determinado; portanto, parece-me que qualquer acusação pode ser refutada para o *finale* neste sentido.

Mesmo que a nossa nona sinfonia dê ao músico muito a pensar, a admirar e a estudar no que diz respeito ao seu aspecto formal, isso perde qualquer importância diante de seu aspecto ideal ou poético e quando nos entregamos ao efeito de sua execução maravilhosa.

Como mencionamos acima, Beethoven pretendia que seus ouvintes percorressem todas as escalas da dor e da alegria, não só a dor e a alegria do indivíduo. Como já indiquei na minha palestra anterior, seu espírito, que se ocupava com os destinos dos povos, sim, até de toda a humanidade, instigado pela poesia de Schiller e pelas ideias da igualdade e fraternidade, estava completamente voltado para este lado, e ele criou sob a forte influência destes pensamentos. Para fixar aquela escala de forma artística, ele dispôs o conteúdo dos quatro movimentos da seguinte forma: O primeiro *allegro* deveria expressar de forma verdadeiramente patética a dor e a poderosa revolta contra o *fatum*. No *scherzo*, então, o humor deveria conquistar o seu espaço, mas no grande estilo digno e correspondente ao grande tema; a natureza burlesca também poderia se manifestar, mas apenas em segunda linha: o humor precisava ser agudo e cortante e até beirar à zombaria. Então, um *adagio* de profunda vida sentimental estabeleceria um oposto reconciliador, um *adagio* das alegrias celestiais. – Não cabe, porém, ao homem viver estas na terra, ele só pode imaginá-las e contemplá-las como recompensa por suas lutas terrenas. Por isso, o *finale*, dedicado à expressão da alegria, começa com o oposto brutal de um grito terrível e uma série de perguntas dirigidas à justiça eterna, na forma de recitativos instrumentais, cuja resposta aos poucos acalma a tempestade e abre o coração para a alegria, que agora se faz ouvir como melodia instrumental e então conquista todo o espaço. Mas mais uma vez as coisas se confundem, despertam as paixões e mais uma vez a dor ameaça vencer; então se inicia o canto para desdobrar seu poder provado sobre o coração humano. Isso quebra o feitiço do mal, e a partir de agora a paz e a alegria nas palavras de Schiller se intensificam até o ditirambo extasiado. Contemplemos agora os movimentos individuais de mais perto ainda e vejamos quais meios musicais especiais Beethoven usa para atiçar nossa imaginação, quais meios ele usa para guiar as nossas sensações e harmonizar o prazer da obra sonora por meio da associação de ideias com um prazer espiritual e poético.

Bastante curioso é logo o início do primeiro movimento. Essa oscilação da quinta *a-e* vazia, sem terceira que a preenche, levando o núcleo primordial do tema a tropeçar – isso se assemelha a um tremor indeterminado e monótono de uma matéria que ainda não encontrou sua forma; por isso, as pessoas costumam comparar este início ao caos. Para a sensibilidade musical e a vida nervosa, esse vazio suscita temores – parece que estamos sendo preparados para ouvirmos coisas muito sérias e até mesmo assombrosas. Então, após 16 compassos, irrompe o tema em Ré menor, como que feito de aço, com traços distintos, como símbolo de uma força gerada para enfrentar todos os demônios do mal. Percorrendo a tríade em Ré menor de duas oitavas de cima para baixo, atrai-nos também o ritmo distinto e o uníssono, que ambos produzem seus maravilhosos traços. Esse tema abarca uma série de motivos menores, cada um dos quais possui autonomia o suficiente para gerar a partir de si mesmo muitas novas figurações, executadas mais tarde por Beethoven. Esse tema é singular e incomparável, mesmo entre todos os temas principais de Beethoven. Todo o primeiro movimento recebe dele uma tonalidade sombria, mas enérgica, mantida até mesmo nos momentos em que outros motivos se introduzem a ele; como, por exemplo, os curtos motivos secundários, onde o movimento passa para Si bemol maior, adotando um caráter consolador ou mais ameno, mas mantendo sua postura de seriedade e todo o caráter geral. No entanto, o movimento alcança seus auges em dois momentos, o primeiro após a execução na segunda parte e o segundo no final do movimento.

Após despertar nosso absoluto interesse já no início da segunda parte com a entrada *pianissima* tão simples, mas ao mesmo tempo tão maravilhosa do Ré maior (após a quinta *a-e* vazia) por meio do canto alternado do tema em Sol menor, pelo maravilhoso *ritardando* das madeiras, o poderoso *fugato* iniciado em Dó menor etc., Beethoven de repente se lança após um breve *crescendo* no acorde com sexta de Dó maior, *fortíssimo*, para entoar ali aquele motivo caótico do início da sinfonia de forma bem diferente: os tímpanos trovoam ininterruptamente, os instrumentos de sopro mantêm a quinta vazia, os contrabaixos saltam pelas oitavas, como que jogados para lá e para cá pelos ventos da tempestade; finalmente, o tema manifesta seu desejo de se desdobrar, mas ele não consegue se impor ao tumulto existente. É preciso ouvir ou, possivelmente, participar da orquestra para adquirir uma ideia do terrível e maravilhoso jogo das notas. A passagem passa a impressão de uma catástrofe, de uma grande guerra de extinção entre céu e terra. – A outra passagem já próxima do final do movimento é o *basso ostinato*, uma figura de dois compassos, que se repete sete vezes desde o *pp crescendo* até o *ff*, enquanto os instrumentos de sopro entoam uma linda melodia de lamento; mas então segue mais uma daquelas irrupções de dor, que só Beethoven sabia executar sem aderir à música não artística. A escala cromática celebra aqui seu triunfo, mas também alcança o ponto em que não pode ser superada sem abandonar o fundamento da arte nobre.

No *scherzo*, Beethoven demonstra mais uma vez sua grande arte sinfônica na invenção de temas que podem ser executados por qualquer instrumento com um efeito peculiar. O tema desse *scherzo* começa com um motivo em ritmo pontuado e com um salto de oitava. Não existe nada mais simples do que essa figura; mas é justamente essa simplicidade que a capacita a ser aplicável em todos os lugares; até mesmo os tamborins, que normalmente são afinados em quintas ou quartas, se submetem à vontade de Beethoven. No entanto, é inaudito o que Beethoven faz surgir desse motivo tão modesto, não só tematicamente, mas também em termos de humor quase sarcástico por meio do emprego dos diversos instrumentos. Estranhos são não só os tamborins, mas também as trompas normalmente tão pacíficas, que aqui se divertem com os saltos pelas oitavas. Estou falando da passagem na segunda parte, onde, após o *pianissimo crescendo*, ocorre a passagem para o *fortissimo* do tema. – Além de sua destreza no uso dos instrumentos, percebemos aqui também o gênio de Beethoven nas refigurações rítmicas. Já sabíamos antes de Beethoven que existem grupos de movimentos com quatro e três compassos. Mas passar do ritmo de quatro para o de três compassos para fins de expressão humorística, isso é algo que só Beethoven podia inventar. Essa passagem (ela se encontra na parte anterior à passagem das trompas) possui um efeito burlesco, ao qual sobretudo os tamborins, fagotes e outras madeiras contribuem a sua parte. Diante disso, se destaca ainda mais aquele *fortissimo*, onde transcorre todo o tema construído na base dos três acordes principais em meio ao acorde em Ré menor das trompas e trompetes com seus saltos de oitavas e ritmo pontuado. Isso também é humor, mas na vida ordinária chamamos este humor de "humor negro", e podemos chamar Beethoven, inventor do humor na música, também de inventor deste tipo de humor.

De forma graciosa se destaca então o trio em Ré maior, que se apresenta como um hino de triunfo precoce, mas que também recebe uma aura humorística por meio da participação dos fagotes.

Mas como devemos descrever e louvar o *adagio* seguinte? Beethoven parece tê-lo copiado dos cânticos elisíacos, pois são melodias como que de um mundo melhor, onde todas as paixões se calam, onde não existem mais ira nem ódio. Assim costumamos imaginar as figuras bem-aventuradas, que passeiam pelos Campos Elísios sem grande alegria, mas felizes, lembrando-se apenas dos amados distantes, dos quais ainda estão separados. É mais fácil sentir do que descrever esse tipo de sentimento. Mas quando nos perguntamos com que meios Beethoven gera esse tipo de impressão, quase nos envergonhamos, pois só podemos responder: Com os mais simples! Uma melodia com tons longos, que sobem e descem em intervalos simples, mas insistentes, mais tarde figurados, mas não apenas adornados, mas formados com a mais alta expressão. Junta-se a isso uma harmonia simples, formada pelos acordes mais simples do tom, mas adequando-se também àquela melodia, sem qualquer preconceito ou proposta passional – e tudo isso executado pelas cordas espirituais, os instrumentos de sopro se limitam ao segundo plano; um movimento puro, livre de qualquer dissonância – é isso o que a análise pode dizer sobre as razões daquele efeito; sua essência espiritual é inexprimível, ela se esquiva ao raciocínio e permanece enigma.

Quero apontar ainda alguns momentos individuais deste *adagio* como exemplos de pensamentos sonoros particularmente curiosos e belos. Trata-se aqui, como tantas vezes em Beethoven, daquelas passagens de intermediação ou transição, de adendos ou *codas*, que os outros compositores tendem a tratar com menosprezo. Por exemplo, as introduções silenciosas e prenunciadoras ao segundo tema no compasso de 3/4. Então aquele movimento intermediário em Mi bemol maior, que depois passa para Mi bemol menor e Dó bemol maior, onde os instrumentos de sopro mais delicados retomam o motivo do primeiro tema, acompanhados pelo *pizzicato* igualmente curioso das cordas. Depois também a transição enarmônica para a segunda variação do violino. Por fim todo o *coda*, sobretudo, porém, o final com o solo do tamborim com seus tons misturados em maior e menor. Beethoven é, de fato, um artista generoso, que, após dar seu melhor nas melodias principais, nos oferece também nas partes secundárias uma plenitude de beleza.

Chego agora ao *finale*, que deveríamos chamar de uma obra quase autônoma, se não fossem os ecos ou citações dos motivos dos primeiros movimentos. Com este *finale*, abandonamos o território questionável de interpretações subjetivas e avançamos em terras mais firmes, visto que agora o texto nos transmite determinadas concepções poéticas. Agora, basta contemplarmos os meios sonoros aplicados por Beethoven para corresponder musicalmente a estas, ou melhor: para elevá-las para um mundo fantástico, para uma atmosfera mais elevada cheia de brilhos e aromas.

Durante a introdução multiforme ainda nos perguntamos o que tudo isso significa. Já expressei acima a minha convicção segundo a qual Beethoven pretendia apresentar mais uma vez o contraste absoluto entre alegria e sofrimento, para assim conferir um efeito ainda mais forte à expressão da vitória da alegria. O modo como ele o faz é tão original quanto maravilhoso. Quem, antes da nona sinfonia de Beethoven, jamais permitiu que os baixos da orquestra tocassem um recitativo? Mas não é genial usar os recitativos, emprestados da música de canto, para preparar os ouvintes para esta? E é igualmente certo que para esses movimentos tempestivos não existem instrumentos mais adequados do que os contrabaixos e violoncelos. A razão principal para Beethoven era, porém, fazer com que a parte dos baixos no *finale* liderasse a ciranda. Toda a melodia principal de "Alegria, formosa centelha divina" é executada primeiro pelos baixos como solo. O início do canto é um solo do baixo ou barítono, e novamente é o barítono que entoa aquela melodia pela primeira vez.

Maravilhosa é, então, a transição da escala menor, na qual se movimentam primeiro aqueles recitativos, para a escala maior cristalina após a entoação do motivo da alegria em quatro compassos. E igualmente linda é a construção do tema de baixo para cima, tanto sua execução em três vozes, onde os violoncelos e violas elevam a melodia ao tenor e o fagote toca entre eles e o baixo uma curiosa voz intermediária, quanto também a passagem em quatro vozes, com a maravilhosa melodia contrária do violoncelo. Elevando-se do *pianissimo* ao *ff*, este movimento demonstra, ainda sem canto, como os instrumentos são capazes de expressar a alegria.

Finalmente chego aos movimentos vocais, interrompidos ainda várias vezes por *ritornellos* instrumentais, introduções etc. Das oito estrofes da poesia, Beethoven utilizou apenas três e o refrão do coro; tudo isso, porém, em ordem totalmente livre. Para a execução ele precisou apenas de um tema principal que permitisse várias refigurações e um ou vários temas secundários como contraste; e o músico contrapontual que ele era exigiu que pelo menos dois desses temas pudessem ser cantados ao mesmo tempo – ou seja, ele precisava de um contraponto duplo, que permitisse o deslocamento das vozes uma sobre a outra. Beethoven encontrou esses temas, contrapondo à melodia principal "Alegria, formosa centelha divina" etc. o motivo de "Abracem-se, milhões", compondo-o de tal forma que pudesse ser combinado com aquela melodia. Ele encontrou as "refigurações" acima mencionadas por meio de uma figuração variada e na configuração rítmica. Fazem parte destas as passagens do quarteto solo (cantado mais tarde também pelo coro): "Alegria bebem todos os seres" etc., a peça em estilo de marcha em Si maior (compasso de 6/8), onde a transformação em ritmo triplo com síncope dá uma aparência totalmente nova ao tema; depois aquela fuga dupla em Ré maior (6/4), onde a mudança é menos forte. Junta-se a essa matéria temática ainda uma ênfase autônoma daquelas palavras que exerceram uma impressão especial sobre Beethoven e que ele musicaliza em motivos impressionantes: "Vos prosternais, multidões" etc. – Se contemplarmos tudo isso com o olho poético, descobrimos que não é só o todo que corresponde ao sentido da poesia; muitos aspectos individuais causam tamanho efeito em imaginação e sentimento que nem mesmo aqui conseguimos prestar contas sobre as causas secretas desses efeitos. Isso vale primeiramente para aquela marcha em Si maior. Como é pitoresco! Aparentemente, as palavras "Gozosos como o herói para a vitória" da poesia despertaram na imaginação de Beethoven a imagem da procissão triunfal de um herói. Primeiro, ouvimos de longe apenas o baixo, que então se aproxima; finalmente, a procissão parece dobrar a esquina, a música de repente se aproxima mais rapidamente, e a melodia, inspirada por um êxtase bacal, ressoa então nas madeiras e trompas. Segue um solo do tenor do próprio herói ou seu arauto, e logo depois o coro masculino, e tudo isso por meio da melodia da alegria tão lindamente reconfigurada. Por fim, tudo é tomado por um ser verdadeiramente bacal e selvagem, os instrumentos tocam uma fuga, cujo tema também é formado a partir do motivo da alegria. Por fim, todo o coro retoma o tema simples, enquanto a orquestra continua a tocar com fúria. De repente, tudo se cala, e as vozes masculinas, de certa forma um coro de sacerdotes, que só canta em harmonia como os antigos gregos, intona "Abracem-se, milhões", cujo motivo curioso é repetido pelo coro completo. Mas o que segue agora é altamente peculiar. Não sabemos se ele se lembrou do estilo de Palestrina ou de estranhezas musicais ainda mais antigas, em todo caso nos sentimos transportados para um mundo completamente estranho quando Beethoven faz seus tenores e baixos cantarem "Irmãos! Sobre a abóbada estrelada" num tom muito nada óbvio; e como o órgão numa igreja se manifesta então o Fá maior do coro. Mas como se isso não bastasse, a passagem se torna cada vez mais estranha e bela: primeiro, aquele canto maravilhosamente humilde em Sol menor "Vos prosternais", que, com sua música sacra, não poderia ser expressado de forma mais pia; então aquelas elevações da harmonia por meio de terças expressivas até o Mi bemol maior, onde todas as vozes entoam *ff* o "Sobre as estrelas Ele deve morar". Então, de repente, a concepção da elevação se dissolve na concepção da eternidade e da própria nulidade, um acorde que se estende até as fronteiras do possível, quando ressoam os violinos com um enigmático tremor *pp*, que lembra o tremor do brilho das estrelas; e esse acorde permanece inalterado e se estende até o infinito. Diante dessa passagem nos resta apenas o maravilhamento diante dos tons que a mão de um mestre pode produzir.

Na fuga dupla seguinte tudo adota um caráter e traço cada vez mais ditirâmbico. Mas Beethoven aproveita as palavras "Onde pairar teu voo suave" para um maravilhoso *intermezzo*, usando as quatro vozes solo (com uma repentina passagem de Ré maior para Mi maior e Si maior e um *tempo* lento igualmente repentino) para uma pintura altamente expressiva daquele "voo suave", cuja imagem o poeta emprega para retratar o melhor efeito da alegria, ou seja, que os homens se tornem irmãos. – Agora, porém, tudo se transforma em júbilo desenfreado; o ouvinte é arrastado por esse turbilhão e levado a participar com seu canto e júbilo. Essa natureza bacal, que exclui qualquer moderação, justifica ou desculpa aqui também o movimento vocal de Beethoven; em termos musicais ou vocais isso não é possível, e talvez podemos perguntar ao grande gênio com toda modéstia se ele não poderia ter obtido o mesmo efeito com meios mais adequados[*].

No próximo sábado poderemos experimentar a impressão imediata da obra grandiosa em uma apresentação provavelmente excelente. É possível que, em alguns casos individuais, surjam imagens diferentes em sua imaginação do que estas que apresentei aqui como as minhas; pois a música instrumental tem efeitos diferentes sobre as pessoas. Mas certamente o leitor concordará comigo que a obra nos concede não só um grande prazer musical, mas também um efeito enobrecedor espiritual sobre todo o ser humano. Dos sentimentos do sofrimento somos elevados até as regiões da mais alta alegria, e experimentamos esta de forma ainda mais intensa se antes nos aprofundamos na dor. Beethoven prega aqui em sua música a velha sabedoria segundo a qual a paz e a alegria seriam o ideal que todos buscam. Mas não é o bem-estar, a levianidade ou a indiferença que nos levam até ele; ele só é conquistado por meio de lutas e dores, por vezes também por meio de duras privações. Assim, as passagens sofridas da nona sinfonia de Beethoven também repetem apenas as palavras do velho tocador de harpa de Goethe: "Quem jamais comeu seu

---

[*] Creio que todos os músicos formados reconheçam hoje em dia que as partes vocais não eram o forte de Beethoven.

pão com lágrimas, quem jamais passou as noites sofridas sentado em sua cama, este não vos conhece, poderes celestiais!"

3
Volume I, p. 599

"Musikalisches Wochenblatt"
Editor: E.W. Fritzsch, Leipzig
Ano VIII, 1877, n. 14, 30 de março de 1877

Filisteus musicais

Para nós, o músico [*Musiker*] é um ser que, como a Pítia, "fala com boca descontrolada"; ele serve – como já no passado remoto também aquela – a Dioniso; seu poder é seu entusiasmo cativante; e sua maravilhosa falha, o fato de ele derrubar as ordens.

O tocador de música [*Musikant*] é um ser diferente; ele toca o violino e assobia em primeira linha para viver; ou seja, é um ignorante. De sua arte sabe apenas que consiste de notas. Ele não faz mal nenhum ao mundo.

O filisteu musical, porém, é um indivíduo danoso à sociedade. Pretende ser mais do que é – ou seja, mais do que um tocador de música. Quem alimenta essa pretensão é sua vaidade. Ele, o homem teórico, pretende conseguir seguir os passos do gênio dionisíaco, enquanto sua cabeça e seu coração permanecem entupidos. Ele fala e escreve sobre música e considera seus escritos dignos o bastante para apresentá-los ao mundo; de forma que assim logo apresenta de modo inconfundível a medida que ele usa para julgar produtos do espírito. A força de juízo é um dom escasso, e usam-se as mesmas letras para imprimir o inteligente e o tolo; quem, portanto, ousaria julgar com exagerada severidade o público que não distingue e pelo fato de suportar os falastrões mais toscos? Deixemos isso de lado! – Nós, porém, consideramos nossa obrigação de expor pessoas desse tipo e de não permanecer calados. Sabemos que só por isso não abandonarão suas práticas. Mas vale abrir o caminho para a marcha triunfal da humanidade; não sabemos fazer isso de forma melhor do que identificando aqueles, para que o público saiba que são eles os morosos e tardos, que por eles a procissão passará. Seu número é grande, mas sua idade nos serve como consolo.

Hoje falaremos apenas de um, com a intenção de, mais tarde, levar outros do mesmo tipo à inquisição.

Selmar Bagge

Ele exerce a função de diretor da escola de música em Basileia. Para quem conhece a cidade, basta dizer isso; mas visto que a maioria dos nossos leitores não conhece as condições dessa cidade, precisamos falar primeiro sobre ela como área de atuação do Sr. Bagge.

Em questões musicais, a cidade de Basileia é província. Um único exemplo ilustra isso: certa vez, teve a oportunidade de contratar Hans von Bülow, mas a recusou e contratou em seu lugar o Sr. Bagge. Por mais que as pessoas musiquem em Basileia e em toda a Suíça, a população não é nada musical; sua postura diante das artes é errada, e os esforços sinceros de estrangeiros não surtam qualquer efeito. Esse fato nos surpreende ainda mais diante do senso aparentemente muito desenvolvido diante das artes plásticas: a própria Basileia hospeda as mais valiosas obras de arte e seus conhecedores[*]. Mas como deveríamos identificar uma verdadeira paixão pelas artes apolíneas se não no efeito da excitação dionisíaca, daquela excitação que, para sua fertilidade, exige o *panakeion* da bela aparência como consolo? Será que o mero apreço de boas pinturas realmente serve como prova da necessidade artística? Não seria antes um gabar-se com a obra em sua posse, que representa tal e tal valor, enquanto essa mesma afeição, aplicada às artes musicais, se ausenta, porque aqui a causa do apreço se dissolve; lá, porém, ela pode ser apresentada aos convidados a qualquer hora? É assim que são as coisas nessa cidade, podem objetar o que quiserem. – E há mais alguma coisa a se ponderar! Os suíços sofrem de um mal: seu Estado republicano, que os obriga a gastar seu tempo com a política; isso torna essas pessoas secas ainda mais prosaicas. Elas não têm metas ideais – como, por exemplo, os alemães o desenvolvimento de um teatro nacional e, decorrente disso, de uma cultura alemã – e sempre sentirão que as repúblicas, quando comparadas com estados monárquicos, dependem ainda mais do favor das massas do que dos indivíduos; e o resultado disso na vida espiritual é, portanto, nada. Mas não devo divagar! –

No início de dezembro do ano passado, o mestre de capela Volkland apresentou aos cidadãos de Basileia a nona sinfonia. O Sr. Bagge, que aproveitou a ocasião para demonstrar ao público seus conhecimentos da literatura musical, apresentou

---

[*] É também a cidade natal do Böcklin original.

uma palestra sobre aquela sinfonia. Uma ideia a princípio nobre: mas coagir os leitores de uma revista musical* a ler uma palestra escrita para os sábios de Gotham é uma identificação condenável destes com aqueles. E quando contemplarmos a palestra mais de perto, nós nos aperceberemos quão malservidos são os coitados cidadãos de Basileia com este seu intérprete musical: podemos aprender aqui – para usar uma palavra de Pascal – como não se deve tratar de um assunto sob determinadas circunstâncias. Pois o palestrante não faz qualquer esforço para semear o entusiasmo por essa nobre obra – como o fez Wagner em Dresden –, mas se preocupa com objeções e depois com explicações. Fala principalmente sobre como Beethoven, no último movimento, por exemplo, compôs uma melodia de forma que pudesse ser executada ao mesmo tempo com outra, ou seja, fala dos aspectos externos da obra. Para que a ridicularidade desse procedimento seja reconhecido à luz correta, sugiro que o leitor se imagine num vale da Grécia Antiga, onde as multidões se preparam para ouvir um coro de Ésquilo. Como estas se surpreenderiam se agora se levantasse um homem alexandrino e lhes explicasse as diferentes características de suas três partes, a dificuldade de sua apresentação e interpretação, a justificativa da forma do coro etc.! A parábola se aplica também porque o ouvinte helênico não era uma pessoa esteticamente muito culta, e o efeito de apresentações musicais se devia mais à impressão geral do que à de detalhes individuais. Se eu continuasse a minha comparação e considerasse a pobreza do homem moderno, eu me surpreenderia com o fato de que ninguém teve ainda a ideia de publicar um comentário antes da apresentação de uma peça de Shakespeare, Goethe ou Schiller. Pois aqui a língua viria ao socorro da língua; lá, porém, pretende servir a um objeto que apenas o músico consegue expressar com sua arte; temo até que não estaria tão distante o tempo em que as peças de músicas nos serão presenteadas na forma de comentários de seus mestres sonoros. E por Zeus, Sr. Bagge! Acabo de lhe indicar novas trilhas; se o senhor conseguir conservar sua força crítica, histórica, teórica e compositória, ainda – isso eu posso lhe profetizar – fará coisas inéditas e originais, mesmo que suas composições até me permaneceram completamente alheias até agora. No entanto, conheço muito bem o título de sua teoria da música, conheço profundamente também a palestra mencionada – pois a ouvi de sua boca – e outra do inverno passado, na qual o senhor expôs seu hábito ruim de expressar todos os sujeitos duas vezes por meio de sinônimos, por exemplo: "sentenças e juízos; contrastes e concepções muito contrárias; diversas épocas do desenvolvimento e de fases de formação; nuanças e variações do

---

* A "Allgemeine Musikalische Zeitung" (n. 4 e 5 daquele ano).

sentimento; matérias e tarefas, cuja resolução só pode ser realizada pelo mais nobre dom e mais puro sentido" etc. etc.

Peço então que o leitor ouça agora algumas passagens da palestra publicada nos n. 4 e 5 da "Allgemeine Musikalische Zeitung": A tentativa de transmitir aos ouvintes da obra *o ponto de vista correto para a compreensão da obra* é *extremamente difícil, pois esta obra suscita perguntas de importância decisiva para a avaliação correta desta; perguntas, porém, que nem mesmo capacidades de primeira ordem não conseguiram responder de forma completamente satisfatória.* Nada sabemos dessas perguntas, nem dessas capacidades "de primeira ordem"; pedimos, por isso, ao Sr. Bagge que nos apresente pelo menos a estes respeitados e capazes cidadãos. No que diz respeito às "perguntas", suponhemos que se trate daquelas que ele recita em sua palestra. – E nas duas orações seguintes, peço que o leitor preste atenção no *ethos*: *Certamente seria errado ignorar as várias ressalvas e objeções levantadas contra a nona sinfonia e me satisfazer com uma apoteose entusiasmada. No entanto, serei breve para não limitar o meu elogio e louvor a esta maravilhosa obra.* Segue então a lista com a aparente resposta às *objeções* referentes às *dificuldades excessivas da execução* e da *figuração formal* desta sinfonia. Somos informados de coisas que revelam a má companhia com a qual o Sr. Bagge convive; ele soube, por exemplo, que algumas pessoas alegam que a sinfonia seria *incompreensível, sem forma e excessivamente longa, muitas vezes cansativa e não iluminada pelo brilho resplandecente do gênio como as outras obras do mestre.* No entanto, entrementes teria ocorrido uma grande mudança nas opiniões; (Bagge cata uma pedra, a lança contra as estrelas e diz:) *tivemos que aprender a aceitar e compreender complexidades, durações e produções penosas muito maiores ainda, de forma que àquele que acompanhou os desenvolvimentos da arte, agora a nona sinfonia aparece como uma pura configuração celestial. Recentemente, porém, tivemos que aprender a nos aprofundar no espírito de um mestre, já não podemos mais ter a expectativa de que um mestre, sob quaisquer condições, desça ao nível mais inferior de compreensão de um ouvinte e lhe ofereça apenas aquilo que lhe agrade de imediato.* A continuação desse palavrado ocupa ainda muitas linhas; poupemos o leitor destas! – Em terceiro lugar, *trata-se do uso do canto em uma sinfonia, no qual alguns (não incorretamente) reconhecem uma violação da unidade necessária dos meios artísticos, uma mistura inadmissível dos gêneros artísticos, enquanto os outros veem esse procedimento como ato libertador...* Evidentemente, o Sr. Bagge se considera representante dos primeiros: *toda essa conversa segundo a qual Beethoven se viu obrigado a recorrer ao canto para expressar suas últimas revelações não leva a nada.* Pois o Sr. Bagge nos informa que a nona sinfonia nem foi a última obra de Beethoven, pois escrevera ainda outras coisas, no entanto, sem acrescentar a elas o canto, caso contrário *deveria ter escrito também quartetos e sonatas com canto, talvez com canto individual*. Ou seja: O nosso diretor de escola não consegue entender que a flor da cruz – esse símbolo do supremo florescer no éter – já pode encerrar a obra de uma torre gótica em seu ponto mais alto, enquanto suas partes inferiores ainda precisam ser aperfeiçoadas. – Agora o Sr. Bagge acredita ter encontrado a chave para o enigma ao imaginar as prováveis fases do processo criativo de Beethoven: Beethoven lê o "Hino à alegria" de Schiller; imediatamente, ele reconhece que precisará compô-lo, mas como? Ele percebe que não pode usar a poesia inteira, pois, primeiro, não o atraía a possibilidade de tratá-lo como cântico com estrofes; segundo, *compor toda a poesia em toda a sua extensão teria resultado numa obra monstruosa e, por fim, entediante*. Aparentemente, Beethoven teria pensado também em uma abertura com o coro de Schiller; *no entanto, em virtude de sua duração restrita, logo teve que desistir dessa forma*. Cogitou então o recurso à forma da sinfonia, pois esta lhe oferecia a oportunidade *de um desdobramento irrestrito, sobretudo das oposições necessárias, para preparar e motivar a expressão da alegria. O que a poesia não lhe oferecia: os sofrimentos e as lutas que antecedem a alegria, e estes ele podia expressar por meio da música instrumental, para então, por meio do canto, conferir uma expressão intensificada ao júbilo. Beethoven acatou essa ideia com entusiasmo e não imaginou que, por isso, alguém o acusasse de ferir a unidade dos órgãos sonoros ou que partidos musicais extremos se servissem disso para gerar tendências revolucionárias. Pois ele acreditava ter demonstrado que havia alcançado efeitos plenos por meio da música instrumental pura e não podia ceder espaço ao temor de que toda a criação de sua vida inteira fosse menosprezada em prol de uma obra única, de uma obra de arte excepcionalmente figurada.*

Como deve ser pequeno o crânio do qual saem esse tipo de apologias! No entanto: a prosa de candidatos, categoria esta sob a qual Lichtenberg (cf. I, 317) classificaria os tratados do Sr. Bagge, precisa falar de objeções inimigas, mesmo que jamais uma pessoa sensata as levantaria; caso contrário, nada teria a dizer!

Bagge continua e fala primeiro sobre o lado musical, e depois do lado ideal ou poético da obra. O leitor precisa manter em mente que o palestrante tinha diante de si um público sem juízo próprio e que, com a exceção de alguns poucos, não conhecia a sinfonia. No entanto, ele supõe que cada ouvinte tinha a partitura em mãos, e ele os instrui como alguém que vê um cálculo matemático como metafísica da música. No entanto, não é minha intenção falar sobre este palanfrório, que, a despeito de sua extensão, expressa menos do que qualquer pessoa sensata percebe ao ouvir a obra; limito-me a extrair algumas observações cômicas. Como esta: Beethoven teria possuído a peculiaridade de jamais querer se repetir; e também: *seu espírito, que se ocupava com os destinos dos povos, sim, até de toda a humanidade, instigado pela poesia de Schiller e pelas ideias da igualdade e fraternidade, estava completamente voltado para este lado, e ele criou sob a forte influência destes pensamentos*; mais tarde (coluna 67) [a ser lido com olhos revirados]: *então segue mais uma daquelas irrupções de dor, que só Beethoven sabia executar sem aderir à música não artística. A escala cromática celebra aqui seu triunfo, mas também alcança o ponto em que não pode ser superada sem abandonar o fundamento da arte nobre*; no *scherzo*, Beethoven produz efeitos de *humor quase sarcástico*, ao que precisamos responder que a concepção de um humor cortante nos é impossível e que a música pode conter humor, mas jamais ser piada; mais adiante, lemos: *Além de sua destreza no uso dos instrumentos, percebemos aqui também o gênio de Beethoven nas refigurações rítmicas*; depois, Bagge fala da passagem em *fortissimo* do *scherzo*, onde ressoa sobre a terça em Ré o tema principal: *Isso também é humor, mas na vida ordinária chamamos este humor de "humor negro", e podemos chamar Beethoven, inventor do humor na música, também de inventor deste tipo de humor*. Sugiro que o leitor leia o § 40 no primeiro tomo da obra principal de Schopenhauer, pois, aproximando-se do final de sua palestra, o autor afirma: *Essa natureza bacal, que exclui qualquer moderação, justifica ou desculpa aqui também o movimento vocal de Beethoven; em termos musicais ou vocais isso não é possível, e talvez podemos perguntar ao grande gênio com toda modéstia se ele não poderia ter obtido o mesmo efeito com meios mais adequados*. E ele encerra tudo com esta declaração: *As passagens sofridas da nona sinfonia de Beethoven repetem apenas as palavras do velho tocador de harpa de Goethe: "Quem jamais comeu seu pão com lágrimas, quem jamais passou as noites sofridas sentado em sua cama, este não vos conhece, poderes celestiais!"* O correspondente do "Basler Nachrichten" vê isso de forma um pouco mais favorável do que o próprio palestrante, quando relata: "A nona sinfonia é uma execução artística genial da sentença que Goethe" etc. etc. Este crítico chama a palestra de "excelente", na qual o palestrante teria "refutado com razões absolutamente satisfatórias" as diversas objeções.

O que o Sr. Bagge disse a si mesmo sobre sua proeza foi evidentemente o louvor próprio do criador, que a considerou boa. No entanto, ele precisa saber que existem ainda alguns homens em Basileia que julgam severamente: é preciso ter cuidado destes e calar-se para não cometer o erro de dizer alguma tolice; pois: "Alguém pode se surpreender com seu próprio desempenho, mas o experiente ri de sua obra". Qual é a razão disso, Sr. Bagge? Bernsdorf, do qual jamais esperaríamos a resposta certa, diz sobre o senhor em seu léxico: Seu horizonte musical não é muito amplo, e o senhor é, muitas vezes, afetado demais. Se este já o julga desta forma, nada mais temos a dizer.

Queremos apontar apenas mais uma coisa, que nos entristece muito: a responsabilidade pela educação musical da juventude de Basileia está basicamente nas mãos do Sr. Bagge; é fácil prever o tipo e o êxito desse tipo de educação. Ele, com a expressão do "guardião da castidade", adverte sobretudo contra certa arte mais recente e defende como antídoto a música hebraica moderna – e esta rima muito bem com a subserviência de Basileia de fama mundial, que, em adoração à feminilidade eterna, foge de toda seriedade e de todo heroísmo.

Basileia, meados de fevereiro de 1877.

Heinrich Köselitz

3a
"Schweizer Grenzpost und Tagblatt"[235]
Da cidade de Basileia
18 de abril de 1877

Defesa

Um pequeno panfleto* publicado no "Musikalisches Wochenblatt" (Leipzig, Fritzsch) n. 14, intitulado de "Filisteus musicais", nos obriga a uma breve resposta. O escrito tão imaturo quanto malicioso não merece uma refutação séria, e basta conhecer Basileia e o diretor de sua escola de música (contra os quais o ataque se dirige) apenas um pouco para não dar credibilidade alguma às criancices e injúrias daquele panfleto. Seu autor se identifica como Heinrich Köselitz, e o registro das matrículas da Universidade de Basileia realmente conhece um jovem com este nome, proveniente de Annaberg, na Alemanha. Chamamo-o de jovem e reconhecemos que isso é um tiro no escuro, mas a probabilidade de acertarmos é muito grande, pois, em primeiro lugar, é raro que um homem já mais maduro estude em Basileia; em segundo lugar (razão principal!), a tonalidade e o estilo do escrito são tão juvenis e precoces que, mesmo se levássemos em conta toda a selvagem bacanal de certo exército musical, ainda restaria uma boa porção que por este não é absorvi-

---

* Recorremos a essa expressão, mesmo que formalmente imprecisa, por razões de praticidade.

da. Portanto, as impertinências do autor nos devem irritar menos do que seria o caso se tivéssemos em mãos um produto de maturidade e educação.

Uma única expressão na wagneríada nos fez hesitar por um instante; no final, o autor ameaça com o balanço dos cachos do verdadeiro músico olímpico: "existem ainda alguns homens em Basileia que julgam severamente: é preciso ter cuidado destes". Este aviso *au lecteur* é dirigido primeiramente ao Sr. B., mas apresenta um sentido mais geral e mais amplo, como demonstra já o plural do título "filisteus musicais". Inclui-se a estes homens, a estes juízes intransigentes do inferno, também o autor – Seria ele, então, um homem e não um jovem? No entanto, uma segunda (mas indesculpável) segunda leitura do panfleto nos convenceu de que aquela expressão feroz é apenas uma *façon* do *páthos*; assim como existem homens de palavra, homens de ação, homens do tempo e do século, existem também homens da ameaça.

Mas visto que a ameaça do desconhecido cidadão de Annaberg se dirige contra uma maioria de filisteus musicais de Basileia e – quem sabe, não só contra eles, mas contra toda a "subserviência de Basileia de fama mundial" (cf. o último parágrafo) "que, em adoração à feminilidade eterna, foge de toda seriedade e de todo heroísmo" (que final brilhante para este drama heroico!), estas linhas pretendem chamar à atenção todos os cidadãos provinciais de Basileia (pois "em questões musicais, a cidade de Basileia é província"). Que o leitor, ou melhor, todos nós aqui em Basileia nos preparemos para a batalha vindoura, e mesmo que não tenhamos "paixão pelas artes apolíneas", pela "excitação dionisíaca", e apesar de sermos "homens alexandrinos", tão alexandrinos até que, após lermos essas linhas, sabemos exatamente de que fonte o autor recebe seu vinho ditirâmbico ("O nascimento da tragédia", de Nietzsche etc.), teremos que recorrer a outras armas de defesa, talvez primeiramente ao apelo aos ajuizados – não aos nossos conterrâneos, pois "os suíços sofrem de um mal: seu Estado republicano, que os obriga a gastar seu tempo com a política; isso torna essas pessoas secas ainda mais prosaicas" – mas aos nossos vizinhos alemães ao longo do Reno e ao leste até a cidade da "Musikalische Zeitung", que o cidadão de Annaberg escolheu como portadora de seus diamantes crus.

Se não fôssemos tão provinciais, ousaríamos perguntar a que circunstância a nossa cidade tão seca e republicana, tão musical e filisteia, tão subserviente e religiosa deve a honra de contar entre seus residentes o cidadão apolíneo-dionisíaco de Annaberg. Talvez o Sansão musical nos dê a resposta esmagadora em um de seus golpes anunciados antes de, "em adoração à feminilidade eterna", se ajoelhar diante de uma Dalila de Basileia.

4
Volume 2, p. 378)
"Der Bund", 16/17 de setembro de 1886[286]

Feuilleton.

O perigoso livro de Nietzsche

[Jos. V. Widmann]

Lema

Permita-me, tive certa vez um camarada chamado Lambert; este me contou quando tinha ainda 15 anos de idade que, quando ficasse rico, seu maior prazer seria alimentar os cachorros com pão e carne, enquanto as crianças dos pobres morressem de fome, e caso os pobres não tivessem lenha, ele compraria todo o estoque de lenha e o queimaria no meio de um campo. Este era seu sentimento! Agora, diga-me: Que resposta deveria eu dar a este perverso se ele me perguntasse por que razão deveria ser idôneo? (Passagem do romance "O adolescente", de F.M. Dostoiévski. Tradução alemã publicada por W. Friedrich em Leipzig, 1886. Tomo I, p. 81).

Aqueles estoques de dinamite usados para a construção do túnel de São Gotardo apresentavam uma etiqueta negra de advertência, que apontava o perigo de morte.

É exclusivamente neste sentido que falamos do novo livro do filósofo Nietzsche como livro *perigoso*. Com essa designação não pretendemos expressar nenhum tipo de censura contra o autor e sua obra, tampouco quanto aquela etiqueta negra pretendia repreender os explosivos. Muito menos pretendemos, com nossa referência à explosividade do livro, entregar o pensamento solitário aos corvos dos púlpitos e altares. A dinamite espiritual, tanto quanto o material, pode servir a uma obra muito útil; não é necessário que ele seja usado para fins criminosos. Mas é necessário dizer com toda clareza: Aqui há dinamite. Este é o propósito do título que demos à nossa crítica do novo livro de Friedrich Nietzsche.

Este livro curioso se chama: "Além do bem e do mal. Prelúdio de uma filosofia do futuro". Ele foi publicado há poucas semanas por C.G. Naumann em Leipzig.

Como o leitor já suspeita a partir de seu título, nesta obra o autor pretende transcender o conceito da moral e construir um mundo como mundo racional, no qual aquilo que até então tem servido como fundamento mais sólido da vida humana – a consciência do bem e do mal – já não possui mais qualquer validade.

"O homem, um animal múltiplo, artificioso e impenetrável, temível para os animais menos pela sua força que pela sua astúcia e prudência, inventou a boa consciência para poder finalmente fruir a simplicidade da sua alma; e toda a moral é uma falsificação corajosa e perene, mediante a qual sobretudo é possível fruir a contemplação da alma."

"A poderosa força dos preconceitos morais penetrou profundamente no círculo da espiritualidade pura, aparentemente a mais fria e desprovida de ideias preconcebidas e, como é natural, influiu nela – de modo prejudicial – uma ação paralisadora, deslumbrante e deformante."

"Creio que com o ar zombeteiro e indiferente de um deus epicúreo se pudesse passar em revista a comédia estranhamente dolorosa e ao mesmo tempo grosseira e refinada do cristianismo, acredito que não se poderia deixar de admirar e de rir: Não é incrível que durante dezoito séculos apenas um ideal e uma vontade tivessem dominado a Europa – aqueles de fazer do homem um *aborto sublime*?"

"Os judeus levaram a cabo essa milagrosa inversão de valores que deu à vida durante milênios um novo e perigoso atrativo. Os profetas judeus fundiram numa só definição o 'rico', 'ímpio', 'violento', 'sensual' e pela primeira vez colocaram a pecha da infâmia à palavra 'mundo'. Nesta inversão de valores (que fez também da palavra 'pobre' sinônimo de 'santo' e de 'amigo') é que se fundamenta a importância do povo judeu: com ele, em moral, começa a insurreição dos escravos."

Estas cinco citações devem bastar para mostrar-nos claramente o que pretende esta experiência filosófica. Trata-se de nada mais nada menos do que da superação daquele abismo profundo que separa o mundo ingênuo das criaturas, aquilo que simplesmente chamamos de natureza, do mundo humano, que trabalha com os conceitos do "bem" e do "mal" e que é percebido por todos os pensadores como dualismo torturante.

Digamos logo aqui que Nietzsche sabe muito bem (e também o diz em seu livro) que a introdução do conceito moral a um mundo sensual ingênuo não é obra exclusiva dos profetas judaicos, mas encontrou também em outros povos, inclusive o mais ingênuo e sensual povo – os gregos –, em Platão seu mais poderoso defensor, chegando então a representar no cristianismo, reunindo as ideias de Platão com o abandono do mundo da ascese judaica, sua potencialização mais sublime da contemplação moral do mundo. O que nos surpreende, portanto, é o fato de que Nietzsche não menciona Herder em nenhum lugar de seu livro, logo Herder, o mais eloquente defensor dessa visão platônico-cristã judaica do mundo, sobretudo nesta passagem de seu livro: "Ideias sobre a filosofia da história da humanidade", onde identifica o ser humano como elo intermediário que une dois sistemas da criação, a organização sensual terrestre e um reino espiritual superior. Herder explica a duplicidade do ser humano a partir dessa dupla mundanidade da natureza humana. Essa hipótese de Herder – Herder jamais alegou que sua interpretação da humanidade fosse mais do que isso – já não consegue persistir diante da ciência natural da nossa era; mas sempre deveria ser mencionada por qualquer tentativa de superar o grande dualismo.

Lembremo-nos, a fim de adquirirmos uma noção da ousadia do empreendimento de Nietzsche, de alguns aspectos essenciais desse dualismo.

O ser humano criado e domesticado no modo de pensar e sentir do bem e do mal – ou seja, cada um de nós – vê-se em meio a uma natureza (e acrescentemos logo com toda convicção) e a uma história do mundo, nas quais os eventos ocorrem segundo o princípio do poder, e não da moral. Sentimos compaixão, mas a natureza mais cruel oferece uma criatura à outra como alimento, e para todas ela preparou os sofrimentos mais requintados. Sentimos vergonha, mas nossas pulsões inferiores nos condenam à sem-vergonhice. Somos justos e vemos que não é o justo que vence, mas o mais forte. O melhor dos homens, quando seus pulmões se desgastam, morre miseravelmente, independentemente do bom e do belo que continha em si e que poderia ter sido tão útil ao mundo.

Existiam até então duas maneiras básicas de lidar com este vergonhoso dualismo gerado pelo contraste entre nosso sentimento moral e a natureza cruel. A maneira mais antiga – usada pelas religiões – aplicava o conceito da moral simplesmente tanto à natureza quanto à história com a observação de que nossos olhos turvos ainda não seriam capazes de reconhecer a harmonia em todos os acontecimentos e como, algum dia, tudo se resolveria em glória e alegria.

A outra maneira mais recente era, na verdade, uma reação imatura, ou seja, a conduta de uma criança desobediente que se limita a fazer beiço. Estamos falando do pessimismo, que revela todas as deficiências do mundo e disso conclui: Toda felicidade é ilusão, somos profundamente infelizes. Para estes intérpretes do mundo existe apenas uma solução: o fim do mundo, a aniquilação.

Nietzsche é então o primeiro a encontrar uma nova saída, mas esta é tão terrível que nos assustamos ao vê-lo percorrer e desbravar esta trilha solitária desconhecida.

Assim como aqueles primeiros transferiam o conceito da moral para a natureza, aleatoriamente, sem outra justificativa senão o desejo pio, por mais linda que fosse a sua solução, assim Nietzsche transfere agora o conceito do poder da natureza para a humanidade e diz: "Livrem-se de seu pensamento moral, sejam, ao invés de homens da moral, homens do poder, e todo dualismo se desfaz. Vocês não precisam mais de compaixão, nem de vergonha, nem de justiça; também deixarão de sentir a falta desse tipo de ideias na natureza. Então voltarão a ser um com o mundo, filhos livres dos deuses".

O Prof. Nietzsche expressa essas coisas de forma muito mais sutil, com centenas de fintas e viradas espirituais; ele precisa desculpar a sua linguagem mais cotidiana e bruta, mas mais clara para todos, para que um jornal dedique alguma atenção ao livro que lhe foi enviado.

"Mas isto é uma filosofia terrível!"

Certamente. E Nietzsche não nutre qualquer tipo de ilusão quanto ao tipo de homem que precisaria se desenvolver caso essa filosofia fosse transferida para a prática. Assim, o deus Dioniso se dirige a ele (Nietzsche) em um tipo de visão, dizendo: "O homem me parece ser um animal amável, valoroso e engenhoso, que não tem igual na terra e que sabe encontrar o fio em todos os labirintos. Quero-o bem, penso como poderei fazê-lo progredir ainda mais e torná-lo mais forte, mais maligno e mais profundo do que foi até agora, e ainda mais belo'"*.

Consequentemente, César Bórgia é celebrado como "homem mais saudável": "Nos enganaremos redondamente acerca do animal de presa e do homem de presa. Desconheceremos, por exemplo, a natureza de um César Bórgia. Entretanto, isto é o que fizeram os moralistas em sua maioria. Segundo parece, os moralistas sentem um ódio poderoso contra as florestas virgens e contra os trópicos! E sustentam como exato que o 'homem dos trópicos' deva ser descreditado a qualquer custo, apresentando-o como forma degenerada e mórbida do homem, ou como se fosse seu próprio inferno e seu próprio tormento". Para ele, esse tipo de homens é exemplo esplêndido, diante do qual não se deveria defender a zona comedida. Quem mesmo assim o fizer praticaria nada menos do que a "moral sob a forma do medo".

Evidentemente, Nietzsche usará essa "moral do medo" para rebater qualquer objeção que poderia ser levantada contra sua filosofia do futuro do ponto de vista prático. Quando, por exemplo, um pai lhe disser que, para a vida familiar, é muito mais agradável não ter nem César nem Lucrécia Bórgia como filho, Nietzsche

---

* Não o sabemos com certeza, mas acreditamos ter ouvido que o Prof. Nietzsche é um homem com grandes sofrimentos físicos. Como tal, ele certamente se encontra numa situação melhor no mundo moral atual do que no mundo futuro violento. Este só permite naturezas robustas. Um filósofo doente, por exemplo, assumiria diante daqueles gigantes "fortes, maus, belos e profundos" o papel de anão desprezado, que, à tarde, é retirado do canil para que ele entretenha o público durante uma hora. E, falando nisso, já não existiram essas circunstâncias na Idade Média e, no nosso século, na corte do Rei Teodoro na Abissínia e não existem elas diariamente em todos os povos selvagens?

zombará dele com todo direito do ponto de vista de sua filosofia, pois o pensador não precisa se preocupar com as consequências práticas de seus pensamentos. E Nietzsche de forma alguma acredita que a maioria da humanidade deveria ter uma vida melhor, que seus fardos deveriam ser aliviados; e seus sofrimentos, abolidos, e nisso ele concorda com Pitágoras, ao qual atribuímos as palavras: "Não devemos tornar-nos culpados diminuindo as labutas humanas, devemos sim ajudar a impor um fardo, não a retirá-lo".

Não precisamos ressaltar o quanto isto vai contra o pensamento do nosso tempo. Mas é justamente nisso que se revela o valor de tamanha originalidade. Um atleta tão forte e corajoso que nada contra a corrente é, em si, um fenômeno agradável. Mas no fundo entendemos seus pensamentos apenas a partir da natureza absolutamente artística e poética deste solitário filósofo. Na verdade, essa filosofia do futuro, que pretende superar os conceitos do bem e do mal, nada mais é do que a tentativa de compreender o mundo – e também o mundo dos homens – de uma perspectiva puramente estética.

Este livro, que o próprio autor chama de "Prelúdio de uma filosofia do futuro", é apenas uma abertura; a grande fuga ainda há de vir. A capa do livro anuncia que o autor está preparando outra obra: "A vontade de poder. Tentativa de uma revalorização de todos os valores (Em quatro volumes)". Precisamos aguardar esta obra antes de fazermos uma avaliação definitiva das ideias originais, apresentadas no livro atual apenas na forma de aforismos. Muitos desses aforismos têm um valor mais poético do que filosófico, ao ponto de sentirmos um prazer diante de sua forma bela e vivaz mesmo quando reconhecemos seu teor como profundamente equivocado. No que diz respeito a essas afirmações equivocadas, trata-se sobretudo dos ataques de Nietzsche à democracia, ao esclarecimento do povo e à educação superior da mulher, que, vindos de um pensador tão maduro, nos causam certo constrangimento. Esses ataques certamente contêm uma semente de polêmica justificada, mais ainda, porém, o mofo do escritório, a falta do brilho do sol da vida diária verdadeira.

Encerramos esta crítica com a informação um tanto tranquilizadora de que Nietzsche, que fala de si mesmo e dos seus como "nós imoralistas", ainda sustenta uma virtude, i.e., a virtude "da qual também nós, os espíritos livres, não podemos nos livrar": a honestidade.

É uma virtude que este autor possui, e ele o demonstra além de qualquer dúvida neste livro, que, dois séculos atrás, o teria levado à forca e que ainda hoje constrange muitas pessoas. Pois assim como as pessoas comem e bebem sem se preocupar se um filósofo lhes demonstra que comer e beber não representam realidades, essas pessoas também já têm uma resposta pronta para a pergunta levantada pelo lema com que abrimos este pequeno tratado. Até agora, esta resposta era fornecida pelo código moral, e isso continuará a ser o caso ainda por muito tempo. Por isso, aquele que ousa questionar "o bem e o mal" continuará a ser visto como pessoa que arranca o véu da imagem velada de Sais, mesmo que ele esteja certo sob o ponto de vista lógico.

J.V.W.

5
Volume 2, p. 411

"Genealogia da moral" I, 15, citação de Tertuliano.

Nietzsche cita como fonte o escrito "De spectaculis", capítulo 29. No entanto, trata-se do fim do escrito, capítulo 30[243].

"Mas restam outros espetáculos, aquele último e perpétuo dia do juízo, aquele dia não esperado pelos povos (pagãos), dia escarnecido, quando todo o mundo antigo e tudo que ele geriu será consumido *num só* fogo. Que abundância haverá então de espetáculos! Como admirarei, como rirei! Como me alegrarei, como exultarei ao ver tantos e tão grandes reis, de quem se dizia estarem no céu, gemendo nas mais fundas trevas, junto ao próprio Júpiter e suas testemunhas. Do mesmo modo os líderes (os governadores das províncias), perseguidores do nome do Senhor, derretendo-se em chamas mais cruéis do que aquelas com que eles maltrataram os cristãos! E além destes? Também aqueles sábios filósofos, que diante dos seus discípulos tornam-se rubros ao se consumirem no fogo, juntamente com eles, a quem persuadiam que nada pertence a Deus, a quem asseguravam que as almas ou não existem ou não retornarão aos corpos antigos! (Vejo) também os poetas a tremer, não diante do tribunal de Radamanto ou de Minos, mas daquele do Cristo inesperado! Então se escutará melhor os trágicos, a saber, melhor serão ouvidas as suas vozes em sua própria desgraça; então serão conhecidos os atores, muito mais enfraquecidos pelo fogo; então se verá o auriga, todo rubro no carro flamejante; então se contemplarão os atletas, não no ginásio, mas lançados no fogo, a não ser que eu nem queira ver* esses espetáculos e antes prefira dirigir um olhar insaciável àqueles que voltaram sua fúria contra o Senhor (com palavras como): 'Eis', diria eu, 'o filho do artesão e da prostituta, o destruidor do sábado, o samaritano, o que tem o demônio em seu

---

* Sigo aqui, ao contrário do texto citado nas edições de Nietzsche, a versão de Reifferscheid (1890): *visos* em vez de *vivos*.

corpo. Eis aquele que comprastes de Judas, eis aquele que foi golpeado com a vara e com bofetadas, que foi humilhado com escarros, a quem foi dado de beber fel e vinagre. Eis aquele que os discípulos roubaram às escondidas, para que se dissesse que havia ressuscitado, ou aquele a quem o jardineiro arrastou, para que suas alfaces não fossem machucadas pelo grande número de passantes'.

Tais visões, tais alegrias – que pretor, ou cônsul, ou questor, ou sacerdote (pagão), te poderia oferecê-las, da sua própria generosidade? E, no entanto, de certo modo já as possuímos mediante a fé, representadas no espírito que imagina. De resto, como são aquelas coisas que nem o olho viu, nem o ouvido ouviu, nem subiram ao coração do homem? Creio que são mais agradáveis que o circo, que ambos os teatros, e todos os estádios."

6

Volume 2, p. 446

Carta de Friedrich Nietzsche a Georg Brandes, 10 de abril de 1888[7, 124]

Vita

Nasci em 15 de outubro de 1844, no campo de batalha de Lützen. O primeiro nome que ouvi foi o de Gustav-Adolf. Meus antespassados eram nobres poloneses (Niëzky); parece que o tipo foi bem preservado, a despeito de três "mães" alemãs. No estrangeiro, costumo ser considerado polonês; ainda neste inverno, o registro de estrangeiros de Nice me identificou *comme Polonais*. Dizem-me que minha cabeça aparece nos retratos de Matejko. Minha avó pertencia ao círculo de Goehte e Schiller em Weimar; seu irmão tornou-se sucessor de Herder na superintendência de Weimar. Eu tive a sorte de ser aluno da respeitada escola de Pforta, da qual saíram tantas personalidades importantes da literatura alemã (Klopstock, Fichte, Schlegel, Ranke etc. etc.). Nossos professores teriam sido (ou são) muito respeitados em qualquer universidade. O velho Ritschl, na época o primeiro filólogo da Alemanha, me destacou quase desde o início. Com 22 anos de idade, fui colaborador do "Litterarisches Centralblatt" (Zarncke). Fui fundador da Associação Filológica em Leipzig, que existe ainda hoje. No inverno de 1868/1869, a Universidade de Basileia me ofereceu uma docência; eu ainda nem era doutor. A Universidade de Leipzig me concedeu o título de doutor posteriormente, de forma muito honrada, sem qualquer exame, até sem dissertação. De 1869 a 1879 trabalhei em Basileia; tive que abrir mão da minha cidadania alemã, pois como oficial (artilheiro montado) eu teria sido convocado com frequência e, portanto, interrompido minhas funções acadêmicas. Sou hábil no manuseio de duas armas: sabre e canhão – e talvez de uma terceira – – –. Tudo correu muito bem em Basileia, a despeito da minha juventude; acontecia que, em exames de promoção, o examinado era mais velho do que o examinador. Tive o prazer de receber o favor de uma aproximação cordial entre a minha pessoa e Jacob Burckhardt, algo incomum para este pensador isolado e retraído. Tive o prazer ainda maior de, desde o início de minha vida em Basileia, viver uma intimidade indescritível com Richard e Cosima Wagner, que, na época, viviam em sua residência rural em Tribschen, próxima de Lucerna, como que numa ilha e isolados de todos os seus relacionamentos anteriores. Durante alguns anos, compartilhamos todas as coisas grandes e pequenas, havia uma confiança mútua ilimitada. (No volume VII dos escritos reunidos de Wagner, o senhor encontrará uma carta a mim, escrita por ocasião da publicação do "Nascimento da tragédia".) A partir destes relacionamentos conhece um grande círculo de pessoas interessantes (inclusive mulheres), na verdade, quase tudo que brota e cresce entre Paris e São Petersburgo. Por volta de 1876 minha saúde piorou. Passei aquele inverno em Sorrento, com minha velha amiga, a Baronesa Meysenbug ("Memórias de uma idealista"), e o simpático Dr. Rée. Minha saúde não melhorou. Uma dor de cabeça extrema e persistente esgotava todas as minhas forças. Ao longo dos anos, esta dor se transformou em estado crônico, de forma que, na época, um ano consistia de 200 dias de dor. O mal deve ter tido causas locais, não existe qualquer fundamento neuropatológico. Jamais sofri sintomas de fraqueza espiritual; nem mesmo febre, nenhum desmaio. Meu pulso era tão lento quanto o do primeiro Napoleão (= 60). Minha especialidade era suportar a dor *cru, vert* em perfeita clareza durante dois ou três dias, sob constante vômito de catarro. Alguém espalhou o boato de que eu me encontrava no manicômio (e até teria morrido nele). Absolutamente inverídico. Pelo contrário, foi neste tempo que meu espírito amadureceu: testemunho disso é o "Crepúsculo", que eu escrevi num inverno de incrível miséria em Gênova, longe de qualquer médico, amigo ou parente. Para mim, este livro é um tipo de "dinamômetro": eu o escrevi com um mínimo de força e saúde. A partir de 1882, meu estado começou a melhorar, mesmo que muito lentamente. A crise parecia superada (meu pai morreu muito jovem, no mesmo ano de vida em que eu também estive mais próximo da morte). Ainda preciso ter um cuidado extremo; algumas condições de natureza climática e atmosférica são imprescindíveis. Não é por escolha, mas por coerção que passo os verões na Engadina; e os invernos, na Riviera – – –. Por fim, a doença me foi de extrema utilidade: ela me isolou, devolveu-me a coragem de ser eu mesmo – – –. Sou também, graças aos meus instintos, um animal valente, até militar. A longa resistência amargurou um pouco o meu orgulho. – Se eu sou filósofo? – O que isto importa! – – –

Brandes acatou essa autorrepresentação – imprecisa em alguns pontos – de forma acrítica e a usou publicamente. A isso se refere uma carta de Erwin Rohde a Franz Overbeck de 10 de abril de 1890 (cito apenas algumas passagens):

A última edição da "Rundschau" traz um tratado de Brandes sobre Nietzsche. A princípio, é algo positivo, mas já li coisas melhores de Brandes, melhores e menos arrogantes. É estranho que ele cita algumas coisas de anotações pessoais, que provêm das imaginações doentias de Nietzsche imediatamente anteriores à irrupção de sua doença; assim, por exemplo, a lenda dos "nobres poloneses" (que depois se tornaram pastores protestantes!), a suposta importância que o serviço militar como artilheiro teve na vida de Nietzsche (que, na verdade, não existiu, pois após sua queda do cavalo ele foi suspenso como inválido, e isso foi o fim de tudo etc.). Ou o próprio Nietzsche lhe escreveu tudo isso pouco tempo depois de seu adoecimento ou ele leu um exemplar do Ecce homo. Creio que tenha sido o primeiro.

Mas suspeito cada vez mais da argúcia crítica de Brandes quando ele não percebe o aspecto doentio destes relatos ("Sou hábil no manuseio de duas armas: sabre e canhão" etc.!) e os reproduz de forma inalterada.

7

Volume 2, p. 482

"Musikalisches Wochenblatt"

Editor responsável: E.W. Fritzsch

19º ano, n. 44, Leipzig, 25 de outubro de 1888[287]

O Caso Nietzsche

Um problema psicológico

I

Assim, e não "O Caso Wagner, um problema musical", deveria chamar-se o livrinho que Friedrich Nietzsche acaba de publicar (Leipzig, C.G. Naumann). Poderíamos chamar este panfleto também de "A traição", "A queda" ou "A ruína" de Friedrich Nietzsche. Em todo caso, trata-se de um curioso problema psicológico que aqui temos em mãos.

Friedrich Nietzsche era um dos wagnerianos mais zelosos, mais convencidos e espirituosos; era mais do que isso, era amigo íntimo do círculo familiar de Richard Wagner. Ele escreveu as linhas mais profundas jamais ditas sobre a arte de Wagner: "O nascimento da tragédia no espírito da música" (Leipzig, E.W. Fritzsch), um livro que só pôde ser escrito por um filósofo dedicado, por um filólogo erudito, por uma pessoa que compreendera a essência da arte de Wagner – algo que, até então, jamais havia acontecido com um professor de Filosofia.

No entanto, este livro foi mais elogiado do que lido; e mais lido do que compreendido. Mas representava algo único na literatura wagneriana, uma manifestação fenomenal. "O prefácio a Richard Wagner" encerra com a declaração: "A homens sérios sirva de instrução o fato de eu estar convencido de que a arte é a tarefa suprema e a atividade propriamente metafísica desta vida, no sentido daquele a quem aqui, como meu sublime precursor de luta nesta trilha, quero dedicar este escrito".

O livro foi publicado em 1872. À nova edição (1886), o autor acrescentou como introdução uma "Tentativa de autocrítica", que já preocupava muito. Nela, ele diz que agora, 16 anos após sua criação (1870), o livro lhe é estranho e "desagradável" aos seus olhos mais velhos e mais "mimados". Ele o chama de livro impossível, mal-escrito, desajeitado, vergonhoso, um livro arrogante e entusiasmado etc.

Não se sabia bem como entender isso. Alguns acreditavam que se tratava de autoironia, como tentativa de logro, como paródia de seus adversários, que Nietzsche possuía em grande número. Mas já na época, nós nos perguntávamos: Se o autor renega seu próprio filho, por que ele não o suprime? Mas visto que ele o lança novamente no mundo numa segunda edição, por que ele lhe acrescenta essa carta de Urias? Estranho este autor que, após 15 anos, não deseja ou não pode mais defender o que escrevera e que se pela como um réptil.

Surgiram ainda outros livros de Nietzsche, nos quais o autor revelou abertamente não ser mais adepto de Richard Wagner. Para afastar qualquer dúvida, ele publica agora o "Caso Wagner", onde renuncia cerimoniosamente a tudo que havia acreditado, louvado e pregado no passado. Ele se revela como convertido, que retorna para o seio da fé em uma arte – que não existe. O Paulo se transformou em Saulo; o representante da vanguarda, em reacionário; o amigo, em inimigo; o líder, em sedutor. Os adversários de Wagner devem estar rindo de alegria e louvando os caminhos insondáveis da Providência Divina, que – contrariando todas as expectativas – lhes deu este presente.

Para mim, trata-se mais de uma questão patológica. Essa ocorrência demonstra algo forçado, doentio e anatural com seus sintomas preocupantes. Já vimos esse tipo de fenômeno em todas as áreas espirituais – na religião, na política, na ciência, só não na arte wagneriana. – Mas por que não deveria ocorrer também aqui esse tipo de revés? Apenas não entendo o vínculo causal; desconheço as causas que levaram a esses fenômenos justamente aqui. Podem até ser motivos puramente pessoais. Quem sabe? Quem pode sondar os estados da alma provocados por experiências pessoais, eventos violentos internos ou externos? Somos tomados por um sentimento de compaixão diante desses fenômenos. – O homem está doente. – Parsifal e o tolo puro!

De forma alguma digo isto de forma irônica. Basta ler as primeiras frases da carta de Turim de maio de 1888 para entender imediatamente de quem estamos falando: "Ontem ouvi – o senhor acredita? – pela vigésima vez a obra-prima de Bizet. Permaneci novamente em mansa adoração, novamente não fugi. Esta vitória sobre a minha impaciência me surpreende. Como esta obra me aperfeiçoa!" – E mais adiante: "Posso dizer que o tom orquestral de Bizet é quase o único que ainda suporto? Aquele outro tom orquestral, tão celebrado no momento, o wagneriano, é brutal, artificial e 'inocente' ao mesmo tempo e fala ao mesmo tempo aos três sentidos da alma moderna – como me parece desvantajoso este tom orquestral de Wagner! Chamo-o de Scirocco".

Se o mestre de capela Carl Reinecke de Leipzig tivesse dito isso – que, como contam, tentou se livrar da primeira impressão de "Tristão e Isolda" tocando "Lott' ist todt" ao piano – eu compreenderia perfeitamente. Mas no autor do "Nasimento da tragédia no espírito da música" isso é simplesmente lamentável. Pois conseguir ouvir vinte vezes a "Carmen" em "mansa adoração" é sintoma de doença mental.

Essas orações introdutórias, porém, nos fornecem o ponto de vista correto para a avaliação de todo o escrito, ou melhor, de todo o homem, que nela se expressa com uma sem-vergonhice arrogante como se estivesse prestando o maior favor ao mundo lavando aqui sua roupa suja. – "Permito-me aqui um pequeno alívio" – diz ele no prefácio. Mas precisa todo o mundo culto ser testemunha disso?

A leitura transmite a impressão de estarmos lendo as palavras de um bufão de Shakespeare: estranhos saltos de pensamento, antíteses ousadas, amarga autoironia, e no meio de tudo isso *aperçus* espirituosos, pensamentos surpreendentes, observações certeiras. Penso o tempo todo na palavra do poeta: "Que espírito nobre aqui foi destruído!"

"Uma profunda alienação, esfriamento diante de todas as coisas temporais e contemporâneas e, como desejo mais sublime, o olho de Zaratustra, um olho que vê todo o fato 'homem' de uma imensa distância – que o vê abaixo de si" – este é o seu estado atual. Seria este um estado saudável?

O resumo desse escrito é curioso: ele refuta R. Wagner, mas reconhece que é imprescindível. Para Nietzsche, R. Wagner é "uma doença", mas ao mesmo tempo uma necessidade: "Ele precisa ser a consciência pesada de seu tempo, para tanto precisa de seus melhores conhecimentos. Compreendo perfeitamente quando um músico de hoje diz: 'Eu odeio Wagner, mas já não suporto qualquer outra música'. Mas eu também compreenderia um filósofo que declarasse: 'Wagner resume a Modernidade. Não adianta, é preciso ser primeiro wagneriano'".

Vemos que esta locura é método. Há nela um imenso pessimismo, uma negação de tudo que existe, mas também o respeito diante de um poderoso, que supera todos, diante da expressão artística de todo o seu tempo, que ninguém consegue ultrapassar, que ninguém consegue ignorar. Este tempo em que vivemos, este mundo em que somos obrigados a viver, porém, nada vale – na opinião de Nietzsche. Isso é perfeitamente lógico. Perguntamos apenas se a premissa é correta. Nietzsche é efeito colateral de Max Nordau; ele traduz "Die conventionellen Lügen der Culturmenschheit" [As mentiras convencionais da humanidade cultural] para a linguagem wagneriana. Mas como poderíamos nos distanciar do nosso próprio tempo? Só podemos aceitar as condições existenciais modernas do jeito que são, não como poderiam ser ou deveriam ser segundo a vontade do Sr. Nietzsche. Mas visto que ninguém conseguiu realizar ainda a proeza de sair de sua própria pele – o Sr. Nietzsche faz algumas tentativas respeitáveis –, somos então wagnerianos e sempre o seremos!

II

É difícil seguir os pensamentos de Nietzsche sem perder o fio da meada – e a paciência. Mas tentarei.

A primeira sentença de sua estética afirma: "O bom é leve, todo divino caminha sobre pés delicados". Ele exige "sagacidade, fogo, graciosidade, *la gaya scienza*". – Temos aqui o homem do prazer que assiste vinte vezes à "Carmen". Tudo deve ser facilitado e preparado para ele; nenhuma agitação, nenhum abalo. O trágico, o *páthos*, o afeto – tudo é excitação desnecessária, coisas que destroem os nervos. "Gracioso" – a palavra preferida dos franceses – tudo deve ser gracioso. Devemos mentir com graciosidade, enganar com graciosidade, trair com graciosidade, morrer com graciosidade – veja "Carmen".

Como, então, Nietzsche experimenta a música? Ele é tolo o suficiente para nos permitir uma olhada nos bastidores e revela assim que ele é incapaz de sentir a música: "Enterro meus ouvidos embaixo da música, ouço sua causa. Parece-me que experimento sua criação. E curioso! No fundo, não penso nisso ou não sei o quanto penso nisso. Pois os pensamentos que me passam pela cabeça são totalmente diferentes".

Temos aí o tipo de uma pessoa sem sensibilidade musical. Pois uma pessoa musical é totalmente incapaz de não pensar em música durante a música. Ela pode ser boa ou ruim – ela o prende. Ele pode se alegrar ou se irritar com ela, se entediar ou se entusiasmar com ela – seja como for, mas ele não consegue não ouvir; não consegue pensar em outra coisa, não consegue ler, falar – caso contrário, não seria uma pessoa musical. Ele pode ser filósofo, mas com certeza não é músico.

Com isso já poderíamos encerrar nossa reflexão sobre Nietzsche. Seu juízo sobre a música não nos interessa, pois ele não possui uma natureza musical. Mas agora vem o mais curioso: O Sr. Nietzsche é compositor. Ele compôs um "Hino à vida" para coro misto e orquestra, publicado por Fritzsch. Mas isso não é tudo. Ele compôs também uma ópera! Esta, porém, permaneceu esotérica. O compositor se envergonhou tanto dela que jamais falou dela. Mas o próprio Richard Wagner me falou dela, ao qual ele mostrou a ópera – naturalmente um drama musical. Timidamente perguntei a Wagner: "E qual é a sua opinião?" – "Besteira", ele respondeu.

Até agora, não compartilhei com ninguém meus pensamentos sobre isso. Mas diante do "Caso Wagner" não posso mais suprimi-los. Aqui, Nietzsche diz: Wagner é brutal, é um mentiroso. Será que Wagner se transformou em tudo isso porque ele teria dito ao compositor com a clareza típica dos juízos de Wagner que ele não era músico e que sua ópera não passava de uma besteira musical? – Mencionei acima que eu não conhecia o vínculo causal para o abandono de Nietzsche. – Talvez o encontrássemos aqui?

Os compositores de óperas ruins são todos, sem exceção, adversários de Wagner. Esta é uma sentença irrefutável. Basta citar alguns exemplos; Emil Naumann e seu amigo o Conde von Hochberg, Max Bruch, Carl Reinecke, Abert, Reinthaler etc. – e também não devemos nos esquecer de Rubinstein –, todos eles ficam furiosos quando alguém menciona Wagner. Pois apenas a Wagner se deve o fato de suas óperas não valerem nada! Neste sentido, estão todos corretos. Pois se Wagner não existisse, eles seriam algo. Assim, porém, são mais ou menos iguais a zero. Portanto, Wagner é a ruína da arte. – Esta é a lógica dos compositores!

Autoestima não é algo que falta a Nietzsche: "Dei aos alemães os livros mais profundos que eles possuem", diz ele, "e isso explica por que os alemães não entendem nenhuma palavra deles". – Isso não é megalomania? Nietzsche diz também: "Conheço apenas um músico que hoje ainda é capaz de produzir uma boa abertura: e ninguém o conhece". – Suponho que Nietzsche esteja falando de si mesmo.

Mas para que repetir todas as blasfêmias que ele lança contra Richard Wagner, o grande sedutor do povo, a "velha cascavel"? Basta um exemplo para demonstrar seu procedimento de ridicularizar o sublime, de menosprezar o grande. – A fim de "examinar" o "teor" dos textos de Wagner, ele os traduz para a realidade, para o moderno, para o mundo burguês. Para ele, não existe entretenimento melhor do que "contar-se Wagner em proporções rejuvenescidas: por exemplo, Parsifal como candidato da teologia, com formação ginasial. Quantas surpresas experimentamos nisso!"

Não existe coisa mais desprezível do que esse entretenimento, que pode ser produzido por qualquer parodista sem "formação ginasial". Basta traduzir o "Fausto" de Goethe para o mundo moderno e burguês para ver o resultado disso: Um professor arrogante, com doutorado em todas as quatro faculdades, mas que nada sabe; que, em seu lamento moral, se entrega ao espiritismo. O espiritista Mefisto o hipnotiza, o engana com as mais diversas ilusões, e o leva até uma velha bruxa que obriga o Dr. Fausto a beber uma poção. "Com esta poção em seu corpo, reconhecerás Helena em toda mulher." A poção funciona. O Sr. Mefisto leva o Prof.-Dr. Fausto até uma caftina que lhe entrega uma inocente camponesa. Essa coitada e tola moça é seduzida num instante – uma verdadeira arte quando executada por um professor, um espiritista e uma caftina. A camponesa mata primeiro sua mãe, depois seu filho, é condenada à morte, e o Sr. Prof. Fausto, lamentando seu destino, mas incapaz de lhe ajudar, foge, covarde, com o Sr. Mefisto.

Isto é – à luz do espírito nietzscheano – toda a história de Fausto, pela qual os burros alemães se entusiasmam há três gerações, que a prezam como obra-prima e sobre a qual já escreveram mais de cem comentários.

Assim, o Sr. Nietzsche "analisa" todo o Wagner e se diverte infantilmente diante do fato de que disso nada resulta senão trivialidade após trivialidade. – E este homem não é doente?

Mas ele tem seus momentos lúcidos. Estas se evidenciam no final do panfleto. Lá, ele diz: "Se neste escrito declaro guerra ao Sr. Wagner – de forma alguma pretendo dar motivo de alegria para os outros músicos. Outros músicos não chegam nem perto de Wagner". – Aqui, expressa uma grande palavra de forma leviana. – Os adoradores de Brahms também não escapam ilesos. Com a única diferença de que Brahms recebe muito menos espaço do que Wagner, na mesma medida em que é menos relevante do que este.

Afinal de contas, para Nietzsche, tudo que vem a ser vale apenas para desaparecer. – Ah, que sobreviva apenas o Sr. Nietzsche! – Mas visto que toda a Alemanha não sabe reconhecer as suas obras e nem mesmo as conhece – quem as leu todas? – todos os alemães também são condenados: "Os alemães, os retardadores *par excellence*, são hoje o povo cultural mais atrasado da Europa". – "O palco de Wagner só precisa de uma coisa – dos germânicos. Definição dos germânicos: obediência e pernas longas. É profundamente significativo que a emergência de Wagner coincide com a emergência do *Reich*: ambos os fatos comprovam a mesma coisa: obediência e pernas longas. Jamais se obedeceu melhor, jamais se comandou melhor."

Todos os alemães precisam abrir mão de sua autoestima, para que sobre apenas a autoestima do Sr. Nietzsche!

As "três exigências" de Nietzsche são resumidas em poucas palavras:

"Que o teatro não se torne senhor sobre as artes".

"Que o ator não se transforme em sedutor dos autênticos".

"Que a música não se transforme em arte da mentira".

Ele nutre uma verdadeira raiva contra a arte dramática. O fato de ela dominar o gosto da atualidade por meio de Wagner o levou a cometer este atentado a Wagner.

Em outra passagem ele diz: "É preciso ser um cínico para não ser seduzido por Wagner; é preciso saber morder para não adorá-lo". Este é o princípio de lúcifer, quando ele se levanta contra a deidade.

Uma coisa é certa: Nietzsche tornou-se profundamente cínico. E este reconhecimento é o único resultado positivo da leitura de seu panfleto.

Richard Pohl

8
Volume 2, p. 480
"Der Bund", 8 de novembro de 1888[286]

"O Caso Wagner.

Um problema para músicos", de Friedrich Nietzsche*.

De Karl Spitteler.

Informamos os nossos leitores sobre um evento estético: Um dos primeiros defensores de Wagner, o filósofo Friedrich Nietzsche, mudou-se para o lado dos

---

* Leipzig: C.G. Naumann, 1888.

adversários, não de forma silenciosa, mas, como cabe a um porta-voz tão influente, publicamente, com a exposição justificada na forma de um protesto. Não precisamos dizer que mais uma vez recebemos uma abundância de observações das mais profundas; mas o que o livrinho de 57 páginas nos oferece nesse sentido supera até as mais altas expectativas. Não há incoerências de pensamento, nem uma demora com detalhes. Tudo é fundamental, cortante e curador. O "Caso Wagner" é um dos escritos mais simples e melhores de Nietzsche. Sem dúvida alguma, acusarão o livro de, ao chamar Wagner de fenômeno doentio, de um mal, generalizar de forma indevida. Nós, porém, nos alegramos diante do fato de que, aqui, o autor expressa sua convicção de forma absolutamente clara, sem cláusulas inteligentes e sem ressalvas. Quem desejaria um Nietzsche tímido e domesticado? Pois sua relevância se deve justamente à sua enorme coragem de pensador, que prezamos tanto mais quanto o espírito alemão se esforça a perder sua individualidade. Aquilo que em todos os tempos tem sido um tesouro raro e valioso, ou seja, a coragem em questões burguesas e espirituais, representa hoje uma raridade impagável e insubstituível. Se o Estado fosse um pouco mais magnânime, ele exporia este livro no museu e o protegeria como tesouro sagrado.

Ao falar agora de forma mais detalhada sobre o livro, arriscamo-nos a reproduzi-lo em partes, pois ninguém pode esperar que reformulemos aquilo que Nietzsche já disse com tanta precisão. Por isso, reproduzimos aqui algumas passagens, impondo-nos apenas a única restrição de escolher da grande riqueza apenas o melhor.

***

Tese: A música de Wagner é doentia.

Página 13

"Wagner é o artista da *décadence* – aí está a palavra. E com isso começo a falar sério. Estou longe de observar de forma inofensiva como este decadente arruína a nossa saúde – e também a música! Wagner é ser humano? Ou seria ele antes uma doença? Tudo que ele toca adoece – ele adoeceu a música."

"Um decadente típico, que, com seu gosto corrompido, se sente necessário, que com ele reivindica um gosto superior, que sabe apresentar sua ruína como lei, como progresso, como cumprimento."

Página 15

"Wagner é uma grande ruína para a música. Nela encontrou o meio para excitar nervos cansados – com isso, adoeceu a música."

Página 16

"O sucesso de Wagner – seu sucesso com as mulheres – transformou todo mundo de músicos ambiciosos em discípulos de sua arte secreta. Não só os ambiciosos, mas também os inteligentes... Hoje, só se ganha dinheiro com música doente; nossos grandes teatros vivem de Wagner."

Tese: Wagner inventou um novo sistema de música apenas porque reconheceu sua incapacidade de compor música boa como os antigos.

Página 16

"Meus amigos", assim fala Wagner em uma conversa fictícia com jovens artistas, "é mais fácil fazer música ruim do que música boa. Como se isso ainda lhes trouxesse mais vantagens? Mais eficaz, mais convincente, mais entusiasmante, mais confiável? Mais wagneriano? *Pulchrum est paucorum hominum*. Compreendemos o latim, compreendemos talvez até a nossa vantagem. O belo tem um problema, sabemos disso. Para que então a beleza? Por que não o gigantesco em seu lugar? É mais fácil ser gigantesco do que belo".

"Conhecemos as massas, conhecemos o teatro. O melhor que nele encontramos, os jovens alemães, os Siegfrieds cornudos e outros wagnerianos, precisa daquilo que os conquista. Isso conseguimos fazer. E o outro, que também encontramos ali, os cretinos da educação, os pequenos arrogantes, os eternamente femininos, os felizes que se contentam com a digestão, ou seja, o povo – também precisa daquilo que os conquista. Tudo isso tem a mesma lógica. 'Quem nos derruba é forte.' Decidamos então, senhores músicos: Queremos derrubá-los. Isso nós conseguimos fazer."

Página 18 (na mesma conversa)

"O que derruba é a paixão. Portanto, compreendamos a paixão. Nada é mais barato do que a paixão! Podemos abrir mão de todas as virtudes do contraponto, não é necessário estudar nada – a paixão sempre se domina! A beleza é difícil: evitemos a beleza! [...] Sem falar da melodia! Caluniemos, meus amigos, caluniemos a melodia! Estamos perdidos, meus amigos, se o povo voltar a amar as belas melodias!"

Tese: Wagner está longe de ser um gênio musical; ele não é nem músico.

Página 25

"Wagner era um músico de todo? Em todo caso, era mais algo diferente: um historiador incomparável." – "Seu lugar não é na história da música: não deveríamos confundi-lo com seus verdadeiramente grandes. Wagner e Beethoven – isto é uma blasfêmia (contra Beethoven) e, no fim das contas, também uma injustiça contra Wagner. Pois Wagner era um ator genial."

Página 26

"A música de Wagner, quando não protegida pelo gosto do teatro, que é um gosto muito tolerante, é simplesmente música ruim, a pior música, talvez, jamais feita. Quando um músico não consegue contar até três, ele se torna 'dramático', ele se torna 'wagneriano'."

Página 33

"'Não apenas música' – nenhum músico fala assim. 'A música é sempre apenas um meio.' Esta era a teoria de Wagner, pois era a única prática da qual ele era capaz. Mas nenhum músico pensa assim."

Tese: Wagner era um ator genial, mas no sentido inferior da palavra: um Cagliostro. Não era um dramático.

Página 30

"Wagner não é dramático, que ninguém se iluda. Ele amava a palavra 'drama', isso é tudo – ele sempre amou as palavras belas. Ele não era psicólogo o bastante para o drama."

Página 57

"Wagner, o Cagliostro da modernidade."

Página 55

"Os santos de Bayreuth: palhaços."

Tese: Por isso ele fantasia sobretudo os atores entre os músicos: os artistas de apresentação.

Página 37

"Wagner marcha com flautas e tamborins na vanguarda de todos os artistas de apresentação, de representação, da virtuosidade; ele convenceu primeiro os mestres de capela, os maquinistas e os cantores de teatro. Sem esquecer dos músicos de orquestra."

Tese: O wagnerianismo é uma manifestação da idiotice e da subserviência; em sua forma mais perfeita ele leva ao idiotismo.

Página 38

"O palco de Wagner não precisa nem de gosto, nem de voz, nem de talento; precisa apenas de uma coisa: de germânicos! Definição dos germânicos: obediência e pernas longas [...] É profundamente significativo que a emergência de Wagner coincide com a emergência do *Reich*: ambos os fatos comprovam a mesma coisa: obediência e pernas longas."

Página 43

"O que os discípulos de Wagner criaram em escala cada vez maior? Sobretudo a arrogância do leigo, do idiota artístico."

Página 46

"O jovem wagneriano se transforma em idiota."

Tese: Wagner estraga não só a música, mas também o teatro, sim até mesmo as artes secundárias, ao exigir nestas o predomínio do teatral.

Tese final (nos pós-escritos): Se alguém, porém, acreditar que os músicos vivos restantes são melhores, ele se engana. São apenas menos ruins, e isso é ainda pior do que se fossem completamente ruins.

***

Na introdução, Nietzsche nos conta como ele veio a adquirir a certeza absoluta sobre a nulidade de Wagner. O leitor tentaria em vão adivinhá-lo: por meio da ópera "Carmen". A ocasião da conversão, porém, em nada influi sobre as questões da crença. Tampouco importa se este ou aquele leitor concorda com Nietzsche (os wagnerianos certamente não o fazem!). O que importa é que seis pensadores iguais a Nietzsche ajudariam mais a uma nação do que miríades de estudiosos e filósofos o fariam durante todo um século.

9
Volume 2, p. 480

"Der Bund", 20/21 de novembro de 1888[286]

O abandono de Wagner por Nietzsche

Lema

Aceita, querida Kate, para enquanto viveres, um homem de coração sincero e sem artifício, que, forçosamente, há de ser-te fiel, por carecer de habilidade de fazer a corte em outros lugares, porque esses tipos de língua sempre em movimento, que sabem insinuar-se no ânimo das mulheres, acham sempre jeito para fugirem do compromisso.

Henrique V, 5º ato, 2ª cena

Há algum tempo, mas especialmente neste ano, vem se pecando muito com o lápis na Alemanha, de forma que, quando nós mesmos nos servimos do lápis para responder a um sabidão, sentimos algo como repulsa diante desse pequeno instrumento imprescindível, de modo que quase preferíamos substituí-lo por uma lança para, montados num cavalo de guerra, atropelar o adversário numa luta honesta.

Neste caso específico, este desejo se impõe ainda mais pelo fato de estarmos cientes de que estamos comprando briga com um herói da escrita cuja maleabilidade nos é infinitamente superior. Diante de um Friedrich Nietzsche, sentimo-nos extremamente trôpegos, e apenas a confiança na boa causa que defendemos nos dá a coragem de assumir uma posição contra o mais recente panfleto de Nietzsche.

Aquilo que se pôde elogiar neste escrito – intitulado de "O Caso Wagner, um problema para músicos, de Friedrich Nietzsche" – já foi apresentado recentemente nesta publicação por um colaborador sempre bem-vindo, Karl Spitteler. Em seu consentimento entusiasmado aos pensamentos originais com os quais Nietzsche celebre seu abandono de Richard Wagner, ele já antecipou tudo que também nós poderíamos dizer em prol das ideias muitas vezes muito engraçadas e das muitas sentenças corretas de Nietzsche. Mas ele esqueceu de analisar mais de perto o reverso dessa estranha moeda intelectual, que Nietzsche cunhou por ocasião de sua conversão. Queremos corrigir essa falha.

Primeiramente, surge em nós a pergunta se um homem como Nietzsche, que, durante muitos anos – como ele mesmo confessa –, foi um dos doentes wagnerianos "mais corruptos", realmente precisa celebrar sua "reconvalescência" e sua saída desta sociedade por meio de uma retratação pública tão teatral. Existe também em assuntos espirituais certo pudor, e a nosso ver não encontramos nem mesmo em reuniões do Exército da Salvação pessoas que, como oradores, organizam as massas para, apontando seus narizes inchados pela bebida, dizer: "Eu era um alcoólatra do pior tipo". Se já não nos poupamos para o nosso próprio bem, deveríamos nos poupar para o bem daqueles em cujas almas havíamos nos arraigado, em cujas almas agora, após a execução da reviravolta completa, no máximo ainda cambaleamos. Pois o que devem pensar as muitas pessoas que, por exemplo, possuem e prezam o livro "O nascimento da tragédia no espírito da música" de Nietzsche, que, neste livro publicado em 1872, adora os mesmos ídolos wagneriano-germânicos que agora, em seu panfleto mais recente, ele joga na poeira, não: nos excrementos? Aquele livro possui um prefácio, na época considerado sincero, dedicado a Richard Wagner como "sublime percursor" das mais nobres tarefas da arte. Na época, a arte wagneriana é introduzida ao centro das esperanças alemãs como "turbilhão do ser"; lá, fala também da "sublimidade" do guerreiro alemão etc., mas agora, neste panfleto de Nietzsche, a arte de Wagner é atacada e desprezada como doença e careta, e só fala da reconstrução do *Reich* alemão e do renascimento dos germânicos apenas para transformá-los em objeto de piada e de desprezo. De forma alguma pretendemos alegar que Nietzsche estava certo 16 anos atrás e que agora estaria completamente equivocado. Mas será que este abandono teve que ser executado com tamanho escândalo? Como um povo pode confiar em um homem que se produz como seu mestre mais importante em questões da estética, que – com que modéstia! – diz sobre si mesmo: "Dei aos alemães os livros mais profundos que eles possuem"*, quando o autor destes mesmos livros mais profundos revoga seu conteúdo em panfletos superficiais? Diante disso, a Alemanha faria bem em esperar com o reconhecimento dos escritos de Nietzsche até a morte do autor, quando este já não poderá mais revogar nada que tenha dito. Pois não é agradável apostar nas palavras de um mestre, que o próprio mestre declara nulas.

Sabemos, no entanto, que alguém poderá objetar e dizer que nenhum ser humano, portanto, também, nenhum filósofo está condenado a transformar uma tolice uma vez cometida em bitola para todos os seus atos e pensamentos posteriores. Ao contrário, trata-se do bom sinal de uma vida cerebral não estarrecida quando alguém ainda em idade avançada consegue conquistar novas perspectivas. Um homem desse tipo seria uma pessoa em estado de devir, coisa que um espírito sincero jamais pode deixar de ser. E quando essa pessoa em estado de devir conquista uma nova perspectiva, ela tem até mesmo a obrigação de corrigir equívocos anteriores.

Com a ressalva de que poderíamos aceitar os presentes de um espírito que se encontrasse em constante e imprevisível fluxo de lava apenas com grande cuidado, concordamos com essa objeção. Em todo caso, porém, exigimos que o ato pelo qual um estudioso, um filósofo revoga equívocos passados seja um ato sério. Pois seu fundamento é o fato no fundo vergonhoso para a nossa natureza humana "de que nada podemos saber". A questão é trágica em sua essência, e mesmo que o filósofo não tenha que pagar penitências em um saco de cinzas e com velas ardentes, esperamos sim que sua confissão de equívocos passados expresse uma nobre seriedade.

---

* Panfleto "O Caso Wagner", p. 48.

Mas Nietzsche une a agilidade simiesca de seu espírito a uma sem-vergonhice igualmente simiesca, de forma que transforma sua revogação em palhaçada grotesca. Cremos que suas piadas, como Heine as teria feito numa situação semelhante, pretendem ser um exemplo da "gaya scienza", que, juntamente com alguns outros verbetes, fluem constantemente da pena de Nietzsche (p. ex., novamente também aqui, neste panfleto, na página 36). Ei, quem duvidaria que a ciência boa (como também a arte boa) estaria vinculada à jovialidade da alma? Toda ciência verdadeira, com todas as alegrias de descobrimento que ela concede, e certamente toda sabedoria apresentam, em seu ser mais íntimo, a jovialidade nobre do céu puro e aberto. Mas a jocosidade forçada de um palhaço de circo, como Nietzsche a pratica com seu escrito, nada tem em comum com a "gaya scienza". Nietzsche parece ter tido alguma noção da inadequácia de sua jocosidade frívola, pois em seu prefácio ao panfleto ele diz: "Entre muitas brincadeiras apresento um assunto, com o qual não se brinca".

Após esse protesto um tanto generalizado contra a forma indigna da revogação de Nietzsche, permitimo-nos agora uma análise de pensamentos individuais do panfleto.

Hesitamos já na segunda página do prefácio, pois à pergunta que Nietzsche dirige a si mesmo: "O que exige um filósofo em primeiro e último lugar de si mesmo?", ele responde: "Superar seu tempo em si mesmo, tornar-se 'atemporal'". Preferíamos ouvir como resposta que o filósofo exigisse de si mesmo em primeiro lugar a verdade acima de tudo, e então, antes de tratar da superação do "tempo em si mesmo", superasse primeiro a própria e talvez doentia subjetividade.

Para Nietzsche, isso seria uma verdadeira cura radical. Ele parece acreditar que aquilo que ele percebe em si mesmo como doença teria vindo de fora, sobretudo de Wagner. Mas ele se engana. A maioria das doenças pressupõe uma disposição por parte daquele no qual elas se aninham. O quanto o próprio Nietzsche apresenta essa disposição no momento em que ele reage à infecção wagneriana se evidencia de modo mais claro onde ele, no início de seu panfleto, fala sobre a ópera temperamental "Carmen", de Bizet. Assinamos com prazer tudo aquilo que o autor diz sobre a sensibilidade mediterrânea, marrom e queimada dessa ópera. Tudo isso é observado de forma linda e compreensível. Mas então, de repente, ele é tomado por toda a mística pegajosa da escola wagneriana, essa reflexão exagerada que eleva um ato de paixão humana a um profundo problema filosófico, e ele alega ter encontrado a única concepção de amor digna de um filósofo nas últimas palavras de Don José, quando este mata a infiel prostituta Carmen!

É exatamente disso que nós, as naturezas mais calmas, nos cansamos em Richard Wagner: essa interpretação filosófico-mística de suas poesias e de sua música, que sempre acompanha o trabalho criativo enérgico do mestre, que sempre nos preenche com respeito. O próprio Wagner se dedicou a essa prática, e seus adeptos a elevaram ao grau de provocar nojo. É nisso que identificamos a doença wagneriana. Ela foi provocada pelo desprezo desmerecido do público alemão diante das primeiras obras de Wagner. O mestre ambicioso e nervoso se tornou escritor para lutar com a pena pelos produtos de sua imaginação artística. Esta foi a calamidade. Se tivessem oferecido a Wagner a tempo o cargo de mestre de capela de um grande teatro, no qual poderia ter apresentado sua obra mais recente de acordo com suas intenções, hoje talvez veríamos brilhar uma estrela fixa no lugar onde um cometa deixou seu rastro cintilante. No entanto, não adianta usar condições que não se realizaram para argumentar contra a realidade. Apresentamos esse pensamento apenas para dizer que não condenamos a reforma wagneriana prática do teatro por meio de óperas inovadoras, mais ou menos valiosas, mas os escritos presunçosos do mestre e de seus discípulos.

Ao fazermos uma distinção nítida entre os atos artísticos de Wagner e seus escritos artísticos, já denunciamos em parte aquilo que desvaloriza o escrito de Nietzsche, pois este não distingue as criações artísticas de Wagner de suas mentiras literárias, antes joga tudo num mesmo balde para então derrubar este balde. Nisso, Nietzsche comete também o equívoco de supor que o mundo inteiro é wagneriano e, portanto, doente. Mas alguns mestres de capela malucos, uma dúzia de escritores jovens do tipo que Nietzsche justamente acusa de "idiotismo", e, por fim, alguns milhares de mulheres insatisfeitas – estes não são o mundo inteiro, tampouco são a Alemanha inteira. Meu Deus! As pessoas vão ao teatro e hoje acham a "Valquíria" interessante, amanhã se entusiasmam com o "Trompeter de Säckingen", de Nessler, ou com a "Carmen" tão amada por Nietzsche (e também por nós). Depois, vão para a cama e assobiam a alegação de que o amor provém dos ciganos, amanhã assobiam "Winterstürme wichen dem Wonnemond", caso ainda consigam se lembrar da melodia, e na noite seguinte: "Behüt dich Gott, es wär' zu schön gewesen". De resto, tratam de seus negócios e de seus prazeres, e a sociedade wagneriana, à qual Nietzsche pretende administrar seu veneno, nem chega a pesar numericamente diante das massas que não se importam com essas sutilezas estéticas.

Por isso, não participamos do lamento de Nietzsche sobre uma decadência geral da atualidade. Até mesmo o filósofo "mais atemporal" deveria possuir a modéstia de não se ver como juiz de uma era na qual ele mesmo se encontra e sobre a qual nenhum contemporâneo consegue se elevar para alcançar uma posição de total objetividade. Todos os séculos que conhecemos continham certa dose de decadência e sinais de ruína, e sempre surgiu uma geração que se dedicou a novas tarefas com novo vigor. Poderíamos muito bem chamar também o século XVIII com seus estamentos arruinados e com os terrores da guilhotina de era da decadência, e também o século XVII com sua terrível Guerra dos Trinta Anos, como também o século XVI com a Reforma e os sofrimentos causados pela revolta dos camponeses. Cada era tem suas febres, e apenas a geração seguinte pode avaliar como estas foram superadas. Existem pelo menos alguns fenômenos da atualidade que deveriam servir como advertência a um filósofo que pretende reconhecer apenas doenças na atualidade. Mencionamos aqui apenas o fenômeno das condições de saúde melhoradas da humanidade moderna e apontamos sobretudo para o valor inestimável gerado para a humanidade europeia a partir de um mal de resto profundamente lamentado, a constante disposição para a guerra de todas as nações. Não deveríamos ter que explicar a um alemão o que significa a disciplina do exército para o povo alemão em relação ao fortalecimento físico da nação. Nietzsche zomba de duas características principais dos germânicos: "obediência e pernas longas". Nosso ideal para o desenvolvimento do caráter certamente não é a disciplina das casernas e a razão do suboficial; mas não somos injustos ao ponto de não reconhecer, além de alguns males do militarismo, os grandes benefícios que o treinamento disciplinado dos jovens traz para o fortalecimento físico de uma geração. Como se sabe, a Suíça, como tantas outras nações europeias, também adotou o modelo militar prussiano, que de forma alguma contraria o espírito do soldado suíço, e as vantagens físicas e espirituais são tantas que reconhecemos em nosso militarismo um dos fatores culturais mais importantes para o nosso país. E não saberíamos como educar nossos jovens se, de repente, uma paz eterna abolisse toda e qualquer instituição militar.

Nietzsche, com seu pessimismo cansativo, nos parece um paciente que, por sofrer de um mal estomacal, não entende como outra pessoa, ao se deitar à noite, já antecipa o café da manhã do dia seguinte, o charuto e o almoço. Deve ser este também o motivo pelo qual ele se mostra completamente incapaz de reconhecer a natureza saudável do maior mestre vivo, Johannes Brahms. Ele nem imagina que Brahms é "da raça forte de um Händel". Ele o julga tão mal, ao ponto de atribuir-lhe a "melancolia da incapacidade" e acusar o compositor, que cria sem febre, mas com a saúde da abundância, de que este estaria "sedento pela abundância". A característica própria de Brahms seria a ansiedade; portanto, ele seria o músico dos "ansiosos, dos insatisfeitos de todo tipo" e sobretudo "o músico de certo tipo de mulheres insatisfeitas". Jamais vimos um retrato espiritual tão ridiculamente distorcido quanto este. Brahms, de força física e espiritual exuberante, que, no fundo de sua personalidade e de sua natureza criativa, é o homem mais masculino que se pode imaginar. É justamente por isso que as passagens delicadas de suas composições nos comovem infinitamente (e nem mesmo Nietzsche consegue se esquivar delas). Essa delicadeza brota no solo da força, às vezes até da masculinidade bruta. E é este Brahms que, como Wagner ou Liszt, seria o músico dos insatisfeitos, sobretudo das mulheres insatisfeitas? Com essa alegação completamente irracional Nietzsche se entregou à zombaria imortal; imortal, pois são esses juízos de contemporâneos – temos muitos desse tipo sobre Mozart e Beethoven – que os séculos vindouros costumam usar para demonstrar a idiotice dos contemporâneos que um mestre imortal teve que superar. Queremos supor como motivo atenuante que Nietzsche, que está passeando pelas regiões mais ao sul, ainda não teve a oportunidade de ouvir uma das sinfonias de Brahms. Mas ele mesmo sabe escrever notas, portanto, deveria ser capaz de ler uma partitura ou uma redução para piano. Se não estivermos enganados, ele mesmo enviou seu "Hino à vida" a este mesmo mestre, que em seu panfleto ele ousa tratar com tanta arrogância: "O que nos importa um Johannes Brahms!" Reconhecemos nisto simplesmente a irrupção da mesma megalomania que se expressa já na passagem citada: "Dei aos alemães os livros mais profundos que eles possuem", e podemos supor que infelizmente fala de si mesmo quando observa: "Conheço apenas um músico que hoje ainda é capaz de produzir uma boa abertura: e ninguém o conhece" – (com exceção do espelho diante do qual Nietzsche se arruma)...

Não! Não tem jeito; não podemos mais falar desse panfleto de Nietzsche que cintila em todas as cores de um camaleão agitado; ele nos enoja. Schiller teria esbofeteado os alemães com palavras nobres, diz Nietzsche. Mas quem teria esbofeteado os alemães com palavras mais ocas do que Nietzsche, por exemplo, em seu livro "O nascimento da tragédia etc.", onde declamou sobre "Tristão e Isolda", de Wagner: "Aos músicos autênticos pergunto se podem imaginar um homem que seja capaz de aperceber o terceiro ato de Tristão e Isolda sem o auxílio da palavra e da imagem, apenas como um tremendo movimento sinfônico, e que, sob um espasmódico desdobrar de todas as asas da alma, não venha a desfalecer? Um homem que, como aqui, tenha por assim dizer aplicado o ouvido ao ventrículo cardíaco da vontade universal, que sinta como o furioso desejo da existência inunda a partir daí todas as veias do mundo, como torrente trovejante ou como mansíssimo riacho pulverizado, este homem não se destroçará de repente?" A essa pompa inacreditável corresponde, porém, completamente o feio exagero com o qual Nietzsche agora renega Wagner. Ele, o "atemporal", segue nisso na verdade um costume alemão bastante ordinário, ou seja, de, quando um artista alemão consegue criar algo grande, por exemplo, um teatro nacional, não se ater ao bem e ao esforço destas conquistas, mas de não descansar antes de expor ao mundo inteiro todas as fraquezas e falhas do mestre. Estes são os grandes atos dos filósofos estéticos da Alemanha, aos quais agora se junta ainda o fanatismo do renegado.

Nietzsche, que antes acreditávamos ter que respeitar, morreu para nós. Para outros, ele parece ter morrido já há mais tempo. Lemos num tratado recentemente publicado (sobre Eugen Dühring) da Dra. H. Druskowitz a seguinte descrição de Nietzsche, com a qual nos despedimos dele: "Tememos que o próprio Nietzsche terá que ser incluído como primeiro na categoria dos fisiologicamente acidentados. Pois ele perde cada vez mais a sensibilidade para os simples sentimentos humanos e para o pensamento natural, ele se entrega a paradoxos cada vez mais insustentáveis e perigosos, ele se deleita com tagarelices cada vez mais repugnantes, e sua megalomania e arrogância assumem dimensões cada vez mais preocupantes. Lembramos os leitores de seus últimos escritos do desprezo indescritível com que ele fala daqueles que têm a infelicidade de fazerem parte do "povo" e da admiração idólatra que ele dedica aos "nobres". Por fim, porém, evidencia-se que sua concepção de nobreza é totalmente errada, pois chama Napoleão I de "problema encarnado do ideal nobre em si". Como um dos melhores estilistas e uma das mentes mais espirituosas do nosso tempo, ele engana a si mesmo e o mundo em relação à insuficiência de seu ser e à falta de pensamentos próprios, a não ser que estes seriam aqueles que não apresentam qualquer lógica e justificativa. Assim, após décadas de procura tateante, ele encontrou resultados que facilmente podem ser levados *ad absurdum* e que devem ser chamados de inacreditáveis, como, por exemplo, a alegação de que a 'moralização' progressiva da humanidade significaria o fim do tipo humano superior, visão esta que está arraigada numa concepção profundamente equivocada do ideal da humanidade".

10
Volume 2, p. 488

Carta de Friedrich Nietzsche ao Prof. Andreas Heusler II em Basileia, publicada por Andreas Heusler III em "Schweizer Monatshefte", abril de 1922[288]

Querido Heusler,

Dou-lhe de imediato um sinal da minha confiança que, no momento, não daria a outros cinco ou seis. Todas as histórias estúpidas da minha vida vêm da Alemanha:

ouça a última! – Meu próprio editor E.W. Fritzsch em Leipzig, que está com nove das minhas obras (entre outras também o Zaratustra, o primeiro de todos os livros, peço que me perdoe esta expressão) –, o dito cujo fez com que zombassem de mim da forma mais vil e pessoal na publicação musical semanal, editada por ele mesmo, por ocasião do "Caso Wagner". Depois disso, eu lhe escrevi: "O quanto o senhor quer por toda a minha literatura? Com sincero desdém, Nietzsche". – Resposta: 11 mil marcos: isso é um *terço* do valor *bruto* dos exemplares ainda existentes (= 33 mil marcos). Meu editor atual, o Sr. C.G. Naumann, um dos comerciantes mais idôneos de Leipzig e dono de uma grande gráfica, aconselha-me a ver a tremenda falta de tato de Fritzsch como *caso de sorte*, pois assim eu conseguiria ter em mãos toda a minha literatura justamente no momento em que eu alcanço "fama mundial". Pois no caso da editora de C.G. Naumann (quatro obras até agora), sou o único detentor dos direitos. Eu pago a impressão e a distribuição dos livros. Ainda não recebi um único centavo (– uma proeza sem igual, querido Heusler! Pois sou o oposto de um homem abastado, mas felizmente vivo de forma muito econômica. Por exemplo, pago aqui apenas 25 francos pelo quarto por mês, com serviço – e não queria que fosse diferente).

Moral da história: preciso de mais ou menos 14 mil francos. – Visto que minhas próximas obras serão vendidas não aos milhares, mas às dezenas de milhares, simultaneamente em francês, inglês e alemão, posso fazer esse empréstimo sem o menor risco. Em toda minha vida jamais devi um centavo sequer. – Um dos homens mais influentes e inteligentes da França, o redator-chefe do *Journal des Débats* e da *Revue des deux Mondes*, o Sr. Bourdeau, está cuidando das traduções francesas dos meus livros e dos contratos com os editores. Ontem, ele me escreveu a carta mais adorável – pois tenho a sorte de ter o amor dos meus adeptos. Em breve será publicado: *Crépuscule des idols*. – Quem intermediou o nosso relacionamento foi o Sr. Taine, com uma *délicatesse* da qual não me canso de me maravilhar. – Em Paris, sou considerado o animal mais espirituoso que já andou pela terra e, talvez, ainda um pouco mais do que isso – – –

Querido Heusler! O restante é *silêncio* – – – Tudo deve ficar entre *nós*!

Friedrich Nietzsche

– mi sinceri auguri – – –

(Em anexo, envio uma palavra sobre mim, absolutamente inteligente e sem segundas intenções: o autor, agora de longe o primeiro músico, *meu maestro*, estudou em Basileia quando estive lá – *Peter Gast* (pseudônimo de Heinrich Köselitz).

[à margem deste adendo:] – peço que devolva a folha, pois não possuo cópia dela.

[à margem da página 2:] O Sr. C.G. Naumann pretende assumir as negociações financeiras com E.W. Fritzsch, de forma que não terei que dirigir nenhuma outra palavra a este indivíduo indigno.

11
Volume 2, p. 497

"*Kunstwart*", 2º ano, 1888, p. 52-56[40]

Nietzsche-Wagner. Recebemos a seguinte contribuição de Peter Gast, um homem altamente respeitado por nós, mas que, no que diz respeito a esta briga, está muito distante da nossa própria posição. Esta revista tem falado tanto e de forma tão favorável à causa wagneriana que ela trairia seu caráter apartidário se não cedesse a palavra também aos seus adversários. No fim, acrescentaremos algumas observações próprias, na esperança de assim resolver uma vez por todas para a nossa revista a questão do panfleto de Nietzsche.

"Jamais um problema estético excitou tanto os alemães quanto o problema de Wagner do 'drama musical' e da música do teatro. O resultado dessa excitação de 40 anos de duração foi que a resistência contra Wagner praticamente desapareceu. Hoje, a maioria acredita que Wagner estava 'certo' e que seus adversários estavam 'errados'.

A princípio, este fato não significa para o historiador da arte apenas que aquele que sabe se impor durante uma vida inteira com individualidade dura e concentrada a uma humanidade desconcentrada e sem caráter consegue convencer todos de suas intenções; em outras palavras: que quase toda vertente, por mais que ela provoque repúdio no início, pode ser imposta, basta que o gênio inovador possua a persistência necessária.

O público é praticamente incapaz de reconhecer novos ideais acima do artista. Ele se atém ao que existe; novas possibilidades sempre precisam ser apresentadas a ele por meio de novas obras. Mas onde estaria o artista que pudesse ter se comparado a Wagner, que pudesse ter cruzado e perturbado a obra de sua vida a partir de um nível e de um poder totalmente diferente? – ou seja, que, por meio de seu trabalho criativo, pudesse ter convencido e conquistado o público e guiá-lo para um mundo mais claro, mais alegre, mais saudável e superior? Esse artista não existiu. Tudo que se manifestou contra Wagner foram protestos teóricos de homens que não possuíam a riqueza espiritual para segui-lo – ou protestos de músicos estetizantes ou até de pessoas ofendidas. Tudo que conseguiram fazer foi chamar ainda mais a atenção do público, até que este se sentiu elevado, comovido e abalado pela arte de Wagner, reconhecendo então que jamais havia experimentado esse tipo de efeitos vindo do palco – ou até mesmo da arte em geral.

A vitória de Wagner sobre a Europa e a América do Norte é incontestável. Até mesmo a França, que, por respeito à juventude política das ruas, ainda não ousa apresentar suas obras no palco, o conhece e o estuda com um zelo, com um amor do qual os bons alemães ainda não tomaram conhecimento por falta de tempo[*].

A despeito dessa enorme vitória, a literatura apologética sobre Wagner cresce, em vez de diminuir. Não existem mais adversários, apenas um exército de autores da arte, que ilumina, explica, descreve a causa de Wagner dia e noite, comportando--se como precursores e defensores de sua causa.

O único beneficiado disso é a causa de Wagner: a arte como um todo sofre com essa prostração, com essa devoção de milhões a um único artista, cuja peculiaridade é elevada à 'medida de tudo'. Mas a aprovação de milhões nada diz sobre o valor de uma coisa; primeiro, precisaríamos demonstrar o valor destes milhões. Mas quem poderia determiná-lo? Que padrão deveria servir para tal avaliação? Quem estaria tão acima dos tempos e dos povos para reconhecer os sintomas que os qualifica como superiores ou inferiores? E esse reconhecimento não pressupõe também uma bitola, que aplicamos ou aleatoriamente ou que carregamos dentro de nós de forma inconsciente e instintiva? Não precisaríamos ter, de certa forma, uma segunda consciência para ver a si mesmo e seu tempo em todas as manifestações da vida, até mesmo as mais conscientes (em gosto, juízo e moral), abaixo de si mesmo e em comparação com todo o passado da humanidade?

Quem nos confronta com estas perguntas e as responde como nenhum outro é Friedrich Nietzsche. Apenas com ele se inicia um conhecimento fisiológico

---

[*] A França publicou a monografia mais extensa sobre Wagner, a de Adolphe Jullien; possui, além desta, também a de Schuré, Catulle Mendès e de muitos outros. Um dos primeiros wagnerianos autênticos foi Baudelaire, autor dos *Fleurs du mal*. Entre os wagnerianos atuais, destaca-se por seu entusiasmo a escola dos "Poètes decadentes" (como eles mesmos se chamam com muita ironia). Revistas wagnerianas: A "Revue Wagnérienne" (Stephane Mallarmé e Paul Verlaine), "Revue in-dépendante" (redator Dujardin), "Gil Blas" etc. Observa-se também o entusiasmo wagneriano nas passagens sobre música nos romances de Bourget, Zola, Guy de Maupassant e outros.

verdadeiro das manifestações da história; apenas a ele deveremos a aquisição de medidores de valores, após a qual a avaliação de fenômenos históricos a partir da 'idiossincrasia' e da limitação de um tempo e de uma geração será permitida apenas aos homens vulgares. O escrito mais recente de Nietzsche, 'O Caso Wagner', é um exemplo desse modo de contemplação histórica.

A Nietzsche devemos a obra apologética mais profunda e mais significativa da literatura wagneriana – falo do 'Nascimento da tragédia no espírito da música', daquele livro, que de repente gerou valores estéticos completamente novos, que criou uma nova glória, novas perspectivas em torno de Wagner e do qual o próprio Wagner e todos os seus adeptos escritores se nutriam ricamente. E Nietzsche se tornou famoso como apologeta de Wagner. Mas nem mesmo dez pessoas em toda a Alemanha sabem o que e quem é Nietzsche de verdade. Precisamos visitar o exterior para descobri-lo, por exemplo, para a Savoia, onde vive Taine, o maior historiador vivo, ou para Copenhague, onde encontramos Georg Brandes (um dos críticos mais inteligentes do nosso tempo), que, no inverno passado, fez preleções sobre a filosofia de Nietzsche diante de mais de 300 ouvintes, propagando assim o nome e os problemas de Nietzsche em toda a Escandinávia.

Nietzsche é, em nosso tempo, uma cultura própria quase que impossível – de uma seriedade, originalidade e força e nobreza de espírito e sentimento, diante das quais a maioria das pessoas se assustará. Com ele, deitou-se diante da vida uma nova esfinge. Todas as coisas humanas são questionadas; não ao modo dos espíritos livres jocosos, tampouco a partir de baixo, ao modo dos descontentes e dos socialistas políticos ou religiosos – mas a partir dos pontos de vista dos mais nobres exemplos da humanidade. Brandes caracterizou a filosofia de Nietzsche com a expressão 'radicalismo aristocrático', e certamente todos os brâmanes, Alexandres, Césares, Napoleões ou Leonardos da Vinci concordariam com os imperativos de Nietzsche se tivessem expressado seus instintos dominantes em palavras e fórmulas. Duvidamos apenas se teriam conseguido fazê-lo... na forma como o faz Nietzsche. Apenas a ele o segredo da vida orgânica parece ter se revelado. Diante de seu conhecimento, toda a atividade ciente – até mesmo a das pessoas mais nobres do passado – se apresenta como cega e instintiva. Diante dele, os fenômenos se desvelam, ele reconhece fundamentos até então ignorados por todos. E esses fundamentos contrariam tanto os nossos sentimentos e avaliações ordinárias, se opõem tanto ao nosso gosto que apenas uma pessoa bastante destemida consegue acompanhá-los.

Nietzsche é uma cultura em si. Seus escritos apresentam o maior teor, a maior concentração encontrados em livros. Cada sentença sua contém um *aperçu*, um juízo, que pertence exclusivamente a ele, que só pode pertencer exclusivamente a ele.

Suas obras, sobretudo o livro de todos os livros, 'Assim falou Zaratustra', deveriam ser o orgulho dos alemães, pois elevam toda a literatura, mas a Alemanha nada sabe disso tudo, ela não possui razão nem coração para isso. Em Paris, os livros de Nietzsche provocariam uma onda de artigos e panfletos, toda a inteligência francesa se apoderaria deles, formar-se-iam partidos filosóficos, ou seja, seus problemas seriam objeto de discussões públicas. Na Alemanha, porém, ninguém sabe o que fazer com seus problemas; para os alemães, eles se encontram ainda soterrados, falta-lhes a formação moralista centenária, que o francês possui desde Montaigne, falta-lhes até o interesse, a capacidade de se deleitar com sutilezas filosóficas. O modo como os alemães tratam Nietzsche acrescentará uma nova página à história de sua crescente inferioridade espiritual.

É impossível apresentar de forma compreensiva o mundo dos pensamentos de Nietzsche neste espaço; precisaríamos reproduzir os doze tomos de sua obra. Nietzsche é – digo-o pela terceira vez – uma cultura (e uma moral – heroica) em si. É preciso lê-lo, submergir em seus pensamentos, conviver com ele durante anos. Se houver um parentesco espiritual, este encontro com ele significará tanto – e um pouquinho mais – para o leitor quanto a entrada de Beatrice na vida de Dante: *incipit vita nova*.

A única coisa que destacaremos aqui como transição para o que diremos a seguir é sua teoria biológica principal.

Nossa moral (i.e., sobretudo nossas tendências compassivas, lenientes, igualitárias, democráticas, hostis a qualquer tipo de violência) não é, para ele, algo primário, orientador (ou até metafísico ao modo dos filósofos alemães até Schopenhauer); para ele, é apenas um fenômeno secundário, uma consequência da *décadence* do vigor vital, que ocorre na profundeza. Em termos gerais, existem para ele uma *vida ascendente e uma vida decadente*: tanto em sociedades como um todo quanto no indivíduo (o indivíduo concebido como complexo de pulsões dominantes e pulsões obedientes). À vida ascendente corresponde a moral dos senhores, o modo nobre de avaliação, que, triunfante e a partir da força e da plenitude, se considera 'boa' e em prol da qual muitas pessoas subalternas (ou – se estivermos falando sobre o interior do ser humano – muitas pulsões subalternas) precisam ser sacrificadas. À vida decadente corresponde a moral dos escravos, das pessoas oprimidas, fracassadas, sacrificadas, que se veem como os 'bons'; e os senhores, como os 'maus'. No caso dos senhores, é a alegria, a atividade, o senso de poder que determina o valor dos atos e das coisas próprias e alheias; no caso dos oprimidos, é o cansaço, a passividade, a impotência que determina este valor. – Em nós, pessoas modernas, ambas as morais agem concomitantemente. 'O homem moderno representa, em termos biológicos, uma contradição dos valores; ele diz, ao mesmo tempo, sim e não. Contra nosso conhecimento, contra nossa vontade, hospedamos em nosso corpo palavras, fórmulas e morais de origens contrárias – somos, sob uma perspectiva biológica, errados.' 'Com que iniciaríamos um diagnóstico da alma moderna? – Com uma incisão resoluta nessa contradição de instintos, com a extração de seus valores contrários.' Nietzsche reconhece em Wagner um dos exemplos mais evidentes e instrutivos para essa duplicidade interior, para essa moralidade misturada, para essa dissolução dos instintos.

'Ninguém se identificou de forma mais perigosa com esse wagnerianismo do que eu, ninguém se opôs de forma mais violenta a ela, ninguém se alegrou mais ao se desprender dela! Wagner era apenas uma das minhas doenças, como Schopenhauer, como toda a 'humanidade' moderna: minha maior experiência foi uma reconvalescença. – Ao defender com este escrito que Wagner é nocivo, defendo igualmente que ele é imprescindível – para o filósofo. Este não possui a liberdade de ignorar Wagner. Ele precisa ser a consciência do seu tempo – para tanto, preciso conhecê-lo a fundo. Onde ele encontraria um guia mais iniciado no labirinto da alma moderna, um proclamador mais eloquente da alma do que Wagner? Em Wagner, a Modernidade encontra sua língua mais íntima: não oculta seu bem nem seu mal, despiu-se de todo pudor [...]. Wagner resume a Modernidade. Não há outro caminho, primeiro é preciso ser wagneriano...'

Evidentemente, apenas um olhar tão penetrante, tão saudável e tão atemporal quanto o de Nietzsche consegue reconhecer Wagner como *décadent* típico. Até agora, nosso tempo o viu como o oposto.

'Não estranho o fato de que a Alemanha se ilude no que diz respeito a Wagner: os alemães nunca foram psicólogos; eles se contentam com o equívoco. Mas não entendo que também Paris se deixa iludir por ele, justamente onde quase todos são psicólogos! E em São Petersburgo, onde se reconhecem coisas que não são reconhecidas nem mesmo em Paris! – Quão grande deve ser o parentesco entre Wagner e toda a *décadence* europeia para que ele não seja reconhecido como *décadent*! Ele faz parte dela, ele é seu protagonista, seu maior nome... Homenageiam-se a si mesmos quando o elevam às alturas. – Pois o mero fato de não se oporem a ele já é um sinal de *décadence*. O instinto está enfraquecido. Aquilo que deveriam evitar os atrai. Reconhecer o nocivo como nocivo, ter a força para se proibir algo nocivo é um sinal ainda de juventude, de vigor vital.' 'Digo, antes de mais nada: A arte de Wagner é doente. Os problemas que ele traz para o palco – apenas problemas de histéricos –, as convulsões de seus afetos, sua sensibilidade excessiva, seu gosto, que exigia temperos cada vez mais picantes, a instabilidade de seu temperamento, que ele disfarçava como princípio, e também sua escolha de heróis e heroínas, vistos

224

como tipos fisiológicos (uma galeria de retratos de doentes!): tudo isso nos permite um diagnóstico que não deixa espaço para dúvidas. Wagner *est une névrose*. E, com isso, Wagner é o artista moderno *par excellence*, o Cagliostro da Modernidade. Em sua arte se mistura de forma mais sedutora tudo aquilo que o mundo mais necessita – os três grandes *stimulantia* do exausto: o brutal, o artificial e o ingênuo (idiota).'

*

De importância extraordinária para a avaliação de Wagner é algo que, antes de Nietzsche, ninguém viu e destacou com clareza: sua qualidade de ator. É como ator que ele faz música (não como músico), é como ator que ele cria suas peças de teatro (não como dramaturgo). 'Para o drama, faltava-lhe a lógica fria; instintivamente fugia à motivação psicológica – Como? Substituindo-a pela idiossincrasia. Muito moderno, não é? Muito parisiense, muito *décadent*!' Nietzsche fornece exemplos disso.

A primeira coisa que Wagner vislumbra no espírito é o auge de uma trama, do ponto de vista cênico, pitoresco. Vê, por exemplo, quase com o olho de Fra Bartolomeo, uma lavagem de pés; o que leva até ela e o que se desenvolve a partir dela resulta de uma economia técnica, que não vê razões para ser sutil. 'Não se trata do público de Corneille, que ele precisa respeitar: – trata-se do mero século XIX, do mero alemão!' 'Basta colocar qualquer peripécia, qualquer 'nó' de Wagner sob o microscópio – prometo que isso será motivo de risos. Nada nos diverte mais do que o nó de Tristão, a não ser, talvez, o nó dos Cantores Mestres. Wagner não é dramaturgo, que ninguém se iluda. Ele amava a palavra 'drama': isso é tudo – ele sempre amou as palavras belas. Mesmo assim, a palavra 'drama' é apenas um equívoco em seus escritos (e uma esperteza: Wagner sempre se opôs à palavra 'ópera').' Em uma observação, Nietzsche chama atenção para o fato de que a palavra 'drama' é sempre traduzida erroneamente como 'trama'. O drama da Antiguidade teve em vista sempre grandes cenas de *páthos* – excluindo assim justamente qualquer trama (deslocando-a para antes do início ou para os bastidores da cena).

E Wagner compõe também a sua música como ator. Para os compositores mais antigos, a norma da música do teatro se encontrava nas formas da música instrumental ou de câmara pura. A ópera, como gênero híbrido, não possui uma norma em si mesma: ela se equilibra entre as exigências da música e do drama. Wagner teve a coragem de refutar na opéra as pretensões da música como arte própria, de ignorar suas leis estabelecidas penosamente por pessoas profundamente estéticas e de impor a ela as palavras e gestos do drama como única diretriz. No entanto, é preciso dizer que a música dos mais antigos era, a despeito de sua observação das leis, um 'meio de expressão' igualmente adequado e que a verdadeira inovação de Wagner (ignorando as concessões feitas por ele aqui e ali) consiste no fato de que a sua música não pode ser mais compreendida sem texto. Na ópera dos mestres antigos, a música era a essência de tudo. Para os sentidos ela continua sendo isso: a palavra e a trama são praticamente encobertas por ela. (Ou será que existe alguém que, p. ex., consegue entender a longa narrativa de Gurnemanz sem o libreto? Com o libreto em mãos já não somos mais ouvintes estéticos.) Apenas no norte mais abstrato, mais inseguro é possível desviar a atenção da música para a palavra e a trama, de forma que a música é consumida apenas como algo secundário. Assim, ninguém se irrita com o caos informe e com o *quodlibet* da música, que acompanha a narrativa de Gurnemanz.

Wagner degradou a música na ópera ao patamar de *ancilla dramaturgica*, ao comentário, muitas vezes ao mesquinho, por vezes até ao infantil. Aquilo que ele chama de 'estilo dramático' de sua música, é estilo ruim, até mesmo falta de estilo. Elogiam esse desleixo, essa anarquia, essa falta de planejamento e disciplina como – 'progresso'; segundo Nietzsche, trata-se meramente de uma desfiguração do instinto musical. Wagner contaminou a música com a doença – não só segundo nossa percepção, mas também no aspecto formal. 'Ele quase descobriu a magia que pode ser exercida com uma música dissolvida e executada de forma elementar. Sua consciência disso chega a ser assustadora. O elementar basta – tonalidade, movimento, sonoridade, ou seja, a sensualidade da música. Wagner jamais pensa como músico, jamais parte de alguma consciência musical: ele quer o efeito, nada mais do que o efeito. E ele conhece aquilo sobre o qual pretende exercer esse efeito! – Nisso, falta-lhe qualquer receio, o mesmo que faltava a Schiller, que falta a qualquer pessoa do teatro; compartilhava também seu desprezo pelo mundo, que se joga aos seus pés! [...] O que faz dele um ator é o fato de ele ter um conhecimento que o resto da humanidade ignora: aquilo que deve se apresentar como verdadeiro não pode ser verdadeiro. A sentença foi formulada por Talma: ela contém toda a psicologia do ator, contém – que ninguém duvide disso! – também sua moral. A música de Wagner nunca é verdadeira. – Mas todos a consideram verdadeira: – e assim, tudo está em perfeita ordem.' 'O que Wagner significa para a história da música? – A emergência do ator na música: um evento capital, que nos preocupa e que talvez nos assusta. Em uma fórmula: 'Wagner e Liszt'. Jamais a idoneidade dos músicos, sua 'veracidade', foi exposta a um teste tão perigoso. É palpável: o grande sucesso, o sucesso das massas, já não se encontra mais do lado dos verídicos – é preciso ser ator para alcançá-lo! Em todas as culturas em decadência, sempre que as massas obtêm o poder de decisão, a veracidade se torna supérflua, desvantajosa, retardante. Apenas o ator consegue despertar o grande entusiasmo.'

Por que Wagner escrevia livros? – 'Seria porque sua música é incompreensível? Ou será que ele temia o oposto, sua fácil compreensibilidade? – Na verdade repetiu durante toda a sua vida uma única frase: Sua música não é apenas música! Significa mais! [...] 'Não apenas música' – nenhum músico fala assim. Repito: Wagner não pôde criar a partir do todo, ele não tinha outra escolha senão criar obras parciais, 'motivos', gestos, fórmulas, duplicações, multiplicações; como músico permaneceu orador – em termos essenciais, teve que colocar em primeiro plano o 'Isso significa'; foi, durante toda a sua vida, o comentarista da 'ideia'. – Nietzsche demonstra como, assim, Wagner se tornou herdeiro de Hegel: aquilo que Hegel é na filosofia, Wagner é na música.

Mas resistamos à tentação de citar outras passagens. Escolhemos apenas aquelas que dizem respeito ao drama e à música de Wagner, cientes de que só podemos preparar o leitor para a verdadeira essência do livro de Nietzsche e de que o leitor culto logo conhecerá pessoalmente este importante documento da história da cultura.

Como wagneriano há de se lamentar o fato de que justamente Nietzsche, esta primeira e última autoridade da interpretação de Wagner, passou por esta transformação interior que o levou para muito além das tendências de Wagner e do nosso tempo. Sua cultura antirromântica, anticristã, antirrevolucionária, antidemocrática, ou seja, sua nobreza, o separa (e o separava) para sempre da causa de Wagner. No passado, quando se iludia em relação a isso, ele se encontrava preso ao mesmo equívoco em que se encontrava também o amigo de Wagner, o Conde Gobineau, quando este (que possuía o bom gosto necessário para se distanciar do Parsifal) acreditava reconhecer nos nibelungos os seus antepassados, aos velhos vikings. Mas agora Nietzsche reconhece também nos heróis de Wagner toda a modernidade da alma, a oscilação indecisa entre moral dos senhores e moral cristã. Já a música de Wagner, essa moderníssima *musica sensibilíssima*, é para ele, como língua dos velhos heróis nórdicos, uma língua artificial e inadequada."

Estas são as palavras de Peter Gast. A crítica que nós mesmos nos vemos obrigados a fazer ao escrito de Nietzsche pode ser mais sucinta do que acreditávamos inicialmente. Não pode ser tarefa de uma publicação artística esclarecer ou ofuscar a luz filosófica que Nietzsche (também em nossa opinião um dos pensadores mais profundos e espirituosos do nosso tempo) lança sobre toda a cultura da atualidade, mesmo se fôssemos qualificados para isso. Essa tentativa também nem é necessária para contemplar o panfleto mais recente. Podemos simplesmente aceitar a justificativa da contemplação cultural de Nietzsche, mesmo sem compartilhá-la, e, mesmo partindo dessa suposição, refutar a força demonstrativa das exposições sobre Wagner.

Não se trata aqui de um princípio ou de uma lei cuja aceitação ou negação causaria uma queda ou ascensão de Wagner. É possível não só compartilhar, mas até criar dentro de si mesmo a concepção do mundo de Nietzsche e mesmo assim nutrir um altíssimo respeito de Wagner – Friedrich Nietzsche, o jovem, demonstra isso a Friedrich Nietzsche, o velho. Trata-se de aplicações da lei ao caso individual, aqui ao "Caso Wagner", ou seja, de diagnósticos. O médico cultural Nietzsche, o jovem, escreveu, partindo das leis descobertas pelo pesquisador cultural Nietzsche, um atestado de saúde excelente para Richard Wagner; o médico cultural Nietzsche, o velho, partindo das mesmas leis, lhe atesta uma doença. Apenas a seção do "paciente" poderá provar qual dos dois está certo – mas, por enquanto, Richard Wagner ainda continua vivo.

Sim, as opiniões de Nietzsche sobre Wagner não podem ser provadas nem refutadas. Este ou aquele leitor reconhecerá as exposições de Peter Gast como expressões "de seu próprio coração", muitos outros as verão como terríveis equívocos. Ninguém poderá demonstrar que ele está no direito. Pois apenas erros de raciocínio podem ser refutados logicamente, não, porém, erros de sentimento. Quem poderia me refutar se eu dissesse: Wagner me alegra, me fortalece, me inspira? Para mim ele seria tão belo quanto ele é feio para Nietzsche. Neste caso, porém, eu também seria um "decadente". Mas ele também é filho de seu tempo e não pode ser outra coisa: e se a designação do nosso tempo com o tempo da "*décadence*" fosse o juízo de um "*décadent*"? Apenas quando o próprio tempo, este grande paciente, morrer, o pesquisador cultural do futuro poderá tentar encontrar seu juízo e decidir se o médico cultural do passado encontrou todas as características essenciais para o seu diagnóstico.

No entanto, parece-nos muito viável uma refutação de Nietzsche nas passagens em que ele fala sobre o músico Wagner, portanto, sobre o "problema dos músicos", ao qual se refere o título do escrito, mas do qual trata apenas parte do livro. Pois aqui não se trata de diagnósticos, mas de fundamentos e princípios, que podem ser deduzidos logicamente de fatos reconhecidos por todos, e que, justamente nessa dedução, permitem ser retraçados pela crítica racional. Antes, porém, de empreendermos o esforço de tal refutação, precisaríamos de uma refutação das teorias de Wagner pelo próprio Nietzsche. Enquanto ele apenas decretar (como o faz no escrito atual): Wagner está errado, porque assim o julgo – ninguém pode se sentir motivado a refutar uma opinião sobre a essência da música, apresentada sem explicações e fundamentos, mas simplesmente pressuposta como verdadeira, a despeito de décadas de uma literatura que procura demonstrar seu equívoco.

Ao contrário de Peter Gast, o escrito de Nietzsche nos comoveu como uma manifestação muito desagradável. Não porque ele ataca Wagner. A nosso ver, ele fala de um pensamento que merece reflexão; trata-se da expressão de um homem do qual ninguém ousa zombar ou ao qual ninguém, que em algum momento já saciou sua fome espiritual com a abundância de suas ideias, teria a arrogância de desprezar como inferior. Quem zombasse desse panfleto demonstraria apenas que nada sabe sobre Nietzsche. Mesmo assim, o "Caso Wagner" é altamente desagradável, já pelo tom do escrito. Nietzsche faz nele justamente aquilo do qual desejamos poupá-lo: ele acredita poder tratar com arrogância e desprezo aquele homem que, antigamente, ele admirava como um dos maiores e que, ainda hoje, ele reconhece como um dos mais importantes.

A mudança de opinião de um dos "wagnerianos" mais extraordinários, talvez até do wagneriano mais extraordinário de todos, é fato. Se este tivesse apresentado um desdobramento sóbrio e objetivo das razões que anularam suas razões anteriores – deveríamos-lhe apenas a nossa gratidão: não porque ele teria nos convencido, mas porque assim teria nos incentivado a submeter seus argumentos a uma investigação aguda. Mas assim como o escrito se apresenta, ele quase chega a ser uma contribuição de um folhetinista espirituoso que se entretém com grandes pensamentos. O fato de serem seus próprios, garante-lhe o direito de nosso interesse. Mas como evento final, permanece a tristeza sobre o fato de que, dessa vez, Nietzsche escreveu como [um] folhetinista.

12
Volume 2, p. 499

De: Carl Spitteler, "Meine Beziehungen zu Nietzsche"[224]
[após observações sobre o "Caso Wagner", de Nietzsche:]

O tiro não acertou o alvo, e Nietzsche ficou apenas com o coice. Isso o deixou enfurecido. E, em sua fúria, planejou um segundo ataque muito mais violento, uma "guerra" sem escrúpulos contra Wagner e toda a música nova. Quem conseguiria dizer quantas partes de zelo sagrado pela verdade, quantas partes de vingança pessoal e vaidade ferida essa fúria bélica continha? Ou seja, pretendia travar uma guerra de aniquilação. Para esta guerra, procurou um aliado, e visto que eu havia sido o único que concordara com ele, acreditou ter em mim este aliado ideal. Nisso ele estava certo, e realmente eu teria ido à guerra com ele contra a música moderna com o maior prazer, apesar de não compartilhar sua esperança de uma vitória; pois neste ponto, como em tantos outros, nós compartilhávamos a mesma fé e as mesmas convicções, julgávamos até de forma igual em muitos detalhes. Mas agora surgiram as ressalvas.

No entanto, não cabe a mim descobrir a natureza dessas ressalvas, nem por que elas surgiram apenas para a segunda, e não já para a primeira campanha de guerra. Era sua antiga amizade com Wagner? Era a violência com que esta segunda guerra deveria ser travada? Parecia-me que, após o "Caso Wagner", nada mais podia ser estragado. Seja como for, o fato era este: ele teve a ideia de travar a segunda guerra não abertamente e com o estandarte erguido, mas pelas costas do inimigo, enviando seu aliado para a batalha e fornecendo-lhe secretamente as armas a serem usadas. Por isso, ele me pediu que escrevesse em seu lugar um panfleto igual ao "Caso Wagner" e que o publicasse com meu nome, intitulado de "Nietzsche contra Wagner", com o subtítulo de "Documentos das obras de Nietzsche". Nesse escrito, eu deveria demonstrar que ele, Nietzsche, não havia mudado de lado repentinamente em relação a Wagner, como alegava equivocadamente a crítica alemã, mas que, na verdade, ele estaria travando uma guerra contra Wagner havia dez anos. Ele poderia e pretendia demonstrar isso na base de suas obras. Ele pretendia reunir as passagens respectivas (eram oito as passagens citadas por ele inicialmente), copiá-las e enviar para mim. Eu, por minha parte, deveria escrever um prefácio furioso, que equivalesse a uma declaração de guerra contra Wagner e toda a música moderna. Evidentemente, não pude aceitar a proposta; temeria ofender meus leitores se tentasse explicar por que não. Então, respondi a ele que lamentava não poder aceitar sua proposta, pois acreditava ser mais correto se cada um publicasse com seu próprio nome aquilo que tinha a dizer pessoalmente. Escrevi isso com certa preocupação, pois não sabia como ele receberia essa notícia, mas conhecia sua sensibilidade em questões de vaidade; no entanto, não pude transmitir-lhe outra decisão, mesmo correndo o perigo de perder a amizade de Nietzsche. Enquanto aguardava sua resposta, recebi um cartão postal escrito às pressas (com o carimbo de Turim, de 12 de dezembro), no qual me comunicou que, na noite passada, reconheceu que certamente descobririam o autor verdadeiro em virtude de alguns assuntos particulares, portanto, desistiria de sua proposta do dia anterior. Não mencionou minha carta com uma única palavra. Evidentemente, ele ainda não havia recebido a minha carta, ela ainda estava a caminho, minha carta e seu cartão haviam se cruzado. Ou seja, ele retirou sua proposta porque temia que pudesse ser descoberto. "Peço que me perdoe", dizia a última linha; diga-se de passagem que esta foi a última linha que recebi de Nietzsche (sem contar as lamentáveis palavras caóticas, que, meses mais tarde, me revelaram sua loucura). Ele não precisava ter pedido perdão para que eu fizesse o que precisava ser feito. Encobrimos a vulnerabilidade de um amigo; ninguém jamais soube qualquer coisa disso. Se todo esse empreendimento tivesse sido mais honesto e Nietzsche tivesse retirado sua proposta não por motivos de vaidade, mas por ressalvas mais nobres, eu teria feito o que sempre costumo fazer quando um amigo comete um erro no calor da batalha: eu teria rasgado sua carta e apagado da minha memória.

13
Volume 3, p. 36

"Laudo", supostamente do Dr. Baumann, Turim

(publicado por E. Podach[197])

Constituição física forte, nenhuma deformação física ou doença constitucional. – Capacitação espiritual extraordinária, educação muito boa, formação de excelente êxito. – Constituição sentimental de sonhador. Extravagante em questões dietéticas e religiosas. Primeiros sintomas de doença datam talvez de um tempo já remoto, com certeza apenas desde 3 de janeiro de 1889. – Dores de cabeça violentas com vômito, que duravam meses a fio, antecederam o estado atual. Já em 1873-1877 frequentes interrupções de sua atividade como docente em virtude de dores de cabeça excessivas. – Condições financeiras muito modestas. – Pela primeira vez espiritualmente perturbado. Momentos causais: Prazer ou tristeza excessivos. Sintomas da doença atual: megalomania, fraqueza espiritual, diminuição da memória e da atividade cerebral. – Evacuação regular, urina fortemente sedimentada. – O paciente costuma estar excitado, come muito, exige comida o tempo todo; no entanto, é incapaz de fazer qualquer coisa e de cuidar de si mesmo, alega ser um homem famoso, exige constantemente a presença de mulheres. – Diagnóstico: Demência. – Foi visto por este médico apenas uma vez. – Dr. Baumann, Turim.

14
Volume 3, p. 51

Allgemeine Schweizer Zeitung 1889, n. 34, sábado, 9 de fevereiro.
Editor responsável: A. Joneli
(Jornal publicado seis vezes por semana em Basileia)[285]

"Crepúsculo dos ídolos ou Como filosofar com o martelo" é o título da última obra publicada por Friedrich Nietzsche, ex-professor de Filologia Clássica em nossa universidade. Visto que este livro repleto de pensamentos curiosos é comentado também pela crítica a partir de pressuposições completamente equivocadas (cf. "Basler Nachrichten", v. 4. ds.), é com prazer que cumprimos o desejo de um amigo do filósofo e publicamos, a fim de corrigir a avaliação do escrito e orientar sobre seu autor, as seguintes linhas: O "Crepúsculo dos ídolos" deveria ser a última obra do pensador original Friedrich Nietzsche, daquele pensador, portanto, que também aqui em Basileia conta com muitos conhecidos e amigos, mas que tem poucos seguidores; agora, encontra-se no manicômio em Jena, envolvido pela noite da loucura incurável. Temíamos isso de forma crescente a cada nova publicação; víamos como o terrível demônio se aproximava cada vez mais; no "Crepúsculo dos ídolos", deitou-se também sobre o cérebro infeliz do filósofo o véu da penumbra, portanto, pouco se importarão aqueles contra os quais ele lança seus ataques. Nietzsche vira o mundo de ponta-cabeça. Ele condena o que nos é sagrado; o que contemplamos com terror, ele ilumina com fogos de artifício. O lamentável Hamlet jamais soube o que realmente queria; um mundo construído segundo a sua receita seria um monstro, um turbilhão de contradições, uma impossibilidade. Não foi só o pensamento que destruiu um homem como Nietzsche. Seu espírito e corpo sofriam de uma deficiência hereditária. Quem o conhecia repetirá na mais profunda tristeza as palavras do poeta: "Que espírito nobre aqui se encontra destruído!"

15
Volume 3, p. 54, 109

C.G. Naumann a Franz Overbeck, 14 de janeiro de 1889[187]

Leipzig, 14 de janeiro de 1889

Sr. Prof.-Dr. Overbeck, Basileia

Foi com grande pesar que tomei conhecimento de suas palavras de 11 de janeiro; e já que posso supor que o senhor, como amigo do nosso infeliz Prof. Nietzsche, tenha o mesmo interesse de preservar seus interesses materiais, eu em minha função de editor me permito dirigir-me ao senhor para pedir um conselho em relação aos escritos que se encontram na gráfica.

Primeiramente, trata-se do panfleto de Nietzsche "O crepúsculo dos ídolos" ou "Como filosofar com o martelo". Este está na gráfica desde o início de novembro e deve ser enviado para as livrarias no início do ano. Creio poder fazer isso sem ressalvas, pois na época não percebi nada de sua loucura em nossa correspondência.

Pronto para ser enviado para a gráfica está também um panfleto que complementa o "Caso Wagner", intitulado de "Nietzsche contra Wagner". Eu já tive em mãos a versão do autor, mas visto que ainda não havia recebido o papel para a impressão da obra, eu enviei uma cópia completa no início de janeiro para tranquilizar o autor – talvez esta cópia tenha sido encontrada entre seus documentos*. Também aqui não vejo motivo para não realizar sua impressão e publicação, e caso o senhor não esteja orientado sobre este assunto, eu me prontificaria a escrever ao Sr. Heinrich Köselitz, Berlim SW, Lindenstrasse 116^{IV}, que corrigiu a obra.

Possuo, como terceira obra do autor, que contém a história de sua vida, o manuscrito completo e revisto repetidas vezes do "Ecce homo", duas folhas do qual já estão prontas para serem impressas, mas que foi escrito nos últimos três meses, ou seja, no período em que a doença do autor começou a se manifestar em virtude de sua exaustão.

Todos estes escritos deveriam anteceder a obra principal de sua vida, "A revalorização de todos os valores", e chamar atenção para este. Para todas estas obras havíamos planejado uma tiragem de mil exemplares. Sim, o autor até acreditou que este número era alto demais para a Alemanha, mas encerra esta declaração com as palavras: "na França conto com uma venda de 80 a 400 mil exemplares", declaração esta que me preocupou um pouco.

Com o pedido de uma rápida resposta ou de um encaminhamento desta carta ao endereço acima mencionado do Sr. Köselitz, assino

Respeitosamente

C.G. Naumann

Heinrich Köselitz a Franz Overbeck, 22 de janeiro de 1889

Berlim, 22 de janeiro de 89

Prezado senhor professor!

As coisas parecem boas no que diz respeito a Naumann. O débito é de mais ou menos 650 marcos (inclusive produção do "Crepúsculo dos ídolos"; a renda deste livro será deduzida deste valor). Ou seja, ao todo, as entradas e os gastos parecem estar equilibrados.

---

* E também a obra principal de sua vida, que também está pronta.

Eu li e levei comigo o manuscrito do "Ecce homo". Realmente um prefácio furioso à "Revalorização". Este escrito precisa ser publicado, mesmo que apenas mais tarde. Pretendo fazer uma cópia deste e apresentá-la ao senhor. O manuscrito exige ainda alguma redação.

Um dos irmãos Naumann estaria disposto a publicar "Nietzsche contra Wagner". Como eu mesmo pude constatar, o "Caso Wagner" está sendo muito requisitado, talvez aconteceria o mesmo com "Nietzsche contra Wagner".

Na página 31 eliminamos as linhas 7 a 9 (a princípio, nessas linhas viria o poema para encerrar o livro). Na página 17, reestabelecemos o texto original, ou seja, em vez de: "quem seria mais incapaz de entender algo de Wagner do que, por exemplo, o j(ovem) i(mperador)?" – "quem seria mais incapaz de entender algo de Wagner do que os idiotas dos *Bayr(euther) Blätter*?" – A primeira passagem sobre o imperador na página 3 pode talvez ser mantida em virtude de sua inocuidade. Pretendo avaliar tudo mais uma vez e, assim que terminar, apresentar ao senhor. Naumann diz que não precisamos nos apressar, ele não precisa dos tipos já usados para as primeiras páginas.

Naumann possui um livro comercial sobre Nietzsche, que pode ser de interesse para a história da cultura. Este revela exatamente quantos dos livros de Nietzsche foram vendidos em determinadas cidades. Ultimamente, Naumann tem se ocupado com a aquisição dos seus escritos de Nietzsche; a catástrofe interrompeu essas negociações. Naumann pretende publicar por conta própria.

A carta que acabo de receber do senhor me revela que o senhor parece não conhecer o quinto livro (escrito há dois anos) da *Gaia Ciência*. As páginas 15s. em Nietzsche contra Wagner são, portanto, caso não me engane, também as páginas 29-33.

A informação referente aos mil francos (da Sra. von Salis) é correta. Ela se encontra na carta de 9 de dezembro.

Infelizmente preciso partir para a casa de Von Krause para dar aulas. Ontem à noite veio Widemann e me impediu de escrever-lhe antes. Ele parece estar bem e me pediu transmitir-lhe suas saudações.

Pretendo escrever-lhe mais amanhã, prezado professor.

Permaneço seu aluno grato,

K.

Heinrich Köselitz a Franz Overbeck, 25 de janeiro de 1889

Berlim, 25 de janeiro de 1889

Prezado senhor professor!

A produção de apenas 50 exemplares do panfleto "N. contra W." causaria um prejuízo na conta de Nietzsche, enquanto sua *publicação* provavelmente nos permitiria cobrir os gastos. Naumann já havia adquirido o papel necessário, aquele artigo caro que Nietzsche tanto prezava – e o livro realmente precisava ser publicado num material mais nobre.

O fato da loucura de Nietzsche, assim que vier ao conhecimento geral, desvalorizará a literatura de Nietzsche por algum tempo. Desejo, portanto, que, enquanto possível, sua conta apresente um valor positivo. A "Revalorização de todos os valores" deveria ser publicada em três volumes. Quem seria capaz de realizar tamanho empreendimento? Caso a demanda pelas obras mais antigas de Nietzsche aumente, é possível que Naumann encontre a coragem necessária. Por ocasião da minha visita a Leipzig, ele confessou que a perdera em virtude do incidente mais recente, mas também que espera reencontrá-la caso a venda aumente.

Caso as coisas de Nietzsche já tenham chegado de Turim, peço que o senhor tenha a bondade de ler minhas correções de "N. contra W." O *Intermezzo* das páginas 6-7 pode ser excluído, ele se repete de forma semelhante no "Ecce homo". Indiquei ontem outras exclusões ou alterações. Referente à página 17, eu acataria a primeira versão (para que os coitados de Bayreuth não sejam torturados demais); esta dizia: "quem seria mais incapaz de entender algo de Wagner do que o 'jovem alemão', o *junker* alemão?"

Eu, pessoalmente, não sou um grande fã da guerra contra Wagner*. A gratidão, a admiração por este homem é grande demais para que eu pudesse conceder o direito de adotar a opinião de Nietzsche. Nietzsche queria que o Dr. Fuchs publicasse uma palestra sobre Wagner, realizada em Danzig em outubro; queria também que minhas sentenças fossem publicadas no "Kunstwart". Eu, porém, me declarei contrário à publicação da palestra de Fuchs. O que li dele em uma carta a Nietzsche me pareceu exagerado. Era tudo mais uma revogação de respeito do que uma crítica séria. Chamar o diálogo sobre o amor no segundo ato de conversação sobre a pala-

---

* Não sou, porém, contra a incitação à oposição, provocada por Nietzsche.

vrinha "e" é demais – não, é apenas superficial. É justamente este ato que me parece ser a proeza colossal de Wagner no campo da poesia, algo inédito e novo, algo que ninguém pôde imaginar. A partir daqui, o músico rigoroso expressa ainda algumas opiniões terríveis; queixa-se da estrutura desleixada da música, lamenta a falta de uma grande ordem sinfônica, ao modo, por exemplo, de um amplo *rondo*. Wagner não era apenas um *décadent*; o próprio Nietzsche não o reduziu a isso.

Assim que o senhor tiver a oportunidade de revistar todas as coisas de Turim, peço que o senhor me informe rapidamente sobre seu estado. Em "Ecce homo", Nietzsche passa a impressão de que a "Revalorização de todos os valores" já estaria pronta; temo, porém, que isso vale apenas para os complexos de pensamento, não para a forma literária.

Hoje à noite, Widemann e eu fomos convidados para a casa do Prof. Jacobsen, o violinista dinamarquês na faculdade de música. O tempo corre. Widemann envia suas saudações ao senhor e sua esposa.

Permaneço seu grato aluno,

K.

Heinrich Köselitz a Franz Overbeck, carimbo postal de Berlim, 30 de janeiro de 89

Prezado senhor professor! O senhor está certo: "N. c. W." não será publicado. O ponto de vista sob o qual eu analisei a questão foi sobretudo o financeiro: eu pretendia melhorar a conta de N. Mas – a publicação seria quase uma enganação dos donos das publicações anteriores de Nietzsche. Referente ao poema "Da pobreza dos ricos", encontram-se no espólio ainda alguns cânticos de Zaratustra, de modo que estes podem ser facilmente integrados nesta coleção. – Infelizmente, não tenho muito tempo hoje. Mas espero poder escrever a Naumann amanhã e perguntar-lhe o quanto ele cobraria por 20-25 cópias corrigidas em papel simples. As páginas 29 a 33 se encontram, como me lembro agora, de forma semelhante no *prefácio* à "Gaia Ciência"; as páginas 24 a 28, provavelmente em "Além do bem e do mal", como também a página 15. É possível que eu esteja enganado; não tenho estes textos comigo, mas não posso me envolver com essas coisas no momento. Naumann começou a enviar o Crepúsculo dos ídolos às livrarias ainda durante minha visita; encontro exemplares nas vitrinas há oito dias. O livro estava pronto já no início de dezembro, mas não foi liberado, porque "N. c. W." deveria ser publicado antes. Mas durante a impressão, N. determinou que não publicaria "N. c. W." etc. Ou seja, o senhor corresponde completamente à intenção de N. ao se opor à publicação deste panfleto.

Saudações, seu

K.

C.G. Naumann a Franz Overbeck, 8 de fevereiro de 1889

(Leipzig) 8 de fevereiro de 1889

Prezado senhor professor!

Devo-lhe ainda uma resposta à sua carta do dia 16, mas posso transmiti-la apenas *proforma*, visto que a visita do Sr. Köseltiz já resolveu tudo e o senhor já foi orientado sobre estes assuntos. Eu, por minha vez, fui informado sobre suas opiniões pelo Sr. Köselitz.

Em termos gerais, também acredito que devemos ater-nos a este modo durante algum tempo, pois acredito que o senhor estará bastante ocupado com os assuntos relacionados a Nietzsche e certamente ficará aliviado em resolver esta correspondência; permito-me, portanto, tratar de todas as perguntas, com exceção talvez das mais importantes, por intermédio do Sr. Köselitz, e peço que o senhor me informe caso não concorde com isto.

Preciso, porém, importuná-lo hoje com uma pergunta direta. Ontem, recebi uma; e hoje, duas indagações referentes ao endereço atual do(?) Sr. Prof. Nietzsche; a indagação de ontem veio de Petersburg, não me lembro no momento do remetente; a primeira de hoje veio do Sr. Max Seiling em Helsingfors; a segunda, do livreiro (Fritzsch) Wilhelm Friedrich! Referi os dois primeiros senhores ao senhor, as cartas já foram enviadas.

Ao receber a terceira, percebi imediatamente que não poderia proceder da mesma forma, pois submeteria o senhor a uma correspondência intensa, provavelmente sem qualquer utilidade. Peço, portanto, que o senhor me comunique sua opinião sobre como eu deva agir nestes casos, pois não tem cabimento que um escreva desta e o outro daquela forma. Por isso, comunicarei ao Sr. Friedrich ainda hoje que não tenho conhecimento do endereço atual, mas que enviarei informações mais exatas em breve. Até agora não li nada nos jornais sobre a doença de Nietzsche; portanto, não sei se devemos escrever publicamente sobre isso, pois creio que a imprensa discutirá amplamente este triste caso em breve.

Eu mesmo só comuniquei este triste evento ao seu antigo editor E.W. Fritzsch, e isto foi muito bom, pois eu soube que o "Musikalisches Wochenblatt" pretendia publicar um grande artigo de Wirth sobre Nietzsche, que, sob as circunstâncias atuais, foi imediatamente cancelado e reservado para mais tarde, evidentemente completamente alterado. Fritzsch me garantiu que não falou sobre o caso com ninguém além do autor do artigo. Podemos acreditar nele, visto que E.W.F. também está envolvido no caso com as suas obras.

A demanda pelo Crepúsculo dos ídolos tem sido grande, e eu estive muito ocupado nas últimas semanas. Ainda não vendemos muitos exemplares, mas acredito que a pequena obra será bem-sucedida.

Produzi uma tiragem de 100 exemplares de Wagner contra Nietzsche, para que o escrito não se perca. Quantos posso enviar ao senhor?

Aguardando sua resposta, permaneço,

Respeitosamente,

Naumann

Franz Overbeck a Heinrich Köselitz, 8 de fevereiro de 1889
Anotação talvez como adendo à carta do dia 5 (cópia de Ida Overbeck)

Caro H.K. Acabo de escrever a N. em Leipzig, pedindo uma resposta imediata às minhas perguntas recentes, e me queixei também sobre o que acabo de ouvir sobre N. c. W. Assim que receber notícias dele, pretendo participar com o senhor da aquisição e incentivar também outros. De fazê-lo já agora impede-me uma desconfiança, compreensível após tudo que ocorreu, e temo que ele possa estar nos enganando com os supostos cem exemplares e que produza outros, caso consiga vender todas as cópias. Caso Naumann não se manifeste, pedirei que o Prof. Heinze cuide dele. Heinze certamente tratará do assunto de forma enérgica e prática.

Com saudações cordiais,

Respeitosamente,

F. Overbeck

C.G. Naumann a Franz Overbeck, 13 de fevereiro de 1889

Prezado senhor professor,

Eu estava respondendo sua primeira carta, e agora me alegro sinceramente por ter recebido a tempo sua segunda carta do dia 10, pois não conseguia entender a causa de sua irritação.

Em todo caso, não perco tempo para enviar-lhe uma carta amigável e pretendo, visto que ela promete ser extensa, dividi-la em seções para garantir sua compreensibilidade.

1) Até hoje não recebi nenhuma informação referente a quem seria o tutor atual do Sr. Prof. N.; posso apenas supor que seja o senhor e peço que o senhor o confirme em algum momento.

2) Partindo da suposição que o senhor tenha assumido as obrigações, eu negociei com o senhor por intermédio do Sr. Köselitz, e este me assegurou que relataria tudo fielmente ao senhor. Minha última palavra por ocasião da despedida do Sr. Köselitz foi: "Então fica combinado. Eu não escreverei ao Prof. Overbeck, o senhor o fará em meu nome"! Havíamos conversado sobre isso várias vezes, para poupar o senhor de uma correspondência excessiva, acreditávamos que o nosso acordo facilitaria a sua vida. Se então o Sr. K. não lhe comunicou tudo, isto certamente não é culpa minha, mas certamente repetirei tudo e lhe transmitirei qualquer informação imediatamente até tudo se acalmar. Então, voltarei a servir-me do mediador Köselitz para a transmissão de minhas comunicações.

3) O anúncio do "Crepúsculo dos ídolos" já havia sido encaminhado ao "Börsenblatt" havia dois dias, quando recebi sua carta de janeiro. Meu irmão e associado na fábrica não tinha como saber disso e, agindo de boa-fé, talvez tenha lhe comunicado outra coisa. O importante é, porém, que, ao receber sua carta, eu ainda consegui retirar o anúncio. No entanto, não havia razões para fazê-lo, pois o senhor não havia se pronunciado contrário à publicação do livro.

4) Jamais sequer me passou pela cabeça a ideia de comercializar "Nietzsche contra Wagner", simplesmente porque o senhor é contra a publicação do escrito. Eu combinei com o Sr. Köselitz a produção de 50 cópias para os amigos do Sr. Prof. N. e distribuí-las gratuitamente. Em última hora, decidi fazer uma tiragem de 100 exemplares, porque o custo das 3 x 50 folhas de papel não correspondia ao valor de produção do pequeno escrito com tantas correções e porque uma reedição para amigos e admiradores do Sr. N. teria sido cara demais. Os 50 exemplares teriam custado apenas 5,50 marcos a menos – este foi o resultado do meu cálculo.

Dos 100 exemplares, cuja produção eu lhe comuniquei de imediato, eu lhe ofereci tantas cópias quanto o senhor desejasse e hoje lhe envio dez exemplares juntamente com uma prova final, que, por omissão minha, eu não havia lhe enviado antes; peço que me perdoe por isso. O Sr. Köselitz encomendou 12 exemplares e me comunicará os endereços aos quais ele deseja enviá-los. Peço que o senhor faça o mesmo, para que eu possa registrar os destinatários em meu livro de remessas e para que eu possa ter certo controle, i.e., para que eu possa evitar remessas duplas. Como o senhor sabe, o Sr. N. sempre foi muito generoso na distribuição de cópias gratuitas.

5) Referente ao panfleto N. contra W. quero ainda chamar sua atenção para uma carta do Sr. Wirth; eu havia lhe prometido um exemplar deste escrito, pois ele teve a bondade de cancelar imediatamente seu artigo contra N. assim que soube do incidente. Em breve, este artigo será publicado em forma completamente alterada, com nenhuma palavra ele menciona a doença do Sr. N., e o assunto é tratado de forma absolutamente objetiva, visto que o autor – um adepto de Wagner e grande admirador de Nietzsche – alega que, atualmente, um entendimento mútuo seria impossível. A carta do Sr. Wirth informará o senhor sobre o efeito que o panfleto mais recente teve sobre ele. Sinto-me obrigado a concordar com ele: este último escrito é mais preciso do que "O Caso Wagner", é lamentável que o mundo deva ser privado dele. Ignoro aqui as observações do Sr. W. referentes ao lado financeiro, ele não conhece a situação editorial. No entanto, ele está certo ao dizer que a publicação do panfleto aumentaria a procura pelas obras do Sr. N., e isso é um aspecto importante, que não devemos perder de vista.

Caso o senhor ainda decida em prol da publicação, excluindo talvez apenas algumas sentenças políticas, a data do Festival de Bayreuth seria o momento ideal; peço então mais uma vez por sua resposta nesta questão. Neste caso, porém, precisaríamos ser cuidadosos com os exemplares gratuitos, para não minar o interesse; deveríamos também estabelecer um preço baixo, talvez 75 centavos, pois 50 centavos não bastam, é preciso pensar no lado financeiro. O preço definido no final de dezembro de 1,25 marcos se baseia numa comunicação do Sr. N., que me escreveu que "W. contra N." seria tão extenso quanto o "Caso W." No entanto, eu havia determinado um preço alto demais para o "Caso W." Felizmente, a venda não sofreu em virtude disto.

6) Meus acordos com o Sr. Prof. N. referente à editora se apoiam num acordo oral. O Sr. Prof. Nietzsche me visitou em 1886 e me perguntou se eu aceitaria publicar seus livros. Eu deveria imprimir e publicar, e ele arcaria com eventuais perdas caso a venda não cobrisse o custo de produção. Isto é algo normal para uma editora puramente filosófica, pois mesmo que o Sr. Prof. N. tenha uma pequena comunidade

de adeptos leais, esta não é extensa o suficiente para garantir os custos de produção de obras grandes. Por outro lado, o Sr. Prof. N. sempre distribuiu um grande número de exemplares gratuitos, que, juntamente com os exemplares enviados aos jornais e revistas, reduziam consideravelmente as edições já muito pequenas.

Como compensação pelo débito editorial, o Sr. Prof. N. me concedeu os 5% costumeiros de toda venda, quaisquer excedentes deveriam ser usados para a publicação de obras futuras. Estes são os acordos firmados entre eu o Sr. N., mas existe, como eu já disse, apenas um acordo oral, e posso garantir que jamais pedi um único centavo ao Sr. Prof. N. Eu conhecia os escritos de N. há algum tempo, pois publiquei quase todos e sempre reconheci sua importância, de forma que eu teria lhe concedido o maior crédito para publicar sua obra principal.

Em 1886, por ocasião da publicação de "Além", o Sr. Prof. N. havia me mandado uma quantia grande demais, motivo pelo qual ele me pediu que pagasse 282,86 marcos ao Sr. E.W. Fritzsch, o que fiz imediatamente. De resto, sempre fiquei no débito, e no momento este consiste, sem incluir os gastos editoriais e sem os custos para a publicação do "Ecce homo", 524,93 marcos. Eu já comuniquei ao Sr. Köselitz que, em vista do triste incidente envolvendo o Sr. Prof. N., eu não insistirei no pagamento dos meus 5%, e não entendo que ele não comunicou isto ao senhor! Tenho certeza absoluta que, com o passar do tempo, a venda dos livros conseguirá cobrir os custos de sua produção; no futuro próximo, porém, as coisas andarão mais devagar, visto que os últimos escritos não serão publicados, gerando assim um intervalo maior, intervalo este que poderia ter sido evitado pela publicação do escrito N. contra W.; por outro lado, podemos esperar ainda alguma renda da feira de Páscoa de 89, pois certamente serão vendidos alguns dos exemplares fornecidos *a condition*, conto firmemente com isso.

6a) Segundo a natureza do nosso comércio, só poderei prestar contas na Páscoa de 1890, pois a prova final só foi enviada em janeiro de 89. No entanto, o livro já estava impresso no início de dezembro de 88, mas eu tive boas razões para não publicar este livro na época de Natal, pois os livreiros não teriam lhe dado a atenção necessária.

Em junho de 89, após a feira dos livreiros, eu poderei lhe comunicar o resultado do sucesso financeiro do Caso Wagner.

7) Meu maior desejo seria arrecadar o suficiente para não ter que desistir da "Revalorização". Eu já pedi várias vezes pelo manuscrito, mas até agora nunca obtive uma resposta. Seria possível que este livro, do qual o Sr. Prof. N. me falou tanto, não existe ou que se encontre num estado de fragmento impublicável? Peço

que tenha a bondade de me informar sua opinião a este respeito. Eu mesmo creio que nada dos escritos de Nietzsche deva ser perdido; por isso, disponho-me ainda agora a fazer qualquer sacrifício – tudo, portanto, depende de sua avaliação.

8) Zaratustra, quarta parte. Produzi uma pequena edição de 40 exemplares deste livro antes do acordo especificado na seção 7 [?] diretamente para o Sr. Prof. N. Na época, recebi a quantia referente aos custos de produção e enviei todos os exemplares ao Sr. Köselitz. O Sr. Prof. N. exigiu que eu entregasse também todas as provas, pedido este que eu executei fielmente.

Entendo que os meses atuais, tão próximos da catástrofe, não permitem uma decisão referente ao espólio literário do senhor professor. No entanto, não podemos permitir que esta obra decaia, e peço que o senhor me comunique sua opinião também referente a este assunto.

9) A fim de atualizá-lo sobre tudo, comunico-lhe ainda que, dois dias antes do recebimento de sua carta de janeiro – que continha a notícia do incidente – eu tive uma reunião com o Sr. E.W. Fritzsch, na qual perguntei a este em nome do professor por que ele havia feito exigências tão exorbitantes. Fritzsch me informou que havia sido profundamente insultado pelo Prof. N. e que ele havia expressado isso por meio de suas reivindicações. Após uma longa conversa, combinamos que o Sr. Prof. N. deveria fazer uma oferta à editora e que, depois, nós continuaríamos a negociar! Evidentemente, este assunto foi resolvido pelos eventos mais recentes, e creio que Fritzsch tenha saído como maior perdedor em decorrência da doença do senhor professor.

Compartilho tudo isso com o senhor apenas porque o senhor encontrará na correspondência do Sr. N. uma carta minha de novembro, na qual eu pedi que agisse sem pressa na aquisição. Eu já havia sido autorizado a oferecer 13 mil marcos e a pedir um prazo de poucos dias, mas esta quantia me pareceu tão inaceitável que preferi fazer algumas sugestões alternativas ao Prof. N. Fiz bem!

10) Em anexo, envio-lhe ainda uma carta do Dr. Widmann, que certamente despertará o seu interesse. O senhor já deve saber que este senhor se despediu formalmente de N. no "Berner Bund" em decorrência do Caso Wagner. Mesmo assim, em vista das resenhas do "Berner Bund", eu não consegui não informá-lo sobre o livro e lhe enviei um exemplar. Estou feliz por ter feito isso e pretendo enviar ao Dr. Widmann também um exemplar de N. contra. W., evidentemente apenas para sua atenção, não para que ele escreva uma resenha. O senhor me autoriza para fazê-lo? Tenho certeza que o Sr. Dr. W. mudará sua opinião, e desejo muito ouvir sua opinião sobre este último escrito.

11) Talvez interesse ao senhor saber também que assinei um contrato com certo Sr. Brodbeck em Listal para a publicação de um livro que será lançado no próximo Natal sob o título "Geistesblitze berühmter Männer" [Chispas de homens famosos]. Este livro de mais ou menos 17 folhas contém tantas citações de Nietzsche que eu decidi adquirir o manuscrito, pois acredito que ele aumentará as vendas dos escritos de Nietzsche. Esperemos o melhor!

Agora, prezado professor, comuniquei-lhe tudo que pesava em meu coração; a carta acabou ficando longa, e espero que ela não tenha cansado o senhor, mas acreditei ser melhor criar um fundamento sólido para o entendimento mútuo, permitindo assim que cartas futuras sejam mais sucintas.

Espero então ouvir suas opiniões, responderei imediatamente a quaisquer perguntas e envio minhas saudações

Respeitosamente

G. Naumann

Anexos:
1 carta do Dr. Widmann
1 carta com adendo do Dr. Wirth
1 cartão postal de K.A. Brodbeck
1 recibo

 Por favor, retornar estes itens.

C.G. Naumann a Franz Overbeck, 14 de fevereiro de 1889

Ontem, após enviar minha carta, visitou-me ainda o Sr. Wirth querendo informar-se sobre o efeito de sua carta. Pude comunicar-lhe apenas que havia enviado sua carta ao senhor e que nada podia fazer em relação a este assunto, visto que a decisão referente a esta última obra de Nietzsche caberia exclusivamente ao senhor como tutor do Sr. Prof. N.

O Sr. Wirth ficou muito infeliz e hoje me envia outra carta, que remete a diversas conversas que tivemos um com o outro. Considero ser minha obrigação enviar-lhe também esta carta e só posso acrescentar que o interesse caloroso do Sr. (Fritzsch) Wirth, as claras refutações em relação às minhas objeções e sua conduta humilde e modesta me fizeram muito bem.

Sem mais, envio-lhe minhas saudações, venerado senhor professor.

Respeitosamente,

C. Naumann

Franz Overbeck a Heinrich Köselitz, 17 de fevereiro de 1889 (cópia de Ida Overbeck)

Meu querido Sr. Köselitz,

Apesar de não esperar uma resposta imediata após aquilo que lhe escrevi há oito dias, mas nestes dias tão agitados sinto uma necessidade tão forte de sempre saber como o senhor está, e até a semana passada suas cartas frequentes acalentaram esta necessidade de tal forma que agora seu silêncio prolongado me causa certa inquietação. E eu esperaria também hoje, se certos eventos não me dessem motivo para informá-lo sobre o que tem ocorrido neste meio-tempo. Minha correspondência com Naumann assumiu agora um ritmo bastante vigoroso e, infelizmente, também um volume assustador em virtude das circunstâncias. No mesmo dia em que lhe escrevi sobre minha irritação, da qual eu tinha lhe falado, ele, finalmente, se sentou à escrivaninha e me respondeu. Anexo sua carta com o pedido que a retorne para mim. Respondi imediatamente – que deveria tratar da doença de N. não como segredo, mas sempre de forma discreta e jamais de forma ordinária, sendo que lhe passei a informação errada de que os jornais de Basileia ainda não haviam comunicado nada a respeito; no dia anterior, a *Allgemeine Schweizer Zeitung* noticiou o fato de modo pouco elegante e bastante desagradável*. Novamente pedi informações detalhadas e precisas sobre o contrato de N. com Naumann e sobre as suas dívidas. Respondeu-me com uma epístola gigantesca, que me satisfez nos pontos principais, declarou também que desistia de uma quitação imediata da conta de N. Soube então, e lhe sou muito grato por isso, que o senhor, para poupar-me, se dispôs a informar-me de todas as coisas referentes a Naumann, e compreendo muito bem que, sob a pressão destes dias, essa comunicação me deixou no escuro em relação a alguns pontos que considero muito importantes. No entanto, "N. contra W." voltou a ser motivo de queixas. Sobretudo a falta de discrição, como fiquei sabendo por intermédio de Naumann da intromissão de certo Dr. M. Wirth, autor do artigo do *Musikalisches Wochenblatt* mencionado na carta e agora retirado. Naumann me enviou duas

---

* Cf. n. 14.

cartas deste senhor, que mostram que ele estava informado sobre a minha objeção à publicação imediata de N. c. W. e que agora a defendem enfaticamente. Protestei com veemência contra a intromissão de um adversário íntimo de Nietzsche, que agora se apresenta como admirador, neste assunto e declarei que *jamais* consentiria à ideia de Wirth, evidentemente atraente para Naumann, de publicar 800-1.000 exemplares de N. c. W. no próximo verão na época do Festival de Bayreuth, para que, como Wirth se expressou, Nietzsche pudesse ser levado pela "onda de Wagner" – na verdade, porém, como demonstram as cartas, para que N. c. W. possa ajudar ao Sr. Wirth em sua posição peculiar como wagneriano passional a nadar como lúcio entre carpas na onda wagneriana. Acrescentei que, por mais triste que fosse o contexto da minha declaração, eu precisava rir quando pensasse naquilo que Nietzsche, que sempre valorizou tanto a pureza do ar e a limpeza e a agudeza das oposições, diria diante de tais maquinações com seu espólio. Não devolvi as duas cartas de Wirth e pedi permissão a Naumann de mostrá-las ao senhor no nosso próximo encontro. Este encontro ainda se realizará? Eu ficaria muito agradecido se este não ocorresse antes do dia 7 de março e se o senhor evitasse sobretudo a primeira metade daquela semana de março, ou seja, os dias 3 a 6. Se antes o senhor passar por Leipzig, peça que ele lhe mostre minha carta de 15 e 16 de março. Por ora, quero orientá-lo apenas que, a despeito de todas as insatisfações expressadas nela, a carta é amigável. Pois ele foi apenas um pouco desajeitado em alguns assuntos; de resto, porém, acredito profundamente em sua idoneidade e em sua boa vontade. Ele demonstrou isso com sua intenção de distribuir os 100 exemplares de N. c. W. gratuitamente, e não, como nós dois acreditávamos, em troca de dinheiro. Então, sugeri-lhe que, além dos 10 exemplares já enviados, me enviasse outras 10 cópias e cobrasse de mim por todas elas 20 marcos. Eu incentivaria alguns amigos (estou pensando em Rohde e Gersdorff) a fazerem uma encomenda semelhante, para que assim os exemplares fossem retirados da circulação incontrolada. Nada o impede de distribuir um pequeno resto entre seus próprios amigos interessados, mas com a observação expressa de que se trata de um manuscrito, e não de um livro. Naumann também pediu que eu confirmasse ser o "tutor" de N. Respondi-lhe que não o sou em qualquer sentido jurídico, mas que havia assumido algumas obrigações apenas como amigo. Agora, caberia a ele declarar se, tendo conhecimento disso, ele mesmo assim me reconhece como tutor. Até receber dele esta garantia, eu me vejo obrigado a negar-lhe quaisquer informações sobre outras perguntas (manuscritos de N., sobretudo sobre a Revalorização e o futuro do Zaratustra IV). E peço que o senhor também aja desta forma caso venha a ser confrontado com estas questões. Precisamos encontrar um passo firme e previsível e evitar uma exposição a aventuras, como foi o caso com N. c. W. – Caso Naumann insista numa regulamentação formal da questão tutelar, eu estaria disposto a providenciá-la. Neste caso, porém, tudo que diz respeito aos escritos de N. estaria suspenso. Anteontem recebi também uma carta da Sra. Nietzsche. Ela ainda não pôde rever seu filho e, segundo o que ela tem ouvido do Prof. Binswanger, o estado de N. continua inalterado. Anteontem, o Prof. Wille confirmou que há dois anos N. só conseguia dormir com a ajuda de cloral e outros narcóticos. Isso não provocou a catástrofe mais recente, mas a acelerou.

Adeus com saudações cordiais,

F. Overbeck

C.G. Naumann a Franz Overbeck, 21 de fevereiro de 1889

Prezado senhor professor,

Confirmando o recebimento de sua carta do dia 15, preciso dizer-lhe sobretudo que não tenho nenhuma razão para questionar sua autoridade em assuntos relacionados ao Sr. Prof. Nietzsche e para submeter minha adoção de suas opiniões a uma declaração judicial sobre sua função como tutor. Eu pedi uma resposta em relação a isso apenas para ter clareza também sobre este ponto, pois é possível que, no futuro, eu tenha que tratar com outro senhor.

Creio que minhas medidas demonstrem que eu tenho me submetido rigidamente aos seus desejos; algumas perguntas, que ainda possam estar em aberto, sempre confirmarão o mesmo. Eu lhe prometo que isso sempre será assim, e eu, da minha parte, não vejo nenhuma razão sensata para trabalhar contra os seus desejos.

Se o senhor concordar com esta minha declaração e no que diz respeito ao nosso relacionamento, creio poder pedir uma resposta às minhas últimas perguntas ainda não respondidas. Sei bem que não há pressa no momento, no entanto, o senhor compreenderá que desejo saber o destino de uma causa à qual, e posso dizer isso sem qualquer arrogância, eu tenho dedicado muito tempo e trabalho.

No que diz respeito ao caso de Wirth e a N. c. W., preciso pedir-lhe perdão por ter tentado ativar sua intervenção com este incidente. Não fazia ideia do trabalho que eu lhe causaria com meu desejo! Uma rápida explicação o convencerá por que eu acreditava ter que fazer essa tentativa no interesse dos escritos de Nietzsche, pois não existe qualquer interesse próprio da minha parte.

Durante a última visita do Sr. Prof. N., eu lhe pedi que, antes de publicar a sua "Revalorização", escrevesse alguns panfletos curtos, que pudessem ser vendidos por um preço baixo e que se referissem frequentemente à sua obra principal; imediatamente, ele acatou esta ideia e me garantiu executar o plano. Creio que não seja necessário mencionar que eu tinha em mente o "Caso Wagner", imaginava panfletos ao modo do "Crepúsculo dos ídolos". Fato é que o Caso Wagner reavivou de forma extraordinária em amplos círculos o interesse pelo Prof. N., e o Crepúsculo dos ídolos fará o mesmo em outras esferas. A boa situação financeira da editora expressa este sucesso.

O senhor entenderá minha tendência financeira quando eu, ao finalmente receber o panfleto N. c. W. tão ansiado, imaginei conquistar outros territórios de venda. Suas objeções, porém, são tão significativas que eu me submeto plenamente a elas. Retomarei o tema apenas quando o senhor o considerar apropriado e me informar a respeito.

Do Sr. Wirth, cujas cartas podem ficar com o senhor e que o senhor poderá destruir à vontade, nada mais ouvi. Também me perguntei o que este senhor pretendia com seu interesse tão caloroso por uma causa que não lhe diz respeito. Preciso, porém, observar que eu não tive a impressão de que ele pretendia apenas escrever alguns artigos pagos em defesa de seus interesses; as duas conversas que eu tive com ele me obrigam a formar uma opinião diferente sobre ele, e foi esta a razão pela qual eu importunei o senhor com o envio das duas cartas, que eu mesmo recebi após cada conversa e que foram escritas sob a impressão desta.

A única motivação capaz de explicar o interesse do Sr. Wirth é a suposição segundo a qual o senhor E.W. Fritzsch estaria por trás de tudo, e o interesse deste é absolutamente compreensível! Visto, porém, que meu relacionamento com o Sr. Fritzsch é de tal forma que nos comunicamos abertamente sobre sua editora e o futuro desta etc. etc., não compreendo por que ele não me disse tudo isso pessoalmente! No entanto, preciso acrescentar que não entreguei nenhum destes panfletos ao Sr. Fritzsch. Da minha parte, os únicos destinatários são o Sr. Dr. Widmann e Wirth; enviei dez exemplares ao senhor, e hoje seguirão outros dez, e o senhor também já foi informado sobre os doze enviados ao Sr. Köselitz. Eu pretendo ficar apenas com dois exemplares, pois não conheço os amigos do Sr. Prof. N. o suficiente para agir de forma correta neste respeito, e eu pensei também que, caso o panfleto fosse publicado no futuro, ele não poderia ser de conhecimento geral, isso prejudicaria apenas o seu sucesso. Como o senhor pode ver, aguardo também nesta questão as suas decisões. Creio, portanto, que podemos considerar o caso encerrado.

Ao oferecer-lhe então outros exemplares de N. c. W., preciso falar também de outro capítulo. Estou me referindo ao pagamento destes exemplares destinados ao senhor e ao Sr. Köselitz, que me fez a mesma oferta. Como, prezado senhor professor, o senhor pode acreditar que eu teria uma alma de comerciante tão mesquinha! Segundo o seu desejo, estes exemplares não foram destinados à venda, portanto, não seria correto se o senhor e o Sr. Köselitz pagassem por eles. Faça o que bem entender com esta pequena edição. Quando pedi que o senhor me informasse os endereços dos destinatários, a razão disso não foi com a intenção de obter algum controle, mas sim o desejo de registrar os destinatários em seus respectivos livros, pois creio que isso pode ser de interesse no futuro.

Os custos de produção de N. c. W. ficam por conta da editora e serão pagos pela venda dos escritos. Estou na feliz situação de, graças à publicação do panfleto, poder recusar sua oferta amigável de fazer um depósito em minha conta; isso não é necessário, visto que os escritos certamente serão bem-sucedidos. A única coisa que lamento profundamente é que o Sr. Prof. Nietzsche não poderá compartilhar desta alegria.

Caso o senhor ainda disponha de algum dinheiro e não saiba como usá-lo, peço apenas que o reserve até começarmos a publicar o legado espiritual do senhor professor, pois ainda não sei dizer se isso me causará algum gasto – dado que eu seja chamado a participar – possivelmente alto demais para mim. No entanto, trata-se de assuntos que não são da minha conta, pois nem sei se existem planos para empreendimentos futuros deste tipo.

Em todo caso, peço que o senhor, prezado professor, se lembre apenas de que eu assumi os escritos de N. não por motivos pecuniários; em vista da dificuldade deste empreendimento, não existe dinheiro que possa pagar este trabalho, a única coisa que resta é a honra de publicar estas obras. Qualquer editor de qualidade poderá confirmar isto.

Diante da importância dos escritos, pretendo permanecer fiel a este princípio, e, caso o senhor me considere apto para isto, ficaria feliz em receber a sua confiança, que sempre honrarei.

Respeitosamente,

C.G. Naumann

C.G. Naumann a Franz Overbeck, 1º de março de 1889

Prezado senhor professor,

Ao confirmar o recebimento de sua carta do dia 24, preciso expressar minha profunda gratidão pelas informações minuciosas; infelizmente, suas palavras me dizem que a "Revalorização" não se encontra no estado indicado pelo Sr. Prof. Nietzsche, e lamento isso de todo coração no interesse de uma conclusão das atividades literárias do senhor professor. Mesmo que apenas a cada dois meses, esta obra vem sendo pedida pelo mercado há mais ou menos um a um ano e meio, e isso demonstra que os leitores dos escritos de Nietzsche estão aguardando esta obra com interesse.

Referente aos endereços enviados, eu os registrei em meu livro de distribuição; eles são praticamente idênticos àqueles que o Sr. Nietzsche costumava me informar, e tenho até, como o senhor já supôs, ainda alguns endereços adicionais de antigamente.

Em todo caso, quero observar aqui mais uma vez que não enviei nenhum panfleto a estes senhores, e o farei apenas se o senhor me instruir neste sentido; prometo que sempre o informarei de antemão. Visto, porém, que o panfleto ainda não é de conhecimento geral, este caso ainda não ocorreu. Creio, porém, que, mais tarde, esta pequena edição do manuscrito será de grande valor para os adeptos de Nietzsche. O pequeno pacote permanecerá bem-guardado no depósito.

Sua carta de certa forma encerrou temporariamente a nossa correspondência, e aguardo suas decisões para o futuro. O senhor sempre me encontrará disposto a cooperar neste assunto. Caso o senhor retome o Zaratustra IV e os fragmentos da Revalorização, peço que o senhor entre em contato comigo. A matriz do Ecce ainda existe, e evidentemente eu a preservarei até ser informado sobre sua decisão a seu respeito.

O Sr. Köselitz ainda não esteve aqui, creio que ele passará por aqui ainda esta semana. Caso ocorra algo importante, procurarei seu conselho e assino, repetindo minha gratidão pela sua confiança,

Respeitosamente,

Naumann

C.G. Naumann a Franz Overbeck, 24 de abril de 1889

Prezado senhor professor,

Ao longo do tempo, tive que escrever muitas cartas em assuntos referentes ao Sr. Prof.-Dr. Nietzsche, cujo teor se limitava praticamente à publicação das duas obras Ecce homo e Revalorização de todos os valores. Em minhas cartas, respeitei sempre rigidamente as suas determinações e me limitei a repassar apenas respostas vagas, ou seja, a dizer que a publicação das obras ainda não tem data definida, sem oferecer razões para isso nos casos em que eu não conhecia o remetente.

Nas resenhas sobre o Crepúsculo dos ídolos, encontrei apenas num jornal berlinense uma observação pouco precisa sobre a doença do Sr. Prof. N., enquanto as revistas literárias se recusaram a discutir o conteúdo do livro porque já tinham conhecimento da doença do senhor professor.

De resto, nada mais li sobre isso, mas sei de conversas particulares que os círculos acadêmicos já tomaram conhecimento do fato, pois fui informado disso várias vezes sem que eu tivesse perguntado. O panfleto Crepúsculo dos ídolos se vendeu bem, mas não tão bem quanto O Caso Wagner; felizmente, decidi, contrariando o desejo do Sr. Prof. N., vender o livro por 2,25, e não por 1,50, visto que o preço menor teria sido barato demais para o livro grosso e dificilmente teria conseguido cobrir os gastos. Faz uma diferença enorme receber 90 centavos ou 1,45 marcos por livro vendido.

Após a feira de Páscoa, verei como foi a venda do Caso Wagner, pois é somente agora que estou recebendo os números.

Troquei algumas cartas com a Sra. Nietzsche e, a seu pedido, lhe enviei alguns exemplares de Crepúsculo dos ídolos, Gaia Ciência e Nietzsche contra Wagner; este foi o único exemplar que saiu da editora deste último livro.

Escrevo-lhe hoje para encaminhar-lhe uma carta enviada diretamente ao Sr. Prof. N. há mais ou menos dez dias e que o senhor poderá abrir. De resto, encaminho ainda um volume de março, cujo conteúdo nada me diz, pois apenas o último anúncio me revelou o nome do remetente, o Sr. Prof. Otto Schröder, mais uma vez no anúncio "Do estilo a papel".

Tomando a liberdade de encaminhar-lhe de vez em quando cartas deste tipo, envio-lhe minhas saudações

Respeitosamente,

Naumann

Em 24 de junho, Franz Overbeck recebeu uma carta de um indivíduo do círculo de admiradores mencionado por Naumann:

Heinrich Hengster a Franz Overbeck

Viena, 24 de junho de 89

Prezado senhor!

Em nome de um círculo de amigos que, desde 1885, se reúne para o estudo das obras de Friedrich Nietzsche, permito-me dirigir-me ao senhor como seu amigo mais próximo com o pedido de avançar nossos estudos por meio de informações sobre sua vida e suas obras, na medida em que o senhor o considere possível e permissível. Desde sempre temos sentido falta de um relato mais minucioso sobre sua vida e formação; mas quando a notícia de seu adoecimento, que a princípio recebemos com incredulidade, se transformou em certeza, aumentou consideravelmente o nosso desejo de nos aproximar deste homem venerado também em aspectos humanos. Caso o senhor tenha a bondade de acreditar que o que nos impulsiona não é uma vã curiosidade, mas uma empatia profunda pelo destino deste pensador, peço que não nos recuse o tempo e o esforço para nos comunicar os principais pontos da biografia do nosso líder espiritual. O senhor diretor bibliotecário Dr. Sieber teve a bondade de me comunicar alguns dados biográficos. E agora me permito pedir que o senhor os complete.

O que motivou a indagação dirigida ao senhor acima mencionado foi uma informação na conhecida obra de Hillebrand, "Zeiten, Völker und Menschen". Este livro menciona uma publicação de Nietzsche, supostamente intitulada de "A evolução da Ilíada e a natureza da poesia popular". O Sr. Dr. Sieber nada sabia sobre esta, no entanto, devo-lhe a informação sobre vários tratados filológicos publicados no *Rheinisches Museum* e numa publicação festiva do Pädagogium de Basileia. Cabe, é claro, a nós procurar esses artigos de N. nas bibliotecas da nossa cidade e, caso necessário, copiá-los para a nossa coleção. O Sr. Dr. Sieber lembrou-se, porém, também de duas palestras de N. sobre *Homero* e *Sócrates*, que aparentemente foram impressos como manuscritos para os amigos mais próximos. Caso isso não seja contrário à vontade de N. e não existam outras objeções, o senhor permitiria que copiássemos estas duas palestras? Permito-me também perguntar se as preleções sobre o futuro dos ginásios sempre permanecerão privados ao público. Por fim, peço também informações sobre eventuais outros trabalhos de N. Interessa-nos sobretudo saber se o livro "O retorno eterno" permaneceu projeto ou se ele foi iniciado. Além disso, gostaríamos de saber a situação da 4ª parte do Zaratustra, que até agora não foi publicada. E também se a tradução francesa da 4ª Consideração extemporânea "Wagner em Bayreuth" foi autorizada e recomendada pelo autor.

Já que acabei de mencionar Wagner, aproveito a oportunidade para levantar uma das perguntas mais importantes: a relação deste artista com N. e a interrupção repentina desta. Aqui, corro o risco de fazer perguntas indiscretas, pois creio que aqui aspectos pessoais e objetivos se entrelacem da forma mais íntima. Visto, porém, que todos nós somos mais ou menos adeptos e admiradores da arte wagneriana, e visto também que o relacionamento entre estes dois mestres se manifesta em cada obra de N., justifica-se o desejo de querer saber mais sobre este relacionamento. As observações e objeções céticas de N. contra a arte e os escritos de Wagner já me era familiar – e também compreensível – de obras anteriores de N. No entanto, pareceu-me que N. foi longe demais em "Além do bem e do mal" e na "Genealogia da moral"; um membro do nosso círculo observou que N. deveria ter reconhecido a perfeição formal e mestria técnica do "Parsifal", obra esta que N. criticou de forma tão avassaladora. Por isso, escrevi ao autor pedindo que ele nos ajudasse a vencer esta dificuldade. Respondendo à nossa indagação, o autor confessou que realmente existia aqui a necessidade de superar uma dificuldade interior, remeteu-nos, porém, ao escrito "O Caso Wagner", que na época se encontrava na gráfica. Essa diatribe ainda nos confronta com certa dificuldade, todos nós, inclusive aqueles que sempre tiveram certas ressalvas diante do wagnerianismo, que Nietzsche chamou de doença e *décadence*. Algumas coisas são incompreensivelmente duras, injustas e aparentemente incorretas.

As relações de N. com Wagner parecem ter sofrido desde cedo; é neste sentido que interpreto uma passagem no prefácio ao 2º volume de *Humano, demasiado humano*. N. fala ali de um pavor que se apoderou dele quando *de repente* percebeu em que caminho ele se encontrava e para onde este caminho levava. Naquele momento, lembrei-me de um fato muito conhecido entre os wagnerianos: Após o fim do primeiro Festival de Bayreuth (1876), *Wagner* surpreendeu alguns amigos reunidos em sua casa com a leitura do texto de Parsifal. Será que N. também se encontrava ali? Isso poderia ter sido um motivo de afastar-se repentinamente de Wagner. No entanto, sei apenas que N. esteve presente em Bayreuth por ocasião do início das construções. Gostaria de saber se ele assistiu às apresentações do festival em 1876 e se, mais tarde (1882-1888), esteve presente nas apresentações do "Parsifal" em Bayreuth.

Teria então também perguntas sobre outros relacionamentos de N.: Ele teve contato pessoal com Lagarde, Franz Liszt, Heinrich von Stein, Bruno Bauer, Eugen Dühring, Victor Hahn, Paul Rée, Gottfried Keller e Conrad Ferdinand Meyer (!)? Outra pergunta ainda me pesa no coração, que o senhor talvez adivinhe, mas tenho muitas razões para impor rédeas à minha impertinência.

Certamente o senhor entenderá que gostaríamos de saber se N. veio a visitar a Áustria e, sobretudo, a cidade de Viena. Gostaríamos de saber também se ele esteve em Paris várias vezes e se lá existem amigos e conhecedores de seus escritos. Discutimos várias vezes sobre as condições sob as quais uma tradução de suas obras para o francês seria possível; neste ponto, as opiniões se dividiram mais do que em outros. O que sempre me interessou como jurista foi a posição de N. em relação à questão social. Aparentemente, ele, como já Goethe e Schopenhauer, conseguiu manter-se livre de quaisquer tendências democráticas e socialistas. Mas ele conhecia e acompanhou o movimento e a literatura social? Parece-me que aqui toco em seu ponto mais fraco: Suas raras declarações sobre a anarquia e o socialismo me levam a supor que ele ignorava o aspecto antitético dessas duas vertentes. Talvez o senhor seja capaz de informar-nos se ele estudou de forma mais aprofundada as obras dos socialistas alemães Ferdinand Lassalle, Carl Rodbertus, Karl Marx, Friedrich Engels etc. Um conhecedor dos escritos de N., que não faz parte do nosso círculo, expressou sua suspeita de que a obra "Der Einzige und sein Eigentum", de Max Stirner, tenha exercido alguma influência sobre as concepções tardias de N. No que diz respeito ao posicionamento político e nacional de N. e também à sua relação com o antissemitismo, não pretendo importuná-lo com estas coisas. Peço apenas esclarecimento sobre um único ponto, ou seja, se N. era membro do exército alemão ou por que ele teria acompanhado o transporte de feridos e doentes de Würzburg para a França.

Por favor, não perca a paciência! Antes de encerrar, tenho ainda uma pergunta difícil e um grande pedido. Primeiro a pergunta: Os médicos oferecem alguma esperança de cura? Todos nós nos agarramos à possibilidade de que a doença seja apenas temporária. Existem exemplos de casos assim; por exemplo, Carl Gutzkow (si parvos lc. comp. Magnis!). São ainda tão grandes o frescor e a clareza do "Crepúsculo dos deuses"; nada nele dá evidências de uma perturbação do equilíbrio espiritual (a não ser, talvez, a referência ao livro inexistente de Jac. Burckhardt: a cultura dos gregos).

E agora o grande pedido: Seria possível mandar-nos um retrato de N.? Talvez o senhor pudesse nos ajudar nisso; os comerciantes de livros e artes em Viena são imprestáveis. E minha procura em Munique também foi em vão.

Por favor, receba esta carta monstruosa com seus muitos desejos e perguntas com olhos favoráveis. O senhor deve ter percebido que ela foi ditada por uma necessidade interior irresistível.

Assegurando-lhe meu mais profundo respeito,

Permaneço atenciosamente

Heinrich Hengster

Viena III, Reisnerstrasse 32 11/13

16
Volume 3, p. 128

Contrato de cessão[213]

Entre os representantes legais do interditado Prof.-Dr. Friedrich Nietzsche em Naumburg (an der Saale), mais especificamente, a viúva Sra. Franziska Nietzsche, nascida Oehler, como tutora e o conselheiro Dr. Oehler em Magdeburg como tutor supervisor de um lado, e a viúva Sra. Elisabeth Förster-Nietzsche em Naumburg, de outro, acorda-se o seguinte contrato.

§ 1

Deve-se à atividade e à circunspeção da viúva Sra. Dra. Förster o fato de que, atualmente, vem sendo publicada uma edição geral das obras de Friedrich Nietzsche pela editora da firma C.G. Naumann em Leipzig, que contém todos os escritos apropriados e destinados à publicação do autor com conteúdo inalterado, criticamente revisado em sequência cronológica e apresentação externa digna, e que garante ao autor uma renda adequada.

Na base do acordo fechado com a editora, essa edição deverá ser publicada em breve, em íntegra ou em partes, em tradução francesa e inglesa – esta especificamente para os estados norte-americanos.

A Sra. Dra. Förster reuniu também sob o nome "Nietzsche-Archiv" todos os manuscritos acessíveis de Friedrich Nietzsche, as cartas destinadas a ele de teor literário ou biográfico, os escritos publicados ou impressos no passado e sua biblioteca pessoal com a literatura publicada até então sobre Nietzsche com a intenção de processar e preservar o material como unidade.

A preservação, administração e manutenção deste "Nietzsche-Archiv", o processamento científico das obras de Nietzsche, o controle contínuo sobre as edições a serem publicadas em línguas estrangeiras exigem uma grande medida de trabalho espiritual e gastos materiais. A Sra. Dra. Förster deseja obter nestes trabalhos uma independência maior da participação dos tutores. Estes reconhecem este desejo como justificado e acreditam que o exercício de uma influência significativa sobre o processamento científico das obras de Friedrich Nietzsche e a complementação do "Nietzsche-Archiv" não faça parte de suas obrigações tutelares, não tendo a capacidade de avaliar e controlar a necessidade e adequácia dos gastos necessários. As dificuldades resultantes disso para a administração tutelar e para o trabalho da Sra. Dra. Förster pretendem ser afastadas por este acordo.

§ 2

Os representantes do Prof.-Dr. Friedrich Nietzsche cedem à sua irmã Sra. Dra. Förster-Nietzsche:

a) Todos os direitos referentes aos contratos assinados com a firma C.G. Naumann em Leipzig sobre a publicação das obras de Friedrich Nietzsche em alemão e línguas estrangeiras, de tal forma que todos os honorários resultantes a partir do dia 1º de novembro deste ano e todas as contribuições do editor para os custos da edição em processo de publicação sejam cedidos exclusivamente à Sra. Dra. Förster-Nietzsche.

b) Todos os direitos autorais referentes aos escritos, cartas, preleções e composições pertencentes ao Prof.-Dr. Friedrich Nietzsche, na medida em que estes sejam transferíveis para outra pessoa.

c) "Nietzsche-Archiv" com todos os manuscritos, livros, cartas, móveis, imagens nele contidos. Considera-se como determinante o acervo atual, que se encontra na casa Grochlitzer Strasse 7 em Naumburg.

§ 3

A Sra. Dra. Förster-Nietzsche, por sua vez, se compromete a:

a) Investir toda a sua força para dar continuação à publicação das obras de Nietzsche e à preservação e complementação do "Nietzsche-Archiv".

b) Assumir todos os contratos acordados com a editora C.G. Naumann referentes às edições das obras de Friedrich Nietzsche em alemão e línguas estrangeiras, de forma a assumir também todas as obrigações decorrentes destes, garantindo que as reivindicações da editora ou de terceiros decorrentes da publicação das obras de Friedrich Nietzsche ou da administração do "Nietzsche-Archiv" não sejam impostas aos tutores e que estes sejam mantidos isentos.

c) Arcar com todos os custos da administração do "Nietzsche-Archiv", do processamento científico das obras de Fr. Nietzsche e das edições por ela organizadas a partir de 1º de novembro deste ano.

d) Pagar aos representantes de Friedr. Nietzsche como compensação pelos honorários a quantia de 30 mil marcos até o 1º de fevereiro do próximo ano (1896).

e) A pagar uma pensão anual de 1.600 marcos (mil e seiscentos marcos) em pagamentos trimestrais, caso a pensão de 1.600 marcos, paga e autorizada sempre apenas para um período de poucos anos pela Universidade de Basileia, não seja mais autorizada e paga, até o fim de sua vida.

f) E a entregar aos representantes de Friedrich Nietzsche de todas as edições das obras de Friedrich Nietzsche dois exemplares – no caso de edições novas; porém, apenas se estas conterem alterações ou acréscimos essenciais.

§ 4

No que diz respeito ao capital de 30 mil marcos, acorda-se que este, caso a situação financeira o permita, seja preservado e, após a morte do Prof.-Dr. Fr. Nietzsche e de sua herdeira legítima, sua mãe Sra. Nietzsche, seja devolvido à Sra. Dra. Förster-Nietzsche.

§ 5

A Sra. Dra. Förster-Nietzsche está autorizada a dispor dos direitos a ela cedidos por meio deste contrato em última instância. A venda ou penhora do arquivo ou de reivindicações referentes aos honorários, porém, lhe são proibidas sem o consentimento da mãe e dos tutores.

Os representantes expressam ainda o desejo de que o "Nietzsche-Archiv" permaneça na Alemanha também após a morte da Sra. Dra. Förster-Nietzsche, seja em propriedade particular ou por meio de uma doação a uma instituição pública – contanto que razões de natureza política exijam uma transferência do arquivo para o exterior.

§ 6

Caso o pagamento dos 30 mil marcos não ocorra até o 1º de fevereiro do próximo ano, os representantes do Sr. Prof.-Dr. Friedrich Nietzsche poderão revogar o contrato e declará-lo nulo. Informa-se ainda para os fins de taxação que o valor de 30 mil marcos é composto pelos 24 mil marcos pela cessão e pelos 6 mil marcos pela venda do arquivo.

Este contrato existe em duas cópias.

> Naumburg, 18 de dezembro de 1895
>
> (assinaturas de) Elisabeth Förster-Nietzsche,
> Franziska Nietzsche, nascida Oehler
> Magdeburg, 23 de dezembro de 1895
> (assinatura de) Dr. Albert Oehler

(Seguem ainda: o reconhecimento das firmas pelo cartório, o recibo das taxas.

Após ser reconhecida por um cartório, uma cópia do contrato é incluída ao espólio de Meta von Salis, na biblioteca universitária de Basileia.)

17
Volume 3, p. 151

Contrato de garantia de 26 de janeiro de 1896[213]

Acorda-se o seguinte entre a Sra. Dra. Elisabeth Förster-Nietzsche de um lado e, de outro, os amigos e admiradores de Friedrich Nietzsche: Dr. Meta von Salis, Dr. Hermann Hecker, Conde Harry Kessler e Dr. Raoul Richter, mediante garantia do Sr. Robert von Mendelssohn, para o pagamento de um empréstimo de 30 mil marcos para a Sra. Dra. Förster-Nietzsche, a ser quitado até 1º de fevereiro, o seguinte contrato:

§ 1

Caso a Sra. Dra. Förster-Nietzsche venha a falecer sem ter quitado (total ou parcialmente) a quantia acima definida, os garantes concordam em satisfazer suas eventuais reivindicações (malgrado as determinações do § 2) por meio do Nietzsche-Archiv (manuscritos, documentos etc.) e dos honorários devidos à Sra. Dra. Förster-Nietzsche pela editora C.G. Naumann em Leipzig decorrentes do contrato referente à edição geral ou de contratos com terceiros referentes a edições futuras. A Sra. Dra. Förster-Nietzsche incluirá, imediatamente após a assinatura deste contrato, esta determinação em seu testamento e revogará expressamente ao direito de alterar ou anular esta determinação.

§ 2

Os garantes tomam conhecimento do fato de que a Sra. Dra. Förster-Nietzsche pretende preservar o Nietzsche-Archiv como instalação permanente. Em seu testamento, a Sra. Dra. Förster-Nietzsche nomeará uma curadoria, que, para o caso que a existência duradoura do arquivo não seja garantida já em vida pela Sra. Dra. Förster-Nietzsche ou por determinações do testamento desta, decidirá a organização futura do arquivo. A Sra. Dra. Förster-Nietzsche expressa o desejo que as decisões tomadas pela curadoria garantam a preservação duradoura do arquivo.

Membros da curadoria serão os garantes, que receberão um voto por cada 6 mil marcos, além destes: o Conselheiro Schenk em Weimar, o Conselheiro Dr. Oehler em Magdeburg, o Dr. Fritz Kögel.

A curadoria tomará suas decisões baseadas em maioria simples. No caso de empate, decidirá o voto do presidente. Para decisões referentes à venda parcial ou total ou à dissolução do arquivo, exige-se uma maioria de seis votos.

§ 3

O volume do arquivo é determinado pelo registro anexo dos manuscritos e livros. A Sra. Dra. Förster-Nietzsche se obriga a não vender ou ceder a terceiros o arquivo antes da quitação da quantia de 30 mil marcos.

Este contrato existe em duas cópias.

Naumburg an der Saale, 26 de janeiro de 1896

(assinatura de) Elisabeth Förster-Nietzsche

(*Segundo cópia no espólio de Meta von Salis, biblioteca universitária de Basileia.*)

18
Volume 3, p. 158[187]

Referente à pergunta: Nietzsche conhecia o livro "Der Einzige und sein Eigentum", de Max Stirner?

Heinrich Köselitz a Franz Overbeck, final do cartão postal de 18 de fevereiro de 1893: "[...] Prezado senhor professor, o senhor acha que N. conhecia *Max Stirner*? Eu duvido disso. O nome de Stirner nunca surgiu em nossas conversas; N. costumava recomendar tudo que o impressionara a seus amigos – e também em seus documentos nenhum rastro de Stirner (N. copiou em seus cadernos passagens de todos os livros que lhe eram caros). O parentesco entre St. e N. é surpreendente! Comecei agora a ler St..."

Heinrich Köselitz a Franz Overbeck em 8 de fevereiro de 1899:

"[...] No que diz respeito à questão *Nietzsche-Stirner*, creio ter me dirigido ao senhor já dois anos atrás, prezado senhor professor. (Anotação na margem de Overbeck: na carta de 17 de fevereiro de 1893.)

Eu, por minha parte, jamais ouvi Nietzsche falar de Stirner. E também a biblioteca de Nietzsche não contém nenhum livro de Stirner. Talvez o livro 'Der Einzige und sein Eigentum' se encontre na sociedade de leitura de Basileia e Nietzsche o tenha conhecido ali? – mas em seus últimos anos em Basileia Nietzsche dificilmente ainda frequentou aquele lugar.

Quando conhecia algo novo, algo que o interessava profundamente, Nietzsche costumava recomendá-lo imediatamente aos amigos. Ele sempre tratava um bom livro com entusiasmo, muitas vezes com um entusiasmo excessivo. E ele o comunicava aos amigos. Eu me surpreenderia muito se Nietzsche tivesse conhecido Stirner sem me falar dele em suas cartas ou em nossas conversas. Creio, portanto, que a sua prezada esposa tenha confundido em sua memória os senhores Klinger e Stirner. Imagino que – pensando agora, por exemplo, na obra 'Leidendes Weib' [A mulher sofredora] de Klinger – Nietzsche (sobretudo na presença de uma dama) tenha advertido contra este *excesso* literário.

Em virtude de sua longa ocupação com Stirner, Markay está tão obcecado que, em seus preconceitos contra tudo que não se chame Stirner, ele nos oferece um dos exemplos mais repugnantes que eu conheço. Ele está convencido de que Nietzsche é apenas *l'écornifleur et plagiaire* de Stirner e de que a fama atribuída a Nietzsche pertence na verdade a Stirner. Esta criatura pobre e interiormente modesta acredita até que Nietzsche sempre tenha levado consigo o livro de Stirner e que deste teria retirado todos os seus pensamentos. Ele não percebe a distância enorme entre Nietzsche e Stirner. Supondo que Nietzsche tenha conhecido Stirner e recebido dele alguma impressão, esta impressão consistiria mais num *nojo* diante de seus pensamentos estilizantes e empobrecedores – por mais que Nietzsche tivesse respeitado a razão tremenda de Stirner. De *nobreza* não encontro nada em Stirner. Em vista da inferioridade de sua esfera de interesses, sua arrogância provoca repugnância.

Quão diferente é a ênfase do Eu em Nietzsche! Ele a aplica apenas a pessoas como Beethoven, Rubens, Alexandre – a outras, não. Em Stirner, por sua vez, encontramo-nos no território mais superficial dos interesses cotidianos: cidadão, esposo, concorrência, mil tálers, cheiro de assado, presidente, direitos provinciais etc.

Estou exagerando, é claro. Mas não detecto nobreza em Stirner, nem mesmo a aspiração pela nobreza. Para mim, ele é um homem inteligente, mas pobre – e talvez sua esposa tenha agido adequadamente com seu comportamento estranho diante de Markay."

Heinrich Köselitz a Franz Overbeck em 2 de março de 1899:

"[...] No que diz respeito a Stirner, após seu argumento certamente correto, eu *não* alegarei mais que Nietzsche não tenha tido qualquer conhecimento de Stirner. Na verdade, isso pouco importa. Stirner empalidece diante das chamas de Nietzsche [...]."

Karl Joël a Franz Overbeck, (Berlim) 13 de março de 1899:

"[...] A fase inesperada para a qual o nosso caso [*o conflito com a Sra. Förster sobre a questão de Stirner*] avançou deve-se certamente à atenção e ao interesse com que o senhor se dedicou a esta causa perdida. Fico contente por não ter que revogar as minhas palavras, mesmo que tivesse desejado uma separação mais nítida entre Nietzsche e Stirner do que aquela que agora parece ser possível. Para mim, não é triunfo nem justificação, mas sim para a sua prezada esposa, e demonstro meu profundo respeito diante de uma memória que tanto resitiu aos tempos e às tempestades e com tanta coragem insistiu em suas declarações, também quando tudo a contrariava. A Sra. Förster ignora tanto a minha fonte que, em sua última carta, a identificou com o compositor August Bungert, ao qual ela já havia atribuído esse boato em ocasiões anteriores. No entanto, não deveríamos julgar os artistas por um excesso de imaginação. Eu não lhe respondi, comuniquei-lhe apenas de forma anônima o resultado de uma pesquisa bibliotecária. Reconheço, porém, que a importância dessa descoberta se apoia completamente no testemunho – a meu ver, decisivo – do Prof. Baumgartner; pois se o entendi corretamente, figura na lista da biblioteca apenas este nome, e não o de Nietzsche."

19
Volume 3, p. 164

Heinrich Köselitz a Franz Overbeck:

Weimar, Meyerstrasse 4, 21 de maio de 1905

Prezado senhor professor!

Certamente o senhor já soube como se propagou por meio do livro de Dr. Jul. Möbius sobre Nietzsche o boato segundo o qual a doença mental de Nietzsche teria sua causa numa infecção sifilítica contraída em 1870.

Eu fiz de tudo para descobrir a origem deste boato, visto que justamente os amigos de juventude (Gersdorff, Rohde, Roscher, Romundt etc.) se opõem energicamente a ele. Eu tentei falar com o Prof. Binswanger, pois ele já me havia oferecido a possibilidade de visitá-lo. No entanto, nunca tive a oportunidade de viajar para Jena. Por fim, o próprio Binswanger apareceu aqui e me deu informações ricas. E confirmou o que eu já havia descoberto por meio de um de seus antigos assistentes, o Dr. Rich. Sandberg: que Möbius havia consultado os prontuários do manicômio de Jena e extraído destes algumas informações referentes a Nietzsche. Möbius havia pedido a autorização da Sra. Förster e, já que ela não suspeitava de nada, a concedeu a ele. Aparentemente, estes diários realmente contêm a informação de que Nietzsche teria adoecido uma ou até mesmo duas vezes de lues.

Esta é a única informação sobre a qual Möbius ergue sua construção frívola. E a quem esse prontuário atribui essa informação? Ao senhor, prezado senhor professor.

Obviamente, eu informei ao Prof. Binswanger que a única explicação para isso seria um equívoco cometido pelo autor do protocolo. No decorrer desta conversa, Binswanger me disse que ele mesmo havia anotado à margem daquele registro no prontuário que "a evolução e a duração da doença de Nietzsche não permitem deduzi-la de uma infecção luética". Ele, Binswanger, havia estudado minuciosamente a paralisia progressiva, escrito muito sobre ela e descoberto que no máximo 70% dos casos de paralisia podem ser explicados com uma infecção luética, não, porém, 100%, como afirma Möbius. Disse-me também que Möbius não goza de muito respeito entre os especialistas.

Não pretendo cansá-lo com a continuação deste relato, prefiro dizer-lhe quanta gratidão eu lhe deveria se o senhor pudesse me informar se o senhor realmente foi responsável por aquele registro no prontuário. Pois em algum momento terei que falar publicamente sobre este assunto. Biswanger me autorizou a recorrer às informações por ele fornecidas.

Espero de todo coração que o senhor e sua esposa estejam bem, eu lhe envio as minhas saudações.

Seu aluno grato,

Peter Gast

Resposta do Prof. Overbeck à carta de Peter Gast de 21 de maio de 1905 (cópia de Ida Overbeck)

Basileia, 23 de maio de 1905

Prezado Sr. Köselitz,

Na primavera de 1902, meu colega, o fisiólogo Bunge, a pedido do Dr. J. Möbius, que até então me era conhecido apenas por meio de seus livros sobre Schopenhauer e Goethe, me perguntou se eu estaria disposto a recebê-lo para uma reunião sobre Nietzsche. Normalmente, eu recuso pedidos deste tipo, mas dessa vez aceitei. Em 10 de abril daquele ano, realizamos esta reunião no meu escritório. O assunto da nossa conversa se limitou basicamente ao anúncio do livrinho "Über das Pathologische bei Nietzsche" (Sobre o patológico em Nietzsche), que seria publicado em breve. O que o autor me perguntou na ocasião, e o que ele ouviu de mim, ele publicou na página 991 de uma forma que não me ofereceu nenhum motivo para objetar. Em todo caso, não deu, ali, qualquer espaço para pensamentos do tipo que dissessem respeito à pessoa aqui invocada como testemunha para outro momento da vida de Nietzsche ou à "lenda", que agora se tornou tão importante para o Dr. Möbius, sobre uma suposta infecção luética de Nietzsche em 1870. No que diz respeito à minha pessoa, eu soube disso pela primeira vez apenas naquele dia e não pude servir como testemunha para tal fato, tampouco fui convidado a oferecer meu nome como tal. Grande foi, portanto, minha surpresa quando, mais ou menos dois minutos atrás, soube que o Nietzsche-Archiv estaria espalhando o boato de que a origem da lenda propagada por Möbius seria eu, logo eu, que, em 1870, mal havia ouvido falar de Nietzsche. E que o Prof. Binswanger, baseando-se no testemunho dos prontuários do manicômio por ele dirigido, teria provocado este abuso do meu nome. A reclamação que encaminhei imediatamente ao Prof. Binswanger, apelando ao nosso encontro referente à loucura de Nietzsche em fevereiro de 1890*, foi respondida em 24 de abril. Enviou-lhe em anexo uma cópia desta resposta. Esta me acalmou um pouco, por motivos que não preciso expor ao "Archiv". Pensei, porém, em responder que não via razão nenhuma para me intrometer na briga da Sra. Förster e seu arquivo com o Dr. Möbius sobre a doença de seu irmão. Independentemente de seu resultado, esse conflito começou de tal maneira que prefiro não me envolver nele. A carta que hoje recebi do senhor confirma meu não envolvimento. Entrementes, minha resposta tem permanecido essencialmente a mesma. Quando o senhor me informa que "mais tarde ou mais cedo terá que falar sobre o *assunto* publicamente", creio já ter lhe dito o suficiente para poder confiar ao senhor a avaliação daquele "registro no diário do hospital de Jena". Que o senhor decida também se o senhor considera apropriado citar meu nome publicamente numa questão sobre a qual nada tenho a dizer e nada quero dizer. No entanto, não me contento com essa resposta dirigida exclusivamente ao senhor. Informo o senhor com esta resposta e também com o anexo, para que o senhor possa ter uma noção da incongruência que existe

---

* Durante a qual Binswanger me informou confidencialmente sobre a origem sifilítica da paralisia de Nietzsche, confidencialidade esta que jamais violei e que revelei apenas ao senhor! O senhor se lembra da nossa caminhada no Grande Jardim (*Grosser Garten*)?

entre as informações da sua carta do dia 21 e a carta de Binswanger, incongruência esta, porém, que não posso deixar de esclarecer.

Infelizmente, a carta de Binswanger do dia 26 de abril nada diz sobre um registro sobre a infecção de Nietzsche em 1870 que apresente meu nome, enquanto a *sua* carta contém a informação concreta de que o prontuário atribuiria a infecção de Nietzsche ao meu nome. Informação esta, que o senhor questiona, quando escreve: "a informação sobre a dupla infecção luética *estaria* contida no diário do hospital". Então o senhor não viu? Enquanto eu mesmo estou absolutamente interessado em descobrir *a forma* em que meu nome aparece no prontuário de Jena.

Mas quem poderia me esclarecer sobre este assunto se não Binswanger? Apenas para informá-lo com a maior lealdade sobre as consequências de sua carta, comunico-lhe que, assim que terminar esta carta, enviarei um comunicado ao Prof. Binswanger e, remetendo à carta do senhor, farei a tentativa de obter clareza sobre o que o prontuário diz sobre mim e como eu pude me tornar testemunha para um fato do qual eu também só soube por meio de terceiros, igual a qualquer um dos leitores do panfleto de Möbius sobre N. De forma que o registro no prontuário de Jena representa não apenas um "equívoco", mas um ato violento *absolutamente* deliberado, que introduziu meu nome em um documento onde ele não deveria estar. O senhor deve estar se perguntando por que, após todas essas explicações, eu não faça uma viagem a Jena para afastar qualquer dúvida com meus próprios olhos. Sua confissão que o senhor fez sobre as dificuldades que a viagem de mais ou menos 2 horas de Weimar a Jena lhe proporcionou bastaria para negar-lhe qualquer resposta. Prefiro, porém, comunicar-lhe sem rodeios que, após as revelações de sua carta, eu resolveria a questão imediatamente por meio de uma viagem à cidade do "Nietzsche-Archiv" se eu tivesse a liberdade para tal medida. Há semanas, porém, uma doença me prende a este lugar, e ainda não sei quando recuperarei minha mobilidade. E garanto-lhe que sua carta ainda aumentou meu sofrimento. Em todo caso, vejo-me impedido de estendê-lo ainda mais e de usá-lo como oportunidade de apresentar minhas objeções ao último volume da "Vida de Fr. Nietzsche". Há apenas uma única pergunta que não consigo reprimir, visto que o senhor conhece as precondições para sua compreensão tão bem quanto eu: Como é que o senhor, dono das cartas que eu lhe escrevi no início de 1889 sobre o transporte de Nietzsche de Turim para Basileia e dono também dos plenos poderes que eu lhe dei para o uso destas cartas, permitiu que a Sra. Dra. Förster escrevesse essas fábulas totalmente imprecisas sobre aquela viagem na p. 920ss. de sua obra? Na esperança de que o senhor preste contas pelo menos sobre este ponto, permaneço,

Respeitosamente,

F. Overbeck

Prof. Otto Binswanger a Ida Overbeck

Jena, 7 de junho de 1905

Prezada Sra. Profa. Overbeck!

É com grande pesar que soube por meio de sua carta que seu marido está doente e que a autoria do boato sobre a doença de Nietzsche e o comportamento do Sr. Gast continua a causar-lhe dificuldades. No último domingo, eu tive a oportunidade de conversar com a Sra. Profa. Förster-Nietzsche. Eu lhe disse novamente com toda clareza que a suposição de que aquele boato tenha sido iniciado pelo seu marido é totalmente infundada. Eu exigi que informasse o Sr. Gast e lhe proibisse importunar o seu marido com esse assunto.

No que diz respeito à questão em si, preciso observar que a comunicação do Sr. Gast, segundo a qual a notícia sobre a infecção de Nietzsche em nosso prontuário é atribuída ao seu marido, é completamente errada. No prontuário consta apenas o fato de que não existe testemunha que a confirme.

Espero assim aliviar seu marido de qualquer preocupação e assino,

Respeitosamente,

Prof. Binswanger
Conselheiro medicinal secreto.

Franz Overbeck faleceu em 26 de junho de 1905.

20
Volume 3, p. 165

Sepultamento no cemitério de Röcken

Em 28 de agosto de 1900

Terça-feira, 4h da tarde[213]

Tocam os velhos sinos,

que saudaram Friedrich Nietzsche no dia

de seu nascimento.

Canto do coral de homens.

Discurso do prefeito Dr. Oehler no túmulo de Friedrich Nietzsche

Assim, então, ele voltou para casa, nosso fiel amigo, para este lugar silencioso, do qual ele partira no passado. Ele partiu para uma viagem longa, daquela simples casa pastoral para o grande mundo dos pensamentos, para o seu mundo, onde ele teve o privilégio de explorar regiões imensuráveis que, antes dele, ninguém havia vislumbrado.

Pacífico e acolhedor é o vilarejo em que Friedrich Nietzsche veio ao mundo há quase 56 anos e onde passou seus primeiros anos, protegido por pai e mãe, ao lado dos quais encontra agora seu último repouso. Cedo morreu seu pai tão amado, o extraordinário clérigo da cidade; a jovem mãe se mudou com seus dois filhos para Naumburg, onde ela os criou com a rica plenitude do amor maternal. Mas logo se desdobraram as asas do poderoso espírito do nosso amigo, pequeno demais se tornou o mundo no qual ele havia crescido; ele partiu, partiu para as alturas dos grandes espíritos, para além das alturas alcançadas pelo pensamento humano: maravilhados o observamos aqui de baixo. Lá das alturas, viu muitas coisas diferentemente de como nós as costumávamos ver. Como desejava que nós o seguíssemos, que abríssemos nossos olhos iguais aos seus! E como sofreu ao perceber que estava só nas alturas dos pensamentos! Mas não só o voo de seu espírito, também sua personalidade, a nobreza e pureza de seu ser, a pureza de seu pensamento e de sua vontade, o elevaram para além do dia a dia, para além das concepções pequenas e mesquinhas. Os olhos dos outros o seguiram, mas não conseguiram acompanhá-lo. Como uma águia ousada ele flutuava nas alturas puras do sol: os outros não reconheceram isso, viam apenas um ponto negro que encobria sua visão do céu.

Assim, sua vida era uma luta. E que luta em todas as áreas do espírito e da arte! Foi um precursor em todas e poderosamente manuseou suas armas aguçadas. Os fundamentos de uma cultura milenar não lhe bastaram como fundamento, no qual pretendia erguer a construção orgulhosa de seu mundo espiritual. Mas foi um lutador heroico também em outro sentido. Durante muitos anos, opôs-se corajosamente às provações de seu sofrimento físico: com força de vontade admirável impôs as forças de seu espírito às dores de seu corpo, para não sucumbir, para trabalhar na grande obra de sua vida.

Mas, aí, de repente seu espírito foi inibido pela doença: toda aquela poderosa força criativa se dissolveu. O construtor não pôde mais completar sua obra grandiosamente imaginada: inúmeras pedras, que ele havia adquirido para a sua construção, permaneceram desordenadas no canteiro; talvez apenas aparentemente desordenadas. Um dia, talvez, surja o mestre que conseguirá usá-las para completar a grande construção do nosso amigo.

Durante muitos anos, sua mãe cuidou dele em sua doença com o amor e a dedicação mais comoventes. Mas então veio o dia em que também estes olhos fiéis se fecharam e a mãe encontrou seu repouso eterno neste lugar. Ela foi substituída pela irmã. Para ela, cuidar deste corpo doente foi o conteúdo, a sorte de sua vida, cuidar deste espírito em amarras do irmão tão amado e venerado, mas cuidar ao mesmo tempo de suas obras e seus pensamentos, defender a honra e a fama de seu nome. Foi em seus braços que Friedrich Nietzsche adormeceu em paz, mesmo no dia de sua morte um retrato de gratidão. O nome da irmã amada, "Elisabeth", foi a última palavra que seus lábios cansados expiraram. Nosso amigo era de uma gratidão profunda, e creio expressar seus sentimentos se, aqui ao lado de seu túmulo, agradecer em seu nome pelos cuidados fiéis e amorosos oferecidos pela mãe e pela irmã, e incluir neste agradecimento também a fiel serva Alwine, que apoiou a mãe e a irmã em seu belo, mas difícil serviço até hoje.

Dura é a perda sofrida hoje pela irmã, mas que ela seja consolada pela consciência de que o falecido lhe deixou um grande legado: o cuidado pelos escritos de Friedrich Nietzsche, pela pureza da representação de seus ensinamentos, pela grandeza de seu nome.

Rico foi o conteúdo de sua vida; e trágico, o seu destino. Como sentia falta dos amigos cuja companhia tanto desejava! Como sofreu ao não ouvir nenhum eco quando os chamou lá das alturas. Como ficava indignado quando a resposta às suas teorias se revelava como falsa, quando ele não era entendido! E como tudo isso mudou recentemente, mas apenas após a força de Friedrich Nietzsche ruir repentinamente. Agora, seu chamado percorre o mundo inteiro, como brilha sua estrela nas alturas e ilumina as maiores profundezas do pensamento humano.

Qual era a intenção de Friedrich Nietzsche? "Procuro eu a minha felicidade? Procuro eu a minha obra", ele nos responde a esta pergunta. E sua obra era nobre: uma reforma da humanidade, de todo o querer e pensar humanos, queria levar às alturas aqueles eleitos para liderar a multidão.

Mas quantos foram os equívocos, os mal-entendidos que nosso amigo sofreu! Quão distorcida era a imagem que muitos tinham dele! Nós, os poucos que tiveram a sorte de conhecer o falecido como homem saudável, temos a obrigação sagrada de dar testemunho ao lado de seu túmulo de quem era Friedrich Nietzsche. Ele era uma natureza nobre, pura e casta: ele odiava toda impureza, não só por causa de sua educação, mas porque ele se opunha a ela em seu mais íntimo ser. Quis pouco para si mesmo, tudo para os outros, para a humanidade; não procurava a honra externa ou uma posição alta; ilimitada era sua busca pela verdade, pelos valores corretos da vida espiritual e moral. Com generosidade compartilhava a riqueza de seu espírito com seus amigos e o fazia com o humor sutil e amável que possuía em seus dias de saúde. Era paciente e perseverante em seu sofrimento e grato pelos serviços recebidos. Assim ele se apresenta a nós: um lutador na vida, um precursor da verdade, um espírito grande.

Nós lhe agradecemos por tudo que foi para nós, por tudo que quis e buscou para a humanidade.

Completa-se agora o ciclo terreno de sua vida, ele voltou para o ponto de partida: assim, encerra-se em harmonia sua vida externa.

Descanse em paz após a luta, fiel amigo: que seu mundo espiritual encontre o silêncio em harmonia! Sua obra persistirá.

> Ele voou alto, agora
> O próprio céu acolhe o voador vitorioso.
> Agora ele descansa e flutua,
> Esquecendo-se da vitória e do vitorioso.

Canto do coral de homens

Palavras de despedida do conselheiro secreto Prof.-Dr. Heinze

Envio-lhe, Friedrich Nietzsche, uma última saudação ao túmulo, meu aluno a mim confiado no passado, meu prezado colega em tempos posteriores, meu amigo amado! Você completou uma obra tremenda. Com seu espírito, com sua obra você conquistou ainda doente do seu quarto grande parte do mundo espiritual. *Have cara anima!*

Palavras de despedida de Carl Freiherr von Gersdorff

Como ex-aluno da escola de Pforta, onde você me concedeu sua amizade há quase 40 anos, e que tanto valorizou toda a minha vida, eu também lhe envio as palavras de despedida com um coração repleto de gratidão:

> "have cara anima"
> e num sentido ainda mais nobre:
> "have anima *candida*".

Palavras de despedida de Dr. Carl Fuchs

> *Ave*, amizade
> Primeira aurora
> Da minha mais alta esperança!
> Ah! Sem fim
> Me parecia a trilha e a noite;
> Toda vida
> Sem destino e odiada!
> Duas vezes desejo viver,
> Agora vejo em seus olhos
> O brilho da manhã e a vitória.
> Deusa minha mais amada!

Assim, com suas próprias palavras, eu lhe agradeço, eu, ao qual você, há quase trinta anos, ajudou a aprofundar o sentido de sua existência por meio dos seus ensinamentos, ao qual você dobrou o sentido de sua vida com sua nobre amizade!

Confissão de Peter Gast ao túmulo de Nietzsche

E agora que seu corpo, após a incrível odisseia de seu espírito, retorna para a terra de sua pátria, eu, como seu aluno e em nome de seus amigos, o saúdo com um grande e caloroso "obrigado!" pelo seu passado grandioso.

Como pudemos ser seus amigos? Só porque você nos superestimou!

Todos veem agora o que você foi como espírito transformador do mundo; e o que você foi como homem do coração – cada um de seus pensamentos o proclama. Pois sobre todos os seus pensamentos se estendia a consagração da grandeza – e, como diz Vauvenargues, todos os pensamentos grandes vêm do coração.

Nós, porém, que tivemos a sorte infinita de conviver com você no dia a dia, sabemos muito bem que livros e escritos não conseguem reproduzir o encanto de seu ser. Este se foi para sempre.

O que dizia o olhar de seu olho, o que dizia a sua boca – tudo era cheio de bondade e ocultava a sua majestade: Você queria (lembrando uma de suas palavras mais delicadas) – você queria nos poupar a vergonha. Pois quem poderia ter correspondido à riqueza de seu espírito, à pulsão de seu coração de alegrar os outros.

Você foi uma das pessoas mais nobres e mais sinceras que jamais andaram nesta terra.

E apesar de saberem disso amigos e inimigos, creio poder dar este testemunho em alta voz aos pés de seu túmulo. Pois nós conhecemos o mundo, conhecemos o destino de Spinoza. E o mundo poderia encobrir também a sua memória com sombras. Por isso, encerro com as palavras: Que a paz esteja com suas cinzas! Sagrado seja o seu nome para todas as gerações vindouras!

Canto do coral de homens

Palavras de despedida da congregação

Ó céu sobre mim, ó casta! Ardente! Minha felicidade antes do amanhecer! Vem o dia: assim nos separamos! – Assim falou Zaratustra (*Dr. E. Horneffer, Weimar*).

Um vidente, um voluntário, um criador, um futuro e uma ponte para o futuro. – Assim falou Zaratustra (*Heinrich Möller, Breslau*).

Todas as pulsões do que pensa e conhece se santificam; a alma do que se eleva se alegra. – Assim falou Zaratustra (*Dr. Rutishauer, Zurique*)

Amo o que deseja criar para além de si mesmo e assim se destrói. – Assim falou Zaratustra (*Hans v. Müller, Kiel*).

Apenas onde há túmulos, há também ressurreição. – Assim falou Zaratustra (*Louis Betz, Munique*).

Céu puro! céu sereno! abismo de luz! [...] E todas as minhas viagens e todas minhas ascensões não passavam de um expediente e recurso da inércia. O que a minha vontade toda quer é voar, voar para ti! – Assim falou Zaratustra (*Dr. Seidl, Munique*).

Ensino-lhes o amigo, no qual o mundo se apresenta pronto. Um cálice do bem – o amigo que cria. – Assim falou Zaratustra (*Curt Stoeving, Berlim*).

Minha velha sabedoria selvagem nos gramados mansos de seus corações, meus amigos! – que ela deite sobre seu amor seu mais amado! – Assim falou Zaratustra (*Dr. Raoul Richter, Leipzig*).

Eu sou sempre o herdeiro e o terreno próprio do vosso amor, onde florescem, em memória, meus amados, silvestres virtudes de todas as cores. – Assim nos fala hoje Zaratustra (*Prof.-Dr. Curt Breysig, Berlim*).

II

Documentos, ilustrações

Fig. 1

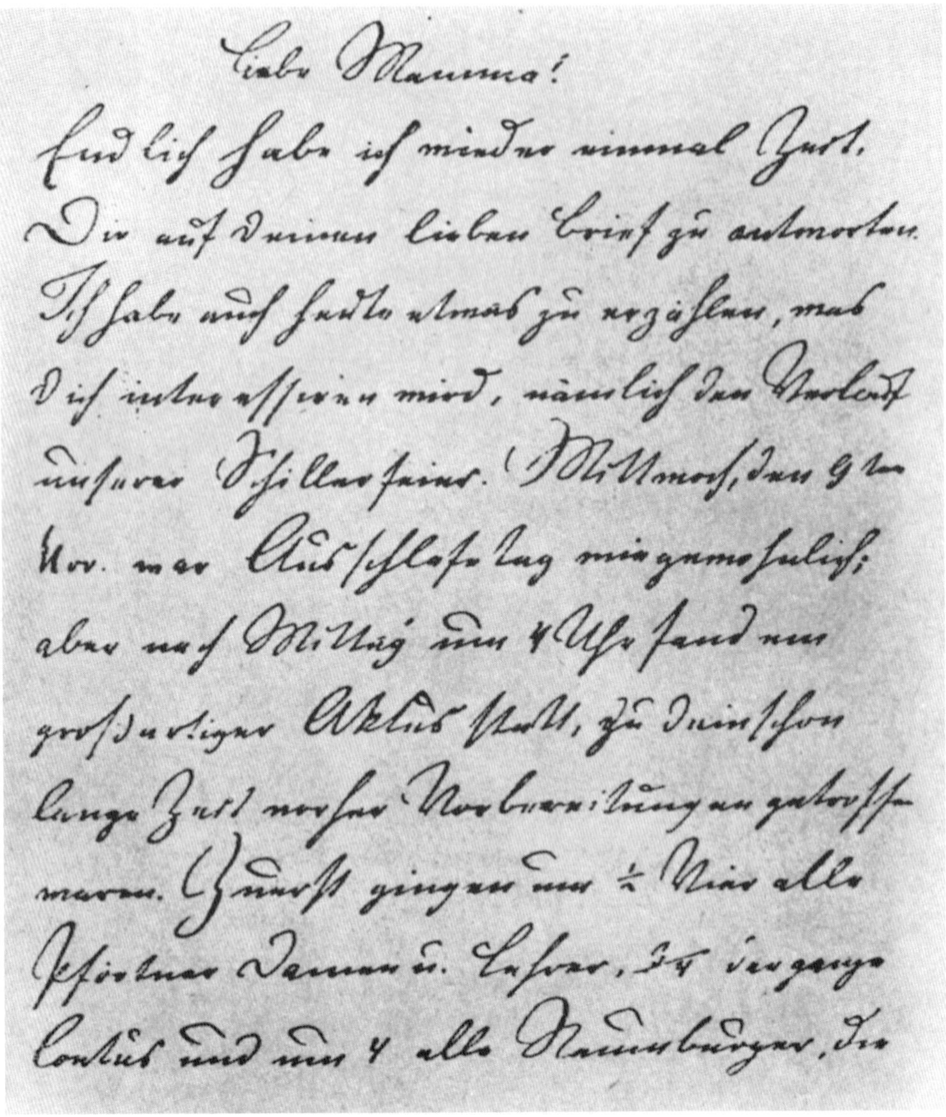
Liebe Mamma!
Endlich habe ich wieder einmal Zeit,
Dir auf Deinen lieben Brief zu antworten.
Ich habe auch heute etwas zu erzählen, was
Dich interessiren wird, nämlich den Verlauf
unserer Schillerfeier. Mittwoch, den 9ten
Nov. war Ausschlafetag wie gewöhnlich;
aber nach Mittag um 4 Uhr fand ein
großartiger Aktus statt, zu dem schon
lange Zeit vorher Vorbereitungen getroffen
waren. Zuerst gingen um ½ Vier alle
Pförtner Damen u. Lehrer, dann die ganze
Coetus und um 4 alle Naumburger, die

Fig. 2

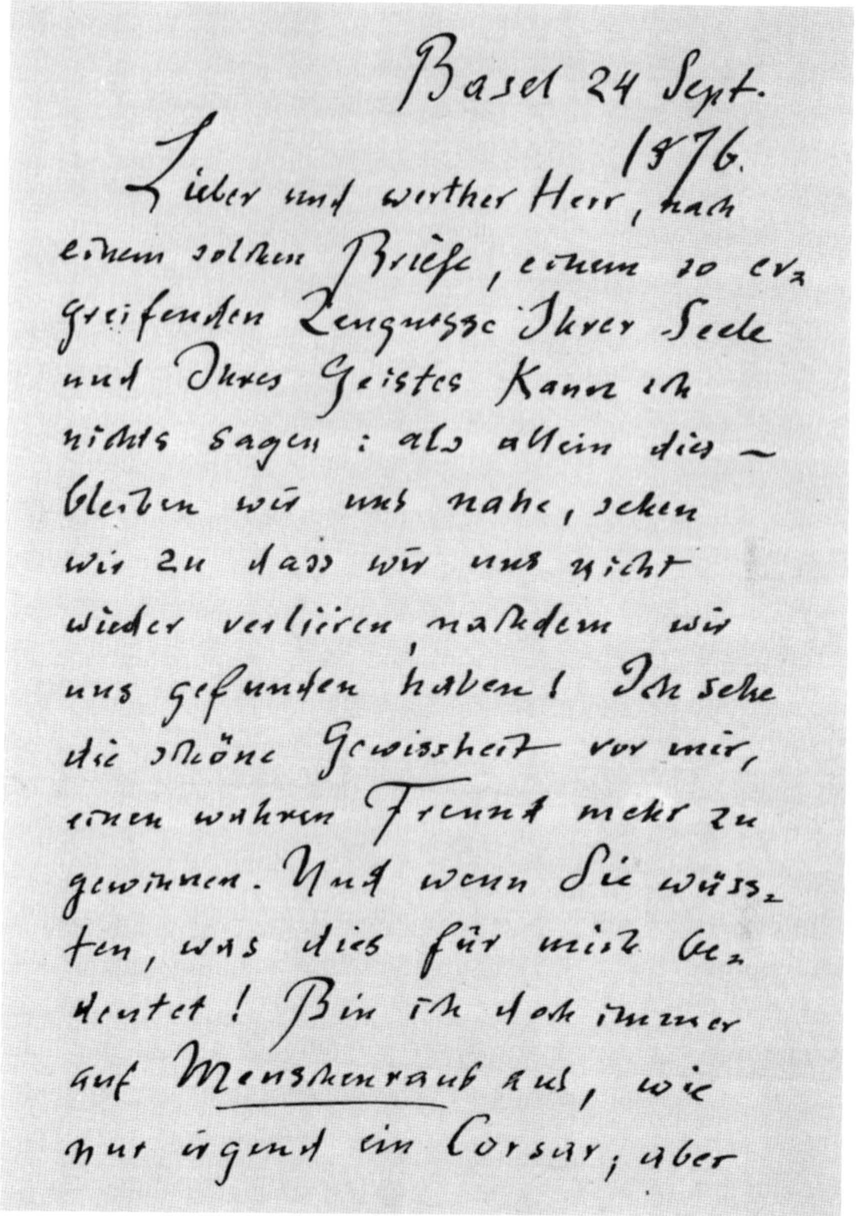

Basel 24 Sept.
1876.

Lieber und werther Herr, nach einem solchen Briefe, einem so ergreifenden Zeugnisse Ihrer Seele und Ihres Geistes kann ich nichts sagen: als allein dies — bleiben wir uns nahe, sehen wir zu dass wir uns nicht wieder verlieren, nachdem wir uns gefunden haben! Ich sehe die schöne Gewissheit vor mir, einen wahren Freund mehr zu gewinnen. Und wenn Sie wüssten, was dies für mich bedeutet! Bin ich doch immer auf Menschenraub aus, wie nur irgend ein Corsar; aber

Fig. 3

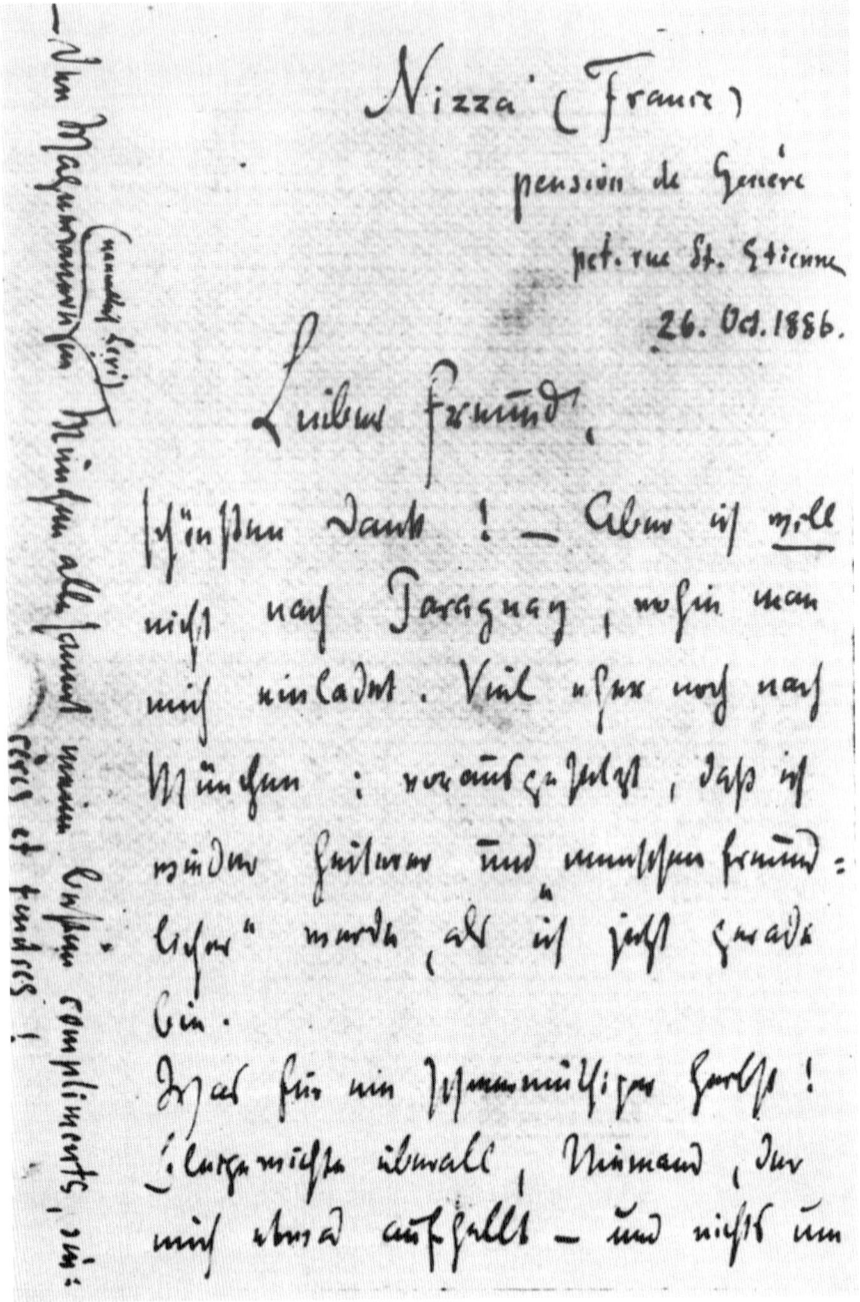

Nizza (France)

pension de Genève

pet. rue St. Etienne

26. Oct. 1886.

Lieber Freund,

Schönsten Dank! — Aber ich will nicht nach Parcignay, wohin man mich einladet. Viel eher noch nach München: vorausgesetzt, dass ich wieder "heiterer und menschenfreund-licher" werde, als ich jetzt gerade bin.

Ach für ein unmenschliches Volck! ... lauter nichts überall, Niemand, der mich etwas aufhält — und nicht um

Fig. 4

Fig. 5

Fig. 6

Fig. 7

Fig. 8, 9, 10

Fig. 11, 12, 13

Fig. 14, 15

Fig. 16

Fig. 17

Fig. 18, 19, 20

Fig. 21, 22, 23

Fig. 24

Fig. 25, 26, 27

Fig. 28

Fig. 29, 30

Fig. 31, 32

Fig. 33

Fig. 34, 35

Fig. 36

Fig. 37

Fig. 38

Fig. 39

Fig. 40

Fig. 41, 42, 43

Fig. 44

Fig. 45

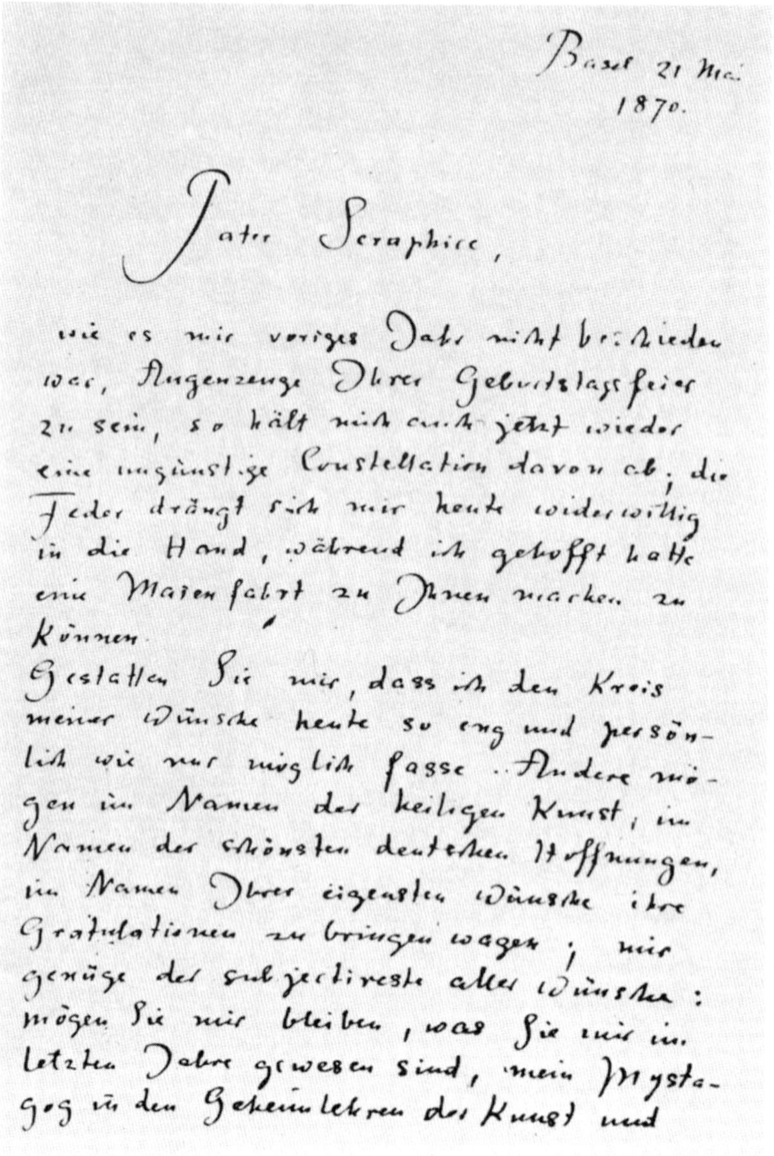

Basel 21 Mai
1870.

Pater Seraphice,

wie es mir voriges Jahr nicht beschieden
war, Augenzeuge Ihrer Geburtstagsfeier
zu sein, so hält mich auch jetzt wieder
eine ungünstige Constellation davon ab; die
Feder drängt sich mir heute widerwillig
in die Hand, während ich gehofft hatte
eine Maienfahrt zu Ihnen machen zu
können.
Gestatten Sie mir, dass ich den Kreis
meiner Wünsche heute so eng und persön-
lich wie nur möglich fasse. Andere mögen im Namen der heiligen Kunst, im
Namen der schönsten deutschen Hoffnungen,
im Namen Ihrer eigensten Wünsche ihre
Gratulationen zu bringen wagen; mir
genüge der subjectiveste aller Wünsche:
mögen Sie mir bleiben, was Sie mir im
letzten Jahre gewesen sind, mein Mysta-
gog in den Geheimlehren der Kunst und

Fig. 46

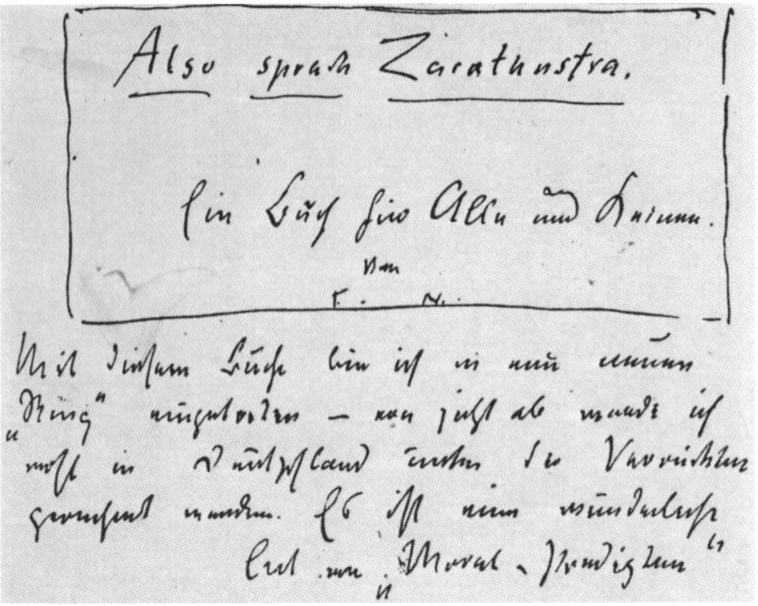

Also sprach Zarathustra.

Ein Buch für Alle und Keinen.

von

F. N.

Mit diesem Buche bin ich in einen neuen „Ring“ eingetreten – von jetzt ab werde ich wohl in Deutschland unter die Verrückten gerechnet werden. Es ist eine wunderliche Art von „Moral-Predigten“

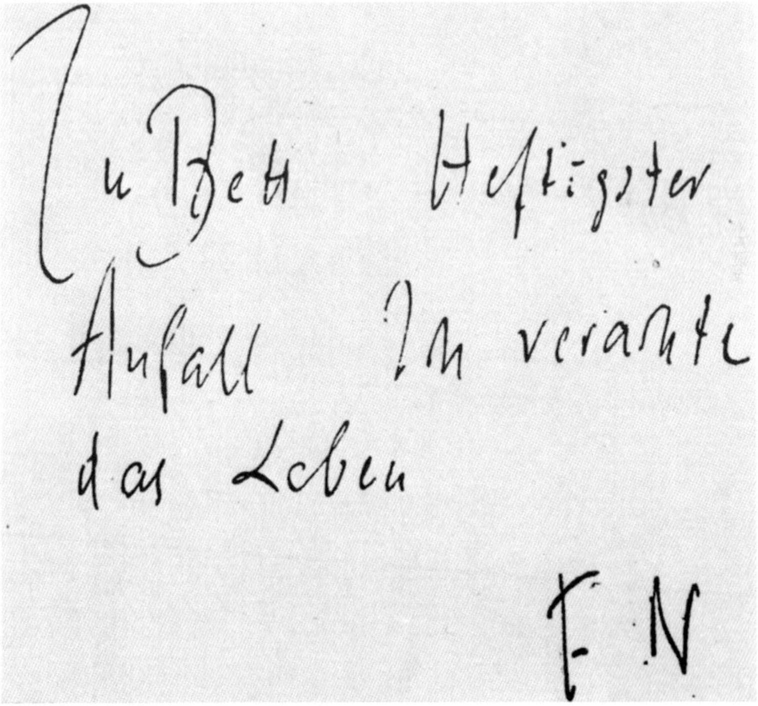

Zu Bett Heftigster Anfall Ich verachte das Leben

F. N

Fig. 47, 48

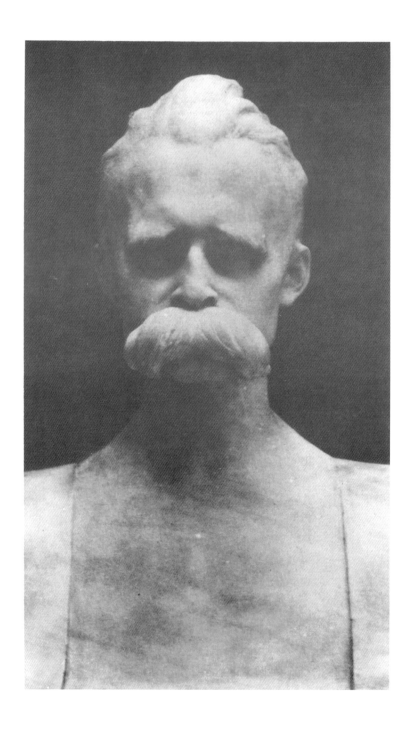

Fig. 49

1. A casa de nascimento de Friedrich Nietzsche: a casa pastoral em Röcken, vista do jardim. Foto: Archiv für Kunst und Geschichte, Berlim.

2. Carta de Friedrich Nietzsche à sua mãe, Pforta, meados de novembro de 1859.

3. Carta de Friedrich Nietzsche ao Freiherr Reinhart von Seydlitz. Basileia, 24 de setembro de 1876.

4. Carta de Friedrich Nietzsche ao Freiherr Reinhart von Seydlitz. Nice, 26 de outubro de 1886.

5. Manuscrito de partitura de Friedrich Nietzsche; esboço do "Oratório natalino": "Introdução à terceira cena", Páscoa a junho de 1865. Formato original 23,5 x 33cm. Ms 63, p. 19[125].

6. Manuscrito de partitura de Friedrich Nietzsche; cântico "Jovem pescadora", 1ª versão 11 de julho de 1865. Formato original 26,5 x 17cm. Ms 88[125].

7. Manuscrito de partitura de Friedrich Nietzsche; "Hino à amizade", versão incompleta para piano a quatro mãos, Páscoa 1874. Formato original 34 x 27cm. Ms 117[125].

8. Paul Deussen: Foto: Archiv für Kunst und Geschichte, Berlim.

9. Erwin Rohde. Foto: Archiv für Kunst und Geschichte, Berlim.

10. Carl von Gersdorff: Foto: Archiv für Kunst und Geschichte, Berlim.

11. Friedrich Ritschl. Gravura publicada na *Leipziger Illustrierte Zeitung* 1865. Arquivo de imagens da biblioteca universitária de Basileia.

12. Wilhelm Vischer-Bilfinger. Por volta de 1870. Arquivo de imagens da biblioteca universitária de Basileia.

13. Jacob Burckhardt 1894. Foto: Lendorff, com autorização de Max Burckhardt.

14. Franz Overbeck.

15. Franz e Ida Overbeck-Rothpletz 1876. Arquivo de imagens da biblioteca universitária de Basileia.

16. Richard Wagner.

17. Cosima Wagner. Busto de G. Kietz. Foto: Arquivo de imagens históricas Lolo Handke, Bad Berneck.

18. Malwida von Meysenbug. Foto: Archiv für Kunst und Geschichte, Berlim.

19. Marie Baumgartner 1894. Pintura a óleo de Jessar, Veneza. Foto: N. Guth, Basileia. Propriedade particular, Basileia.

20. Meta von Salis 189(?); desenho a carvão de Arnold. Capri, março de 1894. Rätisches Museum, Chur.

21. Heinrich Köselitz. Foto: Archiv für Kunst und Geschichte, Berlim.

22. Paul Rée e Friedrich Nietzsche, maio de 1882. Foto: Jules Bonnet, Lucerna.

23. Lou von Salomé. Fotografia de ateliê.

24. Arthur Schopenhauer.

25. O pai de Friedrich Nietzsche: Karl Ludwig Nietzsche, pastor de Röcken. Foto: Archiv für Kunst und Geschichte, Berlim.

26. A mãe de Friedrich Nietzsche: Franziska, nascida Oehler.

27. A irmã de Friedrich Nietzsche: Elisabeth Förster-Nietzsche. Foto: Bilderdienst Süddeutscher Verlag.

28. Röcken. Foto: Archiv für Kunst und Geschichte, Berlim.

29 e 30. Pforta, em meados do século XIX. Foto: Archiv für Kunst und Geschichte, Berlim.

31. Basileia: a antiga universidade no Rheinsprung. Acima à esquerda: "Weisses Haus" e "Blaues Haus". À direita: Martinskirche. Foto: Arquivo estatal da cidade de Basileia.

32. Basileia: Münsterplatz. Fileira de casas à direita, última casa: "Mentelinshof" (antigamente "Pädagogium"). Foto: Klingenthal-(Münster-)Museum, Basileia.

33. Sorrento, costa. Foto: Archiv für Kunst und Geschichte, Berlim.

34. Sils-Maria 1889. Rätisches Museum, Chur.

35. A casa Durisch (hoje "casa Nietzsche") em Sils-Maria. Foto: Max Wagner-de--Barros, St. Moritz.

36. Gênova, vista da casa e do porto no século XIX. Foto: Archiv für Kunst und Geschichte, Berlim.

37. Praia de Nice por volta de 1880. Foto: Archiv für Kunst und Geschichte, Berlim.

38. Naumburg; a casa em Weingarten (residência da mãe até 1897). Foto: Arquivo Janz.

39. O túmulo de Nietzsche. Cemitério de Röcken. Foto: Bildarchiv Preussischer Kulturbesitz.

40. Friedrich Nietzsche aos 20 anos de idade. Foto: Archiv für Kunst und Geschichte, Berlim.

41. Friedrich Nietzsche aos 20 anos de idade. Foto: Archiv für Kunst und Geschichte, Berlim.

42. Nietzsche, já doente, com a mãe. Foto: Ullstein Bilderdienst, Berlim.

43. Friedrich Nietzsche na meia-idade. Foto: Archiv für Kunst und Geschichte, Berlim.

44. O monumento do leão em Lucerna. Foto: Biblioteca do Cantão de Lucerna.

45. Desenho de Friedrich Nietzsche feito na instituição Friedmatt em Basileia, entre 10 e 17 de janeiro de 1889. A autenticidade foi comprovada pelo médico assistente Dr. Luxemburg. Uma lembrança vaga de Nietzsche referente ao monumento do leão em Lucerna, onde teve seu encontro decisivo com Lou Salomé em maio de 1882! O desenho deve ser comparado com a ilustração 44 de modo que o escudo com a cruz ocupe a margem inferior.

46. Carta de Friedrich Nietzsche a Richard Wagner por ocasião de seu aniversário em 22 de maio de 1870.

47. Cadernos de anotações de Friedrich Nietzsche 1882. Foto: Ullstein Bilderdienst, Berlim.

48. Bilhete de Friedrich Nietzsche. Foto: Ullstein Bilderdienst, Berlim.

49. Friedrich Nietzsche. Busto de Max Kruse 1898. Em mármore. Agora na casa Nietzsche em Sils-Maria.

III
REGISTRO

1
Friedrich Nietzsche: obras, anotações, palestras, composições

a) Em ordem cronológica

1854

• Primeiras tentativas de composição.

• Primeiras tentativas poéticas.

• "König Eichhorn" em 6 atos (cenário).

• "Das Königsamt" (esboço para teatro).

1855

• "Über Festungswesen" (continuação).

• "Der Geprüfte", comédia à moda antiga.

1856

• Sonatina op. II.

• Tragédia "Orkadal" (com abertura para piano a quatro mãos).

• 6 de novembro: duas "sonatas" (Ré maior, Sol maior) para piano.

• 26 de dezembro: início do diário "Retrospectiva biográfica" (sem título).

1857

• "Sinfonia de aniversário" para piano e violinos (?).

• Abertura em Sol menor para orquestra de cordas (talvez 1858).

• Motete "Es zieht ein stiller Engel" (talvez 1858).

• Poemas.

1858

• Três composições para piano.

• Uma composição para piano a quatro mãos.

• Movimento para quarteto de cordas.

• Esboços para corais.

• 18 de agosto a 1º de setembro: "Aus meinem Leben" (nele: "Über Musik").

• Dezembro: Poema "Zum Neujahr".

• Dezembro: Motetes:

"Hoch tut euch auf" (duas versões);

"Jesus meine Zuversicht";

"Aus der Tiefe rufe ich Herr zu dir".

1859

• 6 de fevereiro: "Mein Leben".

• Fevereiro: Poemas ("Maienlied", "Zum Geburtstag" etc.).

• Abril: "Prometheus" (esboço para drama).

• Maio/junho: poemas.

• Julho: esboços "Dornröschen" (lenda), "Capri und Helgoland" (novela).

• 6-27 de agosto: "Pforta" (diário); "Aus den Hundstagsferien".

• Outubro: "Philotas" (esboço para drama).

• Fragmentos de fugas.

• "Missa" (tb. réquiem); esboços para coro e orquestra.

• 24 de dezembro: "Phantasie" para piano a quatro mãos.

1860

• 4 de julho: "Miserere" para coro. Cinco vozes a capella.

• Julho/agosto: "Meine Ferienreise".

• A partir de agosto: alguns movimentos e esboços para um "Oratório natalino", para solo, coro misto e orquestra (até primavera de 1861).

• Outubro: esboços de textos para o oratório natalino.

1861

• Abril: Poemas.

• Maio: "Mein Lebenslauf" I, II, III.

• 5 de julho: "Ermanarich", um esboço histórico.

• Redações sobre Hölderlin, Byron, "Wallenstein" de Schiller.

• Carta a G. Krug e W. Pinder sobre ópera e oratório.

• Outras partes para o oratório natalino.

• Agosto: "Schmerz ist der Grundton der Natur", para piano a 4 mãos.

• Setembro: "Ermanarich", poema sinfônico; 1ª versão para piano a 4 mãos.

• Outono: primeiro cântico "Mein Platz vor der Tür" (Klaus Groth).

1862

• Redações sobre Napoleão III, César (em latim), paganismo e cristianismo, Lívio (em latim), Kriemhild, Horácio.

• Abril: "Fatum e história", "Livre-arbítrio e fatum".

• Julho: "Euphorion", fragmento.

• Até julho: diversos "esboços húngaros" para piano.

• Agosto: poemas.

- Agosto-dezembro: Cânticos "Aus der Jugendzeit" (Rückert), "Da geht ein Bach" (Groth), "O Glockenklang" (perdido).
- Setembro: "Ermanarich", poema sinfônico; versão final para piano a 2 mãos.
- Setembro: "Chronik" da "Germânia".
- Outubro: Programa (conteúdo) da sinfonia "Ermanarich".
- 5 de novembro: "Unserer Altvordern eingedenk", duas danças polonesas para piano.
- Novembro: "Ermanarich" (esboço dramático).

1863

- Janeiro: "Das zerbrochene Ringlein" (Eichendorff), melodrama com piano, tb. como "folha de álbum" para piano.
- 2 de abril: "Grosse Sonate" para piano (fragmento).
- Maio/junho: "Über das Dämonische in der Musik" (palestra).
- Verão: Cântico "Wie sich Rebenranken schwingen" (Hoffmann von Fallersleben).
- 18 de setembro: "Mein Leben".
- Outubro: "Ermanarich", trabalho histórico.
- Crítica às poesias de W. Pinder.
- Final de dezembro: "Eine Sylvesternacht" para violino e piano.

1864

- Janeiro: Poema "Beethovens Tod".
- Abril/maio: Texto grande sobre a tragédia "Édipo" (em grego e latim).
- Poemas.
- A partir de junho (até agosto de 1865): Sobre Teógnis.
- Setembro: "Mein Leben".
- Novembro: "Die Frankonen im Himmel" (comédia, esboço).
- Novembro-dezembro: Doze cânticos (com textos de Puschkin, Petöfi, Chamisso e talvez um próprio).

1865

- Março: "Die kirchlichen Zustände der Deutschen in Nordamerika" (palestra).
- Março-abril: "Zum Leben Jesu".
- 11 de julho: Cântico "Junge Fischerin" (última composição de um cântico).
- Julho/agosto: Trabalhos sobre Teógnis.
- Agosto: "Ermanarich", esboço para ópera (cenário).
- Dezembro: Dois fragmentos para coro baseados em Byron.

1866

- Janeiro: "Kyrie" para solo, coral, orquestra; fragmento em adaptação para piano.
- 18 de janeiro: "Die letzte Redaktion der Theognidea" (palestra).

• Julho: "Zur Geschichte der theognideischen Spruchsammlung" (tb. em 1867).

• Outubro: Início dos trabalhos sobre Diógenes Laércio.

1867

• Janeiro: "Die Pinakes der aristotelischen Schriften" (palestra).

• Primavera: Retrospectiva da associação filológica.

• 22 de abril: "Herbstlich sonnige Tage" (Geibel); quarteto vocal com piano.

• Julho: "Der Sängerkrieg auf Euböa" (palestra).

• Julho-setembro: estudos sobre Demócrito.

• 10 de agosto: "Rückblick auf meine zwei Leipziger Jahre".

• Estudos sobre Diógenes Laércio.

1868

• Abril: "Zur Teleologie oder Zum Begriff des Organischen seit Kant" (plano para a dissertação).

• Anotações filosóficas sobre Demócrito, Kant, Schopenhauer.

• *Philologica*: Principalmente sobre Demócrito, Hesíodo, Homero, Diógenes Laércio, primeiras publicações no "Rheinisches Museum" e "Litterarisches Centralblatt" (Zarncke).

• 6 de novembro: "Varro und Menippus" (palestra).

1869

• Resenhas sobre publicações filológicas para o "Litterarisches Centralblatt".

• 18 de março: "De Laertii Diogenii fontibus" no "Rheinisches Museum".

• Abril: "Homer und die klassische Philologie" (palestra de inauguração para Basileia).

• Retrospectiva biográfica (sem título).

1870

• 18 de janeiro: "Das griechische Musikdrama" (palestra).

• 1º de fevereiro: "Sokrates und die Tragödie" (palestra).

• 10 de março: "Analecta Laertiana" no "Rheinisches Museum".

• Publicações: 3 de maio "Beiträge zur Quellenkunde und Kritik des Laertius Diogenes, Gratulationsschrift des Paedagogiums zu Basel zur Feier der 50jährigen Lehrtätigkeit, des Prof. Dr. Fr. D. Gerlach".

• Agosto: "Die Geburt (Entstehung) des tragischen Gedankens"; tb. "Die dionysische Weltanschauung" como fases preliminares do "Nascimento da tragédia no espírito da música" (1872).

• 13 de agosto: "Ade ich muss nun gehen" (marcha para coral).

- 28 de setembro: "Der Florentinische Tractat über Homer und Hesiod, ihr Geschlecht und ihren Wettkampf" no "Rheinisches Museum".
- Novembro: "Empedokles" (fragmento de um drama).

1871
- Janeiro/fevereiro: Primeira forma do "Nascimento da tragédia" com os títulos: "Tragédia e espíritos livres" e "Música e tragédia".
- "Certamen Homeri et Hesiodi" no "Rheinisches Museum".
- Outubro: Versão definitiva de "O nascimento da tragédia no espírito da música".
- 2-7 de novembro: "Nachklang einer Sylvesternacht" para piano a quatro mãos.
- 16 de novembro: "Kirchengeschichtliches Responsorium" para coro e piano (paródia).

1872
- 2 de janeiro: Publicação de "O nascimento da tragédia".
- "Über die Zukunft unserer Bildungsanstalten", cinco palestras (16 de janeiro, 6 e 27 de fevereiro, 5 e 23 de março).
- 15 de abril: "Manfred-Meditation" para piano a quatro mãos.
- "Oedipus; Reden des letzten Philosophen mit sich selbst" (fragmento).
- Dezembro: "Fünf Vorreden zu fünf ungeschriebenen Büchern" (incluindo "Über das Pathos der Wahrheit").

1873
- Janeiro/fevereiro: "Monodie à deux" para piano a quatro mãos.
- Final de janeiro: "Bayreuther Horizontbetrachtungen".
- Final de janeiro: "Der letzte Philosoph".
- 24 de fevereiro: Publicação da última parte de "Der Florentinische Tractat über Homer und Hesiod" no "Rheinisches Museum".
- Final de fevereiro: "Der Philosoph als Arzt der Kultur" (plano para uma Consideração extemporânea?).
- Março: "Die Philosophie im tragischen Zeitalter der Griechen" (fragmento).
- Final de março: Teoria tempo-átomo.
- 24 de abril: Primeiros esboços de "Hymnus auf die Freundschaft".
- Junho: "Verdade e mentira no sentido extramoral".
- Agosto: Publicação da 1ª Consideração extemporânea: "David Strauss. Der Bekenner und Schriftsteller".
- Setembro: "Die Philosophie in Bedrängnis" (fragmentos para uma Consideração extemporânea).

• 25 de outubro: "Mahnruf an die Deutschen" (em defesa de Bayreuth).

• 26 de dezembro: Última versão da 2ª Consideração extemporânea: "Vom Nutzen und Nachteil der Historie für das Leben".

1874

• Janeiro/fevereiro: Planos para Consideração extemporânea: "Der Einjährig--Freiwillige", "Richard Wagner in Bayreuth", "Cicero und der romanische Begriff der Cultur".

• Fevereiro: Impressão da 2ª edição de "Nascimento da tragédia" (distribuída apenas em 1878).

• 25 de fevereiro: Publicação de "Vom Nutzen und Nachteil der Historie für das Leben".

• 5 de abril (Páscoa): "Hymnus auf die Freundschaft" para piano a quatro mãos.

• Início de outubro: "Wir Philologen" (plano para uma 4ª Consideração extemporânea).

• 15 de outubro: Publicação da 3ª Consideração extemporânea, "Schopenhauer als Erzieher".

• Outono: "Richard Wagners Freunde und Feinde (não publicado).

• 29 de dezembro: "Hymnus auf die Freundschaft" para piano a duas mãos.

1875

• "Über Religion" (contra a parte judaica do cristianismo; fragmento).

• "Hymnus auf die Einsamkeit" (perdido, talvez jamais anotado, improvisação).

• Março: "Schopenhauer als Erzieher" em francês (Marie Baumgartner).

• Setembro: "Richard Wagner in Bayreuth" (ainda retido).

• Final de setembro: "Wissenschaft und Weisheit im Kampfe" (como 5ª Consideração extemporânea?).

• Estudos sobre Demócrito.

1876

• Junho/julho: "Die Pflugschar" (planejado como 5ª Consideração extemporânea, mas então se confunde com "Humano, demasiado humano".

• 10 de julho: Publicação de "Richard Wagner in Bayreuth" como 4ª Consideração extemporânea.

• Outubro: "Der Freigeist" (planejado como 5ª Consideração extemporânea, tb. é integrado a "Humano, demasiado humano").

• Dezembro: "Richard Wagner in Bayreuth" em francês (Marie Baumgartner).

1877

• Janeiro/fevereiro: Outras contribuições para "Der Freigeist".

• Agosto: "Hymnus an die Einsamkeit" (cantado para si mesmo).

• 2 de setembro: Início dos trabalhos para "Humano, demasiado humano".

1878

• 1° de maio: Publicação de "Humano, demasiado humano" (Menschlich – Allzumenschliches. Ein Buch für freie Geister. Dem Andenken Voltaires geweiht zur Gedächtnisfeier seines Todestages, des 30. Mai 1778 (1. Teil)).

• Novembro: "Vermischte Meinungen und Sprüche" (transformam-se em "Menschliches – Allzumenschliches" II).

1879

• Março: Publicação de "Vermischte Meinungen und Sprüche".

• Julho/agosto: "Der Wanderer und sein Schatten", publicado no final de novembro, e "Vermischte Meinungen" são reunidos para formar a 2ª parte de "Menschliches – Allzumenschliches".

1880

• Junho: "L'ombra di Venezia" (transforma-se em "Morgenröte" (Aurora)).

• "Die Pflugschar" (ainda o título de "Aurora").

1881

• 8 de julho: Publicação de "Morgenröte. Gedanken über die moralischen Vorurteile".

• Agosto: Primeiras anotações para "Zarathustra" e "Ewige Wiederkunft" (Retorno eterno).

• Dezembro: Continuação à "Morgenröte" (mais tarde publicada como "Fröhliche Wissenschaft" (Gaia ciência)).

1882

• Janeiro/fevereiro: "Sanctus Januarius" ("Fröhliche Wissenschaft").

• Março: "Idyllen aus Messina" (poemas).

• 20 de agosto: Publicação de "Fröhliche Wissenschaft" (sem o 5° livro!).

• 28 de agosto: "Gebet an das Leben" (Lou Salomé, cântico. Remete ao "Hymnus auf die Freundschaft").

1883

• Janeiro: 1ª parte de "Also sprach Zarathustra".

• Março: "Dionysus-Lieder".

• 6 de julho: Encerramento dos trabalhos para a 2ª parte de "Also sprach Zarathustra".

- Setembro: Esboço da 3ª parte do "Zarathustra".
- Setembro: Novo título de projeto: "Die Unschuld des Werdens".

1884

- 18 de janeiro: Encerramento dos trabalhos para a 3ª parte de "Also sprach Zarathustra", publicada em 10 de abril.
- Verão: Planos para uma "Erklärung an meine Freunde", pensamentos sobre "O bem e o mal".
- 22 de novembro: Poesia "An den Mistral!"
- Final de novembro: Poesia "Einsiedlers Sehnsucht" (para Heinrich von Stein).

1885

- 15 de fevereiro: Encerramento dos trabalhos para a 4ª parte de "Also sprach Zarathustra"; impressão particular.
- Verão: Revisão de "Menschliches – Allzumenschliches" para uma 2ª edição.
- 7 de agosto: Esboço da ópera "Marianna" para H. Köselitz.

1886

- "Jenseits von Gut und Böse" (Além do bem e do mal) é publicado em 21 de julho.
- Novos prefácios para as reedições de "O nascimento da tragédia", "Humano, demasiado humano" I e II, "Aurora", "Gaia ciência". Além disso, um 5º livro para a "Gaia ciência" e os "Lieder des Prinzen Vogelfrei" (ampliação de "Idyllen aus Messina").

1887

- 10-30 de julho: "Zur Genealogie der Moral. Eine Streitschrift" (Sobre a genealogia da moral), publicado em 10 de novembro.
- Köselitz elabora a partitura para "Gebet an das Leben" para coro e orquestra. A partitura é publicada por volta de 20 de outubro na editora de Fritzsch em Leipzig como única composição de Nietzsche, publicada por ele mesmo.

1888

- 7 de setembro: Manuscrito de "Götzendämmerung" (Crepúsculo dos ídolos) é enviado para a gráfica.
- 16 de setembro: Publicação de "O Caso Wagner".
- 30 de setembro: Encerramento do manuscrito "Der Antichrist" [O anticristo].
- 6 de novembro: Manuscrito de "Ecce homo" é enviado para a gráfica.
- 15 de dezembro: Manuscrito de "Nietzsche contra Wagner" é enviado para a gráfica.
- Esboços: "Revalorização de todos os valores", com títulos alternantes como "A vontade de poder", "Inocência do devir", "Meio-dia e eternidade".
- Último esboço: "Promemoria" (manifesto político contra Bismarck e a Dinastia de Hohenzollern).

b) Em ordem alfabética

Adaptações musicais, cânticos
(1861-1865) I 97, 102, 109s., 116, 118, 124s., 134, 157, 247, 326, 427
(1882) II 125, 343

Ade, ich muss nun gehen (cântico para coro 1870)
I 301, 335

Also sprach Zarathustra [Assim falou Zaratustra] (1883-1885)
I 29, 119, 130, 160, 175, 245, 257, 260, 280, 311s., 350, 352, 359, 382, 410,
446, 464s., 512, 515, 517, 521, 525, 538, 542s., 561, 610, 613, 618, 636, 660
II 13, 67s., 88, 90, 135, 138, 141, 144, 146, 151, 154, 156-160, 228, 230s.,
234, 240, 243s., 250, 254, 257-259, 261, 265, 268s., 274, 276, 278, 280,
282, 287-290, 292-299, 302, 307s., 311s., 326, 333, 341, 343-345, 366,
369s., 373, 375s., 383s., 390, 410, 416, 428, 430, 443, 460, 463s., 468s.,
482, 486, 489
III 10, 14, 18-20, 23, 27, 50, 73, 76, 93, 98-102, 108-110, 112-114, 118s., 126,
128, 158, 163, 166, 203, 219, 223, 242, 245, 249, 251, 269s.

An den Mistral (1885)
II 283

Bayreuther Horizontbetrachtungen [Contemplações do horizonte de Bayreuth]
I 406, 440, 635

Cânticos de Dioniso (1883)
II 156, 495, 500
III 20, 52

Certamen Hesiodi et Homeri (1871) e sobre a batalha dos cantores em Eubeia (1867)
I 161, 197, 278, 283, 372, 377

Cícero e o conceito romano de cultura (1874)
I 450

Composições: primeiras tentativas (1854-1859)
I 54, 261, 472
II 85, 313
III 91s.

Das griechische Musikdrama [O drama musical grego] (1870)
I 277, 323, 328, 344

David Strauss (1ª Consideração extemporânea)
I 409, 425, 428, 430s., 438, 442-444, 454, 463, 518s., 547
II 87, 188, 246, 268, 427, 463, 496

Der Antichrist [O anticristo] (1888)
I 347, 477, 510, 643
II 42, 348, 387, 416s., 426, 431, 437, 449s., 472-476, 486, 490, 492s., 495s.
III 10, 13, 17, 20, 26s., 49, 54, 62, 92, 99, 129, 141

Der Florentinische Tractat über Homer und Hesiod [O tratado florentino sobre
Homero e Hesíodo] (1870, 1871, 1873)
I 308, 376, 387, 406

Der Freigeist [O espírito livre] (1876/1877)
I 582

Der Königsruf (1854)

Der Philosoph als Arzt der Kultur [O filósofo como médico da cultura]
I 442, 500, 559

Der Wanderer und sein Schatten [O vagante e sua sombra] (1879)
I 650
II 14, 16, 21, 25, 27, 30s., 33s., 36, 52, 159, 188, 294

Die Frankonen im Himmel [Os franconos no céu] (1864)
I 118

Die Fröhliche Wissenschaft [Gaia ciência] (1882, ²1886)
I 393, 512
II 13, 43, 63, 66s., 69, 87-91, 110, 114, 121, 127, 129, 132, 138, 188, 191, 231,
235, 251s., 261, 268s., 287, 294, 297, 344, 348, 371, 374, 391, 412, 417
III 11, 19, 234, 236, 250

Die Geburt der Tragödie aus dem Geist der Musik [O nascimento da tragédia no
espírito da música] (1872; ²1874; ³1886)
I 107, 161, 201, 252, 257, 268, 316, 328-330, 343, 346-348, 350, 353-355,
359, 362, 367, 370s., 376, 378s., 387, 393, 406, 419, 422, 429, 435s., 439,
454, 480, 496, 503, 518, 520, 536, 547, 586, 600, 610, 632, 634, 636
II 35s., 184, 188s., 211, 215, 259, 268, 308, 370s., 391, 422, 449, 495
III 60, 73, 192, 200, 202, 212, 217, 222

Die Geburt des tragischen Gedankens (tb.: Die dionysische Weltanschauung) [O nascimento do pensamento trágico (tb.: A concepção dionisíaca do mundo)] (1870)

    I 300, 314, 329

Die Götzendämmerung [O crepúsculo dos ídolos] (1888)

    I 28, 69, 370, 391, 396

    II 176, 242, 345, 368, 426, 447, 468, 471s., 474, 480s., 485, 495s., 500

    III 10, 49s., 53, 62, 99, 110, 231-233, 236, 238s., 247, 250, 286

Die kirchlichen Zustände der Deutschen in Nordamerika [As condições eclesiásticas dos alemães na América do Norte] (palestra 1865)

    I 123

Die Pflugschar (1876)

    I 561, 570

    II 55

Die Philosophie im tragischen Zeitalter der Griechen [A filosofia na era trágica dos gregos] (1873)

    I 421s.

    II 188

Die Philosophie in Bedrängnis [A filosofia em apuros] (1873)

    I 433, 444

Die Tragödie und die Freigeister [A tragédia e os espíritos livres] (1870)

    I 311, 329

Die Unschuld des Werdens [A inocência do devir] (1883)

    I 92, 347

    II 166, 295

Ecce homo (1888)

    I 82, 101, 277, 347, 358, 364, 376, 380, 386, 425, 438, 470, 520, 556, 558, 564s., 568, 570s., 591, 639, 641

    II 16, 67, 88, 176, 185s., 193, 231, 333, 346, 426, 428, 448s., 495-500

    III 10, 18-21, 23, 25, 49, 54, 62, 98s., 101, 108, 119, 129, 201, 233-236, 241, 249

Eine Sylvesternacht [Uma noite de São Silvestre] (poema musical) (1863/1864)

    I 104

    III 98

Einsiedlers Sehnsucht (poema 1884)

    II 284-286, 294

Empédocles (1870)
I 311-313
II 179

Ermanarich [Hermenerico],
- diversos trabalhos literários (1861-1865)
I 81, 83-86, 92
- poema sinfônico
I 81, 110, 114, 382, 474
II 68, 172-174, 194
III 17

Fatum e história (1862)
I 27, 88-91, 99
II 381

Fragmento de Euphorion [Eufórion] (1862)
I 97-99, 114
II 453

Fünf Vorreden zu fünf ungeschriebenen Büchern [Cinco prefácios para cinco livros não escritos]
I 393, 395s., 409, 442
II 332

Herbstlich sonnige Tage (Geibel, 1867)
I 168, 183, 335

Homer und die klassische Philologie [Homero e a filologia clássica] (1869)
I 219-221, 223, 252, 266s., 277, 409, 454, 487, 517, 575, 635
III 104, 251

Hymnus an das Leben [Hino à vida] (Salomé-Gast) (1887)
I 461, 473, 560
II 99, 217, 343, 379, 391, 430, 451, 483
III 27, 155, 205, 217

Hymnus auf die Einsamkeit [Hino sobre a solidão] (1874)
I 478, 620

Hymnus auf die Freundschaft [Hino à amizade] (1873/1874)
I 269, 409, 427, 433, 453, 463, 473, 491, 498, 538, 620
II 99, 125, 172, 174, 343, 409, 483

Idyllen aus Messina (1882)
II 89, 374
III 19

Jenseits von Gut und Böse [Além do bem e do mal]
I 28, 33, 350
II 11, 188, 196, 235, 246, 269, 287, 290s., 294, 306, 323, 326, 328, 333, 336
338, 341, 344s., 347s., 362-365, 368, 371, 374, 381, 387, 411s., 417, 421,
425s., 428s., 437, 440, 443, 450, 465
III 108-110, 119, 193-198, 236, 252

Kirchengeschichtliches Responsorium (1871)
I 335s.

König Eichhorn (1854)
I 51

Kyrie (1866)
I 156, 326, 335, 419

L'ombra di Veneza (cf. Aurora) (1880)
II 46

Mahnruf an die Deutschen (Apelo aos alemães) (1873)
I 433, 451
II 35, 75

Manfred-Meditation [Meditação sobre Manfredo] (1872)
I 380-383, 387, 393s., 396, 459, 475, 620
II 172, 174, 272, 289, 446

"Marianna" (1885)
II 309s.

Menschliches-Allzumenschliches [Humano, demasiado humano] (1878/1879; [2]1886)
I 327, 348, 409, 464, 507, 510, 513, 525, 561, 590s., 614, 618-620, 623, 628,
630, 634s., 642s., 647, 652, 659

II 16, 28, 30, 34, 55, 112, 188, 198, 200, 228, 241, 246, 257, 290, 294s., 303, 316, 324, 336, 343, 351, 370s., 391, 411s., 473

III 16, 117, 119, 252

Miserere (1860)

I 80, 474

III 165

Missa (Réquiem) (1859)

I 80, 261, 474

II 460

Mittag und Ewigkeit [Meio-dia e eternidade] (1885)

II 160, 288, 294, 326

Monodie à deux (1873)

I 407, 536

Morgenröte [Aurora] (1880/1881; ²1886)

I 27, 68, 512, 560

II 16, 40, 42, 46, 48, 50-52, 55s., 63s., 66s., 69, 76, 88, 182, 188, 235, 294, 305, 336, 344, 370s., 374, 391, 405, 411s.

III 200

Motetes

I 261, 474

- "Es zieht ein stiller Engel" (1857/1858)

I 55

- "Hoch tut euch auf" (1858)

I 66

- "Jesus meine Zuversicht" (1858)

I 80, 261

Musik und Tragödie [Música e tragédia] (= Nascimento da tragédia) (1871)

I 328

Nachklang einer Sylvesternacht [Ecos de uma noite de São Silvestre] (1871)

I 269, 334, 341, 380, 395, 475

II 173, 188, 483

Nietzsche contra Wagner (1888)

I 373

II 144, 417, 431, 434, 498-500

III 10, 20, 22, 31, 49, 51, 53s., 62, 101, 230, 233s., 239, 242, 244-248, 250s.

O Caso Wagner, um problema para músicos (1888)

I 134, 345, 364, 396, 426, 446, 451, 553, 618

II 74s., 144, 176, 188, 257, 259, 330, 346, 388, 417, 426, 431, 433, 445, 447s.,
451, 457s., 461s., 464, 470-472, 478-482, 484s., 489, 493, 497s.

III 10, 49s., 54, 108-110, 201s., 205, 207s., 212s., 219, 222, 228-230, 233s.,
240-242, 247, 250, 252

Oedipus, Reden des letzten Philosophen [Édipo, discursos do último filósofo] (1872)

I 402

Oratório natalino (1860/1861)

I 80-82, 114, 156, 262, 407, 427, 474

II 115, 172, 460

Orkadal, tragédia (1856)

I 55

Palestras

- A batalha dos cantores em Eubeia (1867)

I 161

- A situação eclesiástica dos alemães na América do Norte (1865)

I 123

- As tábuas (pinakes) dos escritos aristotélicos (1867)

I 161

- A última redação da Teognidea (1866)

I 154

- Homero e a filologia clássica (1869)

I 266s.

- O drama musical grego (1870)

I 277, 323, 328, 344

- Sobre as fontes histórico-literárias de Suidas (1866)

I 157

- Sobre o futuro dos nossos estabelecimentos de ensino (1872)

I 355, 357

- Sócrates e a tragédia (1870)
  I 278, 281, 323
  III 251
- Varro e Menipo (1868)
  I 204

Peças para piano (1862, 1863)
  I 102, 109s.

Philologica (1868-1871)
  I 158, 160s.
  III 127-129

Promemoria (1888)
  II 501
  III 10, 20

Prometheus [Prometeu] (1859)
  I 79

Registros autobiográficos (1856-1869)
  I 45s., 53s., 63, 78, 81, 85s., 100, 111, 124, 158, 168, 216, 218, 273s.

Richard Wagner in Bayreuth [Richard Wagner em Bayreuth] (4ª Consideração extemporânea) (1875/1876)
  I 450, 476, 483, 488, 492, 500, 512, 525, 549, 552, 555s., 560, 569, 582, 591, 615, 637
  II 35, 188, 253, 259, 378, 408, 489
  III 251

Schmerz ist der Grundton der Natur [A dor é o tom básico da natureza] (1861)
  I 81, 474
  II 18, 172

Schopenhauer als Erzieher [Schopenhauer como educador] (3ª Consideração extemporânea) (1874)
  I 153, 202, 454, 456, 465, 470, 475, 511, 524, 555s.
  II 188, 243, 256, 365, 495
  III 18, 72

Sokrates und die Tragödie [Sócrates e a tragédia] (palestra 1870)
  I 278, 281, 323, 328, 330
  III 251

Teoria tempo-átomo (1873)
I 440s.

Trabalhos (1865/1866) e palestra (1866) sobre Teógnis
I 107s., 156s., 160s.

Trabalhos sobre Diógenes Laércio (1866-1870)
I 158-161, 163, 197, 216, 234, 268, 278, 309, 311s.
III 127

Über das Dämonische in der Musik [Sobre o demoníaco na música (1863; tb.:
Sobre a natureza da música, 1863)
I 103

Über das Pathos der Wahrheit [Sobre o *páthos* da verdade] (1872)
I 393, 395, 398-400, 402, 404

Über die Zukunft unserer Bildungsanstalten [Sobre o futuro dos nossos
estabelecimentos de ensino], 5 palestras (1872)
I 78, 142s., 231, 252, 336, 355, 362s., 398, 448, 622
III 251

Über Festungswesen [Sobre fortificações] (1854/1855)
I 52

Über Musik [Sobre a música] (1858)
I 54

Über Wahrheit und Lüge im aussermoralischen Sinne [Sobre a verdade e a mentira
no sentido extramoral (1873)
I 252, 393, 400, 428, 441
II 326, 332, 347

Umwertung aller Werte [Revalorização de todos os valores] (1886, 1888)
I 92, 468
II 166, 188, 199, 253, 294, 328, 346, 349, 362, 371, 437, 471s., 474, 481, 490,
495, 503
III 18, 47, 52, 62s., 233-236, 241, 246, 249

Unserer Altvordern eingedenk [Em memória de nossos antepassados], duas danças
polonesas (1862)
I 28s., 102

Unzeitgemässe Betrachtungen [Considerações extemporâneas], sem distinção
   (1873-1876)
   I 252, 409, 422, 442, 460s., 488, 510, 517, 525, 529, 556, 561, 572, 590s., 631s.
   II 55, 214, 308, 327, 336, 346, 426, 447, 450, 490, 495
   III 50, 73, 119

Vom Nutzen und Nachteil der Historie für das Leben [Da utilidade e desvantagem
   da história para a vida] (2ª Consideração extemporânea) (1873/1874)
   I 409, 437s., 442, 445, 451, 453, 485, 512, 525, 538, 547
   II 188, 454

Willensfreiheit und Fatum [Livre-arbítrio e *fatum*] (1862)
   I 27, 88-91
   II 381

Wille zur Macht [Vontade de poder] (1886)
   I 180
   II 211, 295, 302, 326s., 354, 371, 383, 426, 433, 436s., 448
   III 13, 197

Wir Philologen [Nós filólogos] (1874/1875)
   I 466, 482, 492s.

Wissenschaft und Weisheit im Kampfe [Ciência e sabedoria em luta (1875)
   I 492

Zaratustra, cf. Assim falou Zaratustra

Zur Genealogie der Moral [Sobre a genealogia da moral] (1887)
   I 505
   II 188, 346, 399s., 410s., 416, 418, 425s., 429, 443, 447, 474
   III 18, 29, 50, 59, 108s., 119

Zur Geschichte der theognidischen Spruchsammlung [Sobre a história da coleção
   de provérbios de Teógnis] (1866/1867)
   I 157

2
Fontes

Para referências literárias gerais, cf. a bibliografia[205]; aqui, encontram-se apenas textos usados para a elaboração da biografia. Citações de textos consultados são indicadas com o número do volume (algarismos romanos) e o número da página (algarismos árabes); citações extensas são indicadas também com a localização no respectivo texto (entre parênteses). As citações de cartas não apresentam essa informação, pois o texto indica sempre remetente, destinatário e data, de forma que podem ser facilmente encontradas nas respectivas edições. Citações e referências a escritos publicados por Nietzsche também informam sempre título, capítulo e número do aforismo, de forma que aqui também cada edição pode ser consultada. No registro da 1ª edição, grande parte das citações do legado sob o dígito 1 teve que ser adaptada à GOA (Gross-Oktav-Ausgabe, 1905-1911) e, sob o dígito 5, à edição do "Ecce homo" de Podach. Para a 2ª edição, os textos foram conferidos segundo a "Kritische Studien-Ausgabe" [Edição crítica de estudos] (dtv) e agora remetem a esta. Também o dígito 5 no texto (Podach) pode ser encontrado agora sob o dígito 1.

Hoje, as cartas de e a Nietzsche podem ser encontradas com maior facilidade na "Kritische Gesamt-Ausgabe" [Edição crítica geral] (KGA, dígito 6) e na "Kritische Studien-Ausgabe" (KSA) do que nas edições especiais usadas aqui. Isso diz respeito aos dígitos 7, 8, 9, 11, 12, 13, 14, 15, 125.

As fontes bibliográficas não puderam ser encontradas sempre para as citações e referências bibliográficas usadas por Blunck.

---

¹ Kritische Studien-Ausgabe (Colli/Montinari). DTV, 1980.

I 29s. (9/681), 35 (12/359), 44 (6/267), 69 (9/499), 87s. (10/427), 101 (6/280), 201 (8/247), 241 (14/610), 258 (9/536), 281s. (7/62), 312 (7/236, 125s.), 329 (7/97), 347s. (6/278), 358 (7/242; 6/285), 364 (6/288), 365 (6/289), 376 (6/295), 380 (6/286), 384 (14/481s.), 386s. (6/289), 401 (7/417, 439, 426), 402 (7/443, 457, 445), 402s. (7/460, 480, 482), 425 (6/274), 441s. (1/878), 444 (7/710, 709, 712, 714, 739), 450 (7/775), 451 (7/754, 758), 466s. (8/247), 469 (6/320), 477 (8/87), 482 (8/11), 492 (8/97), 520 (6/318), 551 (8/187), 553 (7/757-758), 554

(7/759, 760, 762, 765-767), 555 (6/319), 558s. (6/324), 564 (14/490, 6/324-326), 565 (14/489), 565s. (14/492), 571 (6/324), 641s. (6/327)

II 38 (9/351), 66-68 (6/335s.), 79s. (9/283s.), 88 (6/333), 176 (6/335), 187 (11/50), 190s. (9/536), 290s. (11/166, 195, 201), 293 (11/257, 81; 13/495), 294 (11/218, 220, 234, 274, 289), 294s. (4/295), 297s. (4/404), 326 (12/104), 327s. (12/71), 328 (12/14), 329 (12/44), 329s. (11/496; 12/55), 330s. (12/80; 11/671), 400s. (12/512), 421 (12/401s.), 432 (12/344; 13/344), 432s. (13/16; 12/370), 448s. (13/500; 13/521), 452s. (13/402), 501s. (13/637), 501-503 (13/643ss.).

[2] Friedrich Nietzsches Werke. Historisch-Kritische Gesamtausgabe. Vol. 1-5. Munique: C.H. Beck'sche Verlagsbuchhandlung, 1934-1940.

I 11, 27 (II 60s., 54s.), 45s. (I 4), 51s. (I 344s.), 55 (I 375), 69 (II 123ss.), 69s. (II 427), 72s. (V 250), 75 (I 55), 82 (II 114), 84 (II 312, I 297), 85 (I 290-299, II 144s.), 86 (II 281-312, III 124), 87-92 (II 54-61, 63), 92 (II 10), 94s. (II 143), 95 (II 215), 97 (II 69, 70s.), 98s. (II 80), 101 (II 190s.), 103 (II 89), 106 (II 374ss.), 107s. (III 15, 56), 108 (III 74, II 428), 117s. (III 76ss.), 122s. (V 471), 123 (III 84ss.), 160s. (III 212), 161 (III 244, 243), 176 (III 316), 190 (III 329, 337s.), 192 (III 336s., 340), 201 (III 352ss.), 202 (IV 213)

[3] Friedrich Nietzsche. Werke in 3 Bänden. Org. Karl Schlechta. Munique: Carl Hanser Verlag 1954. Vol. 1 e 2.

I 345s. (I 25), 347s. (I 58, 77s.), 348 (I 84, 85), 349 (I 93, 82), 350s. (I 29, 66s.), 351s. (I 100s.), 352s. (I 110), 424s. (I 192), 442s. (I 167), 445s. (I 268), 446 (I 270), 447s. (I 215), 467-469 (I 287ss.), 555s. (I 367)

[4] Vol. 3, cf. dígito 3 (Edição Schlechta. Munique: Hanser).

I 14s. (1409s.), 28 (466), 28s. (552, 435, 913), 33 (422, 449s.), 45s. (15), 46 (92, 17), 48s. (109), 51s. (109, 20s.), 53 (21, 13s.), 53 (25, 35), 54 (27, 34s.), 55, (10), 55s. (23s.), 59s. (38), 62s. (44s.), 65 (44, 58), 66s. (151s.), 68 (117), 77 (72), 78 (85, 179), 84 (102s.), 85 (103s.), 86s. (115), 103s. (110), 104 (113), 105 (151), 106 (118), 109s. (152), 110s. (722), 124s. (119), 137 (128), 141s. (128s.), 149s. (132), 150s. (133), 154s. (134), 155 (139), 169s. (137), 171s. (135), 216-218 (149s.), 217s. (148), 219 (157-174), 345s. (108), 356 (178), 397 (296, 297), 398s. (285, 272), 399 (268), 400s. (309-322), 565 (1152), 596s. (1130)

II 10s. (844), 68 (105), 147s. (1200), 173 (103), 208s. (1420), 210s. (1420), 241s. (897), 339s. (1239), 421 (102), 463s. (1302s.), 477s. (1309), 481 (1345)

III 22s. (1351)

[5] Friedrich Nietzsches Werke des Zusammenbruchs. Org. Erich Podach. Heildelberg: Wolfgang Rothe-Verlag, 1961.

6 Friedrich Nietzsche. Werke, Kritische Gesamtausgabe. Org. Giorgio Colli e Mazzino Montinari. Berlim: Walter de Gruyter, 1967ss.

I 28 (VII³ 412), 28s. (VII² 258), 33 (VII³ 237), 495 (IV⁴ 18), 579s. (IV⁴ 22), 602s. (IV⁴30), 611s. (IV⁴ 32), 612 (IV⁴33), 616 (IV⁴ 34), 619s. (IV⁴ 59), 627 (IV⁴ 52), 634s. (IV⁴ 47), 640 (IV⁴ 49), 644s. (IV⁴ 47)

II 10s. (VII³ 226), 187 (VII² 46), 260s. (VII² 209), 289 (VII² 152, 225), 289s. (VII³ 175s.), 290s. (VII² 164, 199), 293 (VII² 77), 296 (VII² 230), 326 (VIII¹ 102), 327s. (VIII¹ 69), 328s. (VIII¹ 10), 329 (VIII¹ 40), 329s. (VII³ 217; VIII¹ 51), 330s. (VIII¹ 78; VII³ 405), 331 (VIII¹ 57; VII³ 304), 400s. (VIII² 178), 421 (VIII² 65s.), 432 (VIII² 8, 266), 432s. (VIII² 258, 34), 436s. (VIII² 117-455), 448 (VIII³), 448s. (VIII³ 296, 319), 450s. (VIII³ 69, 38), 452s. (VIII³ 196), 495s. (VIII³ 423), 501s. (VIII³ 451), 502s. (VIII³ 457-461)

Fonte adicional: Nietzsche-Studien 4 (1975).

II 479s. (408, anotação), 485s. (399)

7 Friedrich Nietzsches Gesammelte Briefe. Leipzig: Insel-Verlag. Vol. 1, ³1902; vol. 2 (correspondência com Erwin Rohde), ²1903; vol. 3, ²1905; vol. 4 (cartas a Peter Gast), ²1908; vol. 5¹ e 5² (cartas à mãe e à irmã), 1909.

I 14s., 30, 186 (II 4), 207s. (II 104), 233s., 280, 375, 377, 379, 381s., 466, 504 (III 384), 527, 532s., 546s. (XIX), 576 (III 518), 595s. (III 533), 606s., 611

II 12s., 14s., 88-89, 91, 169s., 266 (III 215), 315s. (I 580), 396s., 428s. (III 269), 433s., 476-479

III 199-201

8 Friedrich Nietzsche. Briefe. Historisch-Kritische Gesamtausgabe, vol. 1-4 (até 7 de maio de 1877). C.H. Beck'sche Verlagsbuchhandlung. Munique, 1938-1942.

I 11, 94 (I 388), 111s. (I 340), 128s. (I 382), 199s. (II 448), 274 (II 483), 283 (III 379), 287 (III 56), 307 (III 436), 374s. (III 461), 383s. (III 308), 410s. (III 393), 413s. (II 395), 417s. (III 386), 422 (III 373), 439s. (IV 372), 459 (IV 383), 460s. (IV 390, 391), 475s. (IV 403, 405), 487s. (IV 349), 552s. (IV 288, 290), 571s. (IV 450), 583 (IV 312), 590 (IV 465)

II 289 (III 310)

9 Nietzsches Briefe an Meta v. Salis. Org. Maria Bindschedler. Neue Schweizer Rundschau, abril de 1955, p. 709-721.

II 232, 405s., 474s.

III 18, 22s.

[10] Friedrich Nietzsche. Der musikalische Nachlass. Org. Schweizerische Musikforschende Gesellschaft, Curt Paul Janz. Basileia/Kassel: Bärenreiter-Verlag, 1976. Cf. 125. Janz, C.P.

[11] Friedrich Nietzsches Briefwechsel mit Franz Overbeck. Org. Richard Oehler e Carl Albrecht Bernoulli. Leipzig: Insel-Verlag, 1916, passim.

[12] Friedrich Nietzsche, Paul Rée, Lou v. Salomé. Die Dokumente ihrer Begegnung. Org. Ernst Pfeiffer. Frankfurt: Insel-Verlag, 1970.
I 15, 38s., 581s., 626s., 638s., 641, 654
II 14, 23s., 26s., 29s., 33s., 36, 40s., 43s., 78s., 80s., 87, 99s., 101-107, 109-114, 118s., 121-123, 125s., 131-133, 135s., 139-141, 160s., 162s., 178s.

[13] Die Briefe Peter Gasts na Friedrich Nietzsche. 2 vols. Org. A. Mendt. Verlag der Nietzsche-Gesellschaft in München, 1923/1924.
I 591s., 602
II 27, 30s., 56s., 114s., 126s., 149s., 335s.
III 15

[14] Die Briefe des Freiherrn Carl v. Gersdorff na Friedrich Nietzsche. Org. Karl Schlechta e Erhart Thierbach. 8ª a 11ª publicações da Gesellschaft der Freunde des Nietzsche-Archivs. Weimar, 1934-1937.
I 131s. (I 17), 29 (I 116), 303s. (I 118), 395 (II 107, 109), 427s. (II 60), 451s. (II 130), 492 (III 91), 625s. (III 66), 626 (III 33, 48)
II 77s. (III 67), 182s. (III 63), 305s. (IV 47), 426 (III 71), 473s. (II 118).

[15] Die Briefe Cosima Wagners na Friedrich Nietzsche. Org. Erhart Thierbach. 12ª e 13ª publicações da Gesellschaft der Freunde des Nietzsche-Archivs. Weimar, 1939/1940.
I 272s., 275, 277-279, 281s., 284s., 287 (I 99), 305, 310s., 395s., 479 (II 139)

[16] Wilhelm Altmann. "Kurzgefasstes Tonkünstlerlexikon". Wilhelmshafen: Heinrichshofen, [15]1974.

[17] Biographisches Wörterbuch zur deutschen Geschichte. Vol. 1. Munique: Francke, [2]1974/1975.
II 433-435

[18] Franz Brümmer. Lexikon der deutschen Dichter und Prosaisten vom Beginn des 19. Jahrh. bis zur Gegenwart. Leipzig: Reclam, [s.d.].
II 273s.

[19] Georg Büchmann. Geflügelte Worte, Haude und Spenersche. Berlim: Verlags-buchhandlung, [32]1972.
I 11 ("Habent...": Livros têm seus próprios destinos)
II 346, 411s.

[20] Dictionnaire des Lettres Françaises. Paris: Payard, 1863.
II 218s.

[21] Documents diplomatiques français, 1re série. Vol. 7. Paris: Imprimerie Nationale, 1937.
II 433s.

[22] Gebhardt. Handbuch der deutschen Geschichte. Vol. 3. Stuttgart: Union-Verlag, [9]1970.
II 433s.

[23] Historisch-biographisches Lexikon der Schweiz. Ed. própria do instituto. Neuenburg, 1931.
III 31

[24] Lexikon für Theologie und Kirche. Vol. 10. Friburgo im Breisgau: Herder, [2]1965/1967.
II 473

[25] MGG (Musik in Geschichte und Gegenwart). Kassel: Bärenreiter, 1949-1975.

[26] Pauly. Realenzyklopädie der Altertumswissenschaft. Ed. esp., artigo "Cicero". Stuttgart: [s.d.].
I 309

[27] Karl Plötz. Auszug aus der Geschichte. Wisburgo: Ploetz-Verlag, [27]1968.
II 433s.

[28] Edgar Refardt. Historich-biographisches Musikerlexikon der Schweiz. Zurique: Hug Leipzig, 1928.

[29] Hugo Riemann. Musik-Lexikon. Mainz: Schott, [12]1959.

[30] Schweizer Musiker-Lexikon. Zurique: Atlantisverlag, 1964.

[31] The International Cyclopaedie of Music and Musicians. Ed. Thompson. Londres, 1954.

[32] Gero v. Wilpert. Lexikon der Weltliteratur. Stuttgart: Kröner, 1963.

[33] W. Ziegenfuss. Philosophen-Lexikon. Berlim: Gruyter, 1949.

[34] Erwin Ackerknecht. Gottfried Keller. Biographie. Insel-Verlag, 1948.
II 269s.

[35] Aeschylus. Ed. G. Murray. Oxford, 1947.
I 303s.

[36] Allgemeine Musikgesellschaft Basel. Festschrift zur Feier des 50jährigen Bestehens 1876-1926. Basileia: Birkhäuser, 1926.

[37] Anni Anders e Karl Schlechta. Friedrich Nietzsche. Von den verborgenen Anfängen seines Philosophierens. Stuttgart: Frommann Verlag, 1962.
I 392s., 403s., (125), 441 (142), 492
II 68s.

[38] Aristoteles. Politik. The Loeb Classical Library.
II 347s.

[39] Walter G. Armando. Richard Wagner. Eine Biographie. Hamburgo: Rütten und Loening Verlag, 1962.
II 39s. (360)

[40] Ferdinand Avenarius. Wagner-Nietzsche. Berlin: Der Kunstwart, 1888.
III 219-229

[41] Joh. Jak. Bachofen. Gesammelte Werke, vol. 10 (cartas). Basileia/Stuttgart: Schwabe, 1967.
I 391s. (441)

[42] Badenweiler (i/Schwarzwald), Fremdenblatt, agosto de 1869 e 1876.
I 272-274, 500, 552

[43] Selmar Bagge. Ludwig v. Beethovens IX. Symphonie. Leipzig: Allgemeine musikalische Zeitung, 1877.
I 599s.
III 173-184

[44] Théodore-Henri Barrau. Geschichte der französischen Revolution 1789-1799. 2 vols. Brandenburg: A. Müller, 1859.
I 70

[45] Alexander Gottfried Baumgarten. Aesthetik als Philosophie der sinnlichen Erkenntnis. Trad. H.R. Schweizer. Basileia: Schwabe, 1973.
II 135

[46] Otto Behaghel. Indogermanische Forschungen, vol. 25, 1909.

[47] Otto Behaghel. Deutsche Syntax, IV. Heidelberg: Winter, 1932.
II 171s.

[48] C.E. Benda. Nitzsches Krankheit. In: Monatsschrift für Psychiatrie und Neurologie, ano 1926.
I 168

[49] Richard Benz. Beethovens Denkmal im Wort. Munique: Piper & Co., 1950.
I 411 (55)

[50] Carl Albrecht Bernoulli. Franz Overbeck und Friedrich Nietzsche, eine Freundschaft. Jena: Diederichs, 1908, 2 vol.
I 288, 296s., 429, 435, 470, 474s., 582s., 585, 587
II 32s. (I 144), 82, 133s., 144 (II 84s.), 160s., 230, 468s., 487-489
III 22, 28, 31-33 (II 251), 34s., 39-41, 50, 53, 116, 132s., 157s. (II 379)

[51] C.A. Bernoulli. Nitzsches Lou-Erlebnis. Rascher anuário, 1910.
II 119

[52] Poul Bjerre. Der geniale Wahnsinn. Leipzig: C.G. Naumann, 1904.
II 10, 12s.

[53] Elsa Binder. Malwida v. Meysenbug und Friedrich Nietzsche. Dissertação. Lausanne, 1917. Ed. Berlim, 1917.
I 532s., 596 (49), 633 (54)

[54] Richard Blunck: cadernos (inédito).
I 12s., 15, 45s., 285s., 512, 569s., 591s.
II 41s., 59s., 131, 209, 246s.
III 103, 132, 159s.

[55] G. Bohnenblust. Nietzsches Genfer Liebe. Annalen 2. Zurique, 1928.
I 497, 504s.

303

[56] Edgar Bonjour. Die Universität Basel, Helbing und Lichtenhahn. Basileia/ Stuttgart, [2]1971.
I 231s. (412), 232s. (562), 234 (481), 288 (517), 291 (517), 315s. (711), 320, 322 (712), 359s. (595), 510 (690), 605 (712)

[57] Otto Böthlingk. Indische Sprüche (Sanskrit und deutsch). 3 vol. Petersburgo, 1870/1873.
II 177s.

[58] Karl Böttcher. Auf Studienpfaden. Zurique: Th. Schröter, 1900.
III 159

[59] Max Braun. Adolf Stoecker. Biographie. Berlim: Vaterländischer Verlag, 1912.
II 435-438

[60] Karl Büchner. Römische Literatur-Geschichte. Kröner TA 247. Stuttgart, 1957.
I 309

[61] Jacob Burckhardt. Briefe. Gesamtausgabe. Org. Max Burckhardt. Basileia: Schwabe-Verlag, 1949-1974, vol. 1-8 publicados.

[62] Jacob Burckhardt. Briefe. Auswahl. Org. Fritz Kaphahn. Leipzig: Kröner, 1935.

[63] Jacob Burckhardt. Griechische Kulturgeschichte. Org. Rudolf Marx em 3 vol. Leipzig: Kröner, 1929.

[64] Jacob Burckhardt. Griechische Kulturgeschichte.Org. Werner Kaegi em 4 vol. Munique: DTV, 1977.
I 354, 372 (vol. 1, VII), 397, 483, 550

[65] Jacob Burckhardt. Weltgeschichtliche Betrachtungen. Org. Rudolf Marx. Leipzig: Kröner, 1935.
I 310, 312
II 190s., 231

[66] Lucius Burckhardt. "Turin". In: Zürcher Tagesanzeiger, 13 de novembro de 1973.
III 25s.

[67] Paul Burckhardt. Geschichte der Stadt Basel. Basileia: Helbing u. Lichtenhahn, 1957.
I 231, 288, 291

[68] Houston Stewart Chamberlain. Richard Wagner. Munique: Bruckmann, [7]1923.
II 409

304

[69] Friedrich Creuzer. Symbolik und Mythologie der alten Völke. Leipzig/Darmstadt, [3]1836-1843.

I 257

II 177s., 184

[70a] Otto Crusius. Friedrich Nietzsche und Karl Hillebrand, Süddeutsche Monatshefte, 6° ano, agosto de 1906, p. 129-142.

I 515-518

[70b] Otto Crusius. Erwin Rohde. Ein biographischer Versuch (Ergänzungsheft zu Erwin Rohdes Kleinen Schriften). Tubingen: J.B. Mohr, 1901.

III 39s., 58, 60

[71] Hugo Daffner. Friedrich Nietzsches Randglossen zu Bizets Carmen. Regensburgo: Deutsche Musikbücher, 1912.

II 74s.

III 24

[72] Degener. Wer ist wo? Anos 1935 e 1955

II 204s.

[73] Paul Deussen. Erinnerungen an Friedrich Nietzsche. Leipzig: Brockhaus, 1901.

I 75 (8), 76 (3), 83 (4), 99s. (4s.), 100 (5), 115 (17), 118s. (23s.), 125s. (26), 136 (24), 137 (26), 146s. (7)

II 465s. (95)

III 16 (92s.), 93 (97)

[74] Paul Deussen. Mein Leben. Org. Erika Rosenthal-Deussen. Leipzig: Brockhaus, 1922.

II 368 (227), 404s.

III 131

[75] Henri Didon. Les Allemands. Trad. Stephan Born. Basileia: Verlag Bernheim, 1884.

II 218s.

[76] Diehls-Kranz. Die Fragmente der Vorsokratiker. Verlag Weidmann, [16]1972.

II 416s.

[77] Diogenes Laertios. Ed. H.S. Long. Oxford, 1964.

I 158s., 311, 379, 419, 468

II 357s., 362, 389s., 450, 453s.

[78] Gerhard Dippel. Nietzsche und Wagner. Berna: Paul Haupt, 1934.
II 442s. (55)

[79] Gustav Doret. Hugo de Senger. Lausanne: Payot, 1930.
I 501

[80] Helene Druscowitz. Wie ist Verantwortung und Zurechnung ohne Annahme der Willensfreiheit möglich? Eine Untersuchung. Heidelberg: Weiss, 1887.
II 274s.

[81] Richard Du Moulin-Eckard. Cosima Wagner. Berlim: Drei Masken-Verlag, 1929 e 1931 (2 vols.).
I 342, 463s.

[82] Emil Dürr. Adolf Baumgartner. In: Basler Jahrbuch, 1932, p. 211ss.
I 510-512

[83] Epiktet. Ed. W.A. Oldfather. Londres: Loeb Classical Library, [5]1967.
II 380s.

[84] Max Fehr. Richard Wagners Schweizer Zeit. Vol. II. Aarau: Sauerländer, 1953
I 245s. (227), 246 (330), 297s. (300), 314s. (315), 315 (459)
II 271s. (283)

[85] Kuno Fischer. Geschichte der neueren Philosophen – Vol. 1, parte 2: Descarts' Schule, Geulincx, Malebranche, Baruch Spinoza. Mannheim/Heidelberg, [2]1865. • Vol. 3 e 4: Immanuel Kant. Entwicklungsgeschichte und System der kritischen Philosophie. Mannheim, 1860. Kritik der Kantischen Philosophie. Munique, 1883
I 166, 197, 324
II 65s., 181s.

[86] Elisabeth Förster-Nietzsche. Das Leben Friedrich Nietzsches. Biographie. Leipzig: C.G. Naumann, 1895 (vol. 1), 1897 (vol. 2[1]), 1904 (vol. 2[2]).
I 11, 13s., 29 (I 10), 45s. (19), 59s., 317 (II 55ss.), 432 (II 117ss.), 639 (II 303), 647s. (II 312)
II 165s. (II 406ss.), 198s. (II 483), 203-206 (II 481ss.), 264 (II 500), 471s. (II 877)
III 9 (II 897), 126s., 159s. (II 928), 160 (II 930), 263s. (920ss.)

[87] [...]

[88] Elisabeth Förster-Nietzsche. Der junge Nietzsche. Leipzig: Kröner, 1912.
I 31 (7), 42 (14), 49 (28), 56s. (27), 57 (47), 61 (82), 72s. (107), 75 (90), 77 (97), 94 (114), 108 (129), 129 (44), 183 (186), 185s. (198)

[89] Elisabeth Förster-Nietzsche. Wagner und Nietzsche zur Zeit ihrer Freundschaft. Munique: Georg Müller, 1915
I 479 (218), 561 (240)

[90] Elisabeth Förster-Nietzsche, Friedrich Nietzsche und die Frauen seiner Zeit. Munique: C.H. Beck, 1935.
I 646 (192)
II 373s. (215), 390s. (221), 405s. (222s.)

[91] Bernhard Förster. Deutsche Colonien in dem oberen Laplata-Gebiete. Ed. particular. Naumburg, 1886.
II 318s., 320-323

[92] Michael Foster. Lehrbuch der Physiologie. Trad. N. Kleinenberg. Heidelberg, 1881.
II 252s.

[93] Carl Fuchs. Präliminarien zu einer Kritik der Tonkunst. Dissertação. Stralsund, 1871.
I 526

[94] Carl Fuchs. Thematikon zu Peter Gasts Oper "Die heimliche Ehe". Leipzig: C.G. Naumann, 1890.
I 546

[95] Ernst Gagliardi. Geschichte der Schweiz. Zurique: Orell Füssli, [4]1939.
I 229, 241

[96] Die Gartenlaube, 1876.
I 522, 566

[97] Gazette de Lausanne, 1935.
I 501

[98] Thomas Gelzer. Die Bachofen-Briefe, Schweizerische Zeitschrift für Geschichte. Berna, 1969[4] p. 777-869.
I 255-257 (805, 801), 257 (823)

[99] Basler Gesangverein. Festschrift zur Feier des 100jährigen Bestehens. Basileia, 1924.
I 284s. (38), 459 (40)

[100] Hermann Glockner. Heinrich v. Stein. Schicksal einer deutschen Jugend. Tubingen: Mohr, 1934.
II 254

[101] John Wolfgang Goethe. Faust.
I 28, 97
II 19s.

[102] John Wolfgang Goethe. Dichtung und Wahrheit.
II 233s.

[103] Ferdinand Gregorovius. Korsika, 2 vols. Stuttgart/Tübingen: Cotta, 1854.
II 198, 309

[104] Franz Grillparzer. Werke: Studien II zu Aesthetika. Berlim: Deutsches Verlagshaus Bong, (s.d.).
I 398s., 404s.

[105] Hans Gutzwiller. Friedrich Nietzsches Lehrtätigkeit am Basler Paedagogium 1869-1876. Basler Zeitschrift für Geschichte und Altertumskunde. Basel: Verlag Universitätsbibliothek, 50/1951
I 283 (182), 309 (182), 338 (171), 339 (179), 411 (173s.), 412 (162), 414s. (216, 217), 415 (217, 177ss.), 416 (183), 417 (184), 495 (195), 621 (196s.), 622 (198), 623 (199)
II 493s. (184)

[106] Eduard Hanslick. Vom musikalisch Schönen. Wiesbaden: Breitkopf und Härtel, [16]1966.
I 520 (59)

[107] Herodot. Ed. Carolus Hude. Oxford, [3]1940.
II 293

[108] Andreas Heusler (III). Zwei ungedruckte Schriftstücke Nietzsches. Schweizer Monatshefte, abril de 1922.
II 487s.

[109] Karl Hillebrand. Zeiten, Völker, Menschen, Berlim: Oppenheim, 1874.
I 482, 515-517 (II 300ss.), 524s. (II 342ss.)

[110] Karl Hillebrand. Zwölf Briefe eines aesthetischen Ketzers, Trübner Estrasburgo 1914 (primeira publicação na Augsburger Allgemeine, 1º de março-6 de abril de 1875).
I 520s.

[111] Eduard His. Basler Gelehrte des 19. Jahrhunderts. Basileia: Schwabe, 1941
I 249s. (125ss.), 252 (51ss.), 253 (57, 341), 255 (155ss.), 256 (166), 258s. (210), 288 (285ss.), 290 (288, 290), 321s. (181)
II 339s. (257), 486 (273)
III 36 (228), 97 (393)

[112] Eduard His. Nietzsches Heimatlosigkeit. Basler Zeitschrift für Geschichte und Altertumskunde. Basel: Verlag Universitätsbibliothek, 40/1941.
I 216s. (165), 300 (168), 432 (166), 484 (166), 580 (171), 614 (172)
II 323s. (171)

[113] Josef Hofmiller. Friedrich Nietzsche. Hamburgo: Stromverlag, 1932.

[114] Josef Hofmiller. Briefe. In: Nachlass Rich. Blunck.

[115] Friedrich Hölderlin. Der Tod des Empedokles. Urfassung. Org. Hans Schumacher. Zurique: Werner Classen, 1946.
I 311s.

[116] Friedrich Hölderlin, Hyperion. Zurique: E.A. Hofman Verlag, 1944.
I 72

[117] Roger Hollinrake. Oxford: Comunicações pessoais.
II 246s., anotação

[118] Heinrich Homberger. Nachruf auf Karl Hillebrand. In: Karl Hillebrand. Frankreich und die Franzosen. Estrasturgo: Trübner, [3]1886 (vol. 1).
I 515s.

[119] Curt Paul Janz. Kierkegaard und das Musikalische. In: Die Musikforschung. Kassel: Bärenreiter, 1957[3], p. 364ss.
II 73s., 211s.

[120] Curt Paul Janz. Probleme der Nietzsche-Biographie. In: Studia philosophica. Basileia: Verlag für Recht und Gesellschaft, 1964.
I 13 (138)

[121] Curt Paul Janz. Die Briefe Friedrich Nietzsches. Textprobleme und ihre Bedeutung für Biographie und Doxographie. Zurique: Theologischer Verlag, 1972.
I 14s., 402 (43)
II 195s. (40), 271s. (39s.), 272s. (36), 274s. (29), 275s. (36), 314 (56), 334s. (83), 372s. (57, 87), 396s. (57), 419s. (28s.), 422s. (27), 437s. (50), 445s. (93s.), 456s. (95), 479s. (112), 482 (124), 483s. (142), 498s. (109s.)
III 120 (33ss.), 151 (20), 155 (27), 156 (33ss.), 163 (34)

[122] Curt Paul Janz. Friedrich Nietzsches Akademische Lehrtätigkeit in Basel 1869 bis 1879. In: Nietzsche-Studien. Internationales Jahrbuch für die Nietzsche-Forschung. Berlim: De Gruyter, 1974, p. 192ss.
I 268, 276, 283, 309, 338s., 628s.

[123] Curt Paul Janz. Die tödliche Beleidigung. In: Nietzsche-Studien, 1975, p. 263ss.
I 341s., 618
II 142, 423

[124] Curt Paul Janz. Korrekturen und Nachträge zu Nietzsche-Briefausgaben, nach den Handschriften. Manuscrito.
I 14s., 38s., 595, 604, 606s., 613, 624-626, 630-632, 646, 650-653, 655
II 18-20, 23-29, 31, 43-45, 51s., 56, 60-62, 64s., 70s., 79-82, 142-145, 160-162, 166-168, 208s., 212, 246-248, 262, 278-281, 283s., 303s., 308-311, 335-337, 344s., 362s., 378s., 392s., 404-407, 417, 418s., 424, 426s., 444-446, 451s., 454-458, 461-464, 476-479
III 16s., 199-201

[125] Curt Paul Janz. Friedrich Nietzsche. Der musikalische Nachlass. Org. a pedido da Schweizerische Musikforschende Gesellschaft. Basileia/Kassel: Bärenreiter, 1976
I 12, 29s., 55, 97, 102-104, 109, 116-119, 124, 156s., 261s., 269, 301, 335, 380, 407, 427, 453, 474
II 99s., 115, 172s., 313, 379s., 409s.
III 98, 165s.

[126] Karl Jaspers. Nietzsche. Einführung in das Verständnis seines Philosophierens. Berlim: Walter de Gruyter, [3]1950.
I 165 (36)
II 11s. (94)
III 13 (101), 14s. (101)

[127] Ernest Jones. Sigmund Freud. Londres: Leben und Werk, 1956.
II 204s.

[128] Juvenal, Satiren.
II 468s.

[129] Julius Kaftan. Das Christentum und Nietzsches Herrenmoral. Berlim: Nauck, 1897.
II 466-468 (10)

[130] Julius Kaftan. Aus der Werkstatt des Übermenschen. Deutsche Rundschau, 31° ano, 1905, p. 253ss. Heilbronn: Sulzer, 1906.
II 466-468

[131] Werner Kaegi. Die Idee der Vergänglichkeit in der Jugendgeschichte Jacob Burckhardts. Basler Zeitschrift für Geschichte und Altertumskunde, ano 42, Basileia, 1943, p. 209ss.

[132] Carmen Kahn-Wallerstein. Erinnerungen an Friedrich Nietzsche. Neue Schweizer Rundschau, 1947[5], p. 269ss.
II 199-202, 205s.

[133] Immanuel Kant. Zum ewigen Frieden. Stuttgart: Reclam, 1954, n. 1501.
II 135 (62)

[134] Max Kesselring. Nietzsche und sein Zarathustra in psychiatrischer Beleuchtung. Affoltern am Albis: Aehren-Verlag, 1954.
II 265s. (130)
III 14

[135] Søren Kierkegaard. Entweder-Oder I. Die unmittelbaren erotischen Stadien oder das Musikalisch-Erotische (p. 47ss.). Düsseldorf: Eugen Diederichs, 1956.
II 73-75, 120s.

[136] Kladderadatsch. Die Kriegsnummern, 1870.
I 301

[137] Julius Klingbeil. Enthüllungen über die Dr. Bernhard Förstersche Ansiedlung Neu-Germanien in Paraguay. Leipzig: Eduard Baldamus Kommissionsverlag, 1889.
III 94-96

[138] Christian Klucker. Erinnerungen. Zurique: Rentsch, 1931.
II 242s.

[139] Fritz Kögel. Briefe. Legado Richard Blunck. Manuscritos.

[140] Kurt Kolle, Paul Rée (?). Zeitschrift für Menschenkunde, ano 3, p. 168ss. Kampmann Celle, 1927/1928.

[141] Heinrich Köselitz. Musikalische Philister. Musikalisches Wochenblatt. Leipzig: Fritzsch, 1877.
I 599s.
III 192-198

[142] Kosmos. Zeitschrift für einheitliche Weltanschauung. Vol. 1. Stuttgart: Schweizerbart, 1877.
II 69s.

[143] Eduard Kranner. Gottfried Keller und die Geschwister Exner. Basileia: Schwabe, 1960 (Coleção Klosterberg).
I 241
II 267s.

[144] Ernst Kretschmer. Geniale Menschen. Berlim: Springer, [5]1958.
I 32

[145] Marcel Kurz. Clubführer (SAC) durch die Bündner Alpen V. SAC-Verlag 1932.
II 242s. (188)

[146] Landeskarte der Schweiz. Eidgenössische. Wabern/Berna: Landestopographie.
I 651
II 232, 393s.

[147] Julius Langbehn. Rembrandt als Erzieher. Leipzig: Hirschfeld, [25]1890.
III 70, 82s.

[148] Julius Langbehn. Der Geist des Ganzen. Zum Buch geformt von Benedikt Momme Nisson. Friburgo im Breisgau: Herder & Co. Verlag, 1930.
III 75 (126)

[149] Friedrich Albert Lange. Geschichte des Materialismus. Leipzig: Brandstetter, [10]1921.
I 163, 165, 401

[150] Wilhelm Lange-Eichbaum/Wolfram Kurth. Genie, Irrsinn und Ruhm. Munique/Basileia: Ernst Reinhardt Verlag, [4]1961.
I 168 (401), 544 (171ss.), 629 (146ss.)
II 10 (196), 13 (401), 154s., 237s. (148), 503 (148)
III 12s. (401)

[151] Albin Lesky. Geschichte der griechischen Literatur. Berna: Francke, [2]1962.
I 157 (887)

[152] Theodor Lessing. Der jüdische Selbsthass. Berlim: Jüdischer Verlag, 1930.
I 507s. (56)

[153] Oscar Levy. Nietzsches englische Freundin. Artigo de revista; cópias fornecidas por R. Hollinrake, ano e local de publicação indetermináveis.
II 245-247, 249, 366s.

[154] Siegfried Lipiner. Der entfesselte Prometheus. Leipzig: Breitkopf und Härtel, 1876.
I 612
II 183 (44, 127, 174)

[155] Hans Lohberger. Resa v. Schirnhofer. Zeitschrift für Philosophische Forschung. Org. G. Schischkoff. Meisenheim: Verlag Hain, 1968.
II 213-222

[156] Longos. Daphnis and Chloe. Ed. Thornley/Edmonds. Loeb Classical Library, 1956.
II 292s. (149)

[157] Frederick Love. Young Nietzsches Wagnerian experience. Nova York: AMS Press, 1966.
I 463s.

[158] Jacob Achilles Mähly. Erinnerungen an Friedrich Nietzsche. Die Gegenwart. Wochenschrift für Literatur. Kunst und öffentliches Leben, 58, 1900.
I 254
II 68s.

[159] Thomas Mann. Nietzsches Philosophie im Lichte unserer Erfahrung. Estocolmo: Die Neue Rundschau, 1947[8], p. 359ss.
I 120
III 11s.

[160] Louise Marelle. Die Schwester Elisabeth Förster-Nietzsche. Berlim: Bischoff, 1933.
I 421

[161] Alfred v. Martin. Nietzsche und Burckhardt. Zwei geistige Welten im Dialog. Munique: Erasmus-Verlag, [4]1947.
I 264 (139s.)

[162] Manfred Mayrhofer. Zu einer Deutung des Zarathustra-Namens in Nietzsches Korrespondenz. Beiträge zur Alten Geschichte und deren Nachleben. Berlim: De Gruyter, 1970, vol. 2, p. 369ss.
II 55s., 184

[163] Wolfgang Menzel. Geschichte der Jahre 1816-1856. Stuttgart: Krabbe, [3]1865.
I 70

[164] Hans Joachim Mette. Der handschriftliche Nachlass Friedrich Nietzsches. Leipzig: Verlag Richard Haab, 1932.
I 218
II 138s.

[165] Malwida von Meysenbug. Memoiren einer Idealistin. Berlim: Schuster und Loeffler, [9]1905, 3 vols.
I 534 (III 261), 535 (III 295s.), 540 (XXXIV), 541 (XXXVII/I 60, 173), 542 (I 172, 267, 76, 136), 542s. (I 155, 184, II 251, 254), 543 (III 170, II 145, 211), 544 (I 202-204, II 214, I 231, III 226), 545 (III 277)
II 93s., 245s.

[166] Malwida von Meysenbug. Lebensabend einer Idealistin. Berlim: Schuster und Loeffler, [3]1900.
I 367 (4), 534 (249), 554 (3), 588 (49-56)
II 254 (145), 257

[167] Malwida von Meysenbug: Im Anfang war die Liebe; Briefe an ihre Pflegetochter. Munique: C.H. Beck'sche Verlagsbuchhandlung, 1926.
I 584 (66), 588s. (70, 72), 596s. (73), 614 (80, 81)
II 101s. (139, 140)
III 32 (72), 57s. (197)

[168] Paul Julius Möbius. Ausgewählte Werke. Vol. V: Nietzsche. Leipzig: Barth, 1904.
I 38s. (19), 45 (14), 114 (67)
III 13 (194), 34 (182), 34s.

[169] Siegfried Morenz. Zauberflöte. Colônia: Böhlau, 1952.
II 184s.

[170] Christian Adolf Müller. Die Stadtbefestigungen von Basel. Neujahrsblätter der GGG. Basileia: Helbing und Lichtenhahn, 1955 e 1956.
I 235-237

[171] Wilhelm Müller. Geschichte des Deutsch-Französischen Krieges. Stuttgart, 1873.
I 295s.

[172] Walter Muschg. Tragische Literaturgeschichte. Berna: Francke, [3]1957.
I 559

[173] Gustav Naumann. Zarathustra-Kommentar. Leipzig: Naumann, 1899-1901.
II 179 (parte I, 8, 16), 186 (prefácio à parte III)

[174] Simon Newcomb. Populäre Astronomie. Trad. Rudolf Engelmann, [5]1914.
II 316s.

[175] Friedrich August Ludwig Nietzsche. Beiträge zur Beförderung einer vernünftigen Denkensart über Religion, Erziehung, Untertanenpflicht und Menschenliebe. Weimar, 1804.
I 35

[176] Friedrich August Ludwig Nietzsche, Gamaliel, oder die immerwährende Dauer des Christenthums, zur Belehrung und Beruhigung bei der gegenwärtigen Gärung in der theologischen Welt. Leipzig, 1796.
I 35

[177] Walter Nigg. Franz Overbeck. Munique: C.H. Beck'sche Verlagsbuchhandlung, 1931.
I 288

[178] Benedikt Momme Nisson. Der Rembrandt-Deutsche Julius Langbehn. Friburgo im Breisgau: Herder, 1937.
III 70-72 (76, 77), 72 (77), 77 (132, 133)

[179] Vencent e Mary Novello. Eine Wallfahrt zu Mozart. Trad. Ernst Roth. Bonn: Boosey & Hawkes, [2]1959.
II 193s. (73, 110)

[180] Wilhelm Oechsli. Bilder aus der Weltgeschichte III. Winterthur: Hoster, 1944.
I 297

[181] Adalbert Oehler. Nietzsches Mutter. Munique: C.H. Beck'sche Verlagsbuchhandlung, 1940.

I 51 (60), 66 (65), 126 (84)

[182] Max Oehler. Nietzsches Ahnen. Weimar: Wagner, 1938.

I 34, 37

[183] Max Oehler. Nietzsches Bibliothek. 14. Publ. da Gesellschaft der Freunde des Nietzsche-Archivs. Weimar, 1942.

I 550, 630

II 177s., 184, 312, 252s., 380s., 387

[184] Ryôgi Okôchi. Nietzsches Amor fati im Lichte vom Karma des Buddhismus. Nietzsche-Studien, vol. 1, p. 36ss. Berlim: De Gruyter, 1972.

II 187

[185] Franz Overbeck. Erinnerungen an Friedrich Nietzsche. Neue Rundschau, 1902.

II 203s.

III 29, 39

[186] Franz Overbeck. Über die Christlichkeit unserer heutigen Theologie. Leipzig: E.W. Fritzsch, 1873.

II 47, 474, 492s.

[187] Franz Overbeck. Espólio na biblioteca universitária de Basileia. Manuscritos.

I 531

II 35s., 119s., 341-343, 485

III 16, 32s., 39-41, 45, 51-53, 92s., 96s., 101, 103, 109, 114, 116, 162s., 166, 232-253, 258-264

[188] Overbeckiana. Übersicht über den Franz-Overbeck-Nachlass der Universitäts-Bibliothek Basel. Org. Matthais Gabathuler e Ernst Staehelin. 2 partes. Basileia: Helbing/Lichtenhahn, 1962.

I 288, 449, 636s., 644, 656

II 23, 151s., 230, 373-375, 410s., 467s.

III 32s., 35s., 39-41, 47s., 54s., 98, 162

[189] Ovid (Ovidius, Naso Publius). Texto e tradução de Rösch. Munique: Heimeran.

II 220

[190] H.F. Peters. Das Leben der Lou Andreas-Salomé. Munique: Kindler, 1964.
II 92 (17), 93 (21, 22), 96 (51s.)

[191] Arthur Pfeiffer. Citações no espólio de Blunck, cf. 54.

[192] Margarete Pfister-Burkhalter, Basileia: comunicações particulares.
II 317s.

[193] Philosophische Monatshefte, vol. 9, 1874.
II 69

[194] Pindar. Ed. C.M. Bowra. Oxford, ^{3}1951.
I 160, 188

[195] Platon. Ed. Joannes Burnet. Oxford, ^{6}1941.
II 97, 293, 347s.

[196] Plotin. Werke VI, 9^{9}. Ed. Richard Harder. Hamburgo: Felix Meiner, ^{2}1968.
II 187

[197] Erich Podach. Nietzsches Zusammenbruch. Heidelberg: Kampmann, 1930.
I 110 (126), 168 (118)
III 19 (85, 153), 28 (82), 35 (109), 36 (107), 39, 43 (109ss.), 67s. (118ss.),
   231 (107)

[198] Erich Podach. Gestalten um Nietzsche. Weimar: Erich Liechtensteig Verlag,
1932.
II 92
III 39, 95s.

[199] Erich Podach. Der kranke Nietzsche. Briefe seiner Mutter na Franz Overbeck.
Viena: Bermann-Fischer, 1937.
I 59s.
III 39, 63, 65s., 68s., 73-78, 86-93, 97s., 101, 104-109, 111-117, 120-124, 130s.,
   133s., 145s., 150

[200] Erich Podach. Friedrich Nietzsche und Lou Salomé. Ihre Begegnung 1882. Zu-
rique/Leipzig: Max Niehaus Verlag, 1937 (agora ultrapassada pela publicação de
Ernst Pfeiffer[12]).

[201] Erich Podach. Ein Blick in die Notizbücher Nietzsches. Heidelberg: Wolfgang
Rothe Verlag, 1963.
II 172s., 290s., 294 (42, 20), 425s. (131)

[202] Richard Pohl. Der Fall Nietzsche. Leipzig: Musikalisches Wochenblatt, 1888.
II 482
III 201-208

[203] Polybios. Historiae. Ed. W.R. Paton. Loeb classical Library, [3]1960, livro VI, cap. 11,7/8.
I 441

[204] Adolf Portmann. Die Frühzeit des Darwinismus im Werk Ludwig Rütimeyers. Basler Stadtbuch, 1965. Basileia: Helbing und Lichtenhahn.
I 259 (180s.)

[205] Herber W. Reichert e Karl Schlechta. International Nietzsche Bibliography. North Carolina Press, 1960.
I 16s.
II 202

[206] Erwin Rohde. Kleine Schriften II (Afterphilologie). Tübingen/Leipzig: Mohr, 1901.
I 367, 369 (348, 347), 369s. (349, 350), 379, 389-391

[207] Albin Rosenthal-Levy. Oxford, coleção de manuscritos. Exposição em Sils-Maria 1967. Catálogo
II 484

[208] Adolf Ruthardt. Friedrich Nietzsche und Robert Schumann. Zeitschrift für Musik, 1921 (p. 489-491).
II 303-306

[209] Ludwig Rütimeyer. Die Bevölkerung der Alpen. Die Alpen, Jahrbuch des Schweizerischen Alpenclubs, 1864.
I 258

[210] Edgar Salin. Rektoratsprogramm für die Universität Basel, 1937.
I 415

[211a] Edgar Salin. Jacob Burckhardt und Nietzsche. Heidelberg: Lambert Schneider, [2]1948.

[211b] Edgar Salin. Vom deutschen Verhängnis. Gespräch an der Zeitenwende: Burckhardt-Nietzsche. Hamburgo: Rowohlt, 1959.
III 12 (169)

[212] Meta von Salis-Marschlins. Philosoph und Edelmensch. Leipzig: Naumann, 1897.

I 67s. (57)

II 234 (12ss.), 239 (15), 274 (40), 480s. (25ss.), 393, 400-404 (41-59), 408s. (56)

[213] Meta von Salis. Espólio na biblioteca da Universidade de Basileia. Manuscritos.

I 241, 424s., 496

III 156s., 159s., 165s., 253-257, 264-270

[214] Lou (Andreas-)Salomé. Friedrich Nietzsche in seinen Werken. Dresden: Reissner Verlag, 1924.

II 107s. (83), 116 (78), 473 (67)

III 126

[215] Lou (Andreas-)Salomé. Lebensrückblick. Org. Ernst Pfeiffer. Frankfurt: Insel-Verlag, 1974 (Insel-Taschenbuch).

II 94s. (16), 95s. (222), 97s. (31), 100 (75), 102s. (80), 104 (76, 79), 106-108 (80s., 236), 116s. (82s.), 129 (85), 130 (86)

[216] Seneca. Ad Lucilium epistolae Morales, VII.11.

II 429

[217] Alexander v. Senger. Geschichte der Familie v. Senger. Manuscrito datilografado, inédito.

I 497, 502-504

[218] P.B. Shelley. The Revolto of Islam. In: Poetische Werke. Trad. J. Seybt. Leipzig, 1844.

II 182s.

[219] Georg Simmel. Schopenhauer und Nietzsche. Leipzig: Duncker, 1907.

II 193 (250s.)

[220] Simplikios. Ed. Fred. Dübner. Paris: Didot, 1842. • Simplikios. Ed. H. Diehls. Berlim: Reimerus, 1887. • Simplikios. Ed. Fritz Wehrli. In: Die Schule des Aristoteles. Basileia: Schwabe, 1955.

II 186, 380-383

[221] Friedrich Smend. Vorwort zur neuen Bach-Ausgabe, H-moll-Messe. Kassel: Bärenreiter, 1951.

II 172s.

[222] Bruno Snell. Leben und Meinungen der Sieben Weisen. Munique: Heimeran, [3]1952.
II 89s. (136)

[223] Sophokles. Philoktet. Ed. Joannes Johnson. Oxford, [4]1946.
II 259s.

[224] Carl Spitteler. Gesammelte Werke. Vol. 4. Zurique: Artemis Verlag, 1947.
I 425 (497s.)
II 179s. (498s.), 181 (516), 418s. (vol. VII 220s.)
III 229-231 (vol. VI 510-512)

[225] Ludwig Schemann. Erinnerungen an Richard Wagner. Stuttgart: Frommann, 1902.
II 154s. (34s.)

[226] Resa von Schirnhofer. Vom Menschen Nietzsche; Zeitschrift für Philosophische Forschung. Reutlingen 22°, 1968. Org. Hans Lohberger, p. 248-260 e 441-458.
II 213-222, 246, 248, 303, 392
III 158

[227] Karl Schlechta. Der Briefwechsel Nietzsches mit Frau Louise Ott. Der Äquadukt. Ed. rev. Munique: C.H. Beck, 1938.
I 573

[228] Karl Schlechta. Friedrich Nietzsche und der Frankfurter Arzt Dr. Otto Eiser. Frankfurter Wochenschau, ago./1940.
I 615

[229] Karl Schlechta. Nietzsche-Chronik. Munique: Hanser, 1975.
II 341s.
III 123

[230] Berta Schleicher. Meta von Salis-Marschlins. Das Leben einer Kämpferin. Zurique, 1932.
II 237-239

[231] Martin Schmid. Marschlins (Graubündens Schlösser I). Chur: Calven-Verlag, 1969.
II 233s.

[232] Martin Schmid. Marschlins, eine Schule der Nationen. Chur: Bischofberger Verlag, 1951.
II 233s.

[233] Martin Schmid. Historische Aufsätze. "Nietzsche in Chur" (p. 72ss.). Chur: Calven-Verlag, 1969.

[234] Max F. Schneider. Die Musik bei Jacob Burckhardt. Basileia: Amberbach-Verlag, 1946.
I 261s. (25-38)

[235] Schweizer Grenzpost und Tagblatt der Stadt Basel, 18/04/1877.
I 600
III 191s.

[236] Arquivo estatal da cidade de Basileia.
I 316s., 322, 416s., 576s., 605s., 622s.
II 247s.
III 135-154, 171-173

[237] Stadt-Theater Basel. Biblioteca, lista dos mestres de capela.
I 528

[238] Standesamt Basel-Stadt (registro civil).
II 247s.

[239] Rudolf Steiner. Friedrich Nietzsche. Ein Kämpfer gegen seine Zeit. Dornach: Anthroposophischer Verlag, [2]1926.
II 185s. (27)
III 129

[240] Karl Strecker. Nietzsche und Strindberg (com sua correspondência). Munique, 1921.
II 480s.

[241] Otto Strobel. Neue Urkunden zur Lebensgeschichte Richard Wagners. Braun Karlsruhe, 1939 (contendo o diário de Hans Richter).
I 313, 329

[242] Johannes Stroux. Nietzsches Professur in Basel. Jena: Frommann, 1925.
I 209 (32), 210 (35), 211s. (40, 43), 234 (37), 337 (68), 418s. (98s.), 420 (101), 577 (82s.), 660s. (88, 86), 662 (103)
III 171 (82, 83)

[243] Tertullian. Ed. Reifferscheid, 1890. Loeb Classical Library, [4]1966.

II 410s., 414

III 198s.

[244] Theokrit. Epigramme (n. 13). Ed. A. Gow. University Press Cambridge, 1950.

II 293

[245] Leon Tolstoi. Luzern. Zurique: Gute Schriften, 1928.

I 244

[246] Überweg-Heinze. Grundriss der Geschichte der Philosophie.

I 48

Vol. 1 (Prächter): Philosophie des Altertums. Basileia: Schwabe, [13]1953.

[247] Vol. IV (T.K. Oesterreich): Deutsche Philosophie des 19. Jahrhunderts und der Gegenwart. Basileia: Schwabe, [13]1951.

[248] Vol. V (T.K. Oesterreich): Die Philosophie des Auslandes vom Beginn des 19. Jahrhunderts. Berlim: Mittler, 1929.

[249] Isabella Ungern-Sternberg (v. Pahlen). Nietzsche im Spiegelbild seiner Schrift. Leipzig: Naumann, 1902.

I 582s.

[250] Biblioteca da Universidade de Basileia. Espólios de Overbeck, Meta von Salis, Lanzky, Jacob Burckhardt.

III 140-154

[251a] Anacleto Verrecchia. Nietzsches Zusammenbruch, NZZ (Neue Zürcher Zeitung) 03/07/1973.

[251b] Anacleto Verrecchia. La catastrofa die Nietzsche a Torino. Turim: Einaudi, 1978.

III 28 (55), 32

[252] E. Villinger. Prof.-Dr. Ludwig Wille. In: Correspondenzblatt für Schweizer Aerzte, 43/340. Basileia: Schwabe, 1912.

III 31

[253] Eduard Vischer. Wilhelm Vischer. Gelehrter und Ratsherr. Basileia: Helbing und Lichtenhahn, 1958.

I 250 (7s.), 253s. (121), 406 (119)

[254] Martin Vogel. Nietzsches Wettkampf mit Wagner. Beiträge zur Geschichte der Musikanschauung im 19. Jahrhundert. Regensburgo: Bosse, 1965.

I 341s. (207), 382 (214ss.), 397 (203), 398s. (204), 408 (220)

[255] Martin Vogel. Nietzsche und die Bayreuther Blätter. Beiträge zur Geschichte der Musikkritik. Regensburgo: Bosse, 1965.

II 280 (61)

[256] Martin Vogel. Apollinisch und Dionysisch. Regensburgo: Bosse, 1966.

I 344 (125ss.)

[257] H. Wagenvoort. Die Entstehung von Nietzsches Geburt der Tragödie. In: Mnemosyne. Vol. XII. Leiden, 1959.

I 344

[258] Cosima Wagner. Tagebücher. Munique: Piper, 1976 (I) 1977 (II).

I 240, 299, 313s., 317s., 329, 333s., 339, 341, 363s., 421s., 433, 452, 463s., 561, 585, 617, 644s., 647, 652

II 34-36, 75s., 78, 83, 132, 238, 315, 386, 388, 413s., 433, 492s.

[259] Richard Wagner. Musikalische Werke, Klavierauszüge (cf. registro 3 "Nomes").

[260] Richard Wagner. Gesammelte Schriften. Leipzig: Fritzsch, 1872 a 1883 (cf. registro 3 "Nomes").

[261] Richard Wagner. Das braune Buch. Ed. J. Bergfeld. Zurique: Atlantis, 1975.

I 603 (122)

[262] Günther Wahnes. Heinrich von Stein und sein Verhältnis zu Richard Wagner und Friedrich Nietzsche. Dissertação. Jena, 1926.

II 258s. (96, 97, 102, 101)

[263] Gustav Adolf Wanner. Rund um Basels Denkmäler. Nachrichten: Verlag Basler, 1975.

II 340 (87ss.)

[264] Gerhard Wehr. Carl Gustav Jung. Hamburgo: Rowohlt, 1969.

I 575

[265] Felix Weingartner. Carl Spitteler. Ein künstlerisches Erlebnis. Munique: Georg Müller, ²1913.

II 180s. (85s.)

[266] Curt v. Westernhagen. Richard Wagner. Zurique: Atlantis, 1956.
I 345 (509ss.), 616s. (524s.), 617s. (528)
II 142 (529), 142s. (530), 458
I 569s. (no "Reichswart", maio de 1939)

[267] Curt v. Westernhagen. Wagner. Zurique: Atlantis-Verlag, 1968.

[268] Josef Viktor Widmann. Johannes Brahms in Erinnerungen. Basileia: Amerbach Verlag, 1947.
I 459 (123)

[269] Joseph Viktor Widmann. Nietzsches gefährliches Buch. Der Bund 17/09/1886.
II 377
III 193-198

[270] Ulrich v. Wilamowitz-Moellendorff. Zukunftsphilologie I und II. Berlim, 1872.
I 370, 372-374, 385, 391

[271] Ulrich v. Wilamowitz-Moellendorff. Erinnerungen. Leipzig: Koehler, [2]1928.
I 371 (128ss.)

[272] Bernhard Wyss. Wilhelm Vischer-Bilfinger und das philologische Seminar in Basel. Museum Helveticum, 1962.
I 232 (225), 248s. (225), 250s. (226s.)

[273] Heinrich Weiss e Rudolf Bruhin. Mechanische Musikinstrumente. Ed. Particular. Seewen, 1975.
III 124

[274] Leopold Zahn. Friedrich Nietzsche. Eine Lebenschronik. Düsseldorf: Droste, 1950.
II 316 (273)

[275] Franz Zelger. An der Schwelle des modernen Luzern. Luzerna: Haag, 1930.
I 238

[276] Stefan Zweig. Der Kampf mit dem Dämon: Hölderlin, Kleist, Nietzsche. Frankfurt, 1951

[277] Die Universität Zürich 1833-1933. Festgabe zur Jahrhundertfeier (Gagliardi/Nabholz/Strahl).
II 239s.

[278] Arquivo estatal de Zurique. Documentos de promoção.

II 274

[279] J. Fuchs. Friedrich Nietzsches Augenleiden. In: Münchner medizinische Wochenschrift, 1978, n. 18.

III 43s.

[280] Fedor Michailowitsch Dostojewskij. Schuld und Sühne (Raskolnikow), 1866.

[281] Allgem. Lexikon der bildenden Künstler des XX. Jahrhunderts. Leipzig: Seemann, 1938 e 1958.

III 160

[282] Deutsches Literatur-Lexikon. Berna: Francke, 1968.

[283] Xenophon. Symposion. Ed. E.C. Marchant. Oxford, [3]1942.

II 293

[284] Allgemeine Musikalische Zeitung. Leipzig, 1877.

III 173-185

[285] Allgemeine Schweizer Zeitung. Basileia, 1889.

III 231-233

[286] Der Bund. Berner Tageszeitung, 1886, 1888.

III 193-198, 207-218

[287] Musikalisches Wochenblatt. Leipzig, 1877, 1888.

III 185-191, 201-207

[288] Schweizer Monatshefte. Zurique, 1922.

III 218-220

[289] Europäische Wanderbilder, cadernos 96-98: Ernst Buss "Glarnerland und Walensee", p. 99. Zurique: Orell Füssli, (s.d.) (provavelmente 1885).

II 393

[290] Hubert Treiber. Paul Rée – ein Freund Nietzsches. Bündner Jahrbuch 1987. Chur: Bischofberger.

I 506

[291] Hans Erich Lampl. Ex Oblivione: Das Féré-Palimpsest. Noten zur Beziehung Friedrich Nietzsche – Charles Féré. Nietzsche-Studien, 1986.
III 420

[292] Carmen Kahn-Wallerstein. Espólio, correspondências e anotações das conversas com Paul Lanzky. Biblioteca da Universidade de Basileia.
II 306

[293] Hildegard Gantner-Schlee. Das Nietzsche-Bildnis von Hans Olde. Basler Zeitschrift für Geschichte und Altertumskunde. Basileia: Verlag Universitätsbibliothek, 1970.
III 167

[294] Curt Paul Janz. Nachträge zur Nietzsche-Biographie. Nietzsche-Studien, 1989, p. 426ss.

[295] Reiner Bohley. Nietzsches christliche Erziehung. Nietzsche-Studien, 1987, p. 164ss. e 1989, p. 377ss.
III 420

3
Nomes*

Abert, Johann Joseph (1832-1915)
III 205

Adams, Heinrich
II 394

Ahorn, Lukas
I 243

Abert, T.
II 46

Albrechtsberger, Johann Georg
I 82, 85, 383
II 172

* Alceu
I 339

Alcibíades
I 33

Alcídamas
I 376

* Álcman
I 339

Alexandre I (czar)
I 243

Alexandre II (czar)
II 93s.

---

* Inclui algumas referências a conceitos. Os autores e revistas marcados com * foram lidos por Nietzsche pelo menos parcialmente.

Alexandre o Grande
I 543
II 198, 255
III 164, 222, 259

"Almrich" = vilarejo Altenburg
I 66, 141

Alten, Frl. v.
II 307

Altenburg v. Alexandra (posteriormente Grã-princesa Constantina da Rússia)

Altenburg v. Elisabeth (posteriormente Grã-duquesa de Oldenburg)

Altenburg v. Therese
I 37, 273

Althaus, Theodor
I 533, 541

Alwine; cf. Freytag

Amor fati
I 92, 138
II 91
III 44, 167

Amrhyn, Walter
I 246

* Anacreonte
I 416

Andreas (-Salomé), Carl Friedrich
II 94, 397

Andreas-Salomé, Lou; cf. Salomé, Lou

Antissemitismo
I 613
II 47, 84, 158s., 163, 165s., 203, 208-210, 262, 276, 324, 329, 335, 359, 396, 430, 436, 488, 501
III 23, 35, 70, 78, 253

Antonelli, Alessandro
III 25

Apolo – apolíneo
I 343-345, 350, 371, 374, 382
III 186, 192

Appia, Adolphe
I 564

Aquiles (Homero, Sófocles)
II 155, 260

Ariadne
I 312
II 259, 331s., 362, 420s.
III 19, 23s., 26

Arimã
II 185

Ariosto, Lodovico
II 385

* Aristófanes
I 285, 339, 416, 578
II 97, 137, 293
III 104

* Aristóteles
I 161, 323s., 417, 419, 578, 605
II 166, 187, 211s., 291, 347, 358, 382s., 450

Arndt, Ernst Moritz
I 121

* Arnóbio
II 244

Arnold, Gustav
I 244

Arnoldt, Richard
I 154

Arnold, Wilhelm
I 233

* Arquíloco
I 350, 374

Associação filológica (Leipzig)
I 154, 156, 158, 160s., 172-174, 182, 184, 204
II 208
III 199

* Ateneu
I 197

Auber, Daniel
I 463
II 224

Audran, Edmond
II 481s.

Augusto o Forte (rei da Polônia)
I 30

Avenarius Ferdinand (1856-1923)
I 134
II 239, 267, 418s., 427, 430s., 463, 497-500

Avenarius Richard (1843-1896)
II 239, 267

Bachofen (-Burckhardt), Johann Jakob
I 255-258, 261s., 341, 352, 354, 357, 359s., 372, 391s.
II 189
III 137

Bachofen-Burckhardt, Louise Elisabeth
I 255, 257, 360, 562
III 104

Bacon, Roger
II 358

Baer, Karl E. v.
I 260

Bagge, Selmar
I 529, 598-601, 610, 620, 624
III 30, 173, 186-191

Bakunin, Michael
I 276

Balakirew, Milij
I 473

* Balzac, Honoré de
II 47, 353

* Barbey d'Aureville, Jules Amédée
II 393

Barthélemy
I 543

Barzelotti, P.
I 522

Basedow, Johann Heinrich
II 234

* Baudelaire, Charles
I 345
II 53, 191, 198, 329, 437, 458
III 221

* Bauer, Bruno
II 87, 429
III 252

Baumann, Julius
II 46

Baumann, senhora e "caverna dos Baumann"
I 432, 435, 466, 482, 484, 497, 570, 640
II 70, 267

Baumann; cf. Bettmann

Baumgartner, Adolf
I 450, 454, 466, 483, 509-511, 513, 591, 604, 656s.
II 98
III 158, 260

Baumgartner(-Koechlin), Marie
I 454, 471, 480, 482, 484, 486, 489, 509, 511-514, 524, 539, 574, 582, 585, 591,
    605, 613, 624, 637, 651, 653, 657-659, 661
II 28, 45, 64, 158, 292

* Bayreuther Blätter
I 529, 591, 613, 618, 641, 644, 646s., 652
II 34, 39, 75, 84, 255, 257, 259, 315, 322s., 330s.
III 58, 95, 234

"Bayreuth"
I 228, 244, 287, 299, 339, 360s., 364, 366, 394s., 406, 420s., 423, 425s., 433s.,
    437s., 449-452, 456-464, 477-479, 483, 486-489, 491, 527, 530-532, 537s., 548
    550-552, 555-557, 559, 562s., 567, 569-571, 575, 592, 597, 602, 615, 634, 639s.,
    644, 648, 650
II 34s., 39, 58, 73, 75, 78, 84s., 102, 109, 111-113, 115-119, 121, 130, 142-145,
    151s., 163, 212, 215, 227s., 253s., 256, 258-260, 280, 304, 315, 320, 344, 367,
    377s., 386, 389, 408, 423, 458, 465, 489
III 58, 210, 235, 240, 245, 251s.

Bebel, August
I 434
II 308

Beck, August
I 357, 412

Beethoven, Ludwig van
I 54s., 82, 86, 117, 133, 167, 264, 269, 284s., 313-315, 339, 346, 353, 367, 384,
    405, 410, 450, 458-460, 475, 502, 532, 554, 560, 599
II 34, 74, 83s., 87, 149s., 155, 171, 176, 226, 272, 275, 300, 306, 329, 356, 359,
    368, 482
III 87, 173-184, 187-190, 209, 217, 259

Behaghel, Otto
II 172

Bellini, Vincenzo
I 269
II 72

Bergmann, Ernst
II 434

Bergmann, Julius
II 69

Berlioz, Hector
I 54, 152, 496, 499, 502-504
II 49, 73, 155, 171, 198, 229

Bernays, Jacob
I 379

Bernhardt, Sarah
II 78

Bernhardy (História da literatura)
I 103

Bernoulli, Carl Albrecht (cf. registro de fontes)

Bernoulli, Johann Jakob
I 494

Berri, Melchior
I 243

Bettmann, L.
III 33, 35-38, 46

Betz, Franz
I 176

Beust, Friedrich Ferdinand, conde de
I 181

Beyschlag, Willibald
II 254

Bíblia
II 320, 350, 357, 361, 486
III 92

Biblioteca da Universidade de Basileia
I 12
II 28, 66, 184, 202
III 256

Biedermann, Alois Emanuel
II 98s.

Biedermann, Karl
I 204, 214

Bieler (professor de Equitação de N.)
I 173

Binder, Gustav
I 440

Binding, Carl
I 360

Binswanger, Otto
III 41s., 53, 64-67, 72, 74, 77-80, 83, 87-89, 104s., 107, 113-116, 122, 132-134, 164, 246, 260-264

Birch-Pfeiffer, Charlotte
I 178

Bischoff-Fürstenberger, Julie
I 360

Bismarck, Otto v.
I 123, 135, 178-182, 192, 228, 294s., 297s., 311, 434, 458, 463, 517, 521, 635, 644, 652
II 84, 245, 329s., 337, 368, 434-436, 487, 489, 497, 500-503
III 23, 28, 67

Bizet, Georges ("Carmen")
I 82, 289, 649
II 72-74, 155, 198, 216, 230, 272, 334, 341, 357, 432, 447, 459s., 478, 482
III 20s., 24, 203, 211, 214

Bleibtreu, Karl
II 392s.

Blum, Srta.
II 273, 307

Blunck, Richard
I 7s., 11-13, 15, 26
II 488

Böcklin, Arnold
II 39, 191
III 186

Boeckh, August
I 250, 262

Bohren-Ritschard
I 833

Boileau, Nicolas
II 255, 257

Bonfantini, G.A.
I 277

Bonghi, Ruggiero
I 522
II 489

Boretius, Alfred
I 241

Bórgia, César
III 196

Born, Stephan
II 180

Borodin, Alexander
I 473

* Boscovich, R.J.
I 440s.
II 62, 182

Böthlingk, Otto
II 178, 369

Bourbaki, gerenal
I 316

Bourdeau, Jean
II 480, 488s.
III 219

* Bourget, Paul
I 345
II 198, 340, 403, 433, 458, 478
III 221

Bovet
I 210

Brahms, Johannes
I 426, 458-460, 463s., 473, 524, 554, 598, 624, 649
II 53, 171, 174, 190, 268, 272, 331, 377, 417, 423, 431, 444, 458, 480, 483
III 165, 206, 216s.

Brand, Jakob
III 63

Brandes, Elsbeth
I 595

* Brandes, Georg
I 30
II 220, 384, 428-431, 438, 442-446, 453, 457, 463, 481, 484
III 199, 201, 222

Brasil, imperador do
I 565, 609

Breiting, Karl
II 148, 164, 168

Brenner, Albert
I 487, 539, 561, 575, 579, 582s., 585-590, 594-596, 614, 624
II 98, 145

Brevern, Claudine von
I 582, 590

Breysig, Curt
III 270

Brignole (palácio e galeria)
I 603
III 28

Brockhaus, Doris
I 279

Brockhaus, Dr.
II 245, 307

Brockhaus, Hermann
I 204, 206, 238

Brockhaus (-Wagner), Ottilie
I 203-206, 238

Brodbeck, K.A.
III 243

Bruck, Karl
I 234

Bruckner, Anton
I 349, 649
II 171, 190, 229, 314

* Bruno, Giordano
II 227, 253-255

Brutus, Lucius Junius (busto em Roma)
II 156

Buchbinder, Friedrich
I 68, 108, 203

Büchner, Ludwig
I 519

Buckle, Henry Thomas
II 393

Buda/budismo
I 494, 536s.
II 84, 96, 156, 177-179, 185, 193, 350, 431, 491s.

337

Buddensieg, Robert
I 66, 74, 113

Bülow v. Filhas de Hans: Blandine
I 244, 247

Bülow, Elise
I 595

Bülow, Hans von
I 82, 175, 238, 299, 362s., 380-383, 386, 405, 421, 475, 502s., 505, 516-518, 526, 531, 600, 648
II 86, 152, 256, 344, 368, 397, 422s., 429, 477s., 480, 489
III 16, 186

Bunge, Gustav v.
II 340
III 261

Bungert, August
II 148-150
III 260

Burckhardt, Achilles
I 495, 578, 605s., 622
III 172

Burckhardt, Adolf
I 577
III 138, 171

Burckhardt, Carl
III 137, 171

Burckhardt, Carl Felix
I 485, 576, 621-623, 660
III 136

Burckhardt, Christoph
I 231

Burckhardt, Friedrich ("Fritz")
I 578, 605
III 172

Burckhardt, Jacob
I 223, 231s., 261-265, 269s., 274, 276, 278, 282, 286, 295s., 305, 310, 312, 332-334, 354, 357, 359s., 368, 372s., 389, 397, 413s., 445, 447-450, 455s., 477, 483-485, 492-495, 509-511, 517, 522s., 526, 546, 550s., 560, 570, 588, 591s., 604, 635, 637-640, 659s.
II 18, 28, 32, 44-46, 64, 83, 98, 111, 127s., 153, 180s., 191, 198, 202, 208, 228, 230s., 240, 247, 267, 290, 299, 302, 326, 339s., 376-380, 395s., 428s., 440, 472, 481s., 486, 501
III 23-26, 29-31, 57, 66, 99, 137, 155, 157, 200, 253

Burckhardt, Max
I 15
II 202

Burckhardt-Heusler, família
I 360
III 155

Bürde-Ney, Jenny
I 125

Busse, Otto
II 76s.

* Byron, George Gordon, lorde
I 70s., 92, 97, 157, 326, 380, 383, 498
II 18, 182, 289, 306, 356s.
III 76

Calderon, Pedro
I 618

* Cânon páli
II 178

Carey, Henry Charles
II 66, 393

Carignano, príncipe de
III 25

Carlo Alberto, rei da Itália
III 25

Carlyle, Thomas
II 403

"Carmen", ópera; cf. Bizet

Carmen Sylva (pseudônimo da rainha da Romênia)
II 150

Caspari, Otto
II 69s.

Castiglione, Baldassare
III 118

Cerclet (Overbeci-), Johanna Camilla
I 288

* Cervantes, Miguel de
I 487

César, Júlio
I 33
II 155, 198, 212, 261
III 222

Chamberlain, Houston Stewart
II 304, 408s., 430

Chambige, Henri
III 24

* Chamisso, Adalbert v.
I 97, 118, 125

Chrysander, Friedrich
III 173

Chueca, Federico
II 481

Cicero, Marcus Tullius
I 70, 283, 309, 450, 578
II 172
III 22

Cimarosa, Domenico
II 61, 79, 86, 223, 226

Clausen (livreiro em Turim)
II 441

Clauss, Anneliese
I 16

Colombo
II 136, 197-199, 212

Comte, Augusto
I 639

Condillac, Etienne
I 519

Confúcio
II 449

Copérnico, Nicolai
I 519
II 62

Corina
I 312

Corneille, Pierre
II 96
III 225

Cornelius, Peter e filha
II 371

Corssen, Wilhelm
I 69, 73, 105, 108, 141

"Coselli" (pseudônimo de Köselitz)
II 61, 71, 224, 336s., 428

Cousin, Victor
I 515

Credner, Hermann
II 311, 324, 336s., 428, 444, 463

* Creuzer, Friedrich
I 257
II 177, 184-186, 189

Crispi, Francesco
III 22, 51

Cristian von Schleswig-Holstein-Sonderburg-Augustenburg
I 321

Cristianismo
I 27, 35, 83s., 88, 91, 126, 152, 156, 162-164, 284, 290s., 323, 325, 346s., 350
 353s., 477, 503, 519, 536, 542, 547, 572, 618, 642s.
II 14s., 36, 42s., 84, 90, 96, 115, 165, 191, 210, 229s., 288, 291, 296s., 319, 340,
 345s., 348-351, 358, 360-362, 376, 380-383, 385s., 413, 422, 430s., 436, 448s.,
 452, 466s., 469, 472-474, 490-495
III 11, 18, 27, 73, 76, 99, 166, 194, 198

Cromwell, Oliver
II 255, 257, 348

Cui, Cäsar
I 473

Curtius, Ernst
I 397

Curtius, Georg
I 149

Curtius, Theodor
II 243

Czerny, Carl
II 368

Dächsel, Daniel e Friederike
I 45, 49
II 276

d'Albert, Eugen
II 275

d'Alembert, Jean
II 432

Dalton, Hermann, pastor
II 95s.

Daniela
I 244-246
II 152, 256, 258, 260
III 58

Dante, Alighieri
I 70, 544
II 307, 388
III 223

* Darwin, Charles
I 27, 259-261, 649
II 62, 70, 190-192, 218, 239, 255s., 358, 403

Darwinismo
I 165-167, 469
II 70

Daudet, Alphonse
II 403

David, Félicien
II 440

David, Lucas
III 139s.

Debussy, Claude
II 53

Dédalo
I 221

Delibes, Léo
II 432

Delius, Wilhelm
I 121

Demétrio de Faleros
II 172

343

* Demócrito
I 161, 163, 166s., 189s., 196s., 419
II 192, 383, 450
III 128

* Demóstenes
I 277, 339, 379, 415-417, 450, 558

Dempe, Rolf
I 26

d'Ercole, Pasquale
II 454

Descartes, René
II 66, 96, 255, 329

Deussen, Adam e Jakobine
I 115-117

Deussen, Marie
I 116, 124, 177
II 125

Deussen, Paul
I 75s., 83, 100, 107, 115-117, 119-122, 125, 128, 136, 146, 162s., 169, 184, 212,
   215, 267, 273, 280-282, 305, 323, 332, 371, 379, 389, 611
II 45, 368-370, 375, 405, 418, 445s., 465-467, 485s., 488
III 12, 16s., 55s., 65, 93s., 131

Deutsche Forschungsgemeinschaft
I 16

Devrient, Eduard
I 424

Devrient, Emil
I 176, 178

Diáconos do campo
I 302

Diday, François
I 659

Diderot, Denis
II 453
III 28

* Didon, Henri
II 218s.

Die Entstehung des Gewissens [A evolução da consciência] (1885)
I 507

Die Illusion der Willensfreiheit [A ilusão do livre-arbítrio] (1885)
I 507

Diethfurth, Frl. v.
II 434

Dilthey, Wilhelm
I 322
II 255

Dinastia de Hohenzollern
I 458
II 497, 501-503
III 22, 25, 28

Dindorf, Wilhelm
I 158, 169

Diodati, Condessa de
I 387, 496, 503, 505, 592

* Diodoro
II 394

Diógenes (o "cachorro")
I 468
II 188, 453

* Diógenes Laércio
I 158-161, 163, 197, 216, 234, 268, 278, 309, 311s., 379, 419, 468, 592, 641
II 23, 179, 184, 187s., 293, 357s., 362s., 394, 450
III 127

Dioniso – dionisíaco
I 296, 312, 342-350, 354, 371, 428, 435, 599

II 261, 282, 299, 362, 420s.
III 20, 24, 26, 52, 58, 60, 82, 185s., 196

Doença cerebral
I 38s., 44, 114, 484-486, 583, 586, 593, 608, 616, 629, 644, 653, 657
II 65, 249, 252, 265, 469
III 9, 78, 116

Domgymnasium Naumburg [ginásio em Naumburg]
I 50-52

Dönhoff, Marie
I 592
II 145, 213

Donizetti, Gaetano
I 269

Dormann, Dr. med.
I 604

* Dostoiévski, Fedor Michailowitsch
II 94, 384s., 387, 392, 402, 490
III 25, 28, 193

Doudan, Xaver
I 658
II 403

Dove, Alfred
I 406

Draper, William
II 387

Droste-Hülshoff, Annette
II 237

* Druscowitz, Helene
II 232, 273-276, 307, 480
III 218

Dubois-Reymond, Emil
I 463
II 80

346

* Dühring, Karl Eugen
I 163
II 65, 182, 186, 189, 255, 258, 274, 291, 308, 324, 329, 354, 386, 393, 430
III 218, 252

Dujardin
III 221

Dumas, Alexander Jr.
II 78

Dunant, Henri
I 414

Dunckers, Carl
II 336

Dürer, Albrecht
I 153, 279, 285, 314, 480
II 298

Durisch, Gian Rudolf
II 70, 157, 243, 474

* Eckermann, Johann Peter
I 639
II 31

Eckhart, Mestre
I 196

* Edda
I 84s., 92

Edison, Thomas
II 229

Ehrlich, Joseph R.
I 579

* Eichendorff, Joseph
I 99

Eiser, Otto
I 464, 593, 615-618, 623, 625, 644
II 12, 142s.

Eliot, George
II 274

* Emerson, Ralph Waldo
I 97, 103s., 163s., 469
II 213, 218, 220, 403

Empédocles
I 72, 311-313, 393, 539
II 179, 295, 354, 437

Engelmann, Wilhelm
I 330

Engels, Friedrich
III 253

* Epicuro
I 159, 197, 345
II 23, 156, 211, 291, 353, 383, 450

* Epíteto
II 380-382

Erasmo, Desidério
II 83

Erlecke (editor em Leipzig)
II 311

* Ésquilo
I 103, 106, 149, 158, 200, 211, 247, 250, 267s., 277, 283, 285s., 303, 339, 372, 378s., 410, 415s., 418, 558, 605, 628
II 259
III 104, 187

* Ésquines
I 416

Estoicismo
I 159, 309, 560

II 193, 211, 291, 381s.
III 26

Estudos de teologia
I 117, 163, 171, 258, 262, 412

* Eudemo
II 187

* Eumolpo
I 221

* Eurípides
I 215, 339, 348, 350, 372, 374, 416, 550, 578

Eva
I 245s.

Exner, Adolf
I 241
II 267s.

Exner, Marie
I 241
II 267s.
III 104

Fellenberg, Emanuel v.
I 249

Fênix (pseudônimo de Nietzsche)
III 19

* Feuerbach, Ludwig
I 27, 324, 542, 643
II 83, 269, 493

Feustel, Friedrich
I 569

* Fichte, Johann Gottlieb
II 96
III 199

* Fick, Adolf
II 69

Filoctetes (também pseudônimo de Nietzsche)
I 193
II 80, 259-261, 286s.

Filosofia Vedanta
II 291, 369, 405

Fino, Davide
II 475
III 22, 28, 31-33, 36, 46, 48, 63

Finochietti, Nerina
I 598
II 57, 77

* Fischer, Kuno
I 166, 197, 201
II 66, 68, 182, 187, 254

Fitting, Hermann
I 234

Flath, L.F.
I 183

* Flaubert, Gustave
II 437s.

Flemming, Kurt
I 304

Flims
I 429-432, 461s., 486
II 267, 398

Flotow, Friedrich v.
II 224

Flügge, Herr
I 604

* Foissac, Pierre
II 80

* Fontenelle, Bernard
I 658
II 32

Förster, Bernhard
II 84, 163, 165s., 203, 237, 262, 264, 289, 300, 307, 312, 314, 319-323, 334s., 396, 430
III 70, 94-96, 108, 160

Förster (superintendente)
I 38

Förster-Nietzsche, Elisabeth; cf. Nietzsche, Elisabeth

Fra Filippo Lippi
I 497

Fragmento de Crítias
II 416

Franck, César
II 433

Franck, Sebastian
II 89

Franconia
I 117-119, 121, 134-136, 142, 145

Frederico II
I 33

Frederico III
II 434, 489, 500, 502
III 25

* Freiligrath, Ferdinand
II 265s.

Freud, Sigmund
II 92, 205, 292, 309

Freund, Robert
II 271, 275s.

Freytag, Alwine
II 457
III 89-91, 115, 117, 123, 131, 134, 157, 266

Freytag, Gustav
I 103

Friedrich Wilhelm IV [Frederico Guilherme IV, rei da Prússia]
I 37, 42, 181, 227, 243

Fritzsch, Dr. (Hamburgo)
II 307

Fritzsch, E.W.
I 328, 330s., 334, 357, 377, 392, 406, 428, 434, 437-439, 460, 522, 526s., 599, 632-634
II 49, 127, 276, 344, 364s., 371, 391, 410, 443, 482, 484-487, 489
III 16, 100, 109, 112, 185, 191, 201s., 205, 219s., 237s., 241-243, 247

Frohburg
I 455, 536, 625, 651

* Fromentin, Eugène
II 403
III 23

Fuchs, Carl
I 439, 484, 488, 505, 526-532, 546, 551, 611, 647
II 72, 172, 225, 445, 450s., 457, 461-463, 465, 475, 482, 500
III 18s., 43s., 55, 62s., 81, 86, 103, 165, 235, 268

Fürstenberger-Vischer, Georg
III 137s., 152

Fynn, Emily e filha
II 77, 245s., 252, 307, 323, 334, 337, 363, 373, 390, 398, 404s., 418, 420, 467
III 56s., 66

Gade, Niels W.
I 620

Galiani, Ferdinando
II 329, 361, 431, 438

Galilei, Galileu
I 519

Galli-Marié
II 87

* Galton, Francis
II 213, 218

Gambetta, Léon
I 295

Gassmann (Bonn)
I 124

"Gast, Peter" (Köselitz, Heinrich)
I 34, 44, 86, 134, 315, 382, 419, 473, 493, 504, 527, 532, 535, 545s., 602, 628
II 61, 71, 86, 98s., 125, 127, 201, 223s., 226, 229s., 263, 270s., 310, 341, 391, 420, 423, 461, 480, 483, 488, 500
III 33, 61, 113, 161s., 165s., 219s., 227s., 261, 264, 268

Geffcken, Heinrich
II 500, 503

* Geibel, Emanuel
I 97, 168, 335, 630

Gelpke, Ludwig
I 414

Gelpke (-Schenk), pastor
III 160

Gelzer, Clara
II 120, 123
III 64-66, 97, 105, 156

Gelzer, Heinrich (filho, Basileia)
I 322

Gelzer, Heinrich (pai, Jena)
I 321
II 119
III 86, 89, 97

Gemelli, Bonaventura
I 344

Gersdorff, Carl v.
I 86s., 131s., 136, 151, 156-164, 166-168, 170, 172s., 175, 179-182, 185, 195, 200, 213, 258, 272, 275, 280, 296, 304-306, 208, 310, 313, 325, 332-334, 340, 352, 362, 364, 367, 380, 386, 395, 400, 408, 418, 421, 428, 441, 449, 457, 471, 480, 484-487, 491-495, 502, 518, 522, 531, 551, 562, 581, 597s., 626s.
II 45, 56-58, 75, 77s., 85, 87, 159, 178, 182, 231, 288s., 305, 426, 471, 474, 486
III 54, 66, 69, 103, 126, 165, 260, 268

Gerlach, Franz Dorotheus
I 249s., 252-256, 259, 266, 283, 285, 289, 419, 494, 586
II 339

"Germânia"
I 78-81, 84s., 87, 95, 357, 635
II 208

Gessler, Albert
III 12

Geyer, Ludwig
II 218

* Gfrörer, August Friedrich
I 477

"Gifthütte" [cabana do veneno]
I 384

Gillot, Hendrik
II 95-99, 103, 119s.

Girard, Charles François
I 494

Glasenapp, Carl Friedrich
II 255

Glinka, Michail
II 94

* Glogau, Bertha
II 273

Gluck, Willibald v.
I 263, 458, 548, 620
II 431s.

Gneisenau, Neithart v.
I 34

* Gobineau, Arthur
II 255
III 277

Goethe, Walter Wolfgang
II 407

* Goethe, Wolfgang v.
I 28, 34, 51, 53, 63, 97, 148, 202, 243, 247, 257, 276, 294, 326, 331, 411, 414,
430, 463, 521, 553, 558, 572, 648
II 31, 36, 51, 84, 89, 128, 150, 155, 173, 184, 187, 207, 226, 234, 255, 269, 323,
329, 358s., 402, 407s., 438, 446, 482
III 52, 131, 156, 184, 187, 190, 206, 252, 261

Goethe-Archiv e Schiller-Archiv, Weimar
I 12, 14, 16, 34
II 191, 407s.
III 124, 130s., 156

Gogol, Nicolai
II 32, 73

Goldmark, Karl
II 224
III 21

Goldschmidt, Wilhelm
II 385

Goncourt, Edmond e Jules
II 219, 403, 438

Gossmann, Friedrike
I 125

Gotthelf, Jeremias
I 258

Granier, Raimund
I 97-100, 139

Grazian, Balthasar
II 244

* Gregorovius, Ferdinand Adolf
I 522
II 198, 217, 309

Grieg, Edvard
II 404

* Griesebach
I 630

Grimm, Hermann
I 522
II 220

Grimm, Jakob
I 372, 652

Grimm, Wilhelm
I 84

* Groth, Klaus
I 97, 102
III 165

* Gsell-Fels, Theodor
II 47

Guercino, Giovanni Francesco
I 603

Guerra da Crimeia
I 52

Guerrieri-Gonzaga, Emma
I 453s., 456, 476, 505, 592

Guilherme
I 181, 298, 316, 565, 635

II 386, 434, 436, 489, 493, 500s.
III 23, 68

Guiraud, Ernest
II 72

Gusselbauer, Cäcilie
II 40, 60, 131, 230
III 106

Gustav-Adolf
II 445
III 199

Gustav-Adolf-Verein (Bonn) [Associação Gustav Adolf]
I 123, 138, 325

Gutjahr, Oscar
III 132

Gutzkow, Carl
III 253

* Häckel, Ernst
I 258, 649
II 191, 255

Hagen, Edmund v.
II 35, 421
III 105

Hagenbach, Carl Rudolf
I 335s.

Hagenbach, Friedrich
I 578

Hagenbach-Bischoff, Eduard
II 81
III 137, 139, 141, 148

Hahn, Karl Heinz
I 16

Hahn, Victor
III 252

Hahn, Wilhelmine
I 38, 40

Hahnemann (família em Tautenburg)
II 113

Hahnemann, Samuel
I 43

Halévy, Ludovic
II 73

Hamann, esposa de pastor
II 337

Händel, Georg Friedrich
I 133, 458, 463, 620
II 329
III 216

* Hanslick, Eduard
I 163, 520
II 223

Hansson, Ola
I 44

Hansun (máquina de escrever)
II 79

Harnack, Adolf
II 411

Harseim, Auguste
I 59

Harte, Francis Bret
II 32

* Hartmann, Eduard v.
I 273, 324, 445s., 477
II 254, 291, 354, 394, 403

358

Hartmann, Gustav
I 234, 248s.

* Hase, Karl v.
I 84

Hatzfeld, princesa de
I 336

* Haug, Martin
I 630

Hauptmann, Moritz
I 502
II 131

Haushalter, Bruno
I 117, 121, 142

Häusser, Ludwig
I 524

Haverkamp (alfaiate em Naumburg)
I 265

Haxixe
I 386
II 252
III 10

Haydn, Joseph
I 39, 54, 82, 405
II 87, 171

* Haym, Rudolph
I 151, 507

* Hebbel, Friedrich
I 125
II 186

Hecker, Hermann
III 151, 257

Hegar (família em Basileia)
I 454

Hegar, Friedrich
I 315, 459
II 263, 270-273, 275, 343, 379, 392

* Hegel, Georg Wilhelm Friedrich
I 163, 166, 310, 321, 368, 444s., 477, 517, 519s., 524
II 154, 329, 356, 358, 374, 458s.
III 227

* Heine, Heinrich
I 515
II 187, 329, 359, 463

Heinimann, Felix
I 16

Heinze, Max
I 44, 74, 94, 322, 454s., 477, 494
II 28, 164s., 333, 337
III 55, 94, 142, 146, 165, 238, 267

* Hellwald, Friedrich v.
II 66, 69

Helmholtz, Hermann
II 62

Hengster, Heinrich
I 435
III 250, 253

Henschel, Senhora (Nice)
II 203

* Heráclito
I 351, 400
II 259, 291, 354, 366, 383, 416, 450

Herder, Johann Gottfried
I 36, 49
II 408, 446
III 194s., 199

Hermenerico
I 81, 83-86, 92, 109, 114, 382, 474
II 421

Herold, Ferdinand
II 224

Herold, Johannes
I 31, 34

* Hermann, Gottfried
I 605

* Heródoto
I 70, 277, 286, 339, 416s., 579, 588
II 172, 184, 293

Herrmann, Karl Friedrich
II 338

Herzen, Alexander
I 533, 543s.

Herzen, Natalie
I 533, 594s.
II 104, 392

Herzen, Olga; cf. Monod

Herzog, Eduard
I 242

* Hesíodo
I 161, 197, 211, 221, 247, 267, 277s., 283, 308s., 338s., 369, 376, 387, 406, 416,
418s., 550, 628
III 127

Heusler, Friedrich: fundo de herança da família Heusler
I 662
II 19, 281
III 120, 135s., 138-142, 145, 151-153, 155, 219

Heusler-Hohenschild, Andreas (III)
II 487

Heusler-Ryhiner, Andreas (I)
I 231

Heusler-Sarasin, Andreas (II)
I 233, 313

II 486-489
III 135, 137s., 218

Heyne, Moritz
I 405, 494, 601

Heyse, Paul
I 522, 657

Hezel, Kurt
I 435

Hidrato de cloro
II 147, 168, 252
III 9s., 32, 246

* Hillebrand, Karl
I 421, 482, 515-518, 520, 522-527
II 276, 464, 477, 489
III 251

Hiller, Ferdinand
I 133s.

Hindermann, família de Basileia
I 462

Hirzel, senhor (em Wiesen)
II 17

Hobbes, Thomas
II 358

Hochberg, conde de
III 205

Hoffmann, Carl Ernst Emil
I 317, 360, 497

* Hoffmann, Ernst Theodor Amadeus
I 78, 118, 582
II 261, 305

* Hoffmann von Fallersleben, August Heinrich
I 65, 97, 102

Hofmannsthal, Hugo v.
II 179, 421

Holandês ("o velho")
II 306, 337
III 10

Holbein, Hans d. J.
I 341

* Hölderlin, Friedrich
I 71s., 76, 179, 312, 539, 544
II 76, 186, 293
III 14, 20, 55, 59, 79, 142, 159

Holstein, Conrad, Conde de
I 321

Holten, Karl v.
II 461s.

Holtzhauer, Helmuth
I 15

* Homero
I 161, 197, 219-221, 223, 252, 267s., 277s., 308, 339, 344s., 350, 369, 372, 376, 378, 387, 395s., 398, 406, 409, 415-417, 429, 454, 487, 517, 575, 578, 634
II 149s., 172, 413, 417
III 104, 127

Horneffer, August e Ernst
III 156, 162, 165, 269

Horner, Cécil
II 145s.

Howald, Ernst
I 257

Huber, Hans
I 620, 624

Hueffer, Franz
I 172

* Hugo, Victor
II 329, 386, 437, 459

Humboldt, Alexander v.
I 79

Hume, David
II 358

Humperdinck, Engelbert
II 258

Husserl, Edmund
I 507

Ibsen, Henrik
I 649

Immermann, Hermann
I 358, 360, 362, 483s., 489, 617, 625

Iselin-Sarasin, Isaac
III 138, 152

* Isócrates
I 416

Isolde
I 245s.

Jacobsen (violinista dinamarquês)
III 236

Jacoby, Johann
I 165

Jagemann, general de
II 314

Jäger, Gustav
II 70

Jahn, Otto
I 122s., 130s., 134, 203, 275, 325, 371

Janicaud
II 126

* Janssen, Johannes
II 220

Jaspers, Karl
I 16, 165, 324
II 11s., 190
III 13-15, 17, 43, 65

Jean, Paul
I 280
II 255, 306

Jena (prontuário)
I 111, 168
III 42s., 64-70, 75

Jensen, Adolf
II 404

Jesus (também: salvador, "aquele hebreu", Cristo)
I 54, 63, 130, 420, 647
II 219, 386, 473, 490s.
III 26

Joël, Karl
III 260

Joneli, A.
III 51, 231

Jonquières, Dr. med.
I 608

* Jornandes
I 84

Joukowsky, Paul v.
II 39, 117s., 254

* Journal des Débats
I 515
II 198, 433, 480
III 219

Jullien, Adolphe
III 221

Jung, Carl Gustav
I 575

Jung-Stilling, Johann Heinrich
II 31

Justino
II 47

Juvenal
I 135
II 469

Kaftan, Julius
II 466-470, 473-475
III 11, 15, 73

Kägi, Adolf
I 417

Kahl, Oskar
I 314

Kahnis, Karl Friedrich August
I 148

* Kant, Immanuel
I 23, 163-167, 197s., 201s., 324, 351s., 401, 467, 470, 478, 521
II 30, 96, 135, 187, 194, 230, 254, 274s., 291, 327, 329, 351, 356, 358, 403, 408, 466

Kantchin (família russa)
I 337
II 369

Karpenstein, Hans
I 12

Keil, Karl
I 105

* Keller, Gottfried
I 458
II 31, 61, 128, 180, 182, 191, 210, 263, 266-270, 379, 402, 418, 429
III 252

Kelterborn, Louis
I 283, 389, 411s., 418, 483, 487, 620, 624, 627
II 181

Kepler, Johannes
I 519

Kern, Franz
I 100

Kerner, Justinus
I 81

Kessler, Harry Graf
III 151, 157s., 167, 257

Kiel, Friedrich
II 149

Kierkegaard, Søren
II 46, 74, 96, 120, 211s., 261, 443

Kiessling, Adolf
I 209, 216, 249, 253s., 269

Kinkel, Gottfried jun.
I 171, 262s.

Kinkel, Gottfried sen.
I 263
II 98s.

Kinkelin, Hermann
I 494

Kintschy, cafeteria em Leipzig
I 168, 173, 205
III 69

Kipke, Karl
I 632

367

Kirchner (reitor de Pforta)
I 61

* Kladderatatsch
I 205, 301

Klein, Wilhelm
I 485

Kleinpaul, Rudolf
I 171

Kleist, Heinrich v.
I 176
III 14

Klemm, Susanne
I 177, 204

Klindworth, Karl
I 463, 534

Klinger, Friedrich Maximilian
III 259

Klopstock, Friedrich Gottlieb
III 199

Klose, Friedrich
II 304

Klucker, Christian
II 242s.

Knood, Peter
I 466

Knortz, Karl
II 454, 465

Koberstein, Karl August
I 72, 84, 86

Koch (gramática grega)
I 417

Koechlin (família de Basileia)
II 213, 291, 337

Köckert (família de Genebra)
I 505, 595, 607

Kögel, Fritz
III 120, 130s., 143, 146, 149, 151, 156, 162, 257

Kohl, J.G.
I 591
II 280

Kohl, Otto
I 173

"Kopf", restaurante em Basileia
II 337s., 466

* Kopp, Hermann
I 440

Körner, Theodor
I 275

Kortüm, Franz
I 250

Köselitz, Heinrich
I 419, 493, 500, 509, 529, 545s., 548-550, 552, 561, 570, 582, 591, 593, 598-602, 607, 610, 614, 623s., 628, 630s., 634, 636, 638, 644, 652, 656, 659
II 17s., 21, 23s., 26-28, 30s., 33s., 38, 40-46, 48-51, 54-64, 67s., 71-79, 86-89, 105, 110, 114-116, 121s., 127, 129-133, 138, 141-144, 146, 148-151, 153s., 156-163, 165-167, 169, 177-179, 181-184, 195, 198s., 202, 207-209, 212, 222-226, 230-232, 244s., 251, 261, 264, 267, 270-273, 276, 282-284, 288s., 291, 299, 303, 305, 307-310, 312, 318, 323, 335-338, 341, 343s., 363, 365, 368 370s., 373s., 378s., 384s., 387-392, 394-297, 401, 407, 410, 417s., 420, 422, 425, 433, 437, 439, 441, 447, 449, 454, 456, 458, 465, 468, 470-472, 475-477, 480, 482-484, 486-489, 496-498, 500
III 15, 18-21, 25, 27-31, 33, 38s., 41s., 44, 47-49, 51s., 54, 60-63, 70-72, 74s., 77-83, 85s., 94, 98s., 101-104, 106-109, 111s., 116-120, 125-127, 129, 132, 151, 156, 158, 161-164, 166, 191, 219, 233, 235-242, 244, 247-249, 258-261
- Peter Gast/composições: "Scherz, List und Rache" ("Brincadeira, astúcia e vingança")
II 51, 60, 71, 86, 89, 112, 127, 131s., 270

Krafft, Wilhelm Ludwig
I 122s.

Kramer, Arnold
III 160

Krämer, Oskar
I 75, 179

Krause: antecedentes familiares
I 30-32, 36s., 49
II 408

Krause, Ernst (Carus Sterne)
II 70

Krug, Gustav
I 50, 55, 66, 76, 78, 80s., 95, 104, 107, 179, 273, 332, 334, 338, 357, 359, 367, 380, 382, 387, 466, 654
II 38, 51, 164
III 92, 94

Krug, Klara
III 92, 94, 105

Krüger, Gustav
I 305, 615s.

Krug-Pinder, pais de Gustav
I 50, 55
III 94, 105

Kruse, Max
III 160

Kugler, Bernhard
I 456

Kugler, Franz
I 262

Kuh, Emil
II 268

Kürbitz, banqueiro de Naumburg
II 19, 396

370

Kym, Andreas Ludwig
II 239s.

Kym, Hedwig
II 239, 241, 365, 401

Laban, Ferdinand
II 212

* La Bruyère, Jean
I 592

* Lachmann, Karl
I 592

Lachner, Franz
I 423

* Ladenburg, A.
I 440

* Lagarde, Paul de
I 421, 630
II 321, 473
III 252

La Harpe, Jean-François
II 432

Langbehn, Julius
III 40, 45, 70-85, 105

* Lange, Friedrich Albert
I 163, 165-169, 182, 189, 196s., 201, 324, 326, 401, 629
II 62, 69, 187, 181, 240, 435, 450

Lange, Martin Hugo
II 435

Lanzky, Paul
II 199-202, 204s., 212, 261, 279s., 291, 307, 316s., 333, 379, 404s.
III 72

La Roche, Daniel
I 231

La Rochefoucauld, François
I 592, 660

* Las Cases, Emanuel
II 219

Lassalle, Ferdinand
I 434
III 253

Laube, Heinrich
I 204

Laussot (Hillebrand-), Jessie
I 517

Lauterbach, Senhor
III 100s.

Lavater, Casper
II 234

Leboeuf, Marechal (1870)
I 297

Lecky, William
II 387

Leibniz, Gottfried Wilhelm
II 96, 329

Lenau, Nikolaus
III 159

Leonardo da Vinci
I 33, 387, 475, 512, 539, 544, 657
III 222

* Leopardi, Giacomo
I 362, 431
II 166, 293

* Lermontov, Michail
I 97
II 30, 32

* Lesage (Le Sage), Alain Remé
I 582

Leskien, August
II 245, 307, 369

Lesseps, Ferdinand
III 24

* Lessing, Gotthold Ephraim
I 130, 159, 337, 463

Leszczyński, Estanislau, rei da Polônia
I 30

* Leucipo
II 383

Levi, Hermann
I 353
II 84, 132, 341, 389, 423, 430s., 484

Levy, Oscar
II 246

Lichtenberg, Georg Christoph
I 159, 391
II 31
III 189

Lichtenberger, Henri
III 158

Liebermeister, Carl v.
I 316s., 322, 360

Liebig, Justus v.
II 147

Liebknecht, Karl
I 434

* Liebmann, Otto
II 80

* Lipiner, Siegfried
I 612s., 630, 639
II 183, 204, 210, 429s.

* Lippert, Julius
II 340

* Lísias
I 70, 416s.

Liszt, Franz
I 54, 81, 85, 152, 175, 213, 265, 272, 274, 289, 360, 463, 475, 531, 563, 565, 567-569, 592, 642
II 39, 113, 171, 173, 271, 275, 291, 367s., 433, 459
III 20, 127, 217, 226, 252

Litteraturblatt (Fritzsch)
I 522

* Lívio
I 69s., 100

"Lhama" = apelido de Elisabeth Nietzsche
I 129, 657s.
II 301
III 162

Locke, John
II 358

Loën, August Friedrich
II 86

Lombroso, Cesare
I 544
II 409

* Longfellow, Henry
I 498, 512

Longo
II 293

Lorentz (livraria em Leipzig)
II 311s.

Lorrain, Claude
II 157, 476s.

Löscher (livraria em Turim)
II 441, 454

Loti, Pierre
I 511

Lotze, Rudolf Hermann
II 69, 255

Lucca (primadonna de Viena)
II 86

Lucca, Francesco e Giovanna
II 225

* Luciano
I 339, 416

Lüdemann, Hermann
II 47

Luís II, rei da Baviera
I 238, 243, 246, 277, 297s., 316, 423, 458, 561, 563, 566
II 39, 344

Lurgenstein, Senhor
I 183

Lutero, Martinho
I 93, 478, 521, 554
II 207, 255, 330, 348, 357, 416

* Macaulay, Thomas
II 30, 218

Mackenzie, Morell
II 434

* Mädler, Johann Heinrich
I 440

Mahler, Gustav
II 171, 229

Mähly, Ernst
III 41, 46, 63s.

Mähly, Jacob Achilles
I 252-254, 266, 283, 322, 419, 493, 578, 601
III 41, 63, 172

Mahn (restaurante em Leipzig)
I 168, 172

Maier, Mathilde
I 451s., 565, 646, 652

Mainländer, Philipp
II 308

* Mallarmé, Stéphane
II 191
III 221

Manet, Edouard
I 649

Mann, Thomas
I 120
III 12

Mansuroff, princesa
II 245s., 304s., 307, 334, 337, 363, 365, 367, 398, 404, 418, 467

Manu
II 431, 449

Maomé
I 130

* Maquiavel, Niccolo
I 97
II 32

Margherita, rainha da Itália
II 67, 137, 224
III 23

Mariani
III 19

Marienbad
II 48-50, 71

Markay
III 259

Marmontel, Jean François
II 432

Marr, Wilhelm
I 566-569

Marschner, Heinrich
II 356

Martensen, Hans Lassen
II 46

Martin (pastor em St. Aubin)
II 18

Marx, Karl
I 223, 352, 398
II 189, 229, 265, 346
III 253

Massenet, Jules
II 338

Massini, Rudolf
I 622s., 625, 660

Matjeko, Jan
II 215
III 199

"Matrimonio segreto (O Leão de Veneza)"
I 527
II 61, 71, 86, 132, 223, 230, 270, 478
III 103, 164

Matthieux (Möckel-), Johanna
I 262s.

Maupassant, Guy de
III 221

Maurepas, Jean Frédéric Phélipeaux
II 219

* Mayer, Julius Robert
II 62, 182
III 79

Mazzini, Giuseppe
I 229, 317, 434s., 533
III 69

Méhul, Etienne Nicolas
I 297

Meilhac, Henri
II 73

Memel (encadernador em Basileia)
II 31

Mendelssohn, Robert v.
III 151, 257

Mendelssohn-Bartoldy, Felix
I 54, 65, 362s., 385, 424, 459, 463, 474, 598, 620
II 331, 444

Mendés, Catulle e Sra. Judith
I 297, 569
III 221

* Menipo
I 204

Merian, Adolf
III 138

Merian, Christoph
III 135

Merian, Johann Jakob
I 494, 578
III 137

Merian-Burckhardt, Senhora
III 138

Merian-Thurneysen, Cécile
III 138

Merian-Thurneysen, Peter
I 231, 258

* Mérimée, Prosper
I 512, 658s.
II 49, 73s., 198, 329, 403, 437

Métrica
I 268, 286, 308
II 179, 352, 451

Mette, Hans Joachim
I 161
II 138

Meuli, Karl
I 16, 257

Meyendorf (Baronesa de Weimar)
I 569

Meyer, Konrad Ferdinand
II 180, 402
III 252

Meyer, Guido
I 74, 100

Meyerbeer, Giacomo
I 176, 362, 558, 637

Meyer-v. Knonau, Gerold
II 240

Meysenbug, Malwida v.
I 198, 344, 366s., 386s., 395, 402, 407, 420, 450, 453, 470, 473, 476, 480, 489, 493, 496, 504, 507, 517, 524, 532-545, 548, 551, 554, 561, 563, 569, 571, 573, 575, 579-581, 584-590, 592, 594-596, 598, 602-604, 607-609, 611, 613-616, 618, 624, 638, 640

II 14, 33, 38, 45, 76, 81, 91, 94, 99-103, 105, 116-119, 140, 144, 147s., 157, 161s.,
167, 208s., 211, 214s., 217, 222, 228, 232, 234, 237s., 245s., 253s., 257, 259
262, 292, 368, 378, 384s., 392, 397, 404, 432, 464, 478, 480, 489
III 16, 28, 32, 57s., 66, 200

Miaskowski, August e Ida
I 455, 471, 494

Michelangelo
I 264
II 479

Michelet, Jules
I 344

Mickiewicz, Bernard
II 209

Miescher, Johann Friedrich
III 35-38

Mill, John Stuart
II 358

Miller Junior
II 440

Milton, John
II 30

Mine = Wilhelmine Arnold
I 42

Minghetti, Laura
I 569
II 215, 237

Minna (empregada em Basileia)
I 317

Misteli, Franz
I 578
III 153

Möbius, Paul Julius
I 38, 45, 114, 168s.
II 12s., 469
III 12-14, 34s., 164, 260-263

* Mohr, Karl Friedrich
I 440

Moltke, Helmuth v.
II 434

Mommsen, Theodor
I 253, 256s., 278, 372, 391s., 510
II 49

Monod, Gabriel e Herzen, Olga
I 344, 387, 407s., 536, 539, 608s., 614, 626, 638
II 14, 104, 478
III 32

* Montaigne, Michel
I 314, 481, 592, 660
II 244, 329, 438
III 223

* Montalembert, Charles Comte de
II 387

* Montégut, Emile
II 218

Montinari, Mazzino
I 7s., 15
II 34
III 43

Mörikoffer (cônsul em Paris)
I 321

Morus, Thomas
II 31s.

Moscheles, Ignaz
I 502
II 275

Mosengel, Adolf
I 301-303

Möser, Justus
II 30

Mottl, Felix
I 341, 463
II 132, 335-337, 423

Mozart, Wolfgang Amadeus
I 54, 65, 123, 131, 263s., 269, 325, 339, 405, 493
II 54, 74, 79, 87, 131s., 171, 184, 193s., 206, 211, 223s., 284, 306, 329, 356
III 178, 217

Mullach, Friedrich Wilhelm August
II 416

Müller, Friedrich
I 494, 622s.

Müller, Sra. Dra. (Ajaccio)
II 279

Müller v. Königswinter
I 176

Münch, Alfred
I 417

Münchow, senhora
II 434

Mürner, Ludwig (pseudônimo de Köselitz, Heinrich)
II 87

Musaio
I 161

Mushacke, Eberhard
I 148

Mushacke, Hermann
I 117, 135, 137-141, 145, 148, 156, 158s., 164s., 170, 172, 174, 180, 184s., 189

Musikalisches Wochenblatt (Fritzsch)
I 406, 522, 526, 528, 599

Musset, Alfred
II 49

Mussolini, Benito
II 202

382

Mussorgskij, Modest
I 473
II 94

"Muthgen"; cf. Erdmuthe Nietzsche
II 407s., 446

Myson
II 23

Napoleão Bonaparte I
I 58, 243, 288, 293, 397
II 93, 154s., 166, 198s., 212, 217, 219, 257, 356, 359, 403, 426
III 200, 218

Napoleão III
I 181, 302
II 73, 501

Naumann, C.G.
II 160, 269, 289, 312, 341-343, 363, 371, 410, 425, 457, 470s., 480, 484s., 487,
    489, 497, 499-501
III 49-51, 53-55, 62, 81, 96, 99-102, 108-112, 117, 122, 126, 128, 141, 146s., 162s.,
    193, 201, 219s., 232-239, 243-246, 248-250, 254s., 257

Naumann, Emil
III 205

Naumann, Gustav
II 179, 184, 186s.

Nausícaa (ópera)
II 72, 149-151, 226

Neoptólemo
II 260, 287

Nerina; cf. Finochietti

Nessler, Victor
III 215

Neumann, Angelo
II 84

Nevada, Emma
II 72, 86s.

Newton, Isaac
I 519

Nibelungos
I 70

Nicolau I, czar
II 93

Niebuhr, Barthold Georg
I 250, 510

Nielsen, Rosalie
I 428s., 434-436
III 74

Niemann-Seebach, Marie
I 125, 176

Nietzsche, Auguste
I 37, 42, 46, 58

Nietzsche, Christoph
I 30

Nietzsche, Friedrich August Ludwig (avô)
I 31, 34, 37
II 408

Nietzsche, Joseph
I 43, 46
II 236
III 77

Nietzsche, Karl Ludwig (pai)
I 31, 37s., 41-46, 116, 261, 273s., 321, 328, 346s., 353, 392, 466, 484, 495, 558, 586
II 13, 236, 249, 252s., 256, 267, 312, 325, 455
III 11, 77, 89, 96s., 125, 165, 200, 265

Nietzsche, Rosalie
I 37, 42s., 46, 59, 84, 114, 123s., 126, 144, 200

Nietzsche-Archiv (Naumburg e Weimar)
I 7, 26, 169, 545
II 186, 202, 395, 408, 437, 466, 486
III 42, 47, 96, 124, 130s., 146, 156, 254-257, 262s.

Nietzsche (Förster-), Elisabeth
I 11, 14, 40, 43s., 51, 59, 126, 128, 139, 183, 246, 272, 274, 284, 299, 301, 307,
317, 332, 367, 388, 421, 430, 432, 455s., 478-480, 513, 536, 545, 551, 595-508,
608, 614, 625s., 647s., 657s., 661
II 9s., 14, 18-26, 36-39, 44, 59, 64s., 75, 80, 86, 109-112, 114-121, 125s., 132,
140, 144-148, 155-157, 160-166, 237s., 246-248, 251s., 260-267, 271, 279s.,
289, 292s., 298-300, 306, 311, 335, 337, 371s., 395s., 407, 420s., 425s.,
428-430, 433, 436s., 481s.
III 9, 11-13, 28, 47s., 58, 77, 95s., 98, 100-106, 108-114, 119s., 122-128, 131s.,
141-166, 254-258, 260-264

Nietzsche (-Krause), Erdmuthe
I 31, 34, 36s., 41, 46s., 58, 124, 227
II 408, 445s.
III 199s.

Nietzsche (-Oehler), Franziska (mãe)
I 31, 37s., 41s., 47, 183, 273, 284s., 302, 307, 330, 339, 387, 438, 449, 473, 479,
482, 485, 568-560, 575, 586, 593, 597, 612s., 625s., 633, 653-656
II 15, 18, 20s., 23-26, 29s., 32, 34, 36, 38, 43s., 49, 58s., 63-65, 75, 80s., 93, 118,
121, 126, 129, 132, 143, 147, 165, 237s., 244s., 248, 253, 261-265, 268, 276s.,
279-281, 292, 299-301, 307, 311s., 314-317, 324, 333-337, 340s., 344, 363,
367, 372s., 378s., 397, 400, 402, 406-409, 420-422, 424, 430, 434, 446,
454-457, 476s., 481
III 9, 40s., 45, 47s., 52, 54-58, 63-69, 72-75, 77, 81-94, 96-98, 101, 104-109,
111-117, 120-126, 128-134, 141-147, 149s., 152s., 155, 157, 162, 246, 250,
253-258, 265s.

Nikisch, Arthur
II 127, 131s., 270, 343

Nitzsche, Martha
II 77

Nohl, Karl Friedrich
I 591
II 280

385

Nordau, Max
III 204

Novalis, Friedrich v.
I 77
II 187

Obschatz (Editora Schmeitzner)
II 56

Odisseu (Homero)
I 210
II 260

Oehler, Adalbert
I 51, 126
II 98, 145, 148, 150-153, 157, 159, 165, 256s. 315

Oehler, David Ernst
I 31, 34, 37-40, 77
III 87

Oehler, Edmund
I 65, 78, 155s.
III 98

Oehler (família/antecedentes)
I 30s., 36, 38

Oehler, Franziska = Nietzsche, Franziska

Oehler, Max
I 26, 30, 32, 46

Oehler, Oscar
I 66, 104

Oehler, Theobald
I 38s.
II 65

Oehler-Hahn, Wilhelmine
I 38, 40, 78, 276, 586

386

Oeri-Burckhardt, J.J.
I 296

Oertzen, comandante de
I 606

Offenbach, Jacques
I 176, 186, 294
II 190, 308, 432, 481

Oldag, Friedrich
I 117

Olde, Hans
III 160, 167

Olimpo
I 221

Ollivier, Emil
I 297

Oppenheim (editor em Berlim)
II 276, 464

Oppolzer, Johann Ritter v.
I 45s.

Oratório
I 80

Orelli, Aloys v.
II 240

Orfeu
I 161, 221

Ormuz
II 185

Osenbrüggen, Eduard
I 241
III 104

Ott, Louise
I 571-574, 592, 613, 615, 638

II 125, 130, 133, 292
III 45, 162

Otto (caseiro em Naumburg)
I 47

Overbeck, Franz
I 34, 288-292, 296, 300, 332, 334-337, 346, 384, 389, 408, 426-429, 432,
434-436, 439s., 449, 452, 455, 460, 462s., 466, 471s., 475, 477s., 481-483,
491-493, 496, 512s., 529-531, 535, 546-548, 570, 579, 585, 591, 597s., 601,
604s., 609, 614s., 622s., 631s., 636, 640, 644
II 14, 16-20, 22-28, 31-38, 45, 51, 56, 66, 78, 93, 105, 111, 113s., 133, 136, 145,
152s., 157, 164, 167, 181, 199s., 207-210, 223, 230-232, 267, 272, 276, 280s.,
289, 291, 298s., 307s., 311s., 323s., 326, 364, 371s., 375, 384s., 392s., 411,
466s., 472, 474, 480s., 484s., 487-489, 492s., 495, 500s.
III 15, 22, 25, 28-41, 74, 77-88, 90-94, 96, 99-104, 106-114, 116-136, 139-141,
145, 148, 150s., 153s., 158, 162-164, 166s., 201, 232s., 235, 239, 244

Overbeck (-Rothpelz), Ida
I 429, 497, 598, 614, 653s.
II 18, 28, 31s., 38, 45-47, 70, 105, 111, 113s., 133s., 143, 146, 148, 157, 160,
162, 208
III 41, 45, 66, 86, 97, 131, 148, 158, 163s., 238s., 244, 261, 264

Ovídio
II 220, 222

Pahlen, Isabella v.d.; cf. Ungern-Sternberg

Palestrina, Giovanni Pierluigi da
II 50
III 165

Paneth, Josef
II 198, 203-205, 209s., 280, 429s.

"Papa"
II 291, 296
III 23, 82

* Pascal, Blaise
II 96, 329, 348
III 187

Paralisia
I 119s.
II 10, 12, 469
III 9, 11, 13s., 17, 20, 42-44, 67, 116, 133, 144, 161, 261s.

Parmênides
II 358, 383

Patti, Adelina
I 125

Paulo (apóstolo)
II 84, 380, 491

Pensier, Armand = pseudônimo de Heinrich v. Stein
II 255

Péricles
I 192, 294, 416

Pestalozzi, Heinriche
I 414
II 30, 234

Peter, Karl Ludwig
I 105
III 69

Peters, Carl
II 320

Petery, senhora
III 157

* Petöfi, Alexander
I 97, 102, 125

Petrarca, Francesco
II 83

Pforta (escola)
I 13, 46, 51, 59, 61s., 65-71, 74-76, 79s., 83s., 92s., 97, 100s., 103-113, 115, 117, 122, 128, 131, 135-138, 145, 147, 171, 179, 218, 227, 250, 304, 333, 371, 416, 454, 487

II 93, 125, 182, 237, 242, 293, 307, 313, 325, 367, 421, 435, 503
III 69, 94, 103s., 107, 199, 268

Philosophie [Filosofia] (obra póstuma 1903)
I 507, 509

Piccard, Jules
I 494

Piccini, Niccolò
I 548
II 431s.

* Pindar
I 160, 247, 312, 339, 410, 416

Pinder, Eduard
I 51, 56

Pinder, Karoline
I 50

Pinder, Sophie
III 92, 94, 105, 122

Pinder, Wilhelm
I 50, 55-57, 66, 69, 76, 78s., 95s., 107, 110, 179s., 332, 357, 362
III 105

Pirro
II 450

Pitágoras
I 311, 351
II 187, 250, 291, 357, 383
III 197

Plänckner (-v. Seckendorff), baronessa
II 434

Planta, Meta v.
II 25

* Platão
I 23, 73, 77, 106, 164, 166, 197, 201, 268, 277, 285, 309, 339, 344, 346, 348, 372, 379, 397s., 402, 404, 415-420, 441, 465, 477, 550, 578, 592, 607, 628
II 42, 90, 97, 137, 170, 184, 187, 192, 206, 210s., 230, 291, 319, 327, 329, 345-348, 354, 358, 362, 380-383, 416s., 430, 449, 473, 481, 494, 501
III 18, 118, 194s.

Platen, August Graf
I 72

Plato, banqueiro em Berlim
I 569

Platzhoff-Lejeune, Eduard
III 34

* Plauto
I 149

Plotino (neoplatonismo)
I 257
II 187, 192

* Plutarco
I 339, 416, 430s., 445
II 184

Pohl, Richard
I 569, 591
II 480, 482-484, 487, 497-499
III 207

Políbio
I 441

Pollini, Bernhard
II 477

Porges, Heinrich
I 245

Port Royal
II 96

391

Pougin, Arthur
II 438

* Pouillet, Claude Servais Mathias
I 440

Prado
III 24

Preen, Friedrich v.
I 295, 447, 494, 551, 630

Proclo
I 257

Prometeu
I 79, 331, 347

Puccini, Giacomo
II 190

Pufendorf, Samuel v.
I 34

* Puschkin, Alexander
I 97, 125
II 73, 93

Puschmann, Th.
I 406
II 155

Quintiliano, Marco Fábio
I 309, 338, 578
II 172

Raabe, Hedwig
I 176-178, 281

Racine, Jean
II 257

Radetzki, Josef v.
I 229

Raffael, Raffaelo Santi
I 167, 264

Ragaz
I 388s., 429, 597

Rameau, Jean Philippe
II 338

Ranke, Leopold
I 262, 360, 550, 592
III 199

Rantzau, Srta. de
II 307

Rapallo
II 67, 138, 252

* Rascovich, Robert
II 57

Rau, Leopold
I 331

Rauchenstein, Rudolf
I 252s.

Redtel, Anna
I 109s.
II 125, 313

Redtel, Sra. (mãe de Anna)
I 110

Rée, Georg
II 87, 163

Rée, Jenny
II 104, 109, 112s., 130, 162

* Rée, Paul
I 39, 166, 344, 418, 428, 493, 506-509, 569, 580s., 583, 585, 587-595, 607, 610, 612s., 621, 626s., 632s., 635, 638-641, 644s., 652-654
II 14, 24, 26, 28s., 31, 34, 36, 38, 40, 43, 45, 50, 52, 64, 77-82, 86s., 89, 100-109, 111s., 119, 122s., 129s., 132-140, 143, 148, 159, 162s., 166, 189, 202, 208s., 212, 222, 253s., 261s., 274s., 314s., 351, 412, 443, 465, 473s.
III 200, 252

Rée, Paul: Der Ursprung der moralischen Empfindungen [A origem dos sentimentos morais] (1877)
I 507
II 315

Reifferscheid, August
I 198
II 411
III 198

Reinecke, Carl
III 203, 205

Reinkens, Josef Hubert
I 466

Reinthaler, Karl Martin
III 205

Reiter, Ernst
I 284, 529

Rembrandt
III 70

Remington (máquina de escrever)
II 68

* Rémusat, Claire Elisabeth Jeanne
II 219

* Renan, Joseph Ernst
I 515, 630, 645
II 385s., 403, 437s., 474, 491

Respinger, Johann Rudolf
I 577
III 227

Retorno eterno
I 92, 311, 347, 541
II 62, 67s., 88, 123s., 135, 155, 186-189, 192, 208, 211, 221s., 225, 228-230, 239,
    287, 294s., 297, 326
III 18, 251

* Reuter, August
II 437

* "Revue des Deux Mondes"
I 515
II 218s., 480
III 219

Rheinberger, Joseph
II 131

Rheinisches Museum für Philologie
I 157, 160, 196, 209, 216, 234, 273, 277s., 308, 328, 371, 376, 406
III 251

Ribbeck, Otto
I 249, 251, 421

Riccius, Carl August
II 461

Richter, E.F.
I 546s.

Richter, Hans
I 245, 277, 298, 313s., 329, 341

Richter, Raoul
III 151, 257, 270

Riedel, Carl
I 176, 405s., 531
II 125, 423

Riemann, Hugo
I 526, 528
II 172, 451, 462

Riemenschneider, Georg
I 462, 528-530

Riese, Adam
I 203

Riese, Alexander
I 198

Rilke, Rainer Maria
II 92

Rimskij-Korsakow, Nikolaj
I 473
II 94

Ritschl, Friedrich
I 122s., 130-132, 138s., 141, 148-150, 154-160, 169, 172s., 184, 190, 193s., 198, 200, 203s., 207, 209s., 216, 218, 222, 227, 234, 239, 249, 251, 253, 261, 267, 272-274, 277s., 282, 306-308, 325, 361, 371, 374-379, 384, 392, 438s., 447, 586
II 473
III 69, 199

Ritschl, Sophie
I 194, 204, 270, 302, 375, 586

Ritter, Karl
II 36

"Ritter Gluck" (apelido de bar)
I 118

* Roberty, E. de
II 438

Robilant, Conde de
III 25

Röder-Wiederhold, Louise
II 303, 308

Rodin, Auguste
I 649

Roeder, S.
II 406

Rohde, Erwin
I 160, 171-177, 186-189, 192-195, 197-200, 204, 207-215, 233, 239, 259,
   266-270, 274, 280s., 286-288, 305, 316, 320, 326, 330-334, 337, 340, 344, 360,
   364-368, 370s., 373, 377-379, 381, 389-391, 406, 421, 429-433, 439, 447, 459,
   466, 479, 491-494, 501, 509, 524, 550-552, 562, 597s., 612s., 620, 640s.,
   643, 656
II 23, 28s., 38, 45, 76, 78, 82, 85, 116, 127, 147, 206, 210, 230, 232, 291, 334,
   341s., 364, 374s., 378, 394-396, 417, 426, 478
III 16, 32, 53, 58-60, 66, 68s., 78, 92, 98, 114, 123, 125, 127-129, 147s., 201,
   245, 260

Rohn (antiquário em Leipzig)
I 148, 151

Rohr, Berta
I 461s., 607
II 37, 247s.

Romundt, Heinrich
I 170, 204, 208, 213, 330, 337, 384, 407, 418, 426, 428, 430-432, 435, 455, 462,
   466, 477s., 481s., 492, 506, 512, 528s., 551
II 23, 28, 70, 77, 126, 136, 267
III 126, 260

Roscher, Wilhelm
I 154, 171, 194, 205
III 260

Rose, Valentin
I 161

Rossaro, Carlo
III 21

Rossetti (farmácia em Turim)
III 32

Rossini, Gioacchino
I 176, 269, 446
II 72, 78s., 224

Rothpletz, família; cf. Overbeck, Ida
I 497, 614, 653
II 16, 19, 28, 371

Rousseau, Jean-Jacques
I 98
II 96, 255, 356, 415

Rubens, Peter Paul
I 603
III 259

Rubicão
III 71

Rubinstein, Josef
II 39, 84
III 205

Rubinstein, Srta.
I 494

Rückert, Friedrich
I 97

Ruthardt, Adolf
II 304-306, 316, 330

Rütimeyer, Ludwig
I 258-261, 289, 299, 494, 649
II 191, 239
III 138

* Safo
I 339

Sainte-Beuve, Charles Augustin de
II 32, 46s., 437

Saint-Saëns, Camille
I 297

Saint-Simon, Claude Henri
II 219

Salieri, Antonio
II 223

Salin, Edgar
I 415

Salis, Meta v.
II 14, 222, 232-242, 253, 261, 273-275, 292, 365, 367, 392s., 401, 405, 408s.,
418, 452, 465, 467s., 474, 488
III 15, 18, 22s., 123, 150s., 156s., 159s., 165, 234, 256-258

Salomé, Gustav v.
II 92s., 95

Salomé (Andreas-), Lou
I 243, 427, 473, 509, 514
II 67, 75, 92-95, 97-99, 101-105, 107, 109-111, 113s., 116s., 123-126, 129s.,
134s., 137, 139, 141, 145-148, 161-163, 166, 178, 188s., 201s., 205, 208, 212,
215, 217, 222, 232, 239, 247, 253s., 261s., 292s., 299, 343, 384s., 397, 411,
423, 443, 473s.
III 126s.

Salomé (-Wilm), Louise
II 93, 96-98, 102-106, 109, 111, 163

Salústio, Caio
I 69s., 101
II 217

* Sand, George
II 46s., 49, 437
III 127

Sandberg, Richard
III 261

Santa Catarina de Sena
II 255, 257

Santo Agostinho
II 494

Sarasin, Karl
III 137

Sarasin-Brunner, Rosalie
III 137s.

Sarasin-Vischer, Rudolf
III 152

* Saxo Grammaticus
I 84

Sayn-Wittgenstein, Carolyne
II 368

Schaarschmidt, Carl
I 122, 130, 163

* Schafhäutl, K. Franz Emil
II

Scheffler, Ludwig v.
III 157

Schelling, Friedrich Wilhelm
I 321, 446, 498
II 213, 358, 459

Schellwien, R.
III 158

Schemann, Ludwig
I 569

Schmeitzner, Ernst
I 460s., 465, 481, 500, 507, 525, 547s., 552, 561s., 582, 590s., 630-634, 640, 644,
    646, 652-654, 656s.
II 28, 34, 38, 47, 56, 87, 141, 146, 158, 160, 165, 203, 207, 210, 276, 281s., 288,
    299, 310-312, 323s., 336, 342-344, 364, 482, 484
III 109, 111

Schmetzner, Helene
I 502

Schenk, Emil
I 77
III 257

Schenk, Marie
III 159s., 165

Schenk, Martha
III 160

Schenk (-Nietzsche), Mathilde
III 164s.

Schenkel, Moritz
I 171

Schenkel, Rudolf
I 171, 178

* Scherer, Wilhelm
I 630

Scheurer, O.F.
I 135, 142

Schiess-Gemuseus, Heinrich
I 593, 617, 625, 660s.
III 137s.

Schillbach (professor em Jena)
I 47

* Schiller, Friedrich v.
I 63, 65, 275, 371, 553, 558
II 76, 356, 402, 446
III 175, 178s., 187, 189s., 199, 217, 226

Schirnhofer, Adolf e Wilhelmine (irmãos)
II 213

Schirnhofer (pais de Resa)
II 213

Schirnhofer, Resa v.
II 213-222, 232, 236, 246, 248, 250-253, 261, 271, 273, 292, 303, 323, 392, 452, 469, 482
III 10, 15, 158s.

Schlechta, Karl
I 12, 14s.

401

Schlegel, August Wilhelm
I 34, 121

Schlegel, Friedrich
I 34

Schlegel, Johann Elias
I 34
III 199

Schlegel, Martin
I 34

Schleiermacher, Friedrich
I 289, 321

Schleinitz, Marie v.
I 360, 532, 569, 635

Schlosser, Friedrich Christoph
I 524

Schlöth, Ferdinand
I 414

Schlottman, Constantin
I 123

Schmidt, Heinrich
I 308

Schnabel, Ernst
I 115

Schneidewin, Friedrich Wilhelm
II 339

Schobinger (estudante)
I 298

Schobloch, Jakob
III 33

Schoedler, Fr.
I 129

Schöll, Fritz
II 395

Schöll, Rudolf
I 371

Schömann, Georg Friedrich
I 197

Schön, Dr. (Lübeck)
II 467

Schönbein, Christian Friedrich
I 251

Schönberg, Arnold
II 190

Schönberg, Gustav v.
I 248, 288, 363

* Schopenhauer, Arthur
I 146, 151, 153s., 156s., 159, 161, 163-167, 169-172, 174-176, 186s., 190, 196,
   201-203, 206, 212s., 269, 296, 298, 304-306, 310, 313, 321, 324-326, 336, 344,
   346s., 351s., 354, 368, 372, 390, 397s., 401s., 404, 407, 444-446, 454, 456s.,
   460, 464s., 467, 475, 480, 508, 511s., 514s., 519s., 529, 534s., 538, 546, 555s.,
   590, 610-612, 632, 635, 640, 645
II 11, 30, 47, 84, 96, 116, 139, 149, 166, 185, 187s., 194, 203, 227, 243-246,
   254-256, 268, 274s., 289, 291s., 295, 297, 308, 317, 329, 340, 349, 356, 358s.,
   365, 369, 374s., 381, 384, 405, 412, 437, 445, 458s., 492s., 495
III 18, 72, 93, 128, 190, 223s., 252

Schröder, Otto
III 250

Schrön, Otto v.
I 593s., 618
II 143, 228
III 87

Schubert, Franz
I 54, 472, 620
II 83
III 20

Schuch, Ernst
II 270

Schücking, Levin
II 237

Schücking, Theo
II 237

Schumann, Clara
I 125

Schumann, Robert
I 65, 78, 80, 121, 124s., 133, 326, 380, 459, 463, 473, 475, 544, 598
II 150, 171, 223, 289, 305s., 356, 392, 397, 444

Schuré, Edouard
I 569, 571, 592
II 36
III 221

Schwab, Sophie
II 203s.

Schweizer-Siedler, Heinrich
II 240

Schwendener, Simon
I 494

Schweninger (Prof. Dr. med. Heidelberg)
II 337s.

* Scott, Walter
I 465, 494

Seckendorff, conde de
II 434

Seidl, Arthur
III 156, 162, 165, 269

Seiling, Max
III 237

* Sêneca
I 222
II 429, 501

Senger, Alexander v.
I 497, 501, 504

Senger, Hugo v.
I 362, 387, 495-498, 501-505, 527, 532, 595
II 103

Senger, Leila e Agenor
I 502

Senger, Pauline v.
I 502

Septeto
II 389

Seurat, Georges Pierre
II 53

Sextus Empiricus
I 309

Seydlitz, Reinhart Freiherr v. e Irene
I 570, 579s., 589, 592, 594, 596, 602, 608s., 613, 625, 642, 646
II 315s., 323, 341, 380, 447, 453, 471
III 28

* Shakespeare, William
I 33, 70s., 97, 103, 498, 554
II 36, 84, 155, 218, 255
III 187, 203

* Shelley, Percy Bysshe
I 498, 605
II 18, 182s., 185, 274, 296, 356s.
III 76

Siebeck, Hermann
I 322

* Siebenlist, August
II 47

Sieber, Ludwig
III 137, 251

Siegfried, Traugott
I 413

405

Simon, general e filha
II 213, 279, 291, 307, 398, 400

* Simônides
I 131, 339

* Simplício
II 380-383

Simrock, Karl
I 405

Socialismo (também "democratismo" e "comunismo")
I 92, 165, 276, 352, 358, 398, 472, 635
II 348, 353, 386, 436, 443
III 222, 252s.

Sociedade Acadêmica Voluntária de Basileia
I 231, 237, 320, 323, 355, 662
II 19, 281
III 136-141, 144s., 151, 153, 155

Sócrates – socratismo
I 268, 285, 323, 344, 348, 355, 413s., 416, 421, 465, 550
II 206, 210, 329, 473, 503

* Sófocles
I 72, 106, 163, 277, 281, 283, 285s., 338, 379, 385, 415s., 418s., 578
II 259-261

* Sólon
I 339, 418
II 255

Speiser, Fritz
I 412

Speiser, Paul
I 662

Spencer, Herbert
II 46, 274, 358, 403, 443

Spielhagen, Friedrich
I 121

Spinoza, Baruch
I 643
II 65s., 182, 203, 213, 239, 254, 307
III 269

* Spir, African
I 440, 592
II 69, 182, 329

Spitteler, Carl
I 373, 425, 438
II 176, 179-182, 268, 270, 275, 297, 377, 418s., 427s., 431, 437s., 443s., 463,
480, 482, 484, 496, 498s.
III 54, 207, 212, 229

Spontini, Gasparo
II 224

Springer, Anton
I 122s., 130, 138

Stähelin, Johann Jakob
I 341

Stähelin-Brunner, August
I 360

Steffensen, Karl Christian Friedrich
I 320s., 323s.
III 137

Steffensen-Burckhardt, Maria
III 138

Stein, Heinrich v. (professor em Rostock, nasc. 1833)
I 322
II 34, 39, 117, 129, 132, 227s., 253-261, 284, 286s., 291, 294s., 312-314, 323,
400, 404, 430
III 66, 252

Stein, Ludwig (1859-1930, Berna)
III 128

Steiner, Rudolf
I 607
II 186s., 189, 211
III 129, 156

Steinhart, Carl
I 73, 105, 122

Steinmetz, Ida
III 66

Stein-Rebecchini, Augusta v.
II 237

* Stendhal (Beyle) Henri
I 438, 592
II 47, 198, 201, 218, 268, 329, 359, 384s., 403, 437, 496

Stephani (vice-prefeito, Leipzig)
I 182

Stern, Adolf
I 433, 522
II 75

* Stifter, Adalbert
I 39, 540
II 30s., 42, 46, 49, 61, 220, 244, 402
III 87

* Stirner, Max
III 158, 253, 258-260

* Stobaeus
I 197, 268

Stöckert, Georg
I 100

Stockhausen, Julius
I 459

Stoecker, Adolf
II 84, 434-436, 452, 489, 497, 501
III 23

Stölten (pastor em Tautenburg)
II 113

* Storm, Theodor
I 97

Stöving, Curt
III 130, 158

* Strauss, David Friedrich
I 126, 140, 163, 175, 410, 423-425, 428, 430, 438s., 442-444, 446, 454,463, 518s., 547
II 87, 188, 240, 246, 254, 268, 463, 495s.

Strauss, Johann (o jovem)
II 481

Strauss, Richard
I 175, 410
II 389, 421

Strawinsky, Igor
II 190

* Strindberg, August
II 442, 445, 480s., 496

Stromboli-Rohr, Agostino e Bertha; cf. Rohr, Bertha
II 247

Sturm, Julius
I 34

Suda (Suidas)
I 157s., 197

Sulger, August
II 133

Sully-Prudhomme, René Armand
II 403

Suppé, Franz
II 388

Surlej
II 67

Swinburne, Charles
II 274

* Sybel, Heinrich
I 122s., 524
II 386s.

* Taine, Hippolyte
I 123, 515, 630
II 220, 378s., 384, 387, 395s., 403, 426, 428s., 442, 480, 488
III 219, 222

Tales
I 421
II 357

Tausig, Karl
II 275

* Teichmüller, Gustav v.
I 316, 319s., 322, 324
II 167, 307s., 329, 437

Tempel, Ernst Wilhelm
II 200, 316

* Teócrito
I 339, 416
II 293

* Teógnis
I 84, 107s., 140s., 146, 156s., 159-161, 197, 339, 378

* Tertuliano, Quintus Septimus Florus
II 410s., 414
III 198

Teseu
I 312
II 331, 420s.

Teubner (editora em Leipzig)
I 377
II 56, 110, 114, 158, 160

Thoma, Hans
III 71s.

Thomas, Ambroise
II 432

Thorwaldsen, Berthel
I 243
II 107

Thurneysen-Gemuseus, Eduard
III 97

Thurneysen-Merian, família
I 360, 623
II 245
III 137s.

* Tirteu
I 339

Tischendorf, Konstantin v.
I 158, 169

Tittel, Senhor
III 90s.

Tocqueville, Alexis Charles Henri de
II 387

Tolstoi, Leon
I 244
II 94, 438

Tönnies, Ferdinand
I 508

Trampedach, Mathilde
I 497, 499, 504, 512, 540, 551, 571
II 93, 103, 105

Travèr, família de Basileia
I 462

Treitschke, Heinrich v.
I 121, 289, 291, 296, 372, 524

Trendelenburg, Friedrich Adolf
II 239

Tribschen
I 134, 235, 238-247, 256-258, 268, 271, 273-275, 278-280, 285-287, 297-301, 304, 313-315, 326, 329, 333s., 336, 339-342, 344, 358, 362-365, 392, 394, 445, 491, 527, 563, 569, 580, 585, 608, 657
II 83, 85, 107s., 120, 208, 218, 263, 267, 272, 331s., 342, 344, 386, 433, 449, 492, 495
III 59, 200

Trina (com Malwida v. Meysenbug)
I 584, 587, 589, 602, 606, 626
II 100

Tschopp-Holzach, Sabine
I 607

* Tucídides
I 286, 294, 338s., 416s., 578, 588, 592, 628

Turgueniev, Ivan
II 32, 73, 130, 392, 438

Turina, Carlo
III 32, 36

* Twain, Mark
I 472, 607, 630
II 32

Übermensch [super-homem, além-homem]
I 92, 469, 510s., 610
II 186-189, 192, 212, 217s., 239, 254, 287, 291, 295, 403, 479
III 18, 118s.

Umberto II, rei da Itália
III 19, 23

Ungern-Sternberg (-v. Pahlen), Isabella
I 582s., 590, 592
III 160

Usedom, Condessa de
I 569

Usener, Hermann
I 209, 268, 378s.

Vaihinger, Hans
I 435

Valverde, J.
II 481

van Dyck, Anthonis
I 602s.

van Gogh, Vincent
III 14

* Varro, Marcus Terentius
I 204

Vaughan, Eliza Clementine (v. Senger-)
I 502

Vauvenargues, Luc de
I 592
III 268

v. d. Hellen, Eduard
III 130s., 143

v. d. Heydt
III 151

* Velleius Paterculus
I 578

Verdi, Giuseppe
I 398, 637
II 150, 190, 212

* Verlaine, Paul
II 191
III 221

Verne, Júlio
II 229

Vigier, Wilhelm Josef Viktor
II 340

Vigny, Alfred Conde de
II 403

Vilback, Alphonse Charles de
III 21

Villari, P.
I 522

* Virgílio, Maro Públio
I 70

Vischer, Adolf
III 40

Vischer, Friedrich Theodor
I 328

Vischer-Bilfinger, Emma
III 137

Vischer-Bilfinger, Wilhelm
I 209-211, 216, 231, 248-255, 258, 266, 284, 288, 290, 300, 306, 309, 319s.,
   322-324, 326s., 337, 341, 367, 378, 406, 414, 439, 455s., 461, 466, 602,
   608, 621
II 338

Vischer-Heusler, Sophie
II 338s.

Vischer-Heusler, Wilhelm
I 341, 494, 601, 608
II 335, 338s., 344
III 137, 155

Vischer-Sarasin, Adolf
I 480

Vischer-Sarasin, Eduard
I 360
III 138

Vögelin, Friedrich Salomon
II 240

Vogler-Rieser, Adolphine
I 288

* Vogt, L. G.
II 69

Volkelt, Johannes
I 612
III 114

Volkland, Alfred
I 599
II 423
III 155, 186

Volkmann, Dietrich
I 70, 107, 195

Volkmann (pseud. Leander), Richard
I 194

Volkmar (Deussen-), Marie
II 368

Voltaire, François Marie
I 439, 496, 499, 519, 631, 634, 638s., 645
II 96, 165, 198, 386, 432

Von der Mühll, Peter
I 15s.

Von der Mühll-His, Karl
III 136, 141s., 144-146, 148, 150-153

Voss, Richard
II 237

v. Salis-Marschlins, antecedentes
II 233, 236, 238, 241s.

Wachsmuth, Wilhelm
I 524

Wachtel, Theodor
I 176

Wackernagel, Hans Georg
I 415

Wackernagel, Jakob
I 234, 415, 578
II 47

Wackernagel, Wilhelm
I 262

Wagner, Adolph
I 279

Wagner, Cosima
I 16, 238-242, 245-247, 271-275, 277-279, 282, 285-287, 289, 297-302, 305, 307, 310, 312-314, 317, 323, 326, 328s., 335s., 339-342, 344, 358, 361-365, 376, 382, 393, 395s., 398, 409, 420-423, 433, 439, 445, 463, 477-480, 508, 513s., 432, 535s., 553, 561, 563s., 568s., 585, 590, 608, 617, 634s., 639, 643-645, 647-650
II 35s., 39, 45, 76, 78, 83, 85, 108, 116s., 120, 124, 130, 132, 143s., 151-153, 155, 228, 238, 253, 255s., 259, 291, 315, 330-332, 344, 367s., 388, 421, 423, 430, 433, 474, 492s.
III 16, 23s., 58s., 68, 95, 120, 200

Wagner, Richard
I 7s., 34, 81, 106s., 198s., 203-208, 210s., 214, 223, 228s., 235, 238-246, 256-258, 261, 264s., 268s., 271-273, 275-277, 279, 285-287, 297-301, 303, 305, 307s., 313-316, 325-331, 334s., 349, 353s., 358, 361-368, 370s., 373, 377s., 380-382, 384-387, 389, 392, 394-396, 398, 402, 404-410, 413, 420-426, 430s., 433s., 439s., 442, 446s., 450, 457-461, 463s., 469, 472, 475-480, 483, 486, 488,

492s., 495, 500-505, 507, 512-514, 517, 519s., 524-529, 531-537, 540, 544-549, 551-561, 563, 565, 575, 597, 609, 615, 635-639

II 14, 34-36, 38s., 42, 49s., 52s., 73-76, 78s., 82-87, 90, 102, 107-109, 112, 115-118, 120, 124, 127, 129s., 132, 141-144, 146, 150-155, 166, 173s., 176, 179, 182, 188, 190, 194, 196, 198s., 203, 206, 209, 211, 215-218, 223, 225-227, 229s., 246, 251, 253, 255-257, 259s., 267s., 271s., 276, 280, 283, 286s., 289, 291, 297-300, 304-306, 310, 312, 315-317, 329-332, 335, 341s., 344-346, 349, 353, 356, 359, 364, 368-370, 377-379, 386-389, 392, 396, 399, 408s., 413, 416s., 419-421, 423, 426, 429-434, 444s., 447-451, 457-465, 470-473, 478-485, 489, 492s., 497-500

III 16-22, 31, 49-51, 53-55, 58-60, 62, 66, 76, 85, 101, 108-110, 112, 115, 128, 155, 187, 200-215, 217, 220-222, 224-230, 233-236, 238-242, 245, 250-252

* Wagner, Richard (escritos)

- A obra de arte do futuro

I 370

- Beethoven

I 313s.

II 83

- Mensagem

I 385s.

- O judaísmo e a música

I 362

- Ópera e drama

I 207s., 214

III 245

- O Sr. Eduard Devrient e seu estilo

I 424

- Público e popularidade

I 646, 652

- Sobre Estado e religião

I 272

- Sobre o destino da ópera

I 329, 331

- Sobre o reger

I 275

Wagner, Richard (obras musicais)

- Abertura de Fausto

I 81

- A Valquíria

I 203, 246, 431, 534, 562, 565, 568

II 108

III 61

- Das Rheingold (e "Ring der Nibelungen")

I 81, 277, 405, 431, 534, 564s., 568

II 84s., 211, 219, 345, 389

III 227

- Der fliegende Holländer [O holandês voador]

I 246, 386, 558

- Idílio de Siegfried

I 314s., 339, 341

- Kaisermarsch (Marcha imperial)

I 298, 339, 458, 463

II 335

- Lohengrin

I 203, 339, 382, 386, 392, 495

II 39, 295

III 124

- O crepúsculo dos deuses

I 342, 363, 431, 463, 562, 568, 637

II 42, 53, 188

III 21, 49, 60

- Os cantores mestres de Nuremberg

I 204, 206, 211, 219, 246, 278, 315, 339, 386, 471, 540, 611

II 114, 174s., 194, 196, 272, 356, 483, 496

III 225

- Parsital

I 279, 451, 536, 586, 618, 641-644, 647-649

II 39, 76, 78, 84s., 90, 107, 109, 115-117, 143, 190, 215, 226s., 229, 253s., 297, 322, 330, 359, 368, 388s., 404, 410, 416s., 430s., 433, 448, 460, 464, 493

III 203, 206, 227, 252

- Rienzi

I 558

- Siegfried
I 240s., 245s., 268, 305, 311, 314, 431, 560, 568, 591, 609
- Tannhäuser
I 176, 203, 246, 534s.
II 75, 224, 356
III 21
- Tristão e Isolda
I 81-83, 203, 246, 339, 381s., 386s., 491, 502s., 534, 536, 554, 611
II 106s., 152s., 194, 229, 272, 305, 460, 480
III 72, 203, 217, 225

Wagner, Siegfried
I 246, 268, 305, 311, 609
II 117, 253

Wagner, Wieland
II 226

Wagner, Winifred
II 430

Wagner (Köselitz-), Elise
III 163

Waitz, Georg
II 339

Waldersee, Adolf Graf v.
II 435

Weber (escola particular em Naumburg)
I 50s., 54

Weber, Carl Maria v.
I 125, 333, 459
II 356, 587

Webern, Anton v.
II 190

Weimar (grão-duque de)
I 565, 567
III 160

Weingartner, Felix
II 180-182

Weisse, C.H.
I 183

Welcker, Friedrich Gottlob
I 107, 250, 262
II 189

* Wellhausen, Julius
II 438, 473

Wenkel, Friedrich August
I 163, 274, 319
III 115

Wesendonck, Mathilde e Otto
I 314, 423

* Westphal, Rudolf
I 308

Widemann, Paul Heinrich
I 419, 493, 547s., 591, 624, 628, 630
II 41, 169, 178, 308, 310s., 323s., 333, 344
III 62, 81, 86, 99, 234, 236

Widmann, Joseph Viktor
I 458s., 660
II 270, 377s., 384, 417, 419, 428s., 431, 480, 483s.
III 193, 242s., 247

Wiel, Josef
I 485s., 489, 652s.
II 316, 406

Wiesen bei Davos
I 661
II 16-20

Wilamowitz-Moellendorff, Ulrich v.
I 131, 333, 344, 363, 370-374, 377-379, 381, 383-386, 389-392, 406, 419,
446, 652

Wilde (conselheiro jurídico em Naumburg)
III 110, 122

Wilke, K.F.W.
I 45

Willdenow, Clara
II 248s., 273, 307

Wille, Arnold
I 298

Wille, Ludwig
III 30s., 36-42, 46, 53, 63, 65, 80, 246

Wilm, Louise; cf. v. Salomé-Wilm

Winckelmann, Johann Joachim
I 294, 296, 337, 372-374

Windisch, Ernst
I 171, 199, 203-206

Wirth, M.
III 238, 240, 243-247

Wisser, Wilhelm
I 154, 172, 174

Wöhrmann, Emma
II 14, 57, 98, 237s., 245

Wöhrmann, Sidney v.
II 245

Wolf, Friedrich August
I 220, 250

Wolf, Hugo
II 271

Wolf-Ferrari, Ermanno
II 230

Wolzogen, Hans v.
I 529, 569, 591, 611, 617, 643-645
II 36, 259, 280, 331, 430, 493

Wüllner, Franz
I 277

Wunderlich, Oskar
I 136

Wyss, Bernhard
I 16

* Xenófanes
II 383

* Xenofonte
I 416s.
II 293

Zarncke, Friedrich
I 196, 199, 365s.
III 199

Zehntner, H.
III 139s.

Zeller, Eduard
II 68

Zerbst, Max
III 130s.

Ziehen, Theodor
III 65-67, 89, 159

Ziemsen, Hugo Wilhelm
I 302

Ziller, Sr. (Naumburg)
II 203

Zimmermann, August
I 99, 113s.

Zimmern, Helen
II 245s., 249-252, 261, 365-368, 430s., 489
III 17

Zola, Émile
I 649
II 393, 438
III 221

* Zöllner, Johann Karl Friedrich
I 403s., 406, 440s.

Zutt, Richard
III 139s.

Zweig, Arnold
II 205

Zweig, Stefan
III 14

Adendos à segunda edição

Graças a uma restauração, as inscrições numa lápide em Röcken voltaram a ser legíveis:

Aqui

descansa em Deus

Carl Ludwig

Nietzsche,

pastor em Röcken,

Michlitz e Bothfeld

nascido em 11 de outubro de 1813

falecido em 30 de julho de 1849.

Seguiu-o para a eternidade

seu filho mais novo

Ludwig Joseph

Nietzsche

nascido em 27 de fevereiro de 1848

falecido em 4 de janeiro de 1850

O amor nunca falha.

1Cor 13,8

Baseando-se em registros da paróquia, Reiner Bohley demonstra em seu ensaio *Friedrich Nietzsches christliche Erziehung* [A educação cristã de Friedrich Nietzsche] (Nietzsche-Studien 1987, p. 167, anotação 19)[295], que duas datas estão erradas aqui: O pai Carl Ludwig Nietzsche teria nascido em 10 de outubro (como afirma já Blunck, cf. vol. 1, p. 38), e o filho Joseph teria falecido em 9 de fevereiro de 1850. Mas permanece em aberto qual das tradições seria a mais confiável. Provavelmente, os livros da paróquia.

Volume II

Página 18, linha 8/9: Nietzsche se registrou no livro de hóspedes no dia 29 de maio.

Duas contribuições para a patografia

1) *Um diagnóstico oftalmológico* constata graus de miopia extremamente diferentes nos olhos de Nietzsche. Para corrigir isso, ele era obrigado a usar lentes de dioptrias muito distintas, o que resulta em imagens de tamanho tão divergente que o órgão central já não conseguia fundi-las. Essa tensão gera extrema dores de cabeça, irritações e, em decorrência disso, vertigens. Ou a correção era aproximada a uma tensão "mediana" (reduzida/exagerada) com o mesmo efeito das inevitáveis dores de cabeça e, diante do desfoque das imagens, vertigens. Uma solução parcial teria sido, sempre cobrir completamente um olho, com o risco de cansar o olho ativo.

2) *Um componente hereditário.* Em seu trabalho baseado em fontes *Nietzsches christliche Erziehung* (Nietzsche-Studien 1987, p. 164), Reiner Bohley descreve o pai Carl Ludwig das formas mais variadas. Aqui, interessa-nos a patografia: A concordância dos sintomas com os dados da biografia de Nietzsche é surpreendente. Os médicos ainda têm muito a contribuir neste campo. Deveriam, sobretudo, tratar da questão de uma forma hereditária de epilepsia, à qual remete Hans Erich Lampl.

Existem muitos documentos no espólio de Nietzsche que comprovam seu interesse intenso pelo fenômeno da "epilepsia". E ele o faz de um modo que sugere uma experiência muito pessoal e íntima – não sabemos se por experiência própria ou observação. Cabe aqui também aos peritos da medicina e psiquiatria avaliar as evidências.

Mas não é apenas o problema da "doença sagrada" da Antiguidade que interessou ao especialista em grego Nietzsche, é todo o campo complexo das dependências psicossomáticas que o fascina sobretudo em seu último ano de sanidade mental. E aqui, sua leitura intensiva o leva para a escola contemporânea de Paris, principalmente para Charles Férés, cuja obra ele cita de forma generosa. Até mesmo a terminologia dessa escola marca o estilo das anotações desse período. (Como demonstra Hans Erich Lampl em *Nietzsche-Studien* 1986, p. 225.)

Tarefas e desafios interessantes para a filologia e a exegese de Nietzsche.

Posfácio

Como fontes, foram usados artigos de jornais contemporâneos que exerceram alguma influência sobre a vida e a obra de Nietzsche (fazem parte disso também as discussões veementes sobre a importância da música em geral e de Wagner em especial), mas que não são acessíveis à maioria daqueles que não vivem na cidade de publicação das respectivas revistas e jornais; foram usadas também cartas dos espólios de Franz Overbeck e Meta von Salis na biblioteca universitária de Basileia e também os documentos do arquivo estatal da cidade de Basileia, que dificilmente virão a ser publicados *in extenso*. Por isso, citamos esses documentos em ortografia original. O mesmo vale para as citações de documentos no capítulo "A pensão de Basileia". Esse capítulo poderia muito bem ter sido incluído à parte "Documentos", mas foi necessário acrescentar tantos comentários que me pareceu mais adequado integrá-lo à biografia.

É necessário também definir melhor o termo "patriciado" em relação às famílias de estudiosos e industriais em Basileia, definição esta sugerida pelo Prof. Werner Kaegi em Basileia: nesta cidade, não existia um patriciado *de iure* com privilégios constitucionais, como, por exemplo, em Berna e outros cantões. Em Basileia, existia um patriciado *de facto*, formado por famílias que, ao longo de gerações, haviam conquistado posições de liderança na política, economia e cultura.

Agradeço também ao Dr. Max Burckhardt em Basileia pelas muitas referências bibliográficas e pela ajuda no deciframento de passagens de documentos para as citações usadas no vol. III.

A Srta. Eva Bernoulli, de Basileia, fez uma contribuição particularmente valiosa ao me emprestar a versão ainda não abreviada do manuscrito de *Overbeck e Nietzsche – Uma amizade*"[50] (uma raridade bibliográfica) de seu pai Carl Albrecht Bernoulli, que me forneceu algumas citações de cartas cujos originais desapareceram do espólio de Overbeck – provavelmente em decorrência do processo Nietzsche-Archiv vs. Carl Albrecht Bernoulli.

Preciso agradecer também ao Sr. Lic. Jürgen Graf, de Basileia, pela revisão e pelos comentários e observações críticas de toda a biografia, e também à minha esposa, que acompanhou grandes partes já do manuscrito e depois das provas e que me ajudou na elaboração do índice. Agradeço também aos funcionários da editora, que, com grande paixão e intensidade, possibilitaram a realização rápida deste grande projeto, de forma que já existem traduções para o italiano, francês, espanhol e holandês. A tradução para o inglês está sendo elaborada.

Por fim, peço que o leitor me permita algumas observações sobre as primeiras críticas. Alguns têm lamentado que essa biografia se limita a ser "apenas" aquilo que ela promete: o "retrato de uma vida".

Existem milhares de interpretações filosóficas sobre a obra de Nietzsche. Dependendo da heresia filosófica da qual elas surgiram, elas se complementam ou se contradizem, se impõem temporariamente e então desaparecem. Mas o que faltava até agora era uma representação ricamente documentada dos fatos, imprescindíveis para uma interpretação sólida. Faz parte desses fatos também a atmosfera espiritual do tempo, que, em muitas de suas manifestações, já não nos é tão acessível e compreensível. Pretendi preencher essa lacuna com detalhes aparentemente secundários, mas típicos de seu tempo.

Mas havia também outra tarefa a ser cumprida. Nos círculos mais amplos, Nietzsche provoca ainda hoje um mal-estar, que, em grande parte, se deve a uma falta de conhecimento ou a concepções equivocadas. Esta apresentação pretende fazer com que esta vida trágica se torne compreensível também àqueles que rejeitam completamente a filosofia de Nietzsche, para assim abrir o caminho para uma relação mais justa com o ser humano Nietzsche.

Um homem que viveu como Nietzsche, que levou tão a sério a sua vida e sua tarefa como ele, merece ser tratado no mínimo com respeito. Então se abre também a possibilidade de se aproximar de sua obra com menos preconceitos e de tentar integrá-la à própria visão do mundo, mas a partir de um esforço próprio, e não a partir de um modelo adotado.

Muttenz, abril de 1979
Curt Paul Janz

ÍNDICE GERAL DOS TRÊS VOLUMES

VOLUME I

Prefácio à edição brasileira, 7

Prefácio, 11

Prefácio à segunda edição, 19

Primeira parte – Infância e juventude, 21

Prefácio (Richard Blunck), 23

I – Os ancestrais, 27

II – A casa paterna e a primeira escola, 37

III – Pforta, 61

IV – O primeiro passo, 74

V – O fim do período escolar, 93

VI – O "francono" de Bonn, 115

VII – Os dois primeiros anos em Leipzig, 145

VIII – Serviço militar e fim dos estudos, 184

Segunda parte – Os dez anos em Basileia (19 de abril de 1869 a 2 de maio de 1879), 225

I – O novo ambiente, 227

   Origens, 227

   Basileia antes de 1875, 228

   O Estado suíço desde 1848, 229

   As preocupações de Basileia com sua universidade, 230

   O chamado precoce de Nietzsche, 233

A largada para uma "nova era" em conflito com o conservadorismo, 235

O novo lar de Nietzsche, 237

II – A "ilha dos bem-aventurados", 238

A primeira visita em Tribschen, 240

Lucerna no tempo do Concílio Vaticano I, 241

Richard Wagner em Tribschen, 244

III – O círculo de colegas em Basileia, 248

Prof. Wilhelm Vischer-Bilfinger, 249

Os colegas da faculdade, 252

Johann Jakob Bachofen, 255

Ludwig Rüttimeyer, 258

Jacob Burckhardt, 261

IV – Os três primeiros semestres em Basileia (abril de 1869 a agosto de 1870), 265

Sozinho em terras estrangeiras, 266

O primeiro semestre na profissão, 267

O escasso tempo livre, 268

As primeiras férias de verão, 270

Visita importante, 273

Decepções, 274

Primeiros problemas de dieta, 275

O semestre de inverno de 1869/1870, 276

A Festa de Natal de 1869 em Tribschen, 278

Profissão e chamado em conflito, 279

A contratação definitiva, 282

O jovem professor ginasial, 283

Contatos com a vida musical de Basileia, 284

Distanciamento de "Tribschen", 285

Uma visita querida (Erwin Rohde), 286

V – O novo companheiro, 288

VI – A experiência da guerra (1870), 293

Richard Wagner e a Guerra Franco-prussiana, 297

A reação de Nietzsche ao início da guerra, 299

Uma decisão difícil, 300

Serviço militar, 301

De volta em casa, 303

VII – O retorno (outubro de 1870 a março de 1871), 306

De volta à atividade profissional, 308

O ponto de vista da pátria é questionado, 310

O Fragmento "Empédocles", 311

Novamente em Tribschen, 313

O "Idílio de Siegfried", 314

Pela primeira vez no sul, 316

VIII – A candidatura fracassada à docência de Filosofia, 319

IX – O ano do "nascimento da tragédia" (1871), 328

Momentos de felicidade, 332

Reconciliação com a profissão, 338

Como cavalheiro de Cosima Wagner, 339

Natal e Ano-Novo movimentados, 340

A sombra de Dioniso, 342

Sementes da obra posterior, 349

X – A virada decisiva (1872), 355

Disposição para a solidão, 359

O chamado para Greifswald, 360

Entre Wagner e Mendelssohn, 362

De Tribschen para Bayreuth, 364

Rohde introduz o "Nascimento da tragédia" ao mundo literário, 367

Ulrich von Wilamowitz, 370

Distanciamento do mestre Ritschl, 374

Reveses em virtude do "Nascimento da tragédia", 378

A "meditação sobre Manfredo", 380

Um *intermezzo* feliz, 384

Refúgio nas montanhas, 388

A "História da cultura grega", de Jacob Burckhardt, 389

O golpe de Rohde contra Wilamowitz, 389

Dissonâncias persistentes, 391

XI – Os primeiros passos no novo espaço (o semestre de inverno de 1872/1873), 394

Os cinco "prefácios", 396

O contexto filosófico, 401

"Édipo – Discursos do último filósofo consigo mesmo, 402

O contexto burguês, 405

XII – A tentativa de uma síntese, 409

A vida como professor ginasial, 412

O programa universitário, 417

Autoimposição diante de Bayreuth, 420

XIII – A primeira consideração extemporânea, 423

Dias felizes em Bayreuth, 426

O hino à amizade, 427

O fantasma Rosalie Nielsen, 428

Férias de verão em Flims-Waldhaus, 429

Retorno para Basileia, 432

Trabalhos improdutivos, 433

Fantasmas surgem no horizonte, 434

XIV – A segunda consideração extemporânea (final de 1873 até o verão de 1874), 437

Sucesso ambíguo, 438

Novos planos, 439

Novas direções de pensamento das primeira e segunda "Considerações extemporâneas", 442

O episódio Eduard von Hartmann, 445

O abismo geracional entre Nietzsche e Ritschl, Wagner, Burckhardt, 447

Tentativas e aflições entre Ano-Novo e Páscoa de 1874, 449

Novas amigas, 453

Novos colegas, 454

Alienação de Basileia e Bayreuth, verão de 1874, 456

O "Canto de triunfo" de Johannes Brahms, 458

Preocupações e alegrias editoriais, 460

Verão de 1874: Bergün e Bayreuth, 461

XV – A doença inicia seu regimento (agosto de 1874 a agosto de 1875), 465

A terceira "Consideração extemporânea", 465

Retorno para a existência de professor, 470

Retrospectiva do seu tempo como compositor, 472

Perdas de amizades, 475

Elisabeth Nietzsche como administradora em Bayreuth, 478

Mudanças em Basileia, 480

Cura de verão em Steinabad 1875, 485

XVI – No lar próprio, 491

Heinrich Köselitz e Paul Heinrich Widemann como novos estudantes, 493

As forças começam a diminuir, 495

Visita a Hugo von Senger em Genebra e um plano de casamento, 496

XVII – No espelho de novas amizades, 501

Hugo von Senger, 501

Paul Rée, 506

Marie Baumgartner, 509

Karl Hillebrand, 515

Carl Fuchs, 526

Malwida von Meysenbug, 532

Heinrich Köselitz, 545

XVIII – Despedida de Bayreuth (1876), 550

Uma cautelosa economia de forças, 550

A ventura da quarta "Consideração extemporânea", 552

Uma quinta "Consideração extemporânea" incompleta, 561

Os ensaios em Bayreuth, 561

O primeiro festival de Bayreuth, 565

Uma despedida silenciosa, 569

Novos planos, novos amigos, 570

XIX – O ano de férias (outubro de 1876 a setembro de 1877), 575

O licenciamento oficial, 576

Os substitutos, 578

Preparativos para a viagem, 579

A viagem, 581

Em Sorrento, 584

Despedidas dolorosas, 586

O dia a dia em Sorrento, 587

Trabalhos sorrentinos, 590

Reveses na saúde, 592

Planos de casamento, 594

Os últimos dias em Sorrento, 595

O início do isolamento de Rohde e Von Gersdorff, 597

Köselitz contra Bagge, 598

A viagem de volta e a primeira escala (Bad Ragaz), 602

Rosenlauibad, 605

Intermezzo, 608

De volta a Rosenlauibad, 609

Novos caminhos, 609

De volta a Basileia, 613

Dr. Med. Otto Eiser, 615

XX – A última tentativa com a docência (meados de outubro de 1877 ao início de maio de 1879), 619

A demissão definitiva do Pädagogium, 622

Heinrich Köselitz se despede de Basileia, 623

A irmã desiste, 625

O peso de uma dívida, 626

O último apartamento de solteiro em Basileia, 627

Os últimos três semestres na universidade, 628

Dieta espiritual, 630

Novas preocupações com o editor, 630

A publicação de "Humano, demasiado humano", 1ª parte, 634

O impacto do novo livro, 636

O verão de 1878 no Oberland Bernês, 650

Fuga da doença, 653

O último semestre em Basileia, 653

"Miscelânea de opiniões e sentenças", 655

Alienação de Adolf Baumgartner, 656

A doença exige uma decisão, 657

Despedida de Basileia, 660

VOLUME II

Terceira parte – Os dez anos do filósofo livre (primavera de 1879 a dezembro de 1888), 7

I – Transformação (maio a dezembro de 1879), 9

A doença como impulso intelectual, 9

Possíveis razões da transformação mais profunda, 11

Em diálogo consigo mesmo, 15

Tentativa com o clima de Graubünden Central, 16

Convite para ir a Veneza, 17

Decisão pela Engadina, 18

Estilo de vida rigoroso, 19

Fastio da solidão, 22

Planos para o outono e inverno, 23

Para casa, 25

O andarilho e sua sombra, 27

Prazer com livros, 30

Dias ruins em Naumburg, 32

Vozes amistosas, 33

II – Novo terreno (do Andarilho até a Gaia ciência; de janeiro de 1880 à primavera de 1882), 37

Lar opcional entre montanha e mar, 37

Dietética da mente, 38

Tentativa de união amistosa: com Köselitz em Riva e Veneza, 40

Interesse literário intensificado, 46

Verão na Floresta da Boêmia, 47

Pausa em Naumburg, 50

De novo no sul, 51

O novo estilo: a "Aurora", 52

Um amigo retorna: Carl von Gersdorff, 56

Resposta negativa a Veneza e Naumburg, 58

Nova tentativa com Köselitz: Recoaro, 59

O compositor "Peter Gast", 61

Distanciamentos filosóficos, 61

Retorno ao refúgio na Engadina, 63

Necessidades do corpo e do espírito: desde a linguiça até Spinoza, 65

Zaratustra se faz anunciar, 66

Necessidade de fundamentação pelas ciências naturais, 68

Alojamento de inverno em Gênova: esperanças em relação ao compositor Peter Gast, 71

"Carmen", 72

Esperança em relação a Bayreuth, 75

Admiradores, 76

Paul Rée em Gênova, 78

Gênova se torna inóspita; tentativa em Messina, 81

O ímã Wagner, 82

Preocupações com "Peter Gast", 86

A "Gaia ciência" vem a seguir, 87

Os "Idílios de Messina", um *intermezzo*, 89

III – Lou (abril a outubro de 1882), 92

    Origem e juventude, 92

    A pergunta a respeito de Deus, 95

    O primeiro enredamento fatal, 96

    Fuga para o vasto mundo, 98

    Na companhia de Malwida von Meysenbug e com Paul Rée em Roma, 100

    O encontro com Lou e suas graves consequências, 102

    Partida de Roma, 105

    O mistério do Monte Sacro, 106

    Atos solenes em Lucerna e Tribschen, 107

    Planos audazes, 109

    A "Gaia ciência" fica pronta para o prelo, 110

    A viagem inútil de Nietzsche para a Floresta de Grunewald, 110

    Tautenburg se torna residência do verão de 1882, 112

    Bayreuth, verão de 1882: estreia de "Parsifal", 115

    Elisabeth e Lou em concorrência, 116

    Conflito explícito das rivais, 119

    Pontos altos com Lou em terreno perigoso, 120

    A ruptura com a família se torna inevitável, 125

    A serviço do amigo, 127

    Respostas à "Gaia ciência", 127

IV – Sombra (outubro de 1882 ao fim de novembro de 1883), 131

    Esperanças enganosas para Köselitz, 131

    Preocupações em torno de Lou, 132

    De novo rumo ao sul, 133

    Separação de Lou Salomé e Paul Rée, 134

    Último cortejar de longe, 137

    Tentativa de esclarecimento próprio, 139

    A morte de Richard Wagner e a "ofensa mortal", 142

    A amiga maternal Malwida von Meysenbug intervém mais uma vez, 144

A luta feroz da irmã contra Lou Salomé, 146

O episódio Bungert, 148

Duvidando de si e da obra (Zaratustra I), 151

Nova autoconfiança, 154

Reconciliação com a irmã, 156

Zaratustra enfrenta dificuldades, 158

Posicionamento contra o antissemitismo político, 158

A vida na Engadina e a continuação do Zaratustra, 159

Elisabeth lança um novo ataque contra Lou, 161

A sombra do Dr. Bernhard Förster, 163

Alegrias e paixões, 164

Os espíritos começam a se separar, 164

Para Naumburg, apesar de tudo, 165

Refúgio na Riviera, 167

V – "Meu filho Zaratustra", 169

O Zaratustra é uma "sinfonia"?, 169

O Zaratustra é uma "escritura sagrada"?, 177

O Zaratustra foi influenciado pelo "Prometeu" de Carl Spitteler?, 179

Possíveis influências externas, 182

Os dois temas do Zaratustra, 186

A posição do Zaratustra na obra completa de Nietzsche, 187

Zaratustra: tentativa de superação de uma visão do mundo exclusivamente positivista?, 189

Desenvolvimentos paralelos na época, 189

A questionabilidade dos dois temas, 192

A origem irracional na experiência, 193

A parábola do pai e do filho, 195

Filosofia de um artista? / Filosofia para artistas?, 195

VI – Um novo ambiente (Nice, Veneza, Zurique; dezembro de 1883 a julho de 1884), 197

Paul Lanzky, 199

Dr. Joseph Paneth, 203

Zaratustra, terceira parte, 205

Publicação rápida, 207

Ruptura com o antissemitismo, 208

O velho desejo de fundar uma escola, 210

Resa von Schirnhofer, 213

Diplomacia musical, 223

O maestro de Veneza, 225

O leão de Veneza – Ópera cômica em 5 atos de Peter Gast, 226

Aproximação de Heinrich von Stein, 227

O peso do dogma, 228

Em Basileia, 230

Piora, 232

VII – Admiradores (Sils, verão de 1884), 233

Meta von Salis-Marschlins, 233

Novamente em Sils, 241

O outro Sils, 242

Caminhos próprios, 243

Encontros ocasionais, 244

Sinais ameaçadores, 248

Barão Heinrich von Stein, de 26 a 28 de agosto de 1884, 253

O conflito com a família, 262

VIII – Dias de férias (Zurique, 25 de setembro a 31 de outubro de 1884), 264

Gottfried Keller, 266

Intermezzo musical, 270

Preocupações editoriais, 276

Desfecho, 277

IX – Zaratustra se esgota (novembro de 1884 a junho de 1885), 278

Mentone, 278

Nice, inverno de 1884-1885, 279

Problemas financeiros, 281

Preocupações com Heinrich Köseltiz, 282

Preocupações com Heinrich von Stein, 284

Preocupações com a obra, 287

Meio-dia e eternidade, de *Friedrich Nietzsche* – Primeira parte: A tentação de Zaratustra, 288

História da obra, 290

"Nietzsche e a mulher", 292

A posição especial da parte IV, 294

O balanço do decepcionado, 296

Despedida do mundo de Zaratustra, 298

X – "Aspiro à minha obra" (verão e outono de 1885), 302

Adolf Ruthardt, 304

O homem com a droga asiática, 306

Livros, 307

Um projeto de ópera, 309

O Processo Schmeitzner, 310

Viagem de outono, 312

Um último encontro, 313

O cunhado, 314

Encontro melancólico com dois livros, 314

Rumo ao sul, 315

Novamente em Nice, 317

A invasão de um mundo estranho, 318

A vingança de Schmeitzner, 323

Impedimentos e avanços na obra, 325

Ariadne, 331

XI – Primeira colheita ("Além do bem e do mal", janeiro a agosto de 1886), 333

O problema da editora, 335

Além do bem e do mal – Prelúdio a uma filosofia do futuro, 336

O convívio em Nice, 337

Wilhelm Vischer-Heusler, 338

Reminiscências de Basileia, 340

Em Veneza, 341

Naumburg-Leipzig, 341

A obra fundadora, 345

Primeira parte – "Dos preconceitos dos filósofos", 346

Segunda parte – "O espírito livre", 347

Terceira parte – "O ser religioso", 348

Quinta parte – "Sobre a história natural da moral", 351

Sexta parte – "Nós, os estudiosos", 353

Sétima parte – "Nossas virtudes", 354

Oitava parte – "Povos e pátrias", 355

Nona parte – "O que é nobre?", 360

A posição de "Além do bem e do mal" na obra de Nietzsche, 362

Desfecho em Sils, 363

XII – Novos impulsos (agosto de 1886 a junho de 1887), 365

Entre morte e casamento, 367

Uma enorme carga de trabalho, 370

De volta à residência de inverno, 373

Reações a "Além do bem e do mal", 374

Preocupações de compositor, 379

Outono, 379

Nietzsche se arma contra o platonismo, 380

Dostoiévski, 384

Interesses históricos, 385

Música e teatro, 387

Torcendo por Köselitz, 389

A própria existência pobre, 390

A viagem de volta para a Engadina, 391

Decepções, 394

Partida para a Engadina, 398

XIII – Desfecho e ataque (da "Genealogia da moral" até "A vontade de poder", verão de 1887 até abril de 1888), 399

As semanas com Meta von Salis, 401

Visitas rápidas em Sils, 404

Dieta rigorosa, 406

"Muthgen", 407

A imagem clássica do filósofo, 408

O último hino, 409

Genealogia da moral – Uma polêmica, 410

Desfecho em Sils, 418

A última visita a Veneza, 420

Pela última vez em Nice, 422

Os cinco meses de inverno 1887/1888 em Nice, 424

Ruptura, restauração, novo início, 426

O acorde dominante atual, 431

Bismarck, Stoecker, o Reich no campo de visão, 434

"A vontade de poder" 436

XIV – A "Revalorização" não acontece (abril a dezembro de 1888), 439

Georg Brandes, 442

"O Caso Wagner", 447

O fardo da "revalorização", 448

O problema "música", 450

Aphrodisia, 452

Desfecho feliz em Turim, 454

Viagem para Sils, 455

Clima e saúde igualmente ruins, 455

Ataque ao romantismo alemão, 457

Conversas entre músicos, 461

Dificuldades pessoais, 462

Conversas teológicas, 466

Os trabalhos em Sils, 470

O direcionamento decisivo, 472

Os últimos meses em Turim, 475

Pontes são destruídas, 477

O papel secreto de C.G. Naumann, 484

Prof. Andreas Heusler-Sarasin, 486

Os últimos escritos, 489

"Anticristo", 490

"Ecce homo", 495

'Nietzsche contra Wagner' – Protocolos das obras de Nietzsche, 498

As últimas anotações, 501

VOLUME III

Quarta parte – Os anos de esmorecimento (janeiro de 1889 até a morte, em 25 de agosto de 1900), 7

I – A catástrofe, 9

Hipóteses, 9

Primeiros indícios, 15

Os últimos dias em Turim, 22

A decisão, 29

Incertezas, 35

II – Entre temores e esperanças (janeiro de 1889-maio de 1890), 39

O paciente na clínica, 39

A função central de Overbeck, 46

Preocupações com a obra, 48

O editor Naumann, 53

A barricada dos amigos, 54

Em Jena, 63

Julius Langbehn, 70

A mãe, 85

III – Naumburg (13 de maio de 1890-julho de 1897), 90

A irmã do Paraguai, 94

A questão da tutela, 96

Discussão sobre os escritos "póstumos", 98

O caminho para a apatia, 103

Acordo com Naumann, 108

Elisabeth retorna ao Paraguai, 113

A Sra. Förster voltou do Paraguai!, 119

A fundação e operação de um arquivo nietzscheano, 123

A lenta imersão do amado filho em apatia total, 130

IV – A aposentadoria de Basileia (1879-1897), 135

Um incidente embaraçoso, 138

Uma primeira crise, 141

A irmã adquire os direitos autorais, 145

O fim da pensão de Basileia, 151

V – Weimar (julho de 1897-fim de agosto de 1900), 155

O fim, 164

Quinta parte – Documentos (textos e ilustrações) – Registro, 169

I – Documentos, textos, 171

1, 171

2, 173

3, 185

3a, 191

4, 193

5, 198

6, 199

7, 201

8, 207

9, 211

10, 218

11, 220

12, 229

13, 231

14, 231

15, 232

16, 253

17, 257

18, 258

II – Documentos, ilustrações, 271

III – Registro, 277

    1 Friedrich Nietzsche: obras, anotações, palestras, composições, 279

        a) Em ordem cronológica, 279

        b) Em ordem alfabética, 287

    2 Fontes, 297

    3 Nomes, 327

Adendos à segunda edição, 425

Posfácio, 427

Conecte-se conosco:

facebook.com/editoravozes

@editoravozes

@editora_vozes

youtube.com/editoravozes

+55 24 99267-9864

www.vozes.com.br

Conheça nossas lojas:
www.livrariavozes.com.br

Belo Horizonte – Brasília – Campinas – Cuiabá – Curitiba
Fortaleza – Juiz de Fora – Petrópolis – Recife – São Paulo

EDITORA VOZES LTDA.
Rua Frei Luís, 100 – Centro – Cep 25689-900 – Petrópolis, RJ
Tel.: (24) 2233-9000 – E-mail: vendas@vozes.com.br